宇宙考古学の冒険

古代遺跡は人工衛星で探し出せ

サラ・パーカック

熊谷玲美 訳

光文社

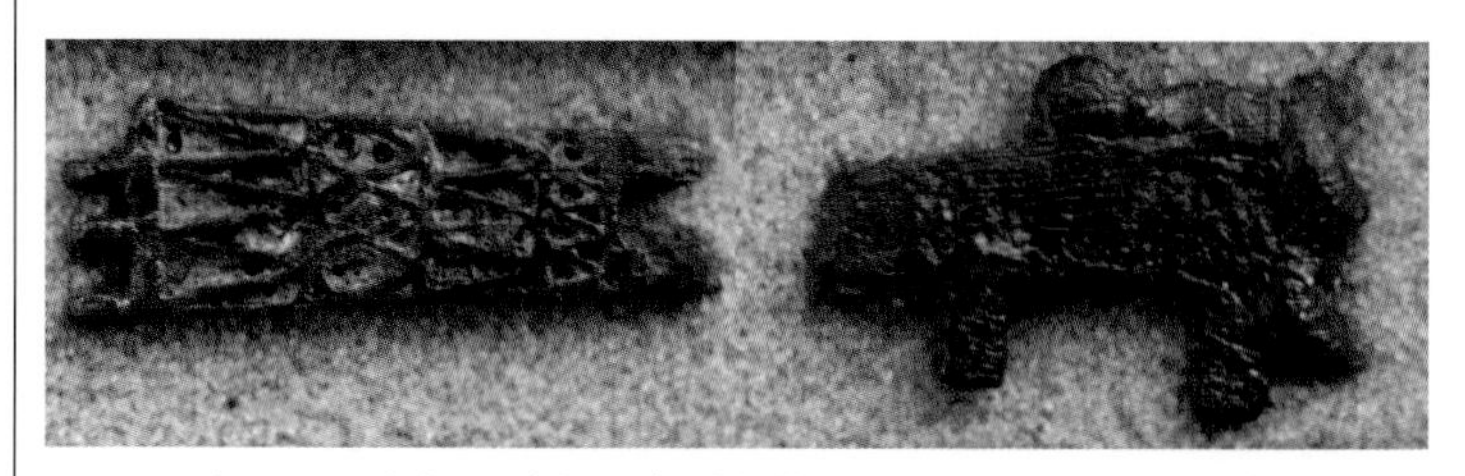

テル・テビッラから出土した青銅品（写真提供：グレッグ・マンフォード）

スカーガフィヨルズルの景観の写真
（写真：著者）

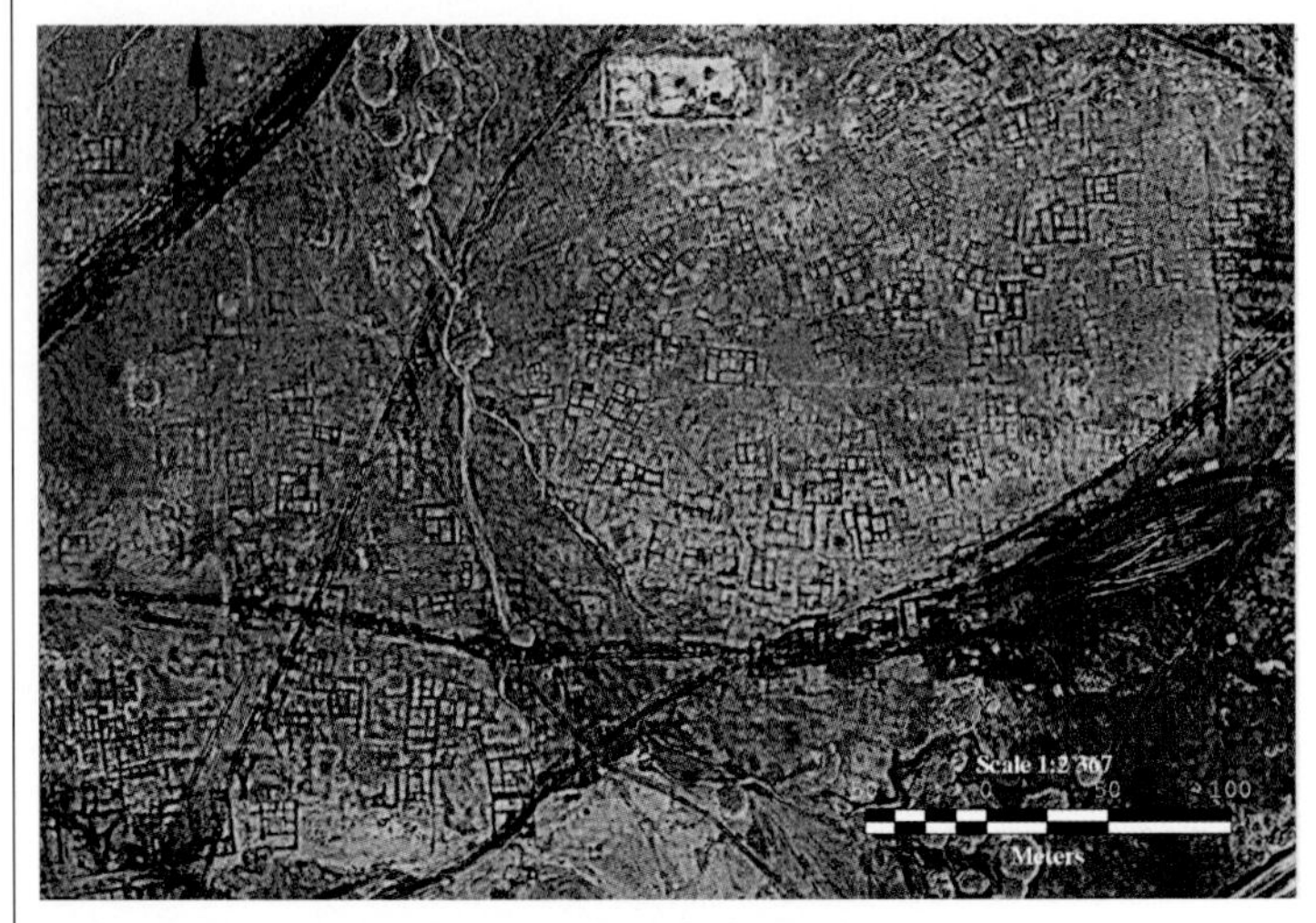

ワールドビュー２号が撮影したタニスの画像（処理後）。
古代集落の広がりを示している（画像提供:デジタルグローブ）

タニスの中央エリア。人工衛星画像で市街地が見えていた場所に
シルトが広がる風景。地面にはほとんど何も見えない(写真:著者)

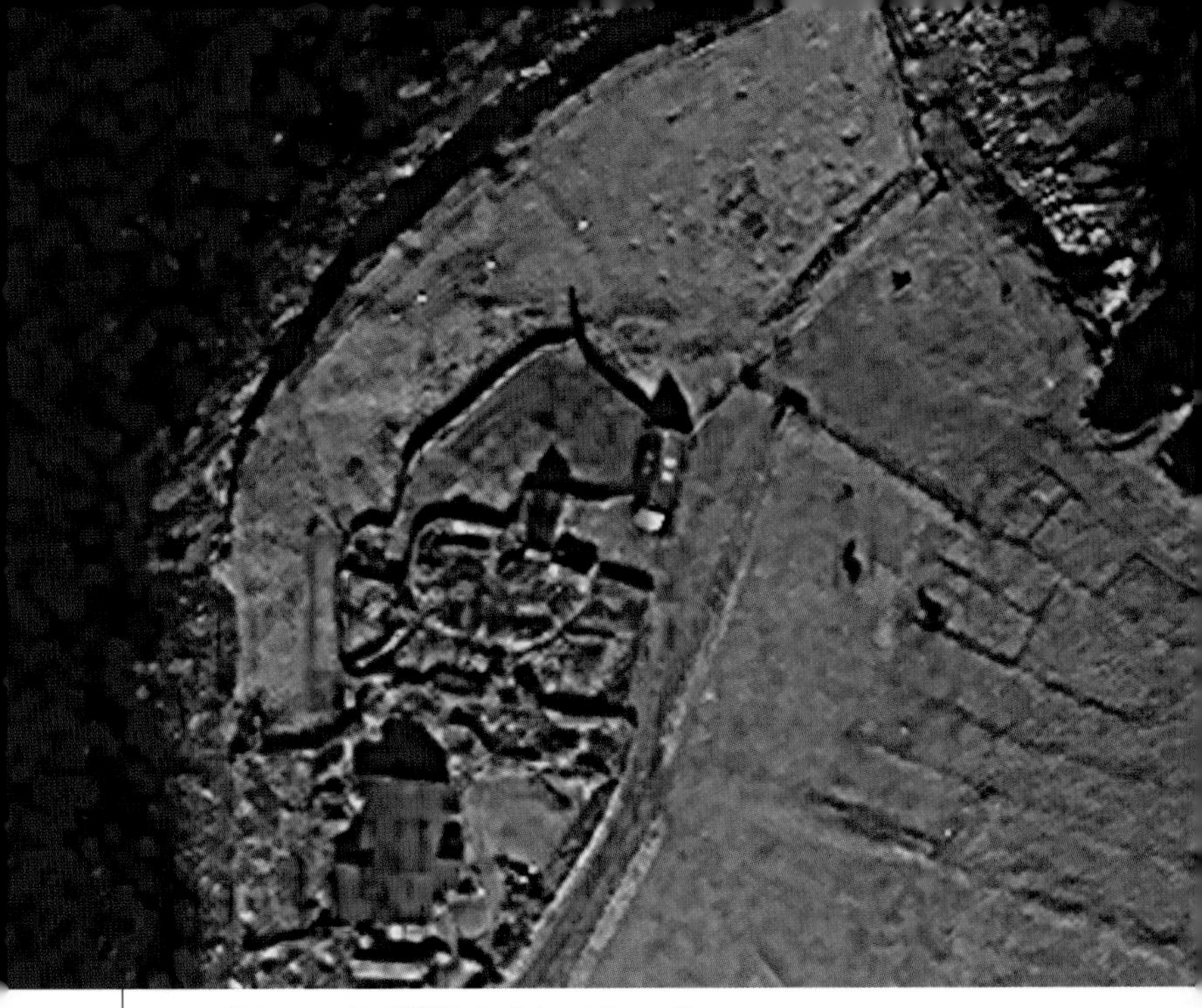

ワールドビュー２号が撮影したパパ・ストール島
ノースハウスの遺構の画像（処理後）
（画像提供：デジタルグローブ）

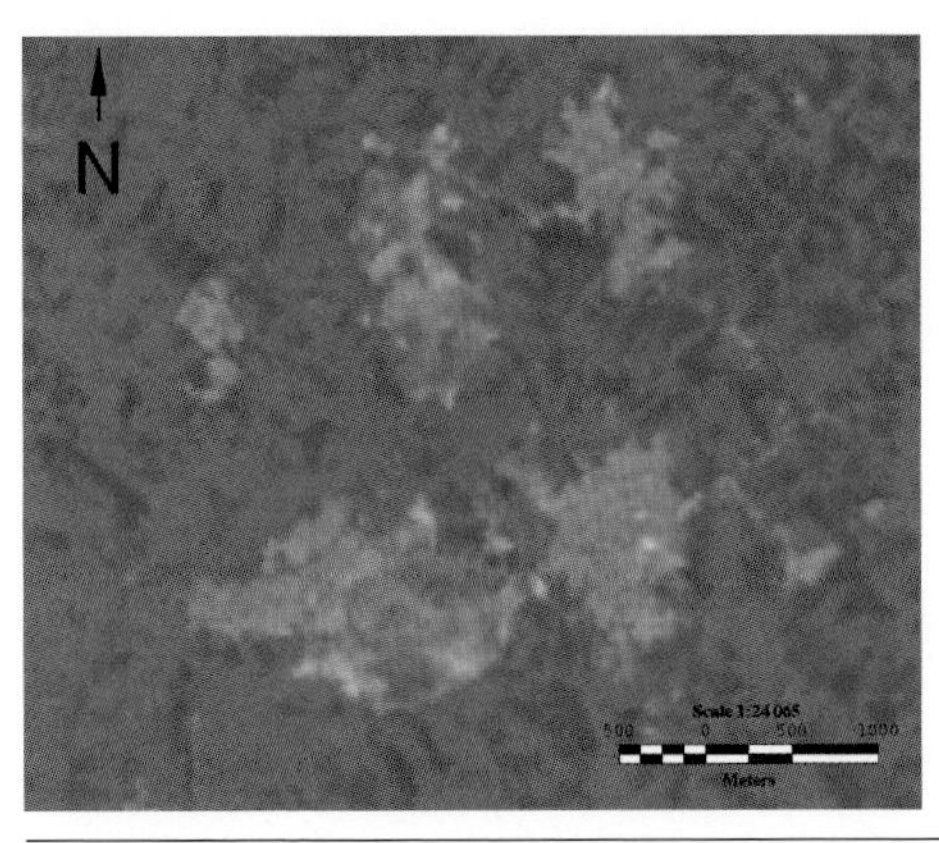

ランドサット７号の画像（処理後）。エジプトのある遺跡のマルチスペクトル分析を示している
（画像提供：NASA）

リシュトでコアサンプルの分析中。ザグルール博士、バンバリー博士、
バーダー博士、BBC のルイーズ・ブレイ氏と（写真：著者）

リシュトでのアンテフの墓の
発掘風景（写真：著者）

リシュトで見つかった古代の人の顔の絵
（写真：著者）

アンテフの名前と肩書き（写真：著者）

アンテフの墓で見つかった象眼細工の目（写真：著者）

アンテフの墓の発掘が終了
した様子（写真：著者）

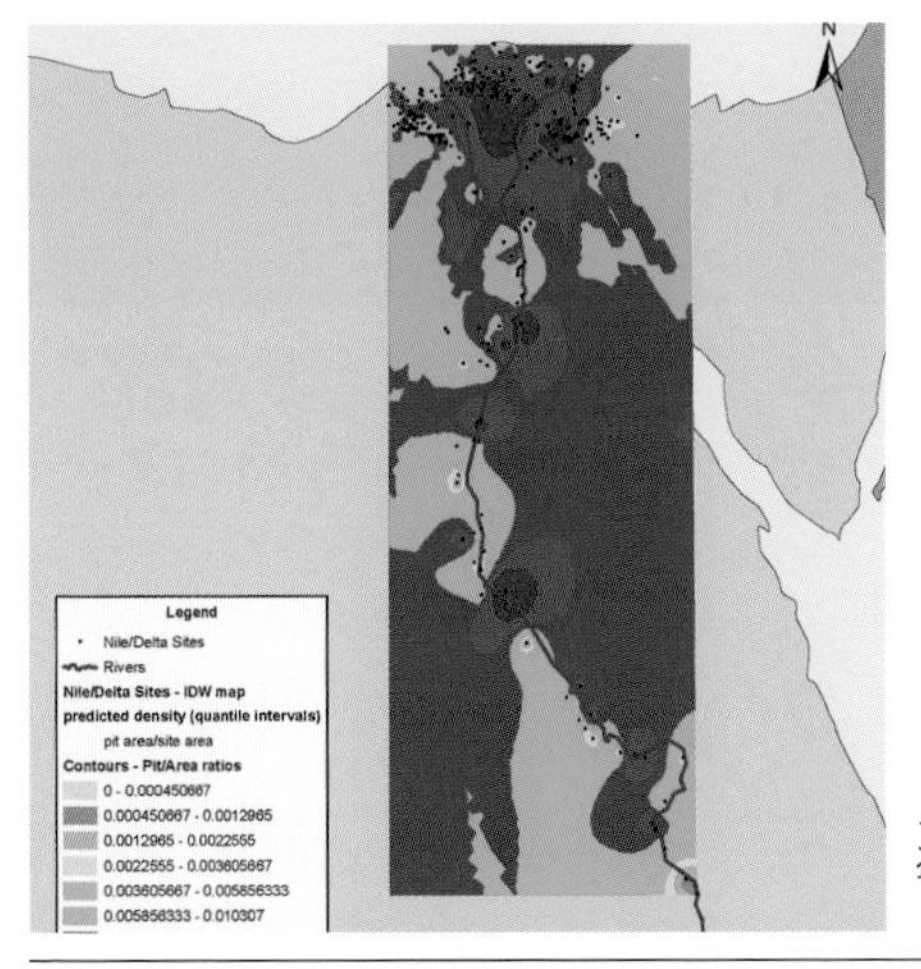

エジプト全土の
盗掘密度
（画像：著者）

シェセプ・アメン・タイエス・ヘリトの棺。
アブシール・エル＝マレクから盗掘されたと考えられる
（写真提供：レベッカ・ヘール、ナショナルジオグラフィック・クリエイティブ）

宇宙考古学の冒険

——古代遺跡は人工衛星で探し出せ

私たちの家族にとっての憂いの篩（ペンシーブ）である
スーザン・ヤングに捧げる

＊憂いの篩は、『ハリー・ポッター』シリーズに登場する、
さまざまな思いや記憶を蓄え、映すことのできる水盆。

目次

はじめに　私が宇宙考古学者になったわけ……9
ピザとビデオ、そして考古学者になるまでの道のり／おじいちゃんの思い出と、宇宙を仕事にするまで／インディ・ジョーンズの帽子／宇宙考古学が扱う範囲

第1章　歴史は「積み重なる」……22
遺跡は「写真」ではなく「フィルム」／時代を切り取る／私たちには死んだ人が見える／過去に近づく方法／広い範囲を眺める／むかしむかし、あるところに……／「美しい口」の発掘調査／歴史的背景／テル・テビッラの衰退／壁が見たもの／川が都市にもたらす悲運

第2章　宇宙考古学とは何か……52
初めての発掘調査／発掘作業で一番大変なこと／宇宙考古学の仕組み／「これだ！」という瞬間もある。たまには／気球と飛行機からすべてが始まった／クロップマーク――エイリアンのしわざではない／第二次世界大戦から宇宙時代の幕開けへ／NASAの人工衛星革命／現代の宇宙考古学／それはミシシッピから始まった／ついに高分解能の時代へ／宇宙考古学の現在／ぐるりと回って

第3章　宇宙考古学の可能性……84
発見の重要性を考える／真実ではなく事実を／発掘の方法／文脈がすべて／ヴァイキングの痕跡／小さな農場、大きな農場、ヴァイキングによる入植／人工衛星画像の価値を試す／一方、発掘作業小屋では……／アイスランドからスコットランドへ／眺めの良いルーン文字／異常中の異常／円形闘技場に心を熱くして／ローマ時代の遺跡探しの苦労／最初は失敗したとしても

第4章　危ない仕事……122
発掘がしたくなったら？／大胆に進めるためには……／ファーストコンタクト／マッピングすべき広大な土地／思わせぶりな手がかり／大冒険／さらに深く掘る／年代が明らかになる／ふたたびニューファンドランド島へ／ノース人か否か

第5章　間違った場所を掘っている……158
タニスの物語／タニス遺跡調査の幕開け／地図の間に押し入る／あらわになったタニスの街／人工衛星画像と地上探査を比べてみる／掘り進める／タニスの日常生活／景観や人口を復元する／視野を広げる／現代の都市とその未来を見通す

第6章　世界一周〝新〟考古学の旅……187
何がわかっていないのか／アメリカの未発見の遺跡／世界の遺跡巡りへ／マヤ遺跡のマッピング／アマゾンの秘密／ポリネシアをめぐる先入観／シルクロード／インダス文明の新たな始まり／人類の始まり／ジンバブエの栄光／なじみの地域／戦火の中の遺跡／世界で最もマッピングが進んだ国々／水中考古学／ではまだ見つかっていないものは何か？

第7章　巨大王国の崩壊……222
過去から学ぶ未来への教訓／物語に織り込まれた手がかり／古王国の繁栄／最後のフロンティア／デルタ地帯の集落のパターン／ナイル川の氾濫とだえる／古王国の崩壊／一時代の終わり／4・2kaイベント／テル・イブラヒム・アワドの本当の物語／時代の終わり

第8章　首都の発見……262
「失われた都市」イチ・タウイの栄華／イチ・タウイを探して／コアリング調査で見つかった宝石／都市の過去と未来／発掘の始まり／上流階級向けの「死後の世界」物件／名前を永遠に残す／深まる謎／墓の底まで／宇宙から地上へ／人類のための希望製造装置

第9章　未来の考古学……296
現在へおかえりなさい!!／大きな夢を抱いて／現在の状況／ハイパースペクトルイメージング／上下からのスキャン／機械学習――最先端領域／来年の誕生日には、ディグボットが欲しいな……／未来はここにある／わたしは考古学者／そこに誰かいますか?／過去をのぞく窓／子ども時代の夢

第10章　乗り越えるべきもの……331
考古学の中の女性／知識は無料であるべき／金がものを言う／誰が発掘するか／過去に触れる／タイムマシンとしての遺跡／多様性が人間をつくる／視点を変える／過去から学ぶ／混ざり合う過去と現在／将来を展望する

第11章　盗まれた遺産……358

古代遺跡からイーベイへ／身近な暴動／広がる盗掘／期待か絶望か／盗掘者たちよ、お前たちは監視されている／ミイラの呪い作戦／家より良い場所はない／盗掘の流れを断ち切る／これが解決策……たぶん

第12章　誰でも参加できる宇宙考古学……388

「クラウド」の力／グローバルエクスプローラーが生まれるまで／ゲームで遊ぼう／論より証拠／ペルーの地上で／驚くべき女性たち（と男性たちと子どもとすべての人）／星々からの眺め

謝辞……416

原注……478

解説　考古学の最前線　河江肖剰……427

読者のみなさんへ

著者は、本書からの印税前払金の一部を、グローバルエクスプローラー（GlobalXplorer、アラバマ州登録の非営利団体）の活動を支援するために寄付する予定です。支援するのは、エジプトでのフィールドワークやフィールドスクールの実施や、海外の考古学や文化財の専門家への最新技術のトレーニング、そして世界的な市民考古学ムーブメントの後押しなどです。本書で紹介しているグローバルエクスプローラーの理念に共感していただけましたら、ウェブサイト（www.globalxplorer.org）にアクセスして、宇宙考古学者になるトレーニングを始めてみてください。

はじめに　私が宇宙考古学者になったわけ

私はずっと、滅びた世界を相手にしてきた。比喩ではなく、文字通りの意味で。私は考古学者だ。この二〇年、エジプトや中東での発掘作業や、中南米の遺跡の探査、ヨーロッパ全域の遺跡のマッピングに明け暮れてきた。何度かヴァイキングの遺跡を発掘したこともある。要するに、足下の土と、そこにあるかもしれない不思議なものに夢中なのだ。それはきらきら光るものばかりではないが、どれも貴重で値段のつけようがない。私たちは何者なのか、今ある世界がどのようにしてできたのか、豊かな未来を実現するにはどうすればよいのか。土の中にあるのはそういうことの手がかりにほかならない。

普通は、自分の今の仕事を選ぶきっかけになった重要な瞬間として思い出されるのは、偶然ある重要人物と出会ったとか、何かを突然ひらめいたといったことだろうか。私の場合は、一つはある映画を観たことだが、同時にある実在の人物から受けた影響も大きかった。

ピザとビデオ、そして考古学者になるまでの道のり

私のように一九八〇年代のアメリカで育った人なら、金曜日の夜には、ピザを買って、近所の

レンタルビデオ店からＶＨＳビデオを借りてくるのがお決まりだっただろう。こう書くだけで、自分が年寄りになった感じがするけれど。学校が終わると、母は私と弟のアーロンを連れて、通りの先にある古ぼけた一軒家に行った。当時その家はレンタルビデオ店として使われていて、何千本ものビデオテープがテーマと対象年齢ごとに並べられていた。

今思えば母には気の毒だったが、私たちが選ぶのはいつも、『プリンセス・ブライド・ストーリー』か、『ネバーエンディング・ストーリー』、そして『レイダース／失われたアーク《聖櫃》』のどれかだった（自分の子どもが『ミニオンズ』ばかり繰り返し観たがるようになってから、母に昔は我慢してくれてありがとうと言ったら笑われた）。『レイダース』を選んだときは、私はじっと座って夢中で観た。あらゆるシーン、あらゆる会話、あらゆるしぐさを暗記した。エジプトがよかったのか、あのとてつもない冒険物語に夢中になったのか、それとも単にハリソン・フォードが好きだったのか、自分でもわからないが、あの映画に呼ばれているという感じがした。

その年頃の私は、考古学者がインディ・ジョーンズのような人ばかりではないことを知らなかった。考古学者にはいろいろな専門分野がある。特定の時代や地域だけでなく、土器や美術品、骨、古代建築、年代決定法を研究テーマにしている考古学者もいるし、記録や遺跡のイラストレーションを専門としている人もいる。

私の専門は、「宇宙考古学」という比較的新しい分野だ。これは私が勝手に作った用語ではない。宇宙考古学とは、さまざまな人工衛星データ（おなじみのグーグル・アースも人工衛星データの一種だ）を分析することで、他の方法では見つからない遺跡や遺構を見つけて、マッピングする分野だ。なかなかイケてる仕事だが、私が大学の学部で考古学の授業を受け始めた頃には、仕事の選択肢の中にはなかった。

私がそういう仕事をしている理由を考えると、祖父のハロルド・ヤングに行き着く。祖父はメイン大学の森林学の教授だった。子ども時代の週末はいつも、両親が家族経営のレストランで夜遅くまで働いていたので、弟アーロンと私は、メイン州オロノにある、起伏の多い並木通り沿いの祖父母の家で過ごした。かつて祖父は大学で教え、祖母は同じ大学の評議会の秘書をしていたが、当時は二人とも退職していた。

祖母は、ヤング家でも大学評議会でも実権を握っていた。祖母があまりに何でも決めてしまうので、祖父に外で遊んでもいいかと聞くと、いつも同じ答えが返ってきたものだ。「私はたかだか大尉だからな。大将に聞いたほうがいいだろう！」祖父は笑いながらそう言うと、祖母のほうに向いてさっと敬礼するのだ。祖父がそれをやると、祖母は嫌みだといって怒り、私たちはくすくす笑ったものだ。

おじいちゃんの思い出と、宇宙を仕事にするまで

祖父は本当に大尉だった。第二次世界大戦に落下傘兵として従軍したのだ。「スクリーミング

イーグルス」のニックネームで知られる、アメリカ陸軍第一〇一空挺師団で小隊を率いており、Dデイ（ノルマンディー上陸作戦決行日）の前日に落下傘降下をおこなった。さらにこの戦争で六回しか実施されなかった銃剣突撃の一つを指揮して、ブロンズスター勲章を受けてもいる。他にも、オーク・リーフ・クラスター章やパープルハート章をもらっている。祖父は、落下傘降下の着地地点や、部隊の配置を地図に示すために、当時は最先端技術だった航空写真を分析していた。

祖父がその技術を身につけたのは、デューク大学の森林学の博士課程で、航空写真を使って木々の高さを測量する新しい手法を開発したときだ。三〇年近くにわたり、祖父は何世代もの森林学者に研究での航空写真の活用法を教え、世界的に知られた森林学者になった。

私は長い間、祖父の仕事について断片的にしか聞かされていなかった。ときどき、祖父の姿が見えなくなった。国際会議のために遠い土地まで旅行していたからで、いつもザイール（現在のコンゴ民主共和国）の木彫りの象を持って帰ってきた。祖父が森林学関係の蔵書をすべてザイールの研究機関に寄付していたことは、後から知った。勲章をもらった戦争の英雄だとか、業績のある科学者というのがいったいどういう存在なのか、小さい頃の私にはわからなかった。私にとってはあくまでも、アーロンと私を自動車に乗せて、大学の研究農場の牛を見に連れて行ってくれる、やさしくて物静かなおじいちゃんだった。研究農場では、いい子にしていたら（そういうことはめったになかったが）、できたてのチョコレートミルクをもらえた。今でも、チョコレートミルクは「チョコレート牛」からとれるような気がする。

なによりも記憶に残っているのは、祖父がよくステレオスコープ（立体鏡）を見せてくれたことだ。[1] 卓上型の双眼鏡のような外見で、その下に少しだけ横にずれた二枚の航空写真を置く。すると素晴らしいことが起こる。写真が立体に見えるのだ。幼くて、感受性の強い時期にそういうものを見たら、忘れるはずがない。その立体写真を見たことが、私がこの道に足を踏み出すきっかけになった。

第二次世界大戦の派兵の中核を担った「グレーテスト・ジェネレーション」（最も偉大な世代）の多くと同じように、祖父は従軍経験についてあまり話さなかった。私は高校の自主研究のために、祖父に話を聞こうとしたことがあったが、戦争は祖父にとって終わったことだった。森は安全で、地図に示したり、同定したりするべき木々がたくさんあって、いつも私たちを連れて行ってくれる場所だった。祖父は毎日五キロメートルほど走るのを日課にしており、ガンで亡くなる前日にも近所を散歩するほど元気だった。

祖父が亡くなって三年がたった頃、私は祖父の研究について少しずつ知るようになった。そうなると、祖父と研究の話を一度もしなかったことを悔やむ気持ちが強くなってきた。その頃には、祖父の研究論文がオンラインで読めるようになっていた。やがて私は、祖父の研究への興味が高じて、大学三年次でリモートセンシング〔訳注／人工衛星などに搭載した観測機器で地表を観測すること〕の入門クラスを受講するまでになった。祖父が衛星画像に接する機会はなかったが（森林学で衛星画像が使われるようになるのは、祖父の退職からおよそ一五年後だ)、私は、人工衛星画像は祖父の航空写真とそんなに違わないのではないかと思った。それに、ほとんどの考古学者は以前から、特にエジプトの研究では衛星画像を取り入れていたようだった。だとしたら、何もかもマッピングされてしまっているだろう。そう思っていた。私はなんて浅はかだったのだろう!

そうではないと気付きはじめたのは、このリモートセンシングの授業の最終課題のために論文を探していたときだ。課題のテーマは、エジプトのシナイ半島を対象とした、人工衛星データを使った遺跡付近の水源の検出。探してみると、わずかばかりの論文が互いに引用しあっている。一般的には、そうなったらそこが行き止まりで、それ以上の研究は存在しないものだ。このリモートセンシングの授業が、やがて私の修士論文のテーマになり、さらに博士論文にもなって、今では二〇年近く研究し続けている。研究者になったのは、祖父のおかげなのだ。

インディ・ジョーンズの帽子

考古学者としては、こうした祖父とのつながりは当然のことのように感じる。あなたの外見とか、好き嫌いとか、ちょっと奇抜な面は、あなたという遺跡の表面にすぎない。私たちの祖先は、地面の下にある層であり、思いもよらないような形で私たちの人生の質を高めている。あなたのDNAや、人類が数千年前から現在まで暮らす景観のDNAには、深いところにたくさんのものが埋まっている。必要なのは、一歩引いて、私たちの間や内側にあるヒントやつながりを見いだそうとする視点だけだ。

そんな視点にしっかりと支えられていれば、どんな夢でもかなう。私が『レイダース』を観ていた子どものときに、将来あなたは宇宙考古学者になると言われても信じなかっただろう。もちろん、あのインディ・ジョーンズに、つまりハリソン・フォード本人に会うことになるなんて、絶対に信じなかった。それも、あの帽子をかぶったハリソン・フォードだ。

それは二〇一六年、バンクーバーで開催されたＴＥＤカンファレンスでのことだ[2]。私はこのＴＥＤで、宇宙考古学者という仕事と、私が宇宙考古学の可能性について描いている夢を語った。その頃には、私はインディ・ジョーンズのような考古学者になっていた。そのＴＥＤカンファレンスをハリソン・フォードが聞きに来るかもしれない。そんなうわさが聞こえてきたが、あまり期待しないようにと釘をさされた。ところが幸運にも、ハリソン・フォードはやってきた。私の親しい友人で、ＴＥＤフェロープログラムの立ち上げを担当したトム・リエリーが、ハリソンとの昼食会を企画して、そこに私を招いてくれた。その前日は一睡もしなかったと思う。

彼が近づいてくると、私の心臓の鼓動が速くなった。ハリソン・フォードは映画のままだった。彫りが深くて、いたずら小僧みたいな、あのハンサムな顔立ち。握手をしながら、ハリソンは前日の私の講演について、あらゆる種類の最高のほめ言葉を言ってくれた。私にはどうしても伝えなければならないことが一つあった。

「私が考古学を研究するようになったのは、インディ・ジョーンズがきっかけなんです。考古学の世界には、同じような人がたくさんいます。代表して、あなたに感謝します」

「おわかりでしょうが、私はただ演じただけです。あなたのほうが、私よりもあの映画の台詞をたくさん知っていますよ」

「もちろん、あれは映画です。でもあなたの魂がインディに命を吹きこんだんですよ。初めて見たときから、刺激を与えてくれる存在でした。だからお礼を言います、心の底から」

ハリソン・フォードがうまく演じただけといわれれば、その通りかもしれない。しかし、ここ数世代の考古学者たちに与えた影響の大きさを、彼がその瞬間まで理解していなかったのは間違いない。

私の夫も同席した、ハリソン・フォードとのランチは素晴らしかった。私が興奮してひたすらしゃべり続けた考古学の話を、ハリソンはきちんと聞いてくれた。文化遺産の保護よりは、野生動物の保護に熱心だったが、とても礼儀正しく、思いやりがある人で、なんともいえない粋な笑い方をする。ハリソンが面白がって話を聞いてくれたことへの感謝の思いは、この先も私の心から消えないだろう。

ランチの後、私たちは写真撮影のために表に出た。私は、インディ・ジョーンズがかぶっていた、あの茶色の帽子を取り出した。ハリソンは私を見て首を振った。

「あの帽子を持ってきたなんて信じられない」

「どうしても我慢できなくて」私が言うと、ハリソンは笑った。

「あなたは本物なんだから、あなたがかぶらなくては」

そういえば、私たちがその帽子をめぐって言い争っている写真がある。ずっと大事にするつもりだ。

宇宙考古学が扱う範囲

人間の物語、つまり私たちの物語は、新しいテクノロジーのおかげで猛スピードで広がっている。私たちは新たなデータを手にしたことで、新しい物語を紡ぎ出せるようになり、それによって祖先や自分自身のことを正しく理解できるようになってきている。

人工衛星画像のような新しいテクノロジーによる発見は、本当に驚異的だ。そうした発見は、私たちが歴史を書きかえる手助けをしてくれている。一夏分の発掘シーズンを費やして、数十カ所の遺跡をマッピングするというやり方をしていたのが、数週間で数千カ所とはいわないまでも、数百カ所の遺跡で同じことができるようになった。コンピューター処理や人工知能が発達して、同じことを数時間でできるようになるのももうすぐだ。

考古学者になりたいけれど、宇宙考古学者に何もかも先に調べられてしまうのでは、なんて心配する必要はない。遺跡の位置を知るのは最初の一歩にすぎない。その後も、地上で遺跡を調査する「グラウンドトゥルース」という作業が必要になる。その次には、そこに何があったのかを詳しく理解するために、数年かけて発掘調査をする。そう考えると、やらなくてはいけない仕事は本当にたくさんある。

この宇宙考古学がどのくらいのスピードでどこまで進んでいるのかを感じてもらえるように、私はこのイントロダクションを書くのを後回しにして、人工衛星技術で実現した最新の発見を本書に盛り込むようにした。他の章の執筆と編集を終えて、次の大きな発表までしばらくゆっくりできるかなと思っていた。まあ、そうはいかなかった。

ジョナス・グレゴリオ・デ・ソウザをリーダーとする考古学者チームは、最近の『ネイチャー』誌で、人工衛星画像と地上探査によって、ブラジルのアマゾン川流域でこれまで知られていなかった先コロンブス期の遺跡を八一カ所発見したと発表した。この数にもとづいたデ・ソウザたちの推測によれば、一二五〇年から一五〇〇年の時代の遺跡がこれ以外にも、アマゾン川流域のわずか七パーセントの面積に一三〇〇カ所あるという。アマゾン川流域全体でみると、一万八〇〇〇カ所の遺跡が存在する可能性がある。現在ではほとんど住むのに適さない地域に、一〇〇万人以上が暮らしていたと思われるのだ。

デ・ソウザのチームは、儀式に使われていた場所や、大規模な台状の盛り土、円形の溝で囲まれた集落、要塞化した集落などを、考古学者がこれまでほとんど踏み込んでいなかったブラジル中北部のタパジョス川流域で発見した。[3] 私がこの発見から特に感じるのは、考古学者やそれ以外の人々が、アマゾンの熱帯雨林には何がある（またはない）という思い込みをどれほど重ねてきたかということだ。人工衛星データのおかげで、デ・ソウザのチームは広大な面積をほんの数カ月で調査できた。この調査を地上でおこなえば、数十年はかかったはずだ。こういった成果をもたらしたのが、二〇年前には存在しないも同然だった考古学の一分野なのだ。今では少しずつ世間に知られてきているものの、誰でも知っているような分野というにはまだまだだ。最近、海外で仕事をするために旅行保険を申し込んだとき、一年間の補償に対する保険料の見積額が五万ドル以上ととんでもなく高かった。理由を問い合わせると、保険会社は私が宇宙旅行をして、実際に人工衛星から遺跡を見下ろすのだと考えたらしい。思い出すと今でも笑ってしまう。

このイントロダクションを書きながら、エジプトのギザを撮影した最新の人工衛星画像をダウンロードしている。ギザは、古代世界の驚異を最後まで残している遺跡だ。私がこの遺跡から、未発見の何かを見つけないともかぎらない。私が今までに学んだ一番の教訓は、予想外のものを予想するということだ。新たな遺跡や遺構は、それまで目を向けようとも思っていなかった場所に現れるものだ。あるいは、ギザなどでは、重要な遺跡や時代についての昔からあった思い込みがひっくり返される可能性がある。この後の数章では、そういうことが実際にあったプロジェクトを紹介している。

宇宙から遺跡をマッピングするのは楽しい作業だが、その遺跡を実際に調査するときには、数千年もの時間をさかのぼることになる。その先にあるのは、人々がさまざまな神を信じ、今では失われた言語を話し、一度たりとも人が住んだことがないと思われている場所に住んでいた時代だ。それでも、その人たちはみんなホモ・サピエンス・サピエンスである。私たちと同じなのだ。

そんなふうに、考古学には私たちの心に大きな驚異の念を呼び起こし、私たちを一つにする力がある。今日、世界中に広がる衝突や不穏な情勢を考えれば、これは大いに必要とされることだ。なかには、古代遺跡を自分で直接訪れて、そうした畏敬の念を抱く機会がない人もいる。それでも、この本で紹介するさまざまな物語から、今言ったことだけでなく、私たちが過去の人々についてどれほどの思い込みをしてきたか、そして断片的な情報しかない状況で、私たちがときにどれだけ間違った結論に到達していたかということを、理解してもらえたらと思っている。

人間とはどういうものか。過去の偉大な文明が陥った落とし穴をどうすれば避けられるのか。そういった難しい問題をリモートセンシングが解決できるかをテーマとした研究論文はまだない。私がいえるのは、過去の文化には、学ぶべきとほうもない知恵があるということだけだ。私はそうした知恵から大きな影響を受け、現在の出来事を、過去と現在を大きな弧で結ぶような視点からとらえられるようになった。私たちの祖先は三〇万年以上にわたって、地球という惑星をあちこち渡り歩き、なんとか生き延びてきた。繁栄した時代もあったし、創造力を発揮し、大胆に行動し、新たな技術を生み出した時代もあった。そしてもちろん、破壊をもたらしたこともあった。

宇宙考古学の物語、それが研究にどのように貢献しているかという話、そして宇宙考古学に助けられて私たちが語る物語は、科学の可能性を伝えているにすぎない。それでも私たちは、そうした新しい物語の規模に驚かされ、刺激を受けるはずだ。人間は、地球上での歴史の中で、つねに未知のものへとどんどん挑戦してきた。火星やさらに遠い惑星の探査に力を入れつつあることを考えれば、今から一〇万年後に、文字通りの意味の「宇宙考古学者」が惑星から惑星へと旅したり、他の銀河で私たちの初期の入植地の遺跡を調査したりするところを想像できる。

そうした未来の「宇宙考古学者」の研究対象は何万光年も離れた世界にあるが、彼らが抱く疑問は、私たちが自分たちよりも前に生きていた人々について抱く疑問とあまり変わらないだろう。その答えよりも疑問のほうがずっと重要だ。おそらく、私たちを人間たらしめているものを理解することがスタートになるだろう。それは、いつ、どこで、誰が、なぜ、どのようにと問いかける能力であり、その問いに答えるのに必要な道具を生み出す能力だ。そして私たちは地球上で、その答えを面白いものにするのに必要なツールを作り出し、宇宙から見下ろすことができるのだ。

第1章 歴史は「積み重なる」

古代遺跡を初めて直接目にした瞬間は、心の準備ができていなかった。一九九九年のある午後、私はカイロに向かう飛行機に乗っていた。偶然か、それとも天の配剤か、私は飛行機の左側の窓側に座っていた。窓の外をじっと見ていると、飛行機がギザのピラミッドの上を低く飛んだ。信じられなくて、息を呑んだ。ずっと心の中にあった夢のすべてが、太陽の光を浴びて金色に光る、四五〇〇年前の風化した石灰岩として目の前に横たわっている。ピラミッドは、その地下で、そしてその中で残りの人生を過ごすようにと私を誘ってきた。ギザの地を何度も踏んだ今でも、ピラミッドを訪れると心が揺さぶられる。古代エジプト人が推定二万人の作業者を使って、第四王朝の偉大な王たちの墓を建てた理由や、建設の時期や方法についての現在の考え方を、エジプト学者である私は理解している。それでも、そんな詳しい知識のせいで私の驚きが色あせることはない。

そのエジプト旅行は、初めての発掘調査に参加するのが目的だった。調査が始まる前の二週間、私は一人でエジプトを旅してまわった(二〇歳の自分に向かって、「まったく何を考えていたの?」と聞いてみたい)。それは大冒険だった。特に素晴らしかったのが、アスワンのフィラエ島で出会った年配の台湾人観光客グループから、四日間の豪華なナイル川クルーズに招かれたことだ。そのクルーズツアーの添乗員から全行程の費用として請求されたのは、たったの二〇〇ドル。私は「考古学アンバサダー」になってほしいと言われたのだ。とりわけ大変だった仕事の一つが、アール・デコとクラシカル様式を組み合わせた内装のディスコで、何人かのおばあさまにマカレナの踊り方を教えたことだ。

考古学の世界ではそんな不思議なくらい素晴らしいことも起こるが、私の仕事の舞台はたいていそういう華やかさとは遠いところにある。古代の謎の答えを求めて、私は何もなさそうな場所を掘っている。ふと通りがかった人は、学校の隣にある近代的なサッカー場に、世界中で大ニュースになるほどの発見が隠されているとは思わないだろう。しかし、たとえその遺跡がギザのピラミッドほどには元の姿をとどめていない場合でも、時間によってほとんど破壊されたものを、言葉やモデルを使って復元するのが私の仕事だ。

同じ国の中でも、典型的な遺跡というものはないし、保存状態も場所によって違ってくる。ギザの南わずか二〇キロメートルのところに、ぶかっこうな日干しレンガの丘がそびえている。溶けるように崩れつつある、ピラミッドの内部構造だ。このピラミッドは、ギザのピラミッドのずっと後に建てられたが、住民による破壊と時間による侵食に早々と屈してしまっている。同じように遺跡といっても、大規模な集落から砂漠の中の小さな野営地まで、規模はさまざまだ。

ここで立ち止まって、遺跡の定義を詳しく考えてみよう。アラバマ州の森林を歩いていると、特に湖や小川の近くでは、矢尻などの石器がまとまって見つかることがある。こうしたまとまりの一つずつが「遺跡」になる。[1] アメリカ南西部の砂漠地帯を歩いているときでも同じだ。建物とか、村全体の遺跡など、地図に記されていない大規模な遺跡に出会うこともあるが、一番見つかりやすいのは、土器や石の道具、あるいは小さな野営地の跡などだ。

遺跡は「写真」ではなく「フィルム」

かつて存在したものたちから教えられることの一つは、私たち自身が間違いなく、やがて消え去るということだ。英語では、遺跡のことを「ruin」という。この単語は破壊を暗示しており、普通のものや当たり前のものより、否定的なものを意味している。一方、アラビア語では遺跡は「athar」という。私が好きな単語だ。これは大まかには、「考古学」という意味だと考えていい。言語学者なら、もっと精密に訳して「遺物（remnant）」とするだろう。この言葉には、完全性をうちに秘めた、古代文化の残りという響きがある。あなたが「Ana doctora athar farony（私は古代エジプトの考古学の博士だ）」と言えば、人々はあなたの職業がエジプト学者だとわかる。したがって、考古学者は専門的な「remnantologist（遺物学者）」だといえる。扱っているのは、土器のかけらや、魔除けの小片、神聖文字で書かれた書物の断章など、一つに織り合わされるのを待っているものばかりである。

パルミラ遺跡で起こった事件は、「遺跡」という言葉の解釈の違いをめぐる現代的な論争を引き起こした。パルミラは、古代世界で東洋と西洋の境界線上にあり、さまざまな文化が行き交ったシリアの大都市だ。二〇一五年に、パルミラ遺跡のベル神殿と優美な列柱がＩＳＩＬ（イスラム国）によって爆破された。ＩＳＩＬは、良い状態で保存されていたローマ時代の円形劇場で処刑をおこなった。かつてはコンサートが開かれたり、観光客がピクニックを楽しんでいた場所が、悪夢の現場に姿を変えたのだ。犠牲者の遺体が遺跡にさらされた。パルミラの研究で知られる偉大な考古学者ハレド・アル・アサド博士もその一人だった。[2]

考古学者のコミュニティーでは、保存されていた写真をもとにベル神殿を再建する計画をめぐって、激しい議論が続いている。この壮麗な古い遺跡がふたたび見事にそびえ立つのを見られるのは素晴らしいことだし、ぜひとも実現すべきだという声がある。一方で困った問題もある。パルミラは、ゼノビア女王の下で隆盛を極めるまでに、何度も文化が入れ替わっていた。そして西暦二七二年にゼノビア女王の統治が終わり、代わってこの都市を支配したローマ皇帝アウレリアヌスは、兵士たちがこの都市を略奪することを許した。その後一四〇〇年に、ティムール朝によってふたたび破壊されたパルミラは、小さな町へと衰退してしまった。[3]

つまり、現在のパルミラ遺跡にあるのは、幾重にも複雑に重なりあった破壊の跡であり、世界規模の権力闘争と絶えず変化する政治的同盟の遺物だといえる。そしてＩＳＩＬによる占領もその一部なのだ。そのため、ベル神殿の再建は、ＩＳＩＬの残虐さを消し去ることにあたると考える人々もいる。むしろ必要なのは、ＩＳＩＬの残虐さを認識し、無残な破壊の瞬間を永久にとどめて、忘れないようにすることだというのだ。

遺跡は静止したものではない。それは時間とともに進む映画のフィルムに似ている。そのフィルムでは、建設と破壊が交互にやってくる。二つが同時に起こることもある。そのフィルムにある部分的にぼやけたイメージを一生懸命読み取ろうとするとき、私たちの想像の中には、理想的な状態の場所と崩壊した場所の両方が存在している。そして遺跡にある建設と破壊の境界域に初めて足を踏み入れると、その両方の場所が目の前に立ち上がってくる。私たちは、過去と現在の両方に、同時に向かい合っているのだ。

時代を切り取る

ある瞬間を、あるいは時代を正確に切り取るのは難しい。その理由は、保存状態のよい古代都市が世界にあまりないことにある。その数少ない古代都市で最も有名なのが、火山の噴火によって封じ込められたポンペイ遺跡だ。そこの売春宿の近くにある男根のレリーフを観光客がぽかんと眺めているのを見かけると、この古代都市の過去を調べている研究者なら誰でもつい頬がゆるんでしまう。[4] それは、二〇〇〇年の時を越えて、古代ローマ時代のポンペイ人と現代の好色家が同じ反応をしている光景だ。

とはいえこの場合でも、やはり見落とされているものがある。いやむしろ、見落とされている人というべきだろう。それもたくさんの人だ。

古代都市の遺跡はゴーストタウンだ。古代の人がそこにいたりしたら……逃げること。それはともかく、数千年前にそこに暮らしていた住民が、何に情熱を注ぎ、何を願っていたのかを理解するのは難しいが、人を理解しなければ、遺跡は活動のための場所ではなく、記念碑のための場所になってしまう。なにより大切なのは、住民が残した物質文化の文脈だ。ものの使い方や機能、目的を知れば、それを使っていた人々に近づける。証拠となる遺物を注意深く集めて、遺物同士のつながりを調べ、そこからデータや知識を最後の一滴まで搾り取る。

遺跡にはかつての住人たちの気配が残っていると信じている人々もいる。いろいろな考えはあるが、デイル・エル＝メディーナという遺跡のことを考えてみたい。ここは、エジプト新王国時代に、王家の谷の墓を建造した労働者たちが住んだ村だ。[5] 現在でも、泥で塗り固めた石灰岩の壁が一メートル以上の高さで残っていて、集落全体を取り囲んでいる。この遺跡に行けば、三五〇〇年前、この地に建っていた二階建ての家の中ではどんなことが起こっていたのか、きっと想像したくなるはずだ。あたりに広がるナイル川の肥沃な氾濫原の景色が遠くなり、秘密の聖なる地を歩いている気分がしてくるだろう。そこに住んでいた偉大な職人たちの仕事が、現代の考古学者の想像を熱くかき立てているのだ。

私たちには死んだ人が見える

私たち考古学者は、土器についた指紋や、石に残された鑿(のみ)の跡、そして遠い昔に人々のために作られたものに備わる美しさのあらゆる面をじっくり見れば、そこに古代の生活の気配を見つけることができる。

しかし、人骨そのものを見つけるには、墓地が一番適しているのはいうまでもない。墓地は普通、生活エリアからは離れた、死者のための決められた領域にあり、宗教的な聖域の近くに設置されることもある。教会の近くに墓地があるのと同じだ。

現実の人間をその骨から理解しようとするのは、簡単なことではない。それは自然人類学者（生物考古学者というSFっぽい名前もある）という専門家の仕事だ。骨格には人間についてのデータがたっぷり含まれている。保存状態のよい骨が十分に見つかって、なにを調べればよいかをわかっていれば、その人物の性別や身長、栄養状態、おおよその年齢をたいてい突きとめられる。その人物がかかっていた、死因になった可能性もある病気が判明する場合もある。歯からもいろいろなことがわかる。パレオ（旧石器時代式）ダイエットを熱心に信じている人でも、虫歯をフリント製石器で治療するような、旧石器時代式の歯科治療を受ける気にはならないだろう。[6]

さらに、骨の健康状態や、それが見つかった文脈、副葬品などから、埋葬者の社会的な地位がわかることもある。また、一生の間同じ動作を繰り返した痕跡が、人類学者に手がかりを与え、ときには職業までわかるケースもある。私の夫グレゴリー（グレッグ）・マンフォードの発掘チームは、カイロから北東に車で二時間の距離にあるテル・テビッラ遺跡[7]で、考古学的証拠から過去の人々の作法を偶然よみがえらせることになった。

発掘チームがある女性の墓を発掘したところ、その骨は左肩の筋付着部がとても頑丈だった。これは大きな謎になるところだったが、メトロポリタン美術館に収蔵されている、ある工芸品が理由を示していた。[8] それは、若い女性をかたどった木彫像で、ビーズ玉で飾ったカラフルなドレスを着て、頭の上に神への供え物を載せていた。そしてそれを左手で支えていたのだ。テル・テビッラで見つかった女性はおそらく一生の間ずっと、現代のエジプト女性が今もしているように、木彫像と同じ方法で重い荷物を運んでいたのだろう。そのせいで、上腕二頭筋が通常より大きくなり、その付け根の結節間溝という溝が深くなったと考えられる。

古代の人々が、一般的には現代的とされ

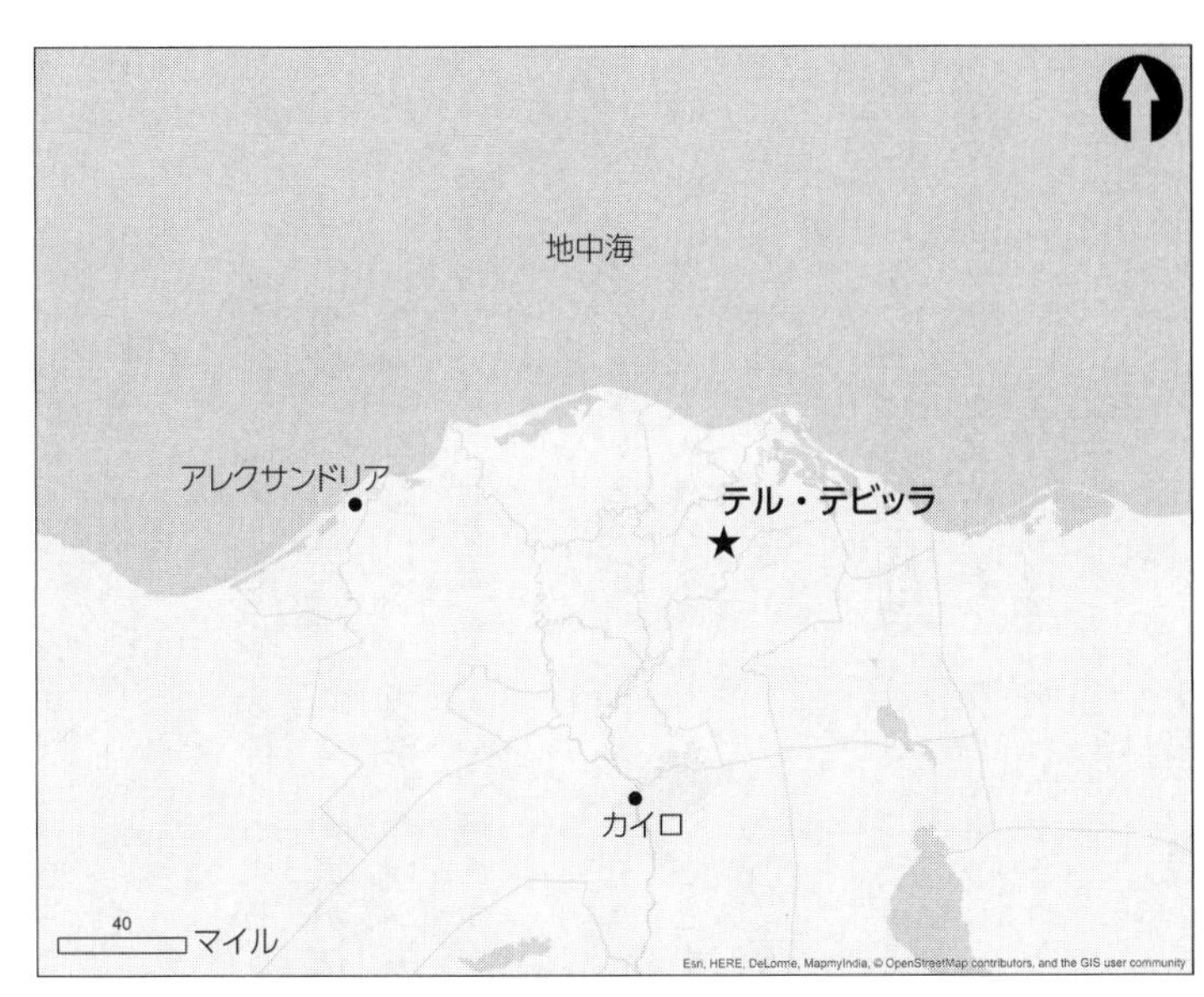

テル・テビッラの位置を示す地図（地図提供：チェイス・チャイルズ）

る病気にかかっていたことが判明したケースもある。カイロ博物館にある二二体のミイラを生物考古学者が分析したところ、半分以上のミイラからアテローム性動脈硬化症の兆候が見つかった。おそらくその人たちは牛肉の食べ過ぎだったのだろう。[9]

同じ時代の遺跡から発掘された人骨のデータを集め、パターンを探す。そうすることで、ある時代の人々の情報が得られれば、その文化全体に起こった出来事の理由を推論できる。病気が社会全体に広がって、特定のグループに影響を与えたかもしれない。あるいは、大規模な食糧不足で一人残らず死んでしまったケースもあっただろう。健康で体のがっしりとした若い男性の骨があまりにも多く見つかったら、戦争があったと考えられる。

死亡時の年齢は、皮肉なものだが、その集団の健康状態を示している可能性がある。たとえば、自然人類学者がある墓地全体の死亡年齢の分布を調べて、若い大人の死者があまりに多いことがわかったら、その当時、何か重要な出来事が原因となって、本来なら健康なはずの大人の死亡数が増えたと考えるだろう。

ＤＮＡ分析などの手法によって、祖先たちの複雑にからみ合った関係を解きほぐして、家族関係を明らかにするなど、過去を理解する可能性も広がっている。兄弟とされる二体のミイラについての最近の研究からは、トーク番組で取り上げてもいいくらい魅力的な物語が明らかになった。このクヌム・ナクトとナクト・アンクという、紀元前一八〇〇年頃（エジプト中王国時代）のミイラは、顔を彫刻した棺に納められていた。現在、イギリスのマンチェスター博物館に収蔵されている。[10]

このミイラのＤＮＡシーケンシングをおこなったところ、どちらもミトコンドリアのハプロタイプ〔訳注／染色体上の遺伝子の構成〕がＭ１ａ１であり、母親が同じだとわかった。しかしＹ染色体は異なっていたので、父親は違うのだ。[11] そこから疑問が次々と湧いてくる。兄のほうの父親が亡くなって、残された母親が再婚したのだろうか？　この母親には未亡人としてどんな苦労があったのだろう？　その答えを知ることはできないが、ＤＮＡ分析データのおかげで、そうした可能性を想像することができ、彼らをいっそう身近に感じられるようになる。

過去に近づく方法

過去のことを大胆に想像しなおしてみるには、思い切った賭けとともに、相当な量の科学的知識が必要だ。タイムトリップして、古代の人々が銅を精錬しているところや、死者のミイラ処理をしているところを見ることはできないが、過去の技術を再現することは可能だ（実験考古学という分野だ）。[12] この分野では、遺跡の発掘調査結果や、その時代に使われていた燃料源などを参考に、かまどや炉などを復元し、日用品や土器、刀剣などを昔と同じように作ることができる。[13] 古代の装身具に使われている象眼など、再現するのが難しい技術もあるものの、考古学者たちはこれまでに、過去の人々のものづくりの方法や理由を解き明かし、数え切れないほどのブレークスルーを達成している。

もっとうまくいった例もある。クマール・アキレシュとシャンティ・パップが着目したのは、インド北部のアッティランパッカムで打製石器を製造するときに出た失敗品だった。この遺跡は、一七六万年前から一三万年前にかけてのアシュール石器時代のもので、数多くの石器を製造していた証拠があった。アキレシュとパップの発掘チームは、古代の石器作りの技術についての知識を深めるために、石を打ち砕く実験をした。その結果、古代の人々が材料となる石の調達や、石器作りの手順の中でしていた決断を理解することができた。[14]

私の仲間のエジプト学者は、自然死した動物を実際にミイラにしたり、テレビ番組の企画として、生前に協力を申し出ていた男性にミイラ処理をほどこしたりまでしている。[15] たぶん、ミイラに包帯を巻く(ラップ)シーンの撮影が終わったら、こう叫ぶのだろう。「終了(ラップ)です！」

民族考古学[16]という別の研究分野は、現在の文化に属する人々が、同じ地域に存在していた過去のグループとどのようにつながっているかという点に注目している。現代のナイル川デルタ地帯にある陶器工房は、古代遺跡から発掘される土器工房とはかなり違っている。しかし、私が現代の陶器工房で見かける、陶工たちがろくろの上に身をかがめる様子は、古代エジプトの墓から副葬品として見つかる土器職人の模型と同じなのだ。現代の陶工は、焼くときに割れないように、粘土に藁かもみがらを加えるが、同じことを古代エジプト人もしていた。遺跡から見つかる土器のかけらを虫眼鏡で見れば、もみがらの跡がはっきり見える。[17]

認知考古学[18]では、そうした実験からさらに進んで、過去の人々の行動や思考を分解し、彼らが世界をどのように経験していたかを理解しようと試みている。そうしたことは、文化の物質的な生産物や建築の研究だけでなく、人々が話した言語や、影響を与えた景観からも理解できる。

しかしときには、手紙という形で、古代の人々の思考を思いがけずダウンロードできることもある。そういう手紙を見ると、書き手が注意深く言葉を選びながら、さらさらと文をしたためる様子が想像できる。私のお気に入りは、エジプトのオクシリンコス遺跡から出土した、一八〇〇年から一九〇〇年前の手紙だ。これはテオンという少年が書いたもので、少年は、自分を置いてアレクサンドリアに行った父に怒りをぶちまけている。あの大都会に連れていってくれないのなら、父とは口をきかないし、何も食べないと宣言している。[19]少年がふくれっ面で、晩ごはんはいらないとつっぱねたものの、夜中に台所に忍び込む様子が目に浮かぶ。今どきのティーンエイジャーもよく、大人に仲間外れにされてカンカンに怒っていたりしないだろうか？

広い範囲を眺める

とはいえ、家族関係からもっと広げて、遺跡と周囲の景観との関係まで考えるには、もっと広い範囲を眺める必要がある。さまざまな種類の空間画像はこうしたデータを与えてくれる。あらゆるものを過去の姿のまま見ることは不可能だが、少なくとも川や運河、湖のおおよその位置は十分にわかるし、遺跡の規模を推定して、正確な復元につなげることもできる。人工衛星データや航空写真データからは、限られた範囲しか見えないし、地上での確認もやはり必要になる。宇宙からの画像では、推測はできても、それぞれの画素の下に何があるかを知ることはできない。

意外な人々が、意外な場所で何かを発見するようなとき、私たちの知っていることがいかに少ないかがわかる。二〇〇四年、アマチュア考古学者のグループのリーダーであるアブドラ・アル＝サイードは、アラビア半島西部の溶岩平原で、謎めいた構造物を見つけた。[20] アル＝サイードがそうした「ゲート」（新しい種類の遺跡だった）が分布する範囲と規模に気付いたのは、その四年後、グーグル・アースとビングで高分解能の人工衛星画像を見てからだ。

アル＝サイードはその人工衛星画像を、ヨルダンの遺跡の航空調査で有名な、西オーストラリア大学のデイヴィッド・ケネディに送った。ケネディはその後、同じ構造物を四〇〇個探し出した。最大のものは長さが五〇〇メートル近くあり、なかには七〇〇〇年以上前に作られた可能性のあるものもあった。このように石の構造物が集まっている状況から考えられるのは、今よりも降水量が多い時代に大規模な景観設計がおこなわれていた可能性だ。もしかすると、分水システムか、洪水管理システムだったのかもしれない。この構造物をさらに詳しく調べるための地上探査が計画されている。とはいえ、この話からわかるのは、現在では荒涼として人が住めないとされる地域に、新しい章が開ける可能性があるということだ。それもひとえに、たった一つの構造物が一般市民の関心を引きつけたことがきっかけなのだ。

この発見は、人間と景観の相互作用が古くから広く存在していたことを伝えている。しかし、人間の歴史で起こった一つの重要な出来事を再現しようと思えば、どうしてもただし書きが必要になる。考古学研究の報告書には必ず、「むかしむかし、あるところに」という決まり文句が隠れているのだ。日常生活でも、前の週に起こったことを再現するのに苦労することが多いが、考古学者は古代の人々の生涯全体を再現しなければならない。考古学者はつねに、いくつもの逸話を集め、伝説を最新の論文や、学会発表に書きかえるということをしている。それは科学とフィクションの間でバランスを取るようなものだ。

むかしむかし、あるところに……

それではここで一つの物語を紹介しよう。宇宙からテル・テビッラ遺跡を見ることで実現した、驚くべき発見に着想を得た物語で、今から二〇〇〇年以上前、エジプトのファラオ時代が終わるきっかけとなった出来事を描いている。

ときは紀元前三四三年。ペルシャの王アルタクセルクセス三世は不安げな様子で、南西に向かってナイル川の分流に帆船を走らせていた。王は歴史を学んだときに、この土地がかつて湿地帯だったことを教わっていただろう。草が生い茂る沼地にはクロコダイルがあふれていて、他国の人間がこの国に入り込むのを防ぐ役割を果たしていた。今は、芦の生い茂る島々の間に、大きな河口が遠く見えている。その川を真っすぐさかのぼると、その土地の言葉で「美しい口」を意味する、ロ・ネフェルという都市にたどり着く。

アルタクセルクセス三世は、二〇〇人の男たちが漕ぐ、全長四〇メートルのガレー船を指揮していた。脇を守る王の一大軍勢は、戦さに飢え、略奪のチャンスをしきりに求めている。ロ・ネフェルはその期待を裏切らないだろう。密偵からは、この都市には財宝があふれていると報告があった。ヌビア産の金(きん)や香、アフガニスタン産のラピスラズリ、ギリシャの島々で作られたぜいたくなワイン。なにしろ、この都市はエジプト最北の貿易港なのだ。[21]

王の船が川の蛇行部を曲がると、芦原の向こうに、三階建ての裕福な商人の館がぎっしりと立ち並んでいるのが見えた。街の中心部には、神殿の巨大な防御壁が高くそびえている。アルタクセルクセス三世は戦略を十分に練っていたので、その神殿を奪えば、つまり防御壁を破り、神殿の偶像神を破壊すれば、住民の意気をくじくことになるとわかっていた。兵士たちは朝もやの中を、静かに船を漕いでいった。王はかすかな微笑みさえ浮かべていた。ロ・ネフェルは昼までもたないだろう。

現在のテル・テビッラ遺跡は、緑色にまぶしく光る実り豊かな水田から急にそびえ立つ、茶色のマウンド〔訳注/塚や盛り土のこと。遺丘〕だ。この遺跡に車でやってくると、ピンク色のレンガ造りの使われていない水処理施設の端に、分厚い石灰石でできた棺が集められているのが見える。遠い昔の時代を思わせるのはそれくらいだ。遺跡を取り囲むエト・ティルという村には一〇〇〇人ほどが住み、農業を営んでいる。その地下にある古代の国際都市とは大違いだ。二〇〇〇年ほど前には、このマウンドは一キロメートル四方の大きさがあった。現在の大きさはその一〇分の一だ。長い時間をかけて、農民たちが「セバク」と呼ばれるリンが豊富な土のほとんどを持ち去り、肥料として使ってしまったのだ。

テル・テビッラ遺跡での考古学調査は、一九〇〇年代初頭に、フランスの考古学者たちが紀元前六〇〇年ごろの書記座像を見つけたのがきっかけで始まった。[22] その後、一九九〇年代末に、私の夫グレッグは、エジプトの当時の考古最高評議会にこの遺跡のことを知らされて、独自の発掘調査を始めたいと伝えた。[23] 最初の調査から一〇〇年近くの間、テル・テビッラ遺跡についての論文は一つも発表されていなかった。

「美しい口」の発掘調査

私たちの初期調査では、神殿の位置を確認するのに、水処理施設の周辺にあった遺物のかけらを使った。こうした水処理施設は、非衛生的な飲料水供給を改善するためにアメリカ合衆国国際開発庁が建設したもので、これが遺跡と重なるように立っているケースがエジプト全土でみられた。水処理施設があるマウンドでは、学校の建設などの開発がさらに進むことが多かった。こういった不運な立地は、都市考古学の研究に大きな損失を与える。

水処理施設をこの場所に建設するときに、神殿の基礎部分を破壊していたので、そのはるか昔の姿は想像するしかなかった。私たちがこの遺跡の調査で目指したのは、遺跡をマッピングし、古代都市ロ・ネフェルと、そこに暮らしていた人々の姿を明らかにすることだった。

古い時代には、この遺跡の横にはナイル川のメンデス分流が流れていた（その名は、ここから南西に四〇キロメートルほど離れた、この地域のかつての中心都市メンデスに由来する）。しかし地表には、それ以上のことを教えてくれる手がかりは何もなかった。私たちはまず、遺跡やその周辺でのコアリング調査から始めた。遺跡の過去のサイズと、古代のメンデス分流の位置をおおよそ把握するためだ。私たちのチームの地質考古学者（あるいは地質学の専門家）であるラリー・パヴリシュは、白髪頭にひげを生やした、精力的ないたずらっ子だ。ラリーは、地中に隠れている日干しレンガ造りの建物基礎部分を探そうと、コアリング調査と磁気探査を実施した。

コアリング調査というのは、スポンジやクリームを何層も重ねたケーキに、リンゴの芯抜き器で穴を開けるようなものだ。スクリュー型の細い掘削ドリルを回転させながら地中を掘っていくことで、考古学者たちは発掘作業をしなくても土層を見ることができる。それはシンプルだが、とても貴重な、鍵穴から中をのぞくような考古学調査の方法である。磁気探査のほうはもう少しハイテクだ。持ち運びできる磁力計を遺跡の地表にかざすことで、埋まっている壁やその他の遺物によって生じる磁気の違いを読み取り、地中にあるものの大まかな形を示す。どちらも、発掘する位置を決めるのに役に立つ調査方法だ。

ラリーの手によって、マウンド（アラビア語では「テル」という）の頂上部分の詳細な地図ができあがると、私たちは重点的に発掘するエリアを選んだ。

私たちのチームはいろんな人たちの集まりだった。カナダやアメリカ、イギリス、エジプトからのメンバーがいて、まるで国連みたいな一団だった。発掘調査中は、近くのマンスーラに滞在した。マンスーラは、川辺の散歩道と、きりりとした威厳のある女性たちで有名な美しい街だ。ここのマーシャルホテルが私たちの第二のわが家となった。照りつける太陽の下での一日を終えると、このホテルのバッファローミルクで作ったマンゴーアイスが食べたくてたまらなくなった。私たちは、発掘作業用の汚れた服でロビーをずかずか歩き回って、他の滞在客を困惑させた。あるときなど、特注の木製便器を抱えてロビーを通り抜けもした。それは現場の屋外便所で使うためのもので、アンティークのトイレットペーパーホルダーがついていた。

日中の暑さを避けるため、私たちは午前四時半に起床していた。ロビーでインスタントコーヒーを静かに飲み、クッキーを食べながら、考古学を仕事にすると決めた自分をののしったものだ。しっかりとした意識を保つには早すぎる時間だったが、夏の中東で発掘をする私たちには必要不可欠なことだ。移動はというと、一九六〇年代に製造された二台のプジョーが（そのうち一台は、後部にむきだしのプロパンガスタンクがついている）ナイル川のデルタ地帯を走るための手段だった。六時に発掘現場に着くと、マウンドの上まで車で上って、朝靄を通り抜けてくる明け方のピンク色の光を浴びた。地元の作業員たちが私たちのところに来て、握手をする。彼らは明らかに、私たちよりもきちんと目が覚めている様子だ。

その夏の私たちは、ナイル川デルタ地帯についての長年の俗説が誤りであることを証明すべく、懸命に調査に取り組んでいた。この地域は、上エジプト〔訳注／エジプトの北緯三〇度以南のナイル川河谷を指す〕よりも湿度が高いため、遺跡の有機物質の保存状態が悪いと長年信じられてきたのだ。エジプト学者はみな、砂漠の遺跡のほうが、非常に乾燥していてものが腐らないので、圧倒的に有利だと考えている。そうかもしれないが、それが完全に正しいわけではない。

ある発掘区画では、七メートル以上掘った結果、三階建ての建物が見つかった。二六〇〇年前に建てられ、後にエジプト人が霊廟として再利用していたものだ。足元をぐらつかせながら、一つ四メートルのはしごを二つ降りていくと、一番下に着く。土層の断面図をグラフ用紙に記録していくと、五〇〇年分の居住と放棄の記録が明らかになった。

そして出土品もあった！　この遺跡からは、地中海地方のギリシャの土器や、エジプト東部砂漠地帯で産出する赤メノウ、アフガニスタン産のラピスラズリ、ヌビア産の金が出土した。どれも、ここが国際港として栄えていた証拠だ。コアリング調査のデータや、再現された景観データによれば、古代のテル・テビッラは一年の内九カ月間、水に囲まれていたようだ。さらに、マンザラ湖のほとりという位置もあって、国外の高級品を輸入したり、逆に国内から輸出したりするのに最高の場所だった。

エジプト末期王朝時代の港町には、有力な神官階級が暮らすぜいたくな神殿がないほうが珍しかった。この時代のことは、テレビ番組でもあまり取り上げられないし、考古学についての重要な発表にも登場しない。しかし、現代とよく似た国際都市や多様性の高い場所を古代世界に探そうとするなら、まずは末期王朝時代から始めればいい。芸術やテクノロジーが花開き、鉄の使用や、騎兵隊、三段オールのガレー船の導入といったイノベーションが起こった。デモティック

（民衆文字）というエジプトの新しい文字が生まれたのもこの時代だ。エジプト全土で新しい神殿がたくさん建てられた。テル・テビッラもその一つだ。

歴史的背景

この話を大局的に眺められるよう、歴史を簡単に振り返ろう。エジプト新王国時代には国外へ勢力が拡大し、第三中間期（前一〇六九～前五二五年）に神官階級が台頭した。そして紀元前九四五年に、西方のリビア人が権力を掌握したことで、エジプト末期王朝時代が始まった。その後、南からやって来たヌビア人による第二五王朝が紀元前七六〇年から紀元前六五六年まで続いた。[24]紀元前六六四年に始まった第二六王朝は、私たちが知るようなファラオ中心のエジプトの終焉期といえる。

第二六王朝の最初の統治者であるプサムテク一世は、ギリシャの傭兵を使ってアッシリアによる占領を終わらせ、国を安定させた。そして首都を西デルタ地帯のサイスに移した。サイスはテル・テビッラからわずか七五キロメートルの距離だ。[25]

エジプトは一時、国が安定し、地中海沿岸や東アフリカの国々と同盟関係を結んだ。[26]しかし、外交努力を重ねたにもかかわらず、末期王朝はやがて、ポーカーテーブルに何人ものプレーヤーを呼び込んでしまう。エジプトの持ち札は弱く、テーブルには賭け金が載っていなかった。

紀元前五二五年、ペルシャ人がこの国を乗っ取ったが、エジプトは紀元前四〇四年に彼らを追い出し、その後六〇年間にわたり、巻き返しを図るペルシャ人にデルタ地帯の拠点から抵抗し続けた。[27]

この状況がテル・テビッラにとって追い風になった。紀元前三九八年、エジプトの首都がサイスから、テル・テビッラの南西にある大都市メンデスに移されたのだ。メンデスに首都が置かれていたその後の一九年間で、テル・テビッラの影響力は高まり、富を増やしただろう。テル・テビッラには、変動する大国の間を行き来する商品を売買しようと、商人たちが押し寄せた。首都がふたたびデルタ地帯中央部に移る頃には、神殿はかなりの富を抱えるようになっていたはずだ。それからさらに四つの王朝が生まれては消えたが、テル・テビッラの人々は気にかけなかった。その港には商品が山と積み上げられていたのだから。今から約二四〇〇年前の、そのもやの立ちこめた朝にどんな出来事に見舞われるのか、彼らは知るよしもなかっただろう。

テル・テビッラの衰退

アルタクセルクセス三世は、古代ギリシャの歴史家ヘロドトスが「偉大な武人」と呼んだ人物だ。実際のところ、粘り強さを備えていたのは確かだ。初めは王位継承者の立場にあった紀元前三五九年に軍の司令官として、その後はペルシャ王として、エジプトに繰り返し攻め入った。一方、母国では権力を保つために八〇人もの親戚を殺害していた。[28]

紀元前三四三年、アルタクセルクセス三世は、エジプトの抵抗にしびれを切らして、三〇万人以上の兵を投入し、エジプト人の血を引く最後の統治者となったネクタネボ二世の船団と、ナイル川デルタ地帯を流れる分流のあちこちで交戦した。[29] ネクタネボ二世は、ファラオの地位を捨ててメンフィス〔訳注／古王国時代の首都。カイロの南約二〇キロにある〕に敗走した。守備隊の駐屯地だった都市や、テル・テビッラなどの港町は見捨てられ、頼るものを失った。

この戦いはテル・テビッラの住民にとって良い形で終わらなかった。二〇〇三年七月の湿気の多い日、私たちのチームは、アルタクセルクセス三世の勝利を象徴する発見をした。この発見を可能にしたのは、四〇年前に宇宙から撮影した写真だった。

その写真をもたらしたのは、冷戦を背景に始まった、アメリカのある秘密諜報計画だった。一九六〇年代と一九七〇年代にさまざまな国の衛星画像を何千枚も撮影したコロナ計画だ。撮影された写真には、ダム建設や都市化、人口増、気候変動による大規模な景観の変化が起こる前の各国の姿がとどめられている。幸運にも、北アフリカと中東に向けられたカメラが、今では損傷したり、存在しなかったりする遺跡を記録していた。そしてそこからは、エジプトの消滅を探る考古学について多くのことがわかった。

私はコロナ計画で一九七二年に撮影されたテル・テビッラの画像を調べてみた。すると、大きな直線的な遺構の角の部分が、遺跡の南の中央部と北の中央部に見えていた。これは、私たちが見つけたいと思っていた神殿の防御壁なのだろうか？[30]

磁気探査や、関連する発掘作業から、街の配置はだいたいわかっていたが、[31] 地上で壁のへりを特定するのは簡単な作業ではない。一般的に、リモートセンシングの専門家は、航空写真にジオリファレンスという処理をする。航空写真と現在の人工衛星画像を対応させて、航空写真の各画素に地理的なX－Y座標を与えるのだ。このプロセスがうまくいくには、航空写真の中に、認識可能な不変の地点が最低六つ必要になる。画像が古くて、サイズも小さく、デジタルではない場合、最近の画像と一致させて、地図上の同じ点を重ねるために、古い画像を引き伸ばすことがある。この処理は、ゴム（ラバー）のシートを引き伸ばすのに似ているので、「ラバーシーティング」と呼ばれる（適当にでっち上げた用語ではない）。

しかし、現在の景観が大きく変化している場所では、古い画像のジオリファレンス処理を正確におこなえない。私は一九七二年のコロナ画

テル・テビッラの神殿の防御壁がみえるコロナ画像（画像提供：アメリカ地質調査所）

像でジオリファレンスを試みたものの、十分に一致しなかった。ラバーシーティングによって生じた歪みのせいだろう。その画像だけを使って地上で防御壁を見つけるのは不可能だった。

最初の磁気探査は、およそ二〇メートル刻みの格子状の区画で実施され、地下にある日干しレンガの構造物を浮かび上がらせていた。しかしこのデータからは、大規模な囲いのある構造は見えていなかった。神殿の壁は厚さが数メートルあり、長さが一〇〇メートル以上あることはわかっていた。残り一カ月となった発掘シーズンにそれを探し出すのは、突如として難しいことに思えてきた。

グレッグには素晴らしいアイデアがあった。シルト［訳注／砂より細かく粘土より大きい堆積粒子］層の下に埋まっている、日干しレンガの上部まで達するように、遺跡の地表を一〇センチ

発掘されたテル・テビッラの防御壁（写真：著者）

削り取るのだ。しかし、遺跡全体の地表を削り取っていては何週間もかかってしまう。代わりにグレゴリーは、マウンド上で画像から壁があるとわかっているエリアを、一〇メートル四方の区画に分けた。そして、各区画の間を小規模に削り取って地中を調べるようにした。これはたとえるなら、敷石を敷き詰めた中庭に何が埋まっているかを確かめるために、中庭全体の敷石を剝がすのではなく、敷石の隙間から地中を探るようなものだ。

埋没した構造の輪郭が一定間隔で地表に現れてきた。神殿の防御壁は、日干しレンガがぎっしり積まれていて、切れ目のない構造になっているはずだ。この説明に当てはまる区画にあたったので、そのまま土を削り続けていくと、二カ所で壁のへりを見つけた。その間隔は約八メートル。やった！　大規模な日干しレンガの壁があり、それはコロナ計画の衛星画像で観測されていた壁の厚さと一致していた。ビンゴだ。

壁が見たもの

南に向かって一〇〇メートル近く発掘を続けていくと、そこで壁は西に九〇度向きを変えた。古代の建物の角部分では、いろいろと面白いものが見つかる。建物の基礎に埋められた遺物や、年代が推定可能な遺物などだ。掘り進む方向は下方向しかない。だから下に向けて掘り進んだ。

発掘チームの誰にどの区画の発掘作業を割り当てるかは、いつも平等に決める。この区画は私の担当になった。私は壁の南西の角に二メートル四方の区画を切って、厚く堆積したシルト層を掘り始めた。驚いたことに、一〇センチ掘っても、二〇センチ掘っても、シルト層のかたさや色は変化しなかった。三〇センチ掘っても変わらない。土器も何も含んでいないのだ。

この区画ははずれだ。そう思って諦めようとしたそのとき、妙なものを掘り当てた。ぼろぼろになった赤いレンガだ。もう一つ。さらにもう一つ。そのレンガは、壁の一部をなしているのではなく、下向きに鋭い角度で傾いた状態で見つかった。さらに数が増えてくるにつれて、まるで誰かが何十個もの日干しレンガを壁の角に投げ捨てて、火を放ったかのように思えてきた。

見取り図を書き、測量をして、写真も撮ってから、私はレンガを取り出し始めた。しかし金の輝きに手を止めた。金が集落という環境で見つかるのはきわめて珍しいことだ。次に、長さ五センチほどの銅片が出てきた。バケツに入れた土を作業者たちがふるいにかけると、どのバケツからもさらに金箔が見つかった。その金箔は、見た目や触った感じが木炭に似たものに付着している。遺物が掘り出されるペースは、水滴がしたたるようだったのが、いまや消防ホースで放水するような勢いになった。銅、ラピスラズリ、ビーズ、赤メノウ。ふるいからは、ファスナー付きビニール袋で四分の一近い量の金箔が取れた。八〇センチ以上の深さのところに、ものが燃えた跡があったことや、高価な遺物がごちゃまぜで散らばっていたことは、私たちのチームを悩ませた。

私たちのチームのアーティスト兼出土品登録担当者であるシャキーラ・クリストドーロウが、マウンドの反対側にある記録作業用のテントで、イラストを描けるように出土品を洗っていると、その意味がなんとか読み取れてきた。こびりついた土を取り除くと、見事に鋳造された銅が出てきたのだ。さまざまな王の王冠、編んだひげ、羊の角などの形があった。どれも、木製の小さな彫像に取り付けるためのほぞが突き出していた。

しかし、それはただの普通の小さな彫像ではなかった。出土した金箔や銅はすべて、神々の彫像の名残だったのだ。テル・テビッラの神々は焼け落ちてしまっていた。金は神々の体だった。銅でできた神々の力の象徴は、永遠に残るように作られていた。そうした彫像は神々を表すという以上に、神々を具現化したものだった。職人は、そうした彫像に命を吹き込むため、眉毛や目を半貴石で作った。神官たちは毎日、彫像を洗い、聖油で清め、服を着せた。それは、現在のインドで寺院の像におこなわれている儀式とよく似ていた。

そうした神々の彫像が破壊されたときに、ロ・ネフェルの人たちがどんな気持ちになったのか、私たちにはとても想像できない。

アルタクセルクセス三世とその軍勢が、街を破壊しようと川の波止場から押し寄せてきたとき、神殿の破壊は人々への恐ろしいメッセージとなった。兵士たちは、寝ぼけ眼の市民に鉄製の短剣を容赦なく向けつつ、神殿の巨大な二重扉を突破した。宿直中の神官は戦ったり、隠れたりしようとしただろうが、神殿の壁のせいでかえって動けなくなった。兵士たちは、神殿中央を抜けて、深奥部に続く石畳の道を進み、聖域へと突入した。そこで、オシリスやアメンといった神々が祭壇の中に無防備に納められているのを見つけた。

兵士たちは神々の像を奪い取った。半貴石をもぎ取って自分のものにした可能性もある。そして聖域から出て、神々の像を燃やした。壁の上に立った兵士たちはおそらく、市民が見ている前で聖像を打ち壊し、押し倒したのだろう。その当時の誰かが像を地面に向けて放り投げたのは間違いない。出土地点のちょうど下に、壁の基礎部分にあたる部分に溝があったからだ。大火災によって、日干しレンガは赤く燃え、遺物の上に重なって、二〇〇〇年以上も覆い隠していた。

テル・テビッラの神殿や街で起こっていたであろう出来事は、その後の居住層にかき消されている。その日起こった大虐殺によって、歴史のフィルムは次のコマへと進むのだ。テル・テビッラの神殿は、宗教の拠点というだけでなく、経済の原動力であり、政治的機構でもあった。そして、この神殿がルクソールにある神殿と似ていたのであれば、高さ一〇メートル以上の壁を備えていた可能性があるので、攻撃の目標物としても印象が強かった。テル・テビッラの破壊は、アルタクセルクセス三世がエジプトの覇権を奪う過程で重ねていった多くの破壊行為の一つだった。

川が都市にもたらす悲運

エジプト人は、川からの侵略にもっと備えておくべきだった。しかし彼らはいつからか、自分たちは安全だと思い込んでいた。

そう思い込んでいた理由は、毎年の氾濫によって人々を支えていたナイル川自体のリズムにある。数百キロメートル上流で降るモンスーンの雨によって、支流の青ナイル川と白ナイル川の水量が増えると、ナイル川本流で増水が発生した。この増水により、毎年夏の数カ月間、畑には栄養に富んだ肥えたシルトが堆積した。その季節のエジプトは、たくさんの島からなる国に姿を変え、街や住民はそうした島の上で水が引くのを待った。

ナイル川が氾濫平野に堆積させる泥の厚さは、平均すると一年間で一ミリだった（もちろんこれより多い年も少ない年もある）。これは一〇〇〇年間で一メートルの計算だ。[32] ナイル川デルタの頂部に近い、古王国時代の首都メンフィス付近から下流では、ナイル川は七つの分流と、数え切れないほどの水路に分かれて、最終的に地中海に注いでいた。河口のあたりでは、氾濫平野で堆積しなかった泥がたまっていくため、陸部分がゆっくりと広がっていった。

そうするうちに、ほとんど通り抜けられないほどだったデルタ東部の湿地帯の環境が変化して、居住できるようになった。そして古王国時代から人が住んでいた、テル・テビッラのような小さな街が栄えて、成長できるようになった。もしこの湿地がそのまま残っていて、エジプトが外から侵入しにくいままだったら、アルタクセルクセス三世の攻撃は失敗に終わっていただろう。しかし、アルタクセルクセス三世がエジプトに船でやってきた時代には、エジプトでは河川輸送が始まっていた。最終的には、時間と、気付かぬうちに積み重なったシルトが、ペルシャ王による征服を許したのだ。

この物語は最後に、始まりに戻る。宇宙だ。現在のナイル川デルタを人工衛星から見下ろすと、かつて七本あったナイル川の分流のうち、二本しか残っていないのがわかる。テル・テビッラは地中海から六〇キロメートル以上内陸にあり、この遺跡がかつて、地中海に続く大河のほとりにあったというのはほとんど想像できない。実際のところ、テル・テビッラ遺跡は少ししか残っていない。削り取られたり、荒らされたりして、年々失われているのだ。デルタ地帯では、他にも相当に多くの遺跡が同じ運命に直面している。デルタ地帯をかつて訪れた人々は、見渡せる範囲に、いくつものマウンドがまるで蟻塚のように点在していると説明していた。今では、残っている隣のマウンドまで車で三〇分以上かかる。

私たちにとって幸運だったのは、アルタクセルクセス三世がロ・ネフェルを破壊したという歴史的な記録があったこと、そして最近の人工衛星データでは見えない、この遺跡の大規模な遺構が、コロナ計画の古い画像にとらえられていたことだ。発掘調査によって、謎を解く手がかりは増えた。しかし、アルタクセルクセス三世の一連の軍事行動については、これからもはっきりしたことはわからないままだろう。

世界中の遺跡が気候変動や都市化によって破壊されていくなかで、どれだけ多くの手がかりが完全に失われてしまったのだろうかと思わずにいられない。

良いニュースもある。人工衛星技術の大きな進歩のおかげで、考古学の発見がこれまでよりも速いペースで実現していることだ。これまでより範囲も広がり、ありえないと思われていた場所で発見がおこなわれるようになった。そうした場所には、一度は栄えたが、やがて崩壊し、また復活した過去の文明をめぐる、数え切れないほどの物語が埋もれている。そうした物語について もっと知るには、まずはこの分野がどのようにして誕生したのかを詳しく掘り下げてみよう。

第2章　宇宙考古学とは何か

宇宙考古学という研究分野の名称を初めて耳にしたなら、ＳＦめいたばかばかしい名前に思えるかもしれない。火星にある異星人の農場があった証拠やら、宇宙からきた矢じりやら、緑色の小さな宇宙人のミイラなんかを見つけようという話に聞こえるからだ。宇宙生物学者ならそういう話に間違いなく興味を持つだろうが、宇宙考古学者の視線は人工衛星を使って地球へと戻る。やはりスタート地点としてふさわしいのは地面の上だ。砂漠に白いテントが映え、汚い格好をした考古学者たちが、何千年分もの砂埃を立てる。一般の人々が想像するのはそんな風景だ。現代的な考古学のフィールドワークでは、発掘用のコテや、ちりとりに似た道具のような昔から使われている道具の他に、化学実験に使うピペットや、レーザースキャン装置が必要になる。それでも、発掘作業をする考古学者にはどこかロマンチックなイメージがあるもので、私が最初に情熱をかきたてられたのも、そんなイメージのせいだ。

古代遺跡を発掘することは、私の仕事で一番素晴らしい部分だ。マーシャルタウン（発掘用コテのブランド名）を使う機会が来るといつも、私の中にいる五歳児が大喜びで叫び出す。地面の土をすくうたび、発見の可能性がある。スクラッチくじをけずるときのワクワクする気持ちを思い出してみてほしい。期待が高まり、鼓動が速くなる。その先にあるのは、期待はずれの結果かもしれないが。これを一日に一万回繰り返す。初めて完全な形の遺物を見つけたときの気持ちは決して忘れないものだ。

初めての発掘調査

一九九九年、大学二年生から三年生になる夏に、私はエジプトのナイル川デルタ地帯にあるメンデス遺跡で発掘調査に初めて参加した。メンデスは、古代にはペル＝バネブジェデトと呼ばれた都市で、[1]カイロから北東に車で三時間のところにある。[2]私たちはほぼ毎日、かすんだ太陽の下であくせくと作業し、うねる広い大地の下で混ざり合っている三〇〇〇年の歴史を掘り出した。エジプト先王朝時代にあたる、紀元前三〇〇〇年の光沢のある土器の破片を見つけたと思ったら、その次には西暦一〇〇年、ローマ時代の土器が出てきたりした。[3]私が発掘していた区画は、紀元前二二〇〇年ごろの第八王朝時代にあたった。第八王朝時代は、エジプトで最初の大ピラミッド時代である、古王国時代の末期だ。

私はエジプト人のチームとともに、七月のデルタ地帯の蒸し暑さの中で作業を続け、日干しレンガで作られたマスタバ（標準的な長方形の墓）のへりを見つけた。掘り進んでいくと、赤みがかった土器の輪が地中から現れてきた。古い器のようだ。原形のままの器を見つけたんじゃないかということばかり考えてしまう。器の周りを掘りながら、興奮を抑えるのに苦労した。大きさや位置を測定したり、図面を起こしたり、写真に撮ったりしてから、やっと器を取り出した。器にひびが見えた。割れた器のかけらだった。

三〇分ほど慎重に作業すると、平らにつぶれて、3Dジグソーパズルのようになったビール壺が姿を現した。外側は淡く白いスリップ（泥漿）でコーティングされている。この壺は、古王国時代に多く使われていたもので、[4] ニューオリンズのバーボンストリートにある、カクテルを出すようなおしゃれな店で使われていても変ではないようなデザインだ。私が手にしたのはただの遺物ではなく、実際に起こった可能性のある物語だ。おそらく、ある人が亡くなって、その親戚が墓地にこの壺を持ってきたのだろう。古代の人々には、供物をするときの決まりがあったとされている。死者がたくさんのパンやビール、品物を受け取って、永遠に生きられるように呪文を朗唱し、死者をしのびながらビールを飲んだのだ。[5] 記録用の写真を撮るために壺をブラシできれいにしながら、じっくり見ていた私は、注ぎ口のそばにあるものを見つけた。四二〇〇年前にこの壺を作った職人の指紋だ。

想像の中で、私とその職人を隔てる時間の溝がぎゅっと狭まった。

その指紋は、しっかりとした親指のものにみえた。額に汗をうかべ、手回し式のろくろの上にかがみ込む中年男性が目に浮かんだ。古代の死者の日であるワギー祭が近づいていて、[6] 職人は仕事の期限を抱えていた。市長とその家族のための器を二セット、ペル＝バネブジェデトの町民のためにビール壺を二〇〇個作らねばならないのだ。[7] 傍らでは、職人の息子が窯で火をたいていた。温度が高すぎると壺は割れてしまうし、低すぎれば壊れやすくなる。娘が職人に、冷たい水の入った小さなカップを持ってきた。職人は笑顔を浮かべ、神々の恵みに感謝した。この町の守護神ジェデトの加護により、[8]職人は期限に間に合った！

発掘作業で一番大変なこと

こんなふうに、歴史の蛇口からしたたる水の一滴をひとたび味わえば、それを忘れることはないし、渇きが癒えることもない。地面の下に埋もれているのはものではなく、物語だ。つじつまのあわない文章を、散文体の物語にまとめあげるのが考古学者の仕事だ。しかし、なんの特徴もない茶色いシルトの海や、現代の耕作地、あるいは深い熱帯雨林の下にあるマウンドを目の前にしたときには、まずその問題をどうにかしなければならない。

宇宙考古学は、まさにこの質問に答えるために進化してきた。

未発掘の遺跡ではたいてい、地下に隠れている可能性のある遺構を示すヒントが地上にはわずかしか存在しない。とはいえ、これは世界のどの国で発掘作業をするかによってかなり違ってくる。ベリーズでは、マウンドが熱帯雨林の林床から高くそびえている。穏やかな起伏がある周囲の景観の中でとても目立っていて、構造物の存在をうかがわせている。ギリシャでは、オリーブ園の地面に直線上に並ぶ石から、三〇〇〇年前にあった石壁の位置がわかる。このような、発掘作業のガイドになるわかりやすいヒントがある場合には、考古学者は幸運だと感じる。

ヒントがそれほどわかりやすくないと、つまずいてしまう。考古学者は発掘を生きがいとしているが、文化財を管理する会社で働いているか、政府の文化担当省の考古学専門官でもない限り、発掘現場にいられるのは毎年数カ月だ。インディ・ジョーンズでさえ、大学で講義を担当していたくらいなのだから。スケジュールが厳しく、予算的な制限があるとなれば、考古学者は時間や資金の使い方をできるだけ細かく計画しなければならない。責任の重い、公的研究資金での発掘では、一シーズンを終えて成果なしという報告はしたくない。

公的資金でも、民間資金でも、考古学の研究助成に申請する場合には、よく練られた研究課題と、最先端のプロジェクト設計、そしてチームが発掘のターゲットとしている遺跡の事前評価などの証拠資料が必要になる。

遺跡の中には、運よく、あるいは偶然見つかったものもある。たとえば一九〇〇年には、エジプトのアレクサンドリアの採石場から紳士を乗せていたロバが、放置されていた縦孔に落ちてしまった。気の毒なロバが落ちた先にあったのは、西暦二世紀から四世紀のローマ時代のカタコンベだった。数百人分の遺体を納めるこのカタコンベは現在、アレクサンドリアでぜひとも訪れるべき観光スポットの一つになっている。[9]

近代的な町の下にそうした遺跡が横たわっているというケースは、世界中でみられる。私は大学院生のときにエジプト中部で進めていた調査研究で、人工衛星画像から、現代の都市の下に隠れている古代都市の手がかりを見つけたが、それを確認するには地元の人の力を借りる必要があった。ダルガという町で、コプト教教会の聖職者は私を、階段を二つ下った地下にいくつも並ぶ、洗礼式用の神聖な部屋に連れて行ってくれた。そうした部屋を飾っているレリーフは西暦六世紀のもので、私たちが立っていた場所の六メートルほど下にある、最初期のコプト教教会から剝がしてきたものだという。ロバがケガをしなくても、こんな小さな驚きに出会えたのだ。

本人たちは否定するかもしれないが、たいていの考古学者は、発掘がうまくいきますようにという願いに耳を傾けてくれそうな神なら、現代でも古代でもあらゆる神々に祈りを捧げる。収集したサンプルの保存袋を手にした考古学者が、神の愛を広めたっていいだろう。思いがけない発見は別として、考古学者たちは地面の下にあるものを探るのに、さまざまな手法を用いている。

一番シンプルな手法が現地踏査だ。等間隔の線に沿って、グループで、または一人で歩くことで、その遺跡や地域全体で、地表の遺物の状況がどのように変化するかを調べる方法だ。金属製造の副産物であるスラグが密集している場所があれば、そこは工房だったのかもしれない。石灰岩のかけらと、骨の断片が同じ場所からみつかったら、そこは高貴な人の墓で、石灰岩のかけらは棺か墓の一部だったのだろう。大きな石灰岩が、彫刻がほどこされた状態か、原形のままで山積みになっていたら、それははるか昔に破壊された神殿か宮殿の場所を示している。また、古代の土器などの遺物は、その場所の年代を教えてくれる。

現地踏査は遺跡調査の中では（ロバと同じくらい）重要なステップだが、一つの遺跡の全体像だけでなく、遺跡と周囲の景観との関係の全体像をつかめるのは、空からの視点だけだ。航空写真は、古代遺跡を調べるのにきわめて価値のある方法だと証明済みだし、最近ではドローンがまさに目を瞠るような写真を撮影している。とはいえ、国際宇宙ステーション[10]よりさらに三二〇キロメートル上の、はるか上空から撮影した画像によって、考古学の中の一分野への道は開かれた。そしてこの一分野によって、過去について、そして将来の発見の可能性についての私たちの理解は、すでに大きく変化している。

宇宙考古学の仕組み

考古学者が、航空機か人工衛星で取得したなんらかの形のデータを用いて、現在の景観を評価し、遠い昔に地下に埋まった川や、知られざる古代遺跡を見つけようとする場合は、もれなく「宇宙考古学」をしていることになる。宇宙考古学は、「衛星考古学」や「衛星リモートセンシング」とも呼ばれる。こんな奇妙な名前がつけられた根本的な責任はＮＡＳＡにある。二〇〇八年にＮＡＳＡは「宇宙考古学」[11]プログラムを開始した。これは、大規模な考古学研究プロジェクトで衛星データを利用する科学者に、研究助成金を与えるプログラムだ。私がしていることをＮＡＳＡが宇宙考古学と呼ぶのなら、私に反論なんかできない。

人工衛星画像の意味を説明するのは、科学でもあり、職人的な作業でもある。リモートセンシングの専門家はみな、光という言語を身につけるところから始めなければならないが、これは簡単ではない。コンピュータースクリーンでは単なる解像度の高い写真に見えるものにも、実はもっと深い意味がある。画像に含まれるそれぞれの画素は、地上の具体的なエリアを表している。[12]その画素を構成する光には、スペクトルの可視光部分だけでなく、人工衛星の撮像システムによるが、近赤外光や中赤外光、遠赤外光も含まれている。さらに、地表のあらゆるものには、独自の化学的特性があって、それが反射する光の性質に影響している。私たちの手書きの署名には他の人と異なる特徴があるように、素材が異なれば、反射する光のスペクトルにも固有の特徴が現れるのだ。[13]

たとえば人工衛星画像では、砂地と森林はまったく違って見える。この違いは肉眼でも簡単にわかる。一方で、森林の中にある樹木の種類を見わける必要がある場合には、化学的特性が関わってくる。コナラ属の木々が示す化学的特性は、マツ属の木々とは異なる。視覚的には、どの木も同じ緑色に見えるかもしれないが、さまざまな波長の赤外線を用いて、植生の健康状態のわずかな違いを視覚化すると、色のバリエーションを感知することができる。[14]

リモートセンシングの専門家は、画像に「擬似カラー」を割り当てることで、そうした違いをはっきりさせ、[15]地表の状況の個々の種類を区別している。リモートセンシング用プログラムでは（フォトショップを使って、ある方針で色の置き換えをするように）、画素の集まりをどんな色にしてもいい。一般的には、植生には緑系の色、建物には灰色、土には茶色といったように、実物とできるだけ似た色を選ぶのが望ましいとされるが、なんでも好きな色にしてかまわないのだ。学会発表や論文などで使われている人工衛星画像には、ＬＳＤのひどい幻覚体験のような、サイケデリックな色合いのものもときどきある。[16]

科学者は、必要とするデータに合わせて、特定の種類の人工衛星データを買い求める。人工衛星はそれぞれ違っていて、現在では一七〇〇基以上が軌道上にある。[17] そのほとんどが分解能の低い気象衛星か広域衛星で、地上の一五メートルから三〇メートルのものまでしか見わけられない。こうした衛星の画像が一番よく使われている理由は、無料で入手できることだけではない。一九七二年までさかのぼる非常に多くの画像が提供されているので、地上の景観の短期的変化と長期的変化の両方がみえるからだ。[18] こうした無料の画像の他に、デジタルグローブ社のワールドビュー3号・4号などのセンサーで記録された、高分解能画像がある。こうした人工衛星の空間分解能は〇・三一メートルから一メートルの範囲であり、画像内の一個の画素が、ｉＰａｄとボディーボードの中間くらいの面積に相当する。

人工衛星画像を見る場合には、長期的変化の中からわずかな短期的変化を見つけるために、あるいは遺構を検出するために、ピクセル単位のデータを抽出する。研究課題におうじて、アルゴリズムを微調整したり、テストしたりするうちに、最終的に面白いものが見つかる。まったくのまぐれや、天才的なひらめきによって見つかることもあるが、使える手をすべて使い切った末に見つかるというのが普通だ。見つかったものが、コンピューターの画面にこびりついた汚れだとわかることもあるが、科学というのはそういうもので、また最初からやり直すことになる。

「これだ！」という瞬間もある。たまには

リモートセンシングを使った研究といえば、「これだ！」という瞬間、つまりボタンをシングルクリックしたら、ありふれた風景の中に潜んでいた秘密があらわになるという瞬間ばかりだと思われがちだ。そんなことはない。週に何十時間もコンピュータースクリーンの前で過ごし、プログラムのクラッシュにしょっちゅう毒づいているというのが、一般的なリモートセンシングの専門家の姿だ。うまくいったとしても、そこにたどり着くまでにたどってきたステップを記録するのを忘れていたことに気付いて、また自分をののしるはめになる。そうなったら、また最初からやり直しだ。大切なのは学ぶこと、そしてプロセスを改善することだ。

そうかと思えば、「これだ！」という瞬間が実際に起こることもある。リモートセンシングをめぐる話で私が大好きなのは、ベリーズにある、一〇〇〇年以上前の有名な古代マヤ遺跡である、カラコル遺跡であった話だ。[19] それは二〇〇八年の話で、当時はちょうど、LIDAR（ライダー）（LIght Detection And Ranging　光検出と測距、の略）という新しいレーザーイメージング技術が、スタートライン上でウォーミングアップをしていた頃だ。

二人とも人当たりがよく、おおらかな心の持ち主であるダイアン・チェイスとアーレン・チェイスは、ネバダ大学ラスベガス校の考古学者夫婦で、三〇年近くにわたりカラコル遺跡の調査をしてきた。[20] セントラルフロリダ大学のジョン・ワイシャンペルという熱心な生物学者に、カラコ

ル遺跡でＬＩＤＡＲを使いたいと初めて相談されたとき、チェイス夫妻は懐疑的だった。夫妻はＬＩＤＡＲのことを知らなかったが、自分たちの遺跡への研究資金を増やすというアイデアには当然ながら乗り気になった。夫妻は、数十年の苦労多い研究人生において、自分たちが何か重要なものを見逃していないことを願うような気持ちになりかけていたからだ。

チェイス夫妻はワイシャンペルに、研究助成金の申請を進めるように言った。その助成金が出れば、ワイシャンペルは必要に応じてＬＩＤＡＲを使い、熱帯雨林の深々とした樹冠の下をのぞいてみることができるようになる。面白そうだし、誰も困らない話に思えた。

新たな助成金を獲得できたワイシャンペルは、点群データを収集するために、アメリカから飛行機を借りた。この場合、点群データは、遺跡を取り囲む広いエリアの植生のてっぺんから林床までカバーする何十万点に及ぶデータとなる。[21] このエリアをグーグル・アースで見たら、目に入るのは熱帯雨林だけだろう。緑が一面に広がっていて、古代文明の名残といえば、有名な石灰岩のピラミッドがいくつか、木々のこずえからちらりとのぞいているだけだ。

ワイシャンペルは、すべてのデータを処理すると、その画像をアーレンと数人の同僚に見せた。「うそだろ！」アーレンはまさにこの通りの言葉を発した。誰もが心の中で同じことを思っていた。別の同僚は仰天して、これは何百人もの学生が博士論文を出せるようなデータだと驚いた。

翌日になって、ワイシャンペルのもとにダイアンから電話がかかってきた。「アーレンったら、一晩中スクリーンにかじりついていたの。夕食も朝食も食べずにね」メソアメリカ考古学という分野全体が、一夜にして永久に姿を変えてしまった。アーレンがその夜見つけた古代マヤ遺跡の数は、ジャングルをくまなく探してきた三〇年間で発見した数より多かったのだ。今では、アーレンはラスベガスにあるオフィスのデスクで、午前中だけで五〇〇以上の新たな遺構を見つけられる。[22]

こうした大規模な再評価は、素晴らしい技術が突然さっと現れて実現したものではない。考古学分野では珍しくない偶然の出来事が、何十年分も積み重なった結果なのだ。このことを理解するために、古代遺跡を空や宇宙から観察してきた歴史をさっと振り返ってみよう。

気球と飛行機からすべてが始まった

空中から観察された最初の古代遺跡の一つに、ストーンヘンジがある。[23]新石器時代（前二五〇〇年頃）[24]の環状巨石群として有名なストーンヘンジは、イギリス南部の傾斜のある草地に立っており、毎年夏至に訪れる場所として現代の多神教徒たちから長く愛されている。一九〇六年にこの近くに配属されていた、王立工兵連隊気球分隊のフィリップ・ヘンリー・シャープ中尉は、係留気球を使ってストーンヘンジ遺跡の写真を三枚撮影した。[25]この写真は、すぐにロンドン考古協会から発表されて、大騒ぎを引き起こした。考古学者は、この遺跡と同時に、周囲の景観との関連性を見てとることができた。地面には、他より色が濃くなっている奇妙な部分もあって、それは古代の遺構が埋まっているのではないかと思わせるものだった。高い空から見れば、そこには新たな世界が開けていたのだ。

第一次世界大戦中には王立陸軍航空隊が創設され、先駆者的な飛行士たちがヨーロッパや中東の空を飛び回った。航空写真は、大砲の射程や、敵の位置を確認するのに使われたので、その撮影は航空隊の任務のなかで最重要事項になった。[26] 攻撃の計画に使われた前線の写真は、現在では基本的な考古学データになっている。[27]

その後、「空飛ぶ神父」[28]という愉快な愛称があった、フランスのアントワーヌ・ポワドバール神父が、一九二五年から一九三二年にかけてシリアとレバノンを広く複葉機で飛びまわり、多くの古代遺跡を上空から撮影した。[29] ポワドバール神父は、こうした非常に貴重な写真を撮影しただけでなく、中東地域の航空考古学の基礎を築いた。神父が強調していたのは、古代遺跡の構造をはっきりと浮かび上がらせるためにはタイミングが重要だということだ。たとえば、地面が湿気を多く含んでいる午前中に撮影された写真からは、午後に撮影された写真よりも、より多くの遺跡が見つかる。午後になると地面が乾いて、色の変化が乏しくなるからだ。

一方イギリスでは、O・G・S・クロフォードが、古くから人が居住してきた土地の調査に航空写真を活用することを始めた。クロフォードは、第一次世界大戦中に王立陸軍航空隊で任務についたあと、考古学専門官としてイギリス陸地測量部に加わった。[30] 第一次世界大戦中にドイツの捕虜になっていた時期に、クロフォードは『人類とその過去（*Man and His Past*）』という本を完成させていた。これは、文化を記述するうえでの地図の重要性を強調する、先駆的で重要な本だった。[31]イギリスの若い世代の考古学者たちから、親しみを込めて「OGS（オグス）おじさん」と呼ばれていたクロフォードは、[32]イギリス全土でそれまで知られていなかった遺跡を何百カ所も見つけ出している。[33]今日でも、クロフォードが撮影したイギリスの航空写真のアーカイブは、考古学者にとってなくてはならない資料だ。[34]

クロップマーク——エイリアンのしわざではない

初期に撮影された航空写真や、その後の人工衛星画像では、考古学的な遺構がクロップマークの形でみつかることが多い。クロップマーク（作物痕）とはその名前の通りで、作物の成長が周囲よりも早くなったり、遅くなったり、場合によってはまったく育たなかったりすることを示す痕で、壁や建物全体が埋まっていることを知らせるのだ。[35]成長がどのような影響を受けるかは、その地面の下に何があるかによる。

さまざまなクロップマークの例を詳しくみていこう。石壁の基礎部分があって、それが長い時間をかけてゆっくりと土に埋もれていったとする。その上の地表に牧草などが根付いた場合に、その根は、数メートル離れた牧草と同じ深さまで伸びることができない。するとその牧草は成長が妨げられて、他の牧草よりも生育が悪くなる。干ばつになれば、完全に枯れてしまうかもしれない。

反対に水路などは、時間とともに腐敗した植物がたまっていく。これが肥沃な腐葉土となり、新しい植生が育つのに理想的な場所になる。水路跡では牧草や作物がよく育ち、周りよりも草丈が高くなる。

植生の草丈の違いによって生じる影は、航空写真で簡単に確認できる。一方、植生の健康状態の微妙な違いは、人工衛星の近赤外線観測データから読み取ることが可能だ。たとえば、クロロフィル（葉緑素）は近赤外線で見るのが一番わかりやすい。近赤外画像では、植生はすべて赤く見える。[36] 今度子どもに、草はどうして緑色なのかと聞かれたら、近赤外画像では赤く見えるんだよと説明してみよう。私の息子の反応は、「お母さんって変なの」だったが。

こうしたクロップマークには面白い歴史がある。草地を歩いていて直接見かけることもある。イギリスでは五〇〇年以上前に、歩き回っているときにクロップマークを見つけて、そのことを書き残した観察眼の鋭い人々がいた。たとえば古代遺物収集家のウィリアム・キャムデンもその一人で、彼はイギリスへのキリスト教の布教者であるアウグスティヌスにちなんで、クロップマークを「聖オーガスティンの十字架」と名付けている。[37]

私のところには、ヨーロッパの人々から、グーグル・アースで見つけたというクロップマークのスクリーンショットがメールでよく送られてくるのだが、私はいつも感心している。みんなとても目がいいのだ。自然界では、直線はめったにできないし、直線が四角形を作ることはもっと少ない。そのため、イギリスやフランス、イタリアの畑の人工衛星画像で、四角形がいくつもつながっているのが見つかったら、古代ローマ時代の住居を発見した可能性がかなり高い。[38] 一〇〇〇年以上にわたって耕作がおこなわれてきた畑でも、石でできた基礎部分は残っていて、作物の生長に影響する。だから、私がイギリスで日曜日の午後に、畑の間を楽しく散歩するのは、たとえパブでランチを食べるのが目的でも、怠けていることにはならない。私はいつも、念のために、あたりを注意深く見回しているのだから。

第二次世界大戦から宇宙時代の幕開けへ

第二次世界大戦後、リモートセンシング技術は大きな変化を遂げ、考古学者や他の分野の科学者たちは、新たに登場したカラー写真や赤外線写真の技術の価値を認識するようになった。実は、私の祖父であるハロルド・ヤング教授は、一九五〇年にこう書いている。「相対的にいえば、森林学での航空写真の利用は成長段階に入ったばかりだ。多くの研究者は、航空写真の有意義な利用法とともに、航空写真の限界をみきわめようとしている。現在のところ、カラー写真の可能性はほとんど知られていない」[39]

これはほんの七〇年前の話だ。今では、物体の３Ｄスキャンや遺跡の熱赤外画像の撮影がスマートフォンでできるようになった。[40] こうした技術がわずか二世代の間に登場してきた。人間の歴史全体でみればほんの一瞬だ。

祖父の時代、考古学者たちはヨーロッパや中東で撮影された、何千枚もの軍事用航空写真を入手して、新たな遺跡調査の計画を立てるのに使うことができた。航空撮影技術が考古学の標準的な道具になっていたのは、ケンブリッジ大学のケネス・セント・ジョセフといった先駆者たちのおかげだった。大学で地質学を学んだセント・ジョセフは、第二次世界大戦中に航空機生産省に勤めていたときに、航空写真の世界を知った。戦争が終わると、イギリス空軍の訓練飛行を利用して、イギリス国内の景観の大規模な撮影プロジェクトに着手し、ケンブリッジ大学に三〇万枚以上の写真コレクションを残した。セント・ジョセフは、驚くような画像の数々を使って、素晴らしい講義をおこなったが、そのときの語り口から「聖人ジョー」というニックネームがついた。[41] これも天から教えを説く方法の一つだ。

こうした関心が広がっていった結果、一九六三年には航空考古学についての初の国際会議が開催された。[42] さらにセント・ジョセフは一九六六年に、『航空写真術の利用』という大著を刊行している。[43] やがて新しい軍事ロケットプログラムが始まると、考古学者たちは、新旧すべてのものを、あらゆる意味で「スパイ」するという、高い目標を掲げられるようになった。

宇宙開発競争は、現在の考古学者に思いがけない影響を与えている。一九五〇年代に開発されたコロナ、ランヤード、アルゴンといった人工衛星は、冷戦中のソ連の活動をマッピングすることを目的とした、政府による極秘のスパイ衛星プログラムだった。一九六〇年から一九七二年にかけて、こうした衛星にカメラシステムが搭載されて、ロケットで宇宙に打ち上げられると、地表を広範囲に撮影し、高分解能の白黒写真を生成するようになった。そのフィルムはカプセルに入れられて、パラシュートで地球に投下され、特別設計の航空機で回収された。こうした写真は一ピクセルあたり一・八メートルという驚異的な分解能があり、一九六〇年代や一九七〇年代に人口が大幅に増加する前の開発途上国の姿をおさめていた。[44]

こうしたデータセットは、一九九五年にビル・クリントン大統領が機密解除を発表して以来、[45]誰でも少額の費用で入手できるようになり、私もリモートセンシングの授業でよく使っている。二〇〇〇年代初頭に、データはアメリカ政府の公文書保管担当者によってすべてデジタル化されているが、[46]私のところには、長さ一メートル以上、幅一〇センチの白黒ネガの形で届いた。一九五〇年代の映画に出てくるスパイがやるように、この巻いてあるネガを伸ばして、目の高さに掲げるのが好きで、学生たちもそうやっている。彼らはほぼなんでもコンピューター上でやっているので、そうやって実際に手を動かすと授業が一段と盛り上がる。それに、「ええ、そうですね、私は研究にスパイ用の画像を使ってます」と発言して、それで学生にすごいと思ってもらえるなら、私はどんな手だって使う。

冗談はさておき、エジプト学者や中東の考古学の専門家にとって、このデータは宝の山だ。エジプトでは、一九六〇年代にアスワンハイダムが建設されたことで、ナイル渓谷やデルタ地帯の景観を徹底的に変え、かつては増水で水に沈んでいた地域にまで市街地を広げることができるようになった。しかしこれによって、数多くの遺跡が完全に破壊されてしまった。シリアやイラクでは耕作地の変化によって、わずか五〇年前にはまだ残っていた、「くぼんだ道」（周囲の土地より低くなった道）と呼ばれる、人の行き来の多かった古代の道や、川の流路がわかりにくくなった。[47] こうした考古学的な景観は今では永遠に失われている。コロナのデータセットがなかったら、この地域の遺跡はなんの痕跡も残さずに消えてしまっていただろう。

NASAの人工衛星革命

一九六〇年代は、アメリカの歴史に大激動をもたらした時代だった。暴動が起こり、抗議集会やデモ行進がおこなわれた。ベトナム戦争が勃発し、米ソが月着陸をめぐって競争し、フェミニストたちはブラジャーを燃やした。こうした変化は学問の世界にも浸透していった。アメリカはすでに気象衛星の実験を進めていて、たとえば一九六〇年にはタイロス1号を打ち上げていた。タイロス1号は、小型のとても重いテレビくらいのサイズで、現在の人工衛星と比べると小さく、動作したのはわずか七八日間だったが、科学者たちに地球の地表データを集めることの可能性を示した。[48] タイロス1号の成功で自信をつけたNASAは、その後もタイロスシリーズの人工衛星を建造した。タイロス7号は一八〇九日も動き、一九六八年の運用停止までに三万枚の雲の写真を撮影した。[49]

地球の表面全体をマッピングする性能を備えたイメージングシステムの計画は、一九六四年に始まった。[50] ケネディ政権とジョンソン政権で内務長官を務めたスチュワート・ユードルは、初期の環境保護論の熱心な支持者だった。ユードルは、実現したばかりの人工衛星写真で、地元アリゾナ州の発電所による公害を目にして呆然とした。そこから、人工衛星写真には問題を共有し、科学に貢献する潜在的な力があることを理解して、ジョンソン政権に全球地球観測システム構想を提案する。この構想にもとづいて内務省とＮＡＳＡが共同で開発したのが、ＥＲＴＳ（地球資源技術衛星）１号として打ち上げられた人工衛星だった。[51] この人工衛星は、最近の宇宙ファンにはランドサット１号という名称で知られている。[52] このプログラムでは、ＮＡＳＡは世界の研究者にも参加を呼びかけた。ＥＲＴＳ１号のデータ解析に参加した三〇〇人の研究者のうち、三分の一以上が海外一〇〇カ国以上から集まった研究者だった。[53]

それは、特に当時が冷戦の最中だったことを考えれば、科学的思想における素晴らしい変化だったといえる。現実に、ＥＲＴＳ１号から最初に得られた成果について議論した科学者たちは、誰でも使うことができて、世界全体の利益になるような、リモートセンシングの国際協力プログラムを立ち上げたいという考えを強調していた。[54] こうした協力の精神が、より最近のＮＡＳＡのデータ共有ポリシーに与えた影響ははかりしれない。素晴らしいことに、ＮＡＳＡは大量の人工衛星画像をおさめたデータベースを、誰でも無料で使えるようにしているのだ。[55] 私は今までに何十万ドル分ものデータを使ってきたはずだ。ＮＡＳＡのデータがなかったら、私の研究はなりたたなかった。

ＥＲＴＳ１号ではマルチスペクトルスキャナを使って、電磁波スペクトルのうち、緑と赤の光と、二つの赤外波長帯で観測した。分解能は八〇メートルだ。[56] 地表の七五パーセントをマッピングしただけでなく、同じ観測を一八日おきにおこなったので、科学者たちはまったく同じ場所の画像を取得して、変化を記録することができた。そうした比較データは、環境マッピングや災害監視、資源管理にはかりしれない効果をもたらした。[57]

ＥＲＴＳ１号に関わった科学者たちは、このプログラムのことを、ＮＡＳＡのこれまでで最大の世界への貢献だといっている。ＥＲＴＳ１号は一九七六年に、カナダ東海岸の沖合二〇キロメートルに「新しい」島まで発見した。[58]カナダ水路部のフランク・ホール博士が、ランドサット島と命名されたこの島に調査に行ったところ、ホッキョクグマと遭遇して、激しい一撃を食らってしまった。[59]いうまでもなく、ホール博士はすぐに島から撤退した。もはやランドサットどころではない。

ＮＡＳＡの歴史学者たちは、ＥＲＴＳ１号が冷戦のなかから生まれたと主張するだろう。技術的な観点からいえばその通りだと思う。しかし、一九七八年[60]（偶然にも私が生まれた年だ）にＥＲＴＳ１号の運用が終了する頃には、この衛星にはもっと大きな精神面での意義があり、それは今の七〇代が当時身につけていたレインボーカラーのヘッドバンドやピースマークにつながっているといえるようになっていた。世界の人々は、大陸の上に境界線など実在しないと初めて理解したのだ。[61]

現代の宇宙考古学

宇宙考古学の将来を初めて正しく予見したのは、ＮＡＳＡのインターンのメアリー・マーガリート・スカレラだったとされる。スカレラは一九七〇年に書いた、当時実施中の六件のNASAプロジェクトについての報告書[62]で、NASAのテクノロジーが将来の考古学調査をどのように手助けできるかについて、前向きな予想をしたのだ。[63]この報告書に必要な情報を見つけたいというスカレラの思いを支えていたのは、NASAの最初の歴史家であるユージーン・エメだった。科学における素晴らしいイノベーションは、先見の明を持ったメンターの存在から始まることを示す例だ。

一九八〇年代になると、宇宙考古学は本当の意味で誕生のときを迎えた。ランドサットデータを使うことにより、特に調査が他より難しい地域で、土地を細かく分けて、どこを発掘するか戦略的に計画できるようになったのだ。現在では、研究助成金を得ようと応募するくらいなら、宝くじを一枚買うほうが確率が高いくらいだが、仲間の考古学者の話では、当時は今とは違い、考古学者は国立科学財団の研究助成金を二五パーセントの確率で受けられたという。しかしそれでも、効率のよいプロジェクトを計画したほうが、手元の研究予算を長持ちさせて、より多くの成果をあげることができた。一九八一年にはR・E・アダムスによる、新しいデータセットを使って、マヤ低地にあるとみられる古代文明の景観パターンを探した研究についての論文が、サイエンス誌に掲載された。マヤ低地は相当広大なため、発掘チームが全域を歩いて調査することは不可能だった。[64]

その後登場したのが、「サハラ砂漠に埋もれた過去　宇宙船が発見」だ。クライブ・カッスラーの冒険小説のタイトルと勘違いしてしまっても無理はないが、実はそうではなく、リモートセンシング研究が初めて世界規模で報じられたときの見出しだ。この研究を率いていたのは、考古学者のウィリアム・マクヒューだ。一九八二年にニューヨーク・タイムズ紙[65]が、マクヒューの発掘チームの驚くような発見を記事にしたのである。これは、スペースシャトルコロンビア号のレーダーによって、砂漠の地下約五メートルまで測定したデータから、西サハラ地域に存在した一つの河川系全体が明らかになったというもので、その成果はサイエンス誌で最初に発表された。[66]この川は、西サハラ地域でナイル川に相当する川だったが、大昔に干上がっていた。レーダーは、砂のような乾燥した環境で最も効果を発揮するので、砂に覆われた地面でこの川は輝いていたのだ。

科学者たちは、この川の流路をたどることにより、ヒト科の動物(この場合はホモ・エレクトス)やこの地域の住民が使っていたさまざまな遺物や石器を収集した。この地域の住民の子孫は、東に移動して古代エジプト文明をスタートさせた人々だ。他の出土品からは、砂漠にある古い遺跡が風化により「しぼんで」徐々に小さくなっており、最終的には石造りの家の輪郭と、地表にあるか、ごく浅いところに見えている石器細工場以外には何も残っていないことがわかった。マクヒューは、ワシントン・ポスト紙のインタビューでこう語っている。「いくつかの遺跡では、とてもたくさんの手斧が見つかった。あんまり多くて、二〇〇個から先は数えるのをやめた。本当に素晴らしいことだ」[67]

世界中からの興奮した反応がすべてを物語っていた。この研究は、こうした新しい技術がわくわくするような可能性に満ち、広大で、なにもなさそうな景観の下に隠されているものを明らかにすることを証明したのだ。新しい時代の始まりだった。

それはミシシッピから始まった

一方、次の飛躍的な前進があったのは意外な場所だった。ミシシッピだ。背が高く、立派な口ひげがあって、行動力にあふれた科学者のトム・セヴァー（ニューヨークメッツの元投手トム・シーヴァーと間違えないように）は、ＮＡＳＡのジョン・Ｃ・ステニス宇宙センターで働き始めると、そこでさまざまな分野でＮＡＳＡの宇宙技術の利用を広げる仕事を担当した。一九八三年に発表した、実現可能性を検討したレポートで、セヴァーは熱赤外マルチスペクトルスキャナ（ＴＩＭＳ）とセマティック・マッパー・シミュレーター（ＴＭＳ）を使って、チャコ・キャニオンというアメリカ南西部にある大規模な遺跡を調べることを提案した。[68]

プロセス考古学という新たな理論の流れが生まれて、考古学の世界を大きく揺さぶるようになった一九六〇年代以降は、考古学者たちはそれまでのように、自分の発見について、十分な根拠もなしに壮大で大ざっぱな主張をするわけにいかなくなった。考古学がより科学的になったのである。集落考古学という分野の登場とならんで、プロセス考古学による意識の変化は、現代的な考古学研究を生み出すのに役立ったといえる。それによって研究の焦点が変化し、個別の遺跡に集中するのではなく、周囲の景観について考え、遺跡が発達した理由やそのプロセスに環境がどのように関わっていたかを理解するようになった。年代測定法や、残留物の化学分析、数値考古学の発達が、考古科学（archaeological science）という分野に勢いを与えた。こうした大きな流れがあったため、考古学者たちはセヴァーが提案した宇宙技術の応用を、懐疑的に思いつつも、受け入れやすくなっていた。

私の研究にとって、そして実をいえば考古学分野のすべての研究者にとって幸運なことに、NASAはセヴァーにその提案を進展させて、そのために会議を開催するように勧めた。これがのちに伝説となる会議だ。

一九八四年に、セヴァーはボストン大学のジェームズ・ワイズマンとともに、アメリカ中の研究者をミシシッピ州に招いて、新しいランドサットやレーダーのデータについてのプレゼンテーションをおこなった。旧石器時代やマヤ文明、メキシコ、中東、そしてアメリカ南西部などを専門とする考古学者が集まった結果、この分野ではこれまでにないくらい多様で、最も偏見のないアメリカ人研究者の集まりが生まれた。[69]

当時集まった科学者の多くが、現在は宇宙考古学の権威になっている。この会議では科学者らが共同で、研究者がリモートセンシングデータを使った研究にどのように取り組むべきかについてのガイドラインをまとめた。その中では、遺跡を見つけ出すためだけでなく、過去の人間と環境の関わりを調べるためにも人工衛星が使えるとしていた。さらに、グラウンドトゥルース（地上探査による人工衛星データの検証）の重要性も強調していた。[70] セヴァーはこの会議の会議録を刊行するにあたって、考古学者は「ポットハンター」（盗掘者）に先んじるために、彼らよりも早くリモートセンシング技術を使いこなせるようになる必要があることをはっきりと指摘していた。未来を予知していたかのようなセヴァーの警告に、もっと多くの人が耳を傾けていたらよかったのだが。

このミシシッピ会議の参加者はすぐに、ＮＡＳＡの科学者たちが説いたことを実践してみた。トム・セヴァーはその先陣を切って、チャコ・キャニオンでそれまで知られていなかった古代の道路を見つけた。[71] コロラド大学ボルダー校のペイソン・シーツはコスタリカの熱帯雨林にある自分の研究フィールドに人工衛星データを応用して、肉眼では見ることが不可能な古い道を発見した。[72] 人工衛星データは先史時代の遺跡でも同じようにうまく応用できた。テキサス州立大学のパメラ・ショーウォルターはランドサットデータを使って、アリゾナ州フェニックス近郊で、それまで知られていなかった一〇五〇年から一四五〇年頃のホホカム族の水路系を発見している。[73]

フランスの地球観測衛星スポット[74]など、地球観測衛星が増えてきたことで、考古学者は画像データセットを自由に選ぶことができるようになった。分解能も一四年の間に八〇メートルから一〇メートルへと劇的に向上していた。

しかし、実際にはほとんどの遺構が幅一メートル以下であることを考えれば、これで完璧とは言いがたかった。

ついに高分解能の時代へ

一九九九年に、新たに打ち上げられたイコノス衛星は、人工衛星技術の未来として科学者たちに迎えられた。分解能は一メートルで、地表を可視光と赤外光で撮影できる。つまり、考古学者たちの願いがかなえられたことになる。ただし、一つの点をのぞいては。費用だ。[75]イコノスの画像は一枚が何千ドルもすることがあった。まあ、確かに、私たち考古学者は、値段がつけられないほどの価値がある出土品を管理する責任を負っているかもしれないが、ポケットはいつもからっぽだ。私たちは我慢しなければならなかった。さいわい、我慢強さなら考古学者にはたっぷりとある。

私たちは長く待たずにすんだ。宇宙考古学分野は二〇〇〇年代初頭に猛スピードで成長した。この分野に早くからいた研究者はすでにたくさんの学生を受け入れていて、そうした学生の多くがこの時期に博士論文を書き上げた。ＮＡＳＡの人工衛星だけでなく、公開されたばかりのコロナ偵察衛星の画像を使った論文も発表された。[76]ついに費用面で手の届く人工衛星画像が登場したのだ。

宇宙考古学についての初の国際会議が中国の北京で開かれた二〇〇四年秋は、この分野が広く受け入れられるまであと少しという時期だった。この会議について触れるのは、私が博士課程の学生として参加していたからであり、同時にこの会議が今でも、分野の発展にとって節目となったと考えられているからでもある。

この北京の会議には、宇宙考古学の殿堂入りを果たしたような人々が参加していた。中国リモートセンシング・デジタルアース研究所事務局長の郭華東や、ジェット推進研究所の伝説的な科学者で、サウジアラビアの「失われた」都市ウバール[77]を発見したロン・ブロム、そしてセヴァーの最初の会議に参加したペイソン・シーツ[78]など、私が学位論文で引用した有名な研究者がみんなそこにいた。私はそんなスーパーヒーローたちを見て舞い上がってしまった。そして中国の考古学者たちは、私たちを歓迎するために全力を挙げていた。

大講堂では、背もたれの部分にリボンが丁寧に蝶結びにされた、クラッシュベルベット地の椅子が私たちを待っていた。話し合いの最中、お茶を一口飲んだ瞬間、お茶係が駆けつけて茶碗を満たしてくれたし、豪華なディナーの会場は華麗なバンケットホールだった。私はすっかり自分が大物になった気分だった。この分野の仲間にしてください、と思った。映画『ハンガー・ゲーム』の主人公みたいに「捧げ物になります！」と叫びたかった。この会議が、年配の考古学者たちの誰にとっても、四〇年のキャリアで出席したなかで最高の会議だったと聞いたのは、会議も終盤になってからだ。新入りの私はまんまとだまされたようなものだ。それ以降、こんなにいい思いをしたことは一度もないのだから。

それはともかくとして、この会議に出席していた素晴らしい考古学者たちのおかげで、私はより多様な考古学の世界に気付いた。それは協力があり、激励があり、声援がある世界だ。そしてそうした考古学者たちは私に、マッピングすべき大きな惑星と、一つずつ明らかにするべき多くの発見があることを教えてくれた。

宇宙考古学の現在

その会議以来、私の仲間たちが地球のあちこちの遺跡や景観で成し遂げてきた発見の規模は、驚異的というよりほかにない。そうした成果は注目を集め、ニュースで大きく取り上げられてきた。そして考古学者たちがいくつかの古代文化を解釈し直すのにも役立っている。それだけでなく、遺産を盗掘から守るという大切な仕事までしているのだ。宇宙考古学はもっと脚光を浴びるに値する。

二〇一六年にグレッグと私は、かねての念願だったカンボジア旅行に出かけた。カンボジアでは、シェムリアップに一週間滞在して、クメール王朝の見事な寺院を訪れた。ここで考古学者の企業秘密をそっとお教えしよう。考古学者をやっていて間違いなく一番いいことは、誰がなんといおうと、世界中の古代遺跡のある地域に旅をして、その地域が専門の考古学者仲間に、いろいろな裏話つきのガイドツアーをしてもらえることだ。私たちは友人のデミアン・エヴァンスのおかげで、シェムリアップで素晴らしい体験をした。実はデミアンは、東南アジアのＬＩＤＡＲ観測の第一人者でもある。[79]

そのツアーは素晴らしかった。もっと素晴らしかったのは、考古学者仲間の隣に座って、LIDAR観測で作成した、クメール王朝の遺跡の巨大な三次元マップを広げながら、深い熱帯雨林の下に隠れている、データが異常値を示す領域について説明してもらったことだ。デミアンが私たちを案内してまわってくれたクメール王朝の古代寺院は、ほぼ原形をとどめた壁の隣に大きな石材が山積みにされ、保存作業を待っている状態だった。私はそれを見て、地元の立派な科学館にある、ブロックを使った展示を思い出した。私の息子はそこで、青い特大ソフトブロックで建物を建てるのが大好きだ。私はそのときの息子みたいに興奮してきて、今すぐその石材を積み上げて、寺院を再建したくてたまらなくなった。

デミアンはシェムリアップについての研究を一五年以上続けていて、LIDAR観測によって、クメール王朝の崩壊についての理解を改めてきた。[80] LIDARは、カラコル遺跡でチェイス夫妻が使っていたのと同じレーザー技術だ。その観測からわかったのはつらい真実だった。クメールの人々は、不安定な年間降雨量に頼りきって、景観を大規模に変えることで治水施設を作り、畑をかんがいしていたが、それが破綻したのだ。高度に発達した社会は、環境変化に直面したときに、対応が間に合わないことがある。そもそも世界のどこであっても、雨がまったく降らなければ、開発を受けた土地は社会を支えられないだろう。クメールの豊かな文化は現在も舞踊や音楽、儀式の中に残っている。しかし、今では観光客が群れをなしている壮麗な寺院や囲い地は、五〇〇年近く前、広範囲にわたって放棄されていた。[81]

最近では、高分解能の人工衛星画像を使って、隠れた考古学上の重要物が発見されたというニュースが、一週間おきくらいに流れてくるように思える。二〇一七年九月には、イラク・クルド人自治区で、失われた都市カラトガ・ダーバンドが見つかったという発表があった。[82] この都市は、アレクサンドロス大王がペルシャ王ダレイオス三世と戦った場所に近い。

考古学者たちはまず、コロナ偵察衛星の画像を調べて、この地域に遺跡候補があることに気付いた。その後、現地でのドローン調査によるデータから、建物の輪郭やブロックが見えてきた。大英博物館のジョン・マクギニスが春に撮影された画像を特に選んで調べると、小麦や大麦の生育差によって、良い結果を期待できそうなクロップマークができていた。[83]

カラトガ・ダーバンドは、東方と西方の勢力圏の中間にあたる、重要な地域に位置しているため、この都市での調査や発掘に取り組む考古学者たちは、研究のターゲットを神殿や、ブドウ絞り器、内部要塞、都市を防備する大きな壁の証拠の発掘に定めている。この地域では紛争によって考古学者が遺跡に行けない時期が長く続いていたため、地上での発掘はまだ始まったばかりだ。

ぐるりと回って

宇宙考古学は、係留気球を使っていたごく初期からずいぶん進歩した。いろいろな意味で私たちは、ぐるりと一周して元の場所に戻ったといえる。航空機から宇宙空間へ進んだあと、また地球の近くに戻ってきた。撮影範囲を細かくコントロールできる半自律式のミニチュア飛行装置、つまりドローンが使われるようになったのだ。ドローンは、遺跡マッピングの新たなフロンティアだが、大規模な景観のマッピングにはまだ使うことができないし、世界の多くの地域では使用が全面的に禁止されている。[84] 一方で、遺跡を数センチ単位で測量して、遺跡の地表にある土器などのかけらを一個ずつ、高度六五〇キロメートルの宇宙空間から見られるようになる日は、思った以上に早く来るかもしれないが、今はまだ想像することしかできない。そんなことができるようになったら、どれほどたくさんの情報が明らかになるだろうか。

それまでは、人工衛星でどんな古代の遺構を見つけられるかを考えるべきだ。ピラミッドや神殿は、空の上からでも、地上からでも、発見できれば素晴らしい。とはいえ、そうした遺構はめったになく、考古学者が発見するもののごく一部だ。都市の防御壁だとか、小さな家の部屋だとかを発掘する可能性のほうがはるかに高い。それは華やかには思えないかもしれないが、本当のところ、長い時間をかけて歴史を形作っていくのはこうした発見なのだ。そして、結局わかってきたのは、人工衛星がまさにそうした種類の発見に役立つということである。

第3章 宇宙考古学の可能性

考古学は、謎めいたもの、未知なるものを想像させる。それが古代社会についてのありがちな誤解を招いている。「失われた都市」や未盗掘の墓が再発見されたというニュースは、世界のあちこちからよく聞こえてくる。しかしそれは、考古学者が手を貸して熱帯雨林を切り開いてやれば、マヤ文明の都市全体が、深い植生の中から完全な保存状態で姿を現すという意味ではない。そうだったらいいのに！　考古学者は時間や手間をずいぶん節約できるはずだ。

都市には盛衰がある。神殿や行政機関、工房、住宅など、都市の建物はどんなものでも、自然災害や人間の破壊行為を受けて崩壊する。その石材は後の時代の文化によって転用されることもある。うち捨てられた建物は、徐々に母なる自然に屈していく。都市の発見は始まりにすぎない。考古学者がめざすのは、そもそも誰がその都市を建設し、誰がそこに住み、消えた住人はどこに行ったのか、ということだ。そうした答えを探る機会こそが本当の贈り物だといえる。

考古学上の疑問に込み入った解答が見つかっても、大げさな見出しでクリックを誘うような、ネット上のニュース記事にはならない。しかし実際の考古学は、ありえないような話がなくても十分に魅力的だ。終末後の世界を描いた映画では、悪人の一団がレザージャケットを着てバイクにまたがり、完全武装で悪の砦に暮らしているというのがありがちな設定だ。あの悪人たちの生活を支える仕組みはいったいどこにあるのか、私はいつも不思議でしかたない。レザージャケット用の皮をなめしたり、バイクの燃料油を精製したり、食糧を供給するために畑で働いたりしている、数え切れないほどの人たちは、あの世界のどこにいるのだろう。

大きな発見が発表されるといつでも、考古学者たちはその文化の中で生活していた農民や石工、芸術家などの人々や、その文化のエコシステム全体が持つ意味合いを考える。ところがメディアは、その一つの墓や一つの宗教遺跡など、とにかく発見されたものに注目する。博物館の学芸員も、たくさんの入場者を集めることを狙った展示を企画する場合には、メディアと同じように、ある程度の責任が伴うかもしれない。

そういう人気展示企画の一つが、数年前にアメリカ国内を巡回した、ポンペイの日常生活がテーマの展覧会だ。私がこの展覧会で覚えているのは、狼狽と失望だ。私は遺跡で発掘された日用品をみると胸がどきどきするので、そういうものを見られると楽しみにしていたのだが、そこにあったのは金（きん）だった。その隣も金。どこまで行っても金だ。展示物の八〇パーセントが金の装飾品だったような気がする。この展覧会はアメリカ中を巡回し、入場者数は数十万人にのぼった。そして学芸員たちは、過去を解釈する方法を一般の人々に教える機会を逃してしまったというわけだ。

はっきりいって、私が展覧会で見かけた人々は、日用品の展示のほうにずっと強い興味を示していた。自分自身の生活と結びつけて考えることができるからだ。確かにその展示では、どんな場所で考古学者がそうした装飾品を見つけて、どういった点から持ち主である個人や家が裕福であると判断したのかはわかった。しかし裕福さが社会の豊かさを表しているわけではない。それは、デューンバギーに乗った頭のおかしい人たちの姿が、終末後の世界で生き延びることのすべてを表しているのではないのと同じだ。そのポンペイの展覧会は、考古学者が扱うのはキラキラしたものが中心であり、そういうものはピンセットや炭化したパンのような日常的な出土品よりも価値があるという印象を強めただけに終わった。

発見の重要性を考える

そういう日常的な遺物と同じように、知名度の高くない論文雑誌に掲載された一〇の「小さな」発見が特定の考古学分野に対して、ニュースになる発見よりもはるかに大きな影響を与えることもある。もちろん、大発見とか、ニュースになる考古学研究なんてたいしたことない、重要でも画期的でもない、と言うつもりはない。大発見があったというニュース記事は授業で使えるし、考古学のすごさの理由をみんなに気付かせるのにいい機会だ。それに、政府から研究費を受けることを正当化するのに役立つ。とはいえ、エジプトの未盗掘の墓が一つ発見されたという話をもっと広い視点から考えてみよう。

紀元前三〇〇〇年のエジプト統一から、西暦三〇年にクレオパトラの死によって終わったプトレマイオス朝時代までの期間に、ファラオ文明は二七〇〇年間ほど存在した。[1] ニュースになるような上流階級の人々の墓は、熟練の職人や高官、王族の墓も含めれば、安定した時代になるほど、よりひんぱんに建てられるようになった。しっかりと整えられた墓が見つかるのは、古王国時代（前二七〇〇～前二二〇〇年）から中王国時代（前二〇〇〇～前一七〇〇年）、新王国時代（前一五五〇～前一〇〇〇年）、末期王朝時代からプトレマイオス朝時代（前六〇〇～後三〇年）あたりだ。そう考えると、ぜいたくな墓が見つかる可能性がある期間は一八〇〇年間くらいになる。

古代エジプトの推定人口は、古王国時代の三〇〇万人から、ローマ時代（三〇～六四一年）の四五〇万人まで幅がある。これは仮定の話なので、少ない方の推定値でいこう。この三〇〇万人のうち、ニュースになるような上流階級は上位一パーセントを占めていた。裕福な人は一般に長生きであることを考えて、一世代をおよそ四〇年とすると、現代の人々を驚かすような墓は、一世代あたり三万基見つかると予想できる。

この計算を続けてみよう。

一八〇〇年の期間には、四五世代が生まれては死んでいった。そのうちの一パーセントの人々が、一三五万基の上流階級の墓を建てた計算になる。エジプト学の歴史が始まってからせいぜい二〇〇年だが、その間に見つかった上流階級の墓はおよそ一万三五〇〇基。総数一三五万基のちょうど一パーセントだ。

そんなわけで、驚くような新しい墓についての発表があったときには、少し落ち着いて、それが古代文明のより広い理解にどのくらい貢献するのかをよく考えてほしい。

社会に広がっているキラキラ光るものへの執着に、私が無縁だと言っているのではない。金の輝きを目にすれば、誰もが考古学を舞台にした熱心な妄想にかられる。私はエジプト中王国の首都だった、現在のリシュトでの三シーズン目の発掘から帰ってきたばかりだが（この話は後の章で詳しく触れる）、そこで運よく、金箔の断片や金の粒まで見つけた。大きな共同墓地の北にある縦穴式の墓から出土したのだ。それは重みがあり、私は必要以上にじっくりと眺めた。その金箔を広げれば、二五セント硬貨二枚分の面積になっただろう。その場面は、ハワード・カーターがツタンカーメンの墓を初めてのぞき込んだときと同じとはいかない。それでも、息子から八〇〇〇キロメートル離れた場所で、発掘チームをまとめながら一日一七時間労働をするなかでは、私には元気を出すためのキラキラした出土品が必要だった。誰にでも、ときどきは必要なのだ。

真実ではなく事実を

考古学の目的は、インディ・ジョーンズの台詞を引用するなら、「真実ではなく、事実を探すことだ。……真実のほうに興味があるなら、タイリー博士の哲学の授業は廊下のすぐ先だ」だ。考古学はこの一〇〇年間で、出土品に注目する分野から、出土品の背後にいる人に、そして人々を変化させた（あるいは変化させなかった）原動力に注目する分野へと進化を遂げている。

ほとんどの考古学者は、自分は研究上の疑問を組み立てるか、仮説を立てるかしたうえで、その疑問に答えたり、検証したりするための戦略を練っていると言うだろう。私たちは確かに、少なくとも自分の論文では、真実を言おうと努めている。

どの考古学分野も、いくつかの基本的な仮説にもとづいている。たとえば、古代エジプトは紀元前三〇〇〇年頃に統一され、西暦三九四年には現在知られている限り最後のヒエログリフの碑文が誰かの手によって書かれた。王位継承の順番は大まかに知られているし、王家の家系図や首都の名前、誰がいつ、何を建設したかといったこともわかっている。エジプト学の複雑なタペストリーの全体的な構造はしっかりと残っている。

しかし残念なことに、タペストリーの横糸はかなり失われてしまっている。デザインは全体像がわかるくらい十分に残っているし、細かい部分もそれなりに鮮明だが、失われた横糸を探して、元通りに織り直す方法を見つけるのは簡単ではない。

世界全体で、過去の普通の人々の物語がしっかりと理解されるようになったのは、つい最近のことだ。これは、新しい科学的手法が考古学に応用されるようになったことが大きい。一九六〇年代は、リモートセンシングだけでなく、考古科学自体が目新しい存在だった。今ではDNAと骨の分析から過去の病気を調べられるし[2]、調理道具や壺などの残留物を化学的に分析すれば、人々が何を食べていたかがわかる。[3]さらに年代決定法[4]のイノベーションによって、年代がより正確にわかるようになった。

このようなきわめて細かな横糸の断片から、タペストリーのより大きなパターンを推定できる。

中東地域や地中海地域で紀元前一一七七年ごろに起こった青銅器時代の終わりについて説明しようと思ったら、数百カ所の遺跡調査と、数千人分の骨考古学的分析、数万件の実験サンプル、そして延べ数十万時間分の考古学研究からデータを引き出すのが唯一の方法だ。[5] 科学界の巨人たちの肩から肩へとつま先立ちで歩くことによってのみ、考古学的な分析に手が届くのである。

こうした知識の組み立て方は若いうちに学ぶ必要がある。私は、学生に自分で考えさせるのが好きな、やっかいなタイプの教授なので、考古学専攻の上級学年が対象の「考古学理論」の授業で、メトロポリタン美術館のオンラインカタログ[6]から課題を出した。私が選んだのは、ピンクがかった四角形の陶製品だ。立体的な鼻と、二つの穴で表した目がついていて、私の息子が幼稚園で作った工作にそっくりだった。私は学生たちに、その陶製品の文化的文脈や製造方法、用途についての情報を調べるようにという課題を出した。考古学者が遺跡の調査をするときに、その文化や時代についての事前情報がまったくないことはめずらしいのだが、私は学生たちに、なにもわからない段階から始めてみるように言った。すると、追加情報がまったくない状況で、その出土品についての思考やアイデアを系統立てて説明するのは、学生たちにはとても難しいことだとわかった。

提出されたレポートには一つとして同じものはなかった。一部の学生は、手がかりがなにもない場合に考古学者がよく使う、昔ながらの解釈に立ち返って、「宗教的な儀式か習慣のためのもの」と答え、その道具が文化の中でどのように使われていたかという説明も添えていた。どの学生もその出土品を解釈するために、自分が持っている考古学の知識のすべてを使っていた。私は学生たちの答えに魅了され、その創造性に感銘を受けた。ハッキングまでした学生もいた。つまり、出土品の画像をグーグルの画像検索にかけたのだ（また出し抜かれた）。最初からこの出土品を知っていた学生も一人いた。

この出土品はのろいの道具で、亡くなった人と一緒に埋葬して、魔力で故人の敵を打ち負かすものだった。そう知ると、学生たちからいろいろと質問されたが、最初に聞かれたのは「そんなこと、どうやったらわかるんですか？」ということだ。未熟な若者（グラスホッパー）よ、いい質問です。出土品の役割について知るには、その出土品だけでなく、もっとたくさんの情報が必要になる。発掘チームにさまざまな専門家がいるのはそのためなのだ。

発掘の方法

考古学者は発掘現場に出かけるたびに、自分の評判や、自分の生活も危険にさらしている。たいていは自分以外の人の金を使っているし、他の人にたくさんの時間を費やしてもらっている。研究テーマを準備し、助成金を申請するのにおそらく何年もかけているだろう。それだけでなく、別の国を旅するときには、文化や言語の面での苦労もある。

現場に出れば、その先は発掘隊長として、遺跡やその具体的なデータを記録するために集まった専門家チームに対して責任を負うことになる。区画責任者の立場にある考古学者はそれぞれ、発掘した層または区画ごとに、おびただしい量のメモを取り、試料を採取する。そうした層や区画は一般的に「ローカス」と呼ばれる。その各ローカスを別個の三次元タイムカプセルとして扱って、その土壌や色、密度、物質文化、骨、その他さまざまなものの詳細を記録するのだ。[7]

遺跡調査の区画責任者は、考古学的データの抽出プロセスに最初に貢献する立場にすぎない。生物考古学者が人間の遺骨を分析し、古植物学者は残っていた植物の断片を調べる。アーティストが出土品を絵に描き、説明をつける。出土品の目録を作り、記録文書を作成するのは出土品登録担当者と写真撮影担当者の仕事だ。[8] 土器の専門家は考古学者にとって一番重要な人々だと私は思うようになっている。[9] 彼らは土器の絵を描き、記録し、分析する。そして多くの遺跡では、数え切れないほどある土器のかけらは古代世界を保存したタッパーウェアにあたる。土器が時間とともにどのように変化したか、その変化の理由は何かを考えることが、過去の深い理解につながる場合があるのだ。

他にもたくさんの人たちが発掘チームに加わる可能性があるが、このような幅広い専門家たちがほとんどの発掘現場でチームの中核をなしている。発掘作業は規則正しく進むのが理想だ。全員が共通の目標を目指して作業をすることで、考古学者が遺跡での発見についての論文を書き、追加の助成金を申請して、また発掘を繰り返すことができるようにする。そうなれば、考古学のタペストリーには新たな糸が加えられることになる。すべてがうまくいった場合の話だが。

こんなことを言うと、狂気じみた笑い声が聞こえてきそうだ。というのは、私が世界中で発掘作業をした経験からいえば、とにかく想像しうるあらゆる問題が起こる可能性があり、実際に起こるからだ。発掘現場のそういう側面が表に出ることはない。一般の人が目にするのは、考古学者が出土品を手に持ったところを完璧な照明で撮影した写真ばかりだ。その写真が掲載されるのも、光沢紙を使った高級な雑誌である。仲間の考古学者たちは現場での体験をいろいろと話してくれるが、同じようなことが自分に起こっていなかったら、とても信じられなかっただろう。私のチームに大変なことが起こったのは、二〇〇四年にシナイ半島で発掘調査をしていたときだ。ある日、朝食後に発掘現場に戻ってきた私は、発掘現場の平面図が近くの町から来たヤギのおやつになってしまっているのを見つけた。逃げ出したヤギを取り押さえて、図面の約七〇パーセントを救うことができた。図面をすべて描き直すのには何時間もかかった。発掘シーズンの終わりに、親切なベドウィン族の人々のご厚意で、私たちはごちそうを食べた。メイン料理はヤギのローストだった。どのヤギだったかはわからない。私はそのヤギ肉をじっくりと味わった。

文脈がすべて

もしあのヤギが平面図を全部食べてしまっていたら、大変なことになっていただろう。私たちには、意味のある遺物のかけらを一つ残らず記録する機会は一度しかない。というのは、発掘することは破壊することだからだ。ある層を、または遺跡全体を発掘してしまえば、それは二度と元通りにならない。考古学者は、遺物を発掘する場合には、その厳密な位置を記録することで、その遺跡や他のよく似た遺跡で見つかる他のあらゆる遺物とつながる文脈をおさえる。たとえば、焦げた壺が見つかり、その隣の平らな区画には石のかまどがあって、植物のくずと種で覆われていたら、それは古代の台所であることを意味している可能性がある。一方で、私たちが何かを見落としたり、もっと悪い場合には、遺跡が盗掘にあって、その壺が売りに出されたりしたら、私たちがその壺について言えるのは、「黒くなった壺」ということだけだ。

『フォレスト・ガンプ』の台詞ではないが、遺跡はときどき、チョコレートの箱に似ている。箱を開けてみるまで、何が出てくるのか本当にわからないのだ。おかげで私たちの仕事はとても刺激的だ。私たち考古学者は、ある遺跡についてほとんど、またはまったく知らない場合、同じ地域にある他のよく似た遺跡にもとづいて仮説を立てる。その仮説が正しいこともあるが、たいていは見事な間違いだ。皮肉なのは、自分たちがひどい間違いをしがちだという認識が深く染み込んでいるからこそ、私たちは前に進めるということだ。研究助成金審査委員会への申請書では、遺跡についての見通しをすべて「おそらく」「可能性がある」「可能性が高い」などという言葉で表現するが、本当なら「まったく見当がつかないので、とにかく現地で発掘させてください」と書くべきなのかもしれない。

かかっているのは、人間の歴史と知識のすべてにほかならない。責任を感じる。

発掘による不必要な破壊を最小限にとどめ、作業を予定通りに、予算の範囲内で進めるために、発掘作業はできる限り狙いを絞った方法でおこなわれている。

宇宙考古学をうまく活用すれば、一つの遺跡全体か、少なくとも遺跡の最上層のすぐ下にある構造や遺構について、かなりよく理解することができる。そこにあるかもしれないものではなく、そこにあるものを対象とした、仮説主導型の研究を進められるようになれば、流れが大きく変わるだろう。

土器のかけらや個々の居住層は、人工衛星画像で見ることはできない。しかし、壁や建物全体、ナスカの地上絵などのジオグリフ、[10] 消滅した景観、遺跡同士および遺跡と景観の関係性を、調べてみようとも思わなかった場所に、四〇年前には不可能だった形で見ることはできる。そうした遺構は、以前であれば見落としやすかったり、まったく検知できなかったりした条件下でも、はっきりと見えるようになった。さまざまな波長の光や電磁波を利用する技術や、新しい画像処理プログラムが日々進歩しているおかげだ。

人工衛星画像を使えば、遺構をさまざまな縮尺で見ることが可能になる。全体像を見ることもできるし、圧倒的なクローズアップにすることもできて、これがとても役立つことがある。ひたすら地面に目をこらし続けているようなときには、全体を見渡すことが必要になるのだ。

ヴァイキングの痕跡

その具体的な例として良い場所が、北大西洋にある、間欠泉とヴァイキング、男女平等、そして発音しにくい名前の火山で有名な島アイスランドだ。その自然は、ヴァイキングについての評価と同じくらい厳しい。アイスランドで生き抜くには、並々ならぬ強さと、逆境を跳ね返す力が必要だ。ヴァイキングは西暦八七一年プラスマイナス二年頃に、スコットランドのヘブリディーズ諸島を征服した後にアイスランドにやってきて、農場を開いた。ただし、八七一年以前にこの地に人が住んでいたかどうかについては意見が分かれている。八二五年にはアイルランドの修道士がアイスランドについて書き記していたという説があり、その中では七九〇年代末には定住者がいた可能性を指摘していたという。[11]

嵐で船の針路がずれたせいでたどり着いた移民団もいれば、スカンジナビアのヴァイキングによって奴隷として連れてこられた人々もいて、農村社会はアイスランド全域に瞬く間に広がった。[12]『植民の書』（アイスランド語では Landnámabók〔ランドナーマボーク〕）には、アイスランドの最初の入植者四三〇人の家系図が記録されている。[13] そうやってヴァイキングが細かく記録したことで始まった家系図に、アイスランド人は今も強くこだわっている。[14] 心配性のアイスランド人のために、近い親戚とベッドをともにすることにならないよう、家系図を確認できるデートアプリまであるくらいだ。[15]

こんなことを言って申し訳ないのだが、エジプト学者である自分がアイスランドで仕事をする理由は一〇〇万年たってもないだろうと思っていた。アイスランドには、妖精[16]はいてもファラオはいないし、唯一見つかるピラミッドは雪像コンテストで作られるピラミッドくらいだからだ。私は挑戦するのが好きだし、人生はいつも奇妙なものだが、自分の仕事のせいで北大西洋を渡ることになるとはまったく予想していなかった。

小さな農場、大きな農場、ヴァイキングによる入植

「スカーガフィヨルズル教会および入植地調査」は、スカーガフィヨルズル遺産博物館とマサチューセッツ大学ボストン校フィスクセンターによる共同考古学プロジェクトだ。

このプロジェクトは、九世紀に始まったアイスランドへの入植とその後の開発、そしてそれが一四世紀の宗教主体や経済主体に与えた影響に焦点をあてている。リーダーは、立派なあごひげをたくわえた考古学者のダグ・ボレンダーだ。彼はとても礼儀正しいところは別として、その風貌は一〇〇〇年前のアイスランドにいても場違いに見えないだろう。

私は、関わっていたBBCのヴァイキングについての番組のリサーチ段階でダグに出会った。[17]ダグの研究チームは、地上リモートセンシング技術[18]とコアリング調査を用いて、アイスランドの景観考古学の可能性を広げようとしており、ダグは人工衛星画像を使った共同研究を熱望していた。

アイスランドの初期の歴史についてかなり多くのことがわかっているのは、有名な中世のサガ[19]がかなり良く保存されているおかげだ。レイキャビク市内にある、「レイキャビク871±2」というぴったりの名前がついた展示施設には、そのサガが展示されている。この施設では、ヴァイキングのロングハウス（細長の大規模住居）の実物大模型の間を歩き回ったり、初期のアイス

ランドの日常生活を説明する素晴らしいホログラムビデオを見たりできる。[20]

そうした復元物は、レイキャビクから二〇〇キロメートルほど離れたアイスランド北部を宇宙から見下ろしたときにどういうものを探すことになるのかについて、ヒントを与えてくれた。アイスランド北部では、雲は目の前に浮かんでいるようにみえる。山々の急な斜面はエメラルドグリーンの農地へと続き、その農地は海辺に向かって落ち込んでいく。見渡す限りそんな風景だ。

入植当初のアイスランド人は一般的に、ゴルフコースに敷きつめる芝のような、切り取った芝土を使って建物を建てていた。芝土はアイスランド中で簡単に手に入った。ロングハウスの建築に使える

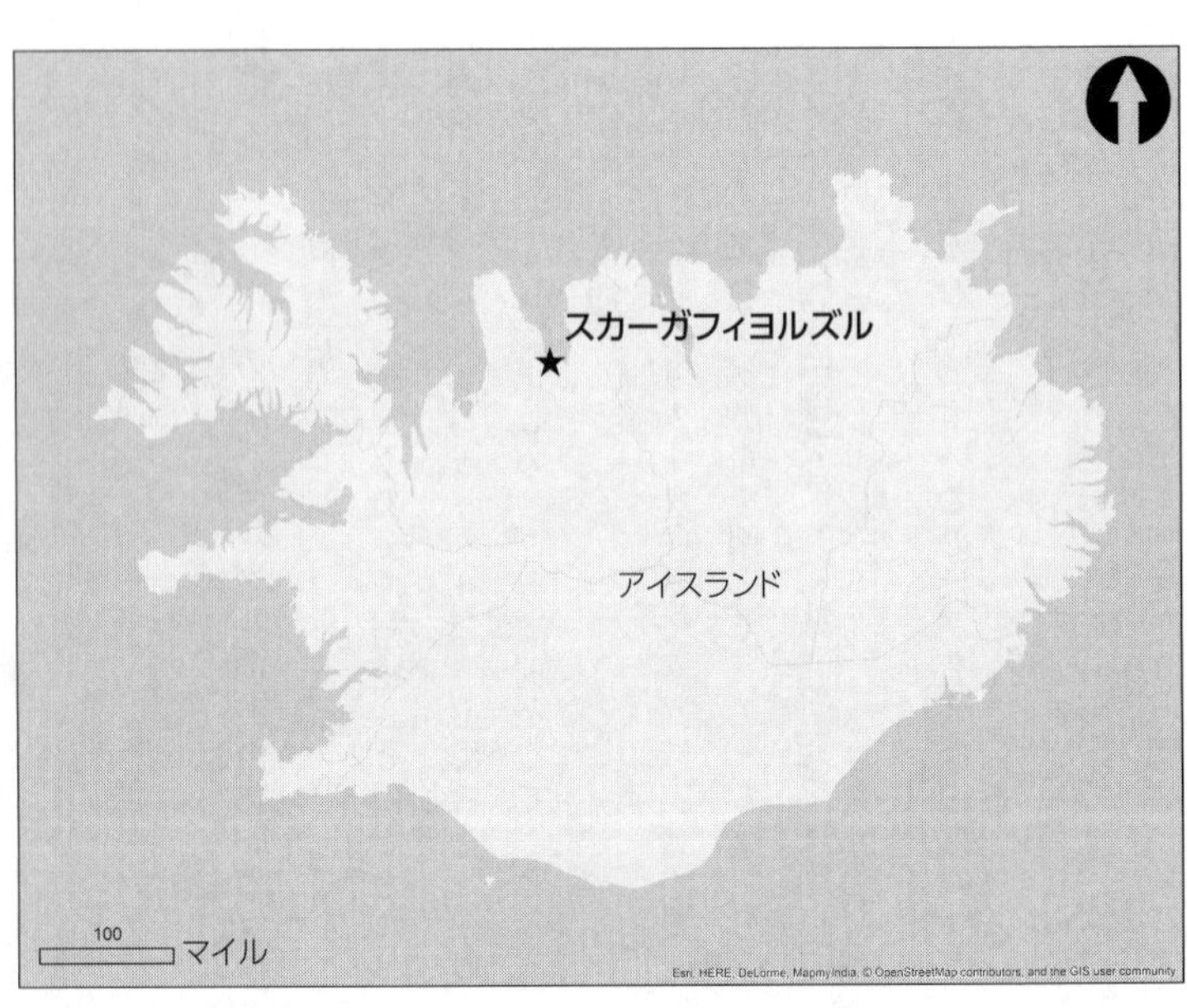

アイスランド北部にあるスカーガフィヨルズルの位置を示す地図
（地図提供：チェイス・チャイルズ）

オークの木が豊富にあったスカンジナビアとは異なり、アイスランドには流木とカバの木しかなかった。[21] そうした木を主に家の骨組みに使い、壁や屋根には芝土を使った。[22] 芝土は、基本的には巨大な柔らかいレゴブロックであり、保温効果がある。私はヴァイキングの遺跡で、ロングハウスの壁をずいぶん長い間なでていた。凍えるように寒い日でも、小さな火をたくだけで、芝土を使った建物の中はかなり暖かく、快適に保たれる。実際にヴァイキングは、母屋のロングハウスだけでなく、農場の建物のほとんどすべてに芝土を使っていた。

こうした大きな建物は、考古学調査によって比較的簡単に見わけられる。一方、もっと小さな小屋などはそれよりもわかりにくい場合がある。ダグの研究チームは、大規模な農場施設をマッピングするために、たとえば目立ちやすい母屋の近くにある古代のゴミ捨て場や肥やしの山[23]を手がかりにするといった、集中的な調査手法を開発していた。しかし、それより小さな建物を見つけるのに苦労していた。五メートルおきに試掘孔を掘るのは、費用の面から彼らには現実的ではなかったし、その方法でも小屋を見つけ損なう可能性はやはり高かった。

人工衛星画像の価値を試す

私はチームの仲間とともに、グーグル・アースを使ってアイスランドをすでに調べてあった。アイスランドの構造物が宇宙からどんなふうに見えるか、だいたいの感触をつかんでおこうとしたのだ。私たちは、ヴァイキングから現代まで、さまざまな時代の農場や建物を探す必要があった。今でもまだ使われている古代の農場の境界線は簡単に判別できる。ただし地表に見えているものの大半は、ヴァイキング時代ではなく、ノルウェーの支配下にあった時代（一二六二～一三八〇年）のものだ。私たちが「発見」した遺跡は、すでに知られているものが多かったが、[24] 少なくとも、探している遺構の種類やそのサイズ、メインの農場施設との位置関係の可能性について感触をつかむことはできた。

しかし大きな問題があった。考古学調査で見つかるのは、イギリスなら畑に埋もれた水路だし、エジプトなら砂漠の中にある石の墓だ。そうした例では、材料Xは土／砂／植生Yと大きく異なっている。さらに、建物材料のかなりの部分は地面の上に崩れているので、目に見えない波長の光を使えば宇宙から検出可能だ。そうした遺構は、地上からではほとんど、あるいはまったく見えない。しかし今回のアイスランドの調査で私のチームが見つけなければいけないのは、広大な芝生の中に隠れている、崩れた古代の小さな芝土構造物の基礎部分だ。干し草の山にある一本の針を探すという言い回しがあるが、私たちの場合は、山ほどの針の中から一本の針を探すようなものだった。

ＢＢＣは、その「針探し」の様子に密着取材すれば面白いと考えた。私たちが人工衛星画像を分析したところ、スカーガフィヨルズルの調査エリアで興味をそそる場所が何カ所かあった。ダグはそのうちの数カ所を選んで、オーガーというシンプルな道具を使って調べた。オーガーは手で持てる小型のドリルで、直径は五センチほどだ。ダグの説明によれば、そのオーガーで掘ったコアがヴァイキングの遺構にぶつかる確率は一〇〇万分の一だという。

ダグの研究チームは、私たちが宇宙から探してあった構造物の座標データを持っていた。そして畑の境界から距離を計測することで、その構造物の位置にできるだけ正確に印をつけた。人工衛星画像は数メートルずれる場合がある。近くにある別の構造物を使って距離を調整できる場合には、そうしたずれは大きな問題にならないが、今回探している建物の壁は幅が一メートル未満だ。わずかな誤差でも、そうした壁を完全に逃してしまうことになる。

私たちはダグが印をつけた区画の一つに向かった。ダグから、オーガーを地面に刺して回すように頼まれたので、やってみた。初めてポゴスティック〔訳注／日本では「ホッピング」と呼ばれる、ばねのついた棒状の遊具〕で遊んだときを思い出した。テレビカメラが回っている前で、オーガーを刺そうとしたが、固い地面にはばまれてしまった。おかげで自信は粉々だし、チームからはクスクス笑いがたくさん聞こえた。

「もう一回！　気持ちを込めて！」とダグに励まされた。なんとかしてオーガーを地面に刺して、回した。二〇センチほど掘ったところで、ダグがオーガーを引き抜いて、中を開け、筒状の芝生を縦に半分に切った。

ダグが満面の笑みを浮かべた。

「何が出てきたかわかるかい？」

「私がわかったら変でしょう」私は答えた。ダグは、芝土のコアを横切るように走る灰色がかった白い線を指さして、一本の線が一回の火山噴火にあたるのだと説明してくれた。[25] アイスランドの火山はいつも活発に活動している。火山噴火の年代は、アイスコアや年輪を使った年代決定法による証拠から決定でき、ヴァイキングが支配していた時代にも、またその前後にも起こっていることがわかっている。そのためアイスランドの考古学者たちは、居住層の年代を推定するのに、土の中にある火山噴火の証拠を使う。次にダグはコアの一番下を指さした。

「ここにあるのは、芝土の屋根の一部だ！　おそらく中世のものだね」

本当にほっとした。そして私たちは、簡単なトレンチ〔訳注／試掘用の溝〕を掘って、壁の一部を露出させた。

その壁がヴァイキングのものではないと知ってがっかりしたが、ダグや彼の仲間は、彼らにとっては大きな前進だと言って安心させてくれた。しかし私は、中世ではなく、ノース人〔訳注／ノルウェーから来たヴァイキング〕のものかもしれない遺構を人工衛星から見つけるのは、もっと簡単なことだと期待していたのだ。困るのは、現代の人々がヴァイキングの古い農場の上に暮らしてしまっていることだった。明らかに、状況は私の予想よりはるかに難しそうだった。

一方、発掘作業小屋では……

その夜の夕食後（八月のアイスランドの「夜」は相対的な意味しか持たないが）、私たちは発掘作業小屋（ディグハウス）に集まった。赤と白の測量ポールが何本か壁に立てかけてあり、周りには泥だらけの靴とコートがある。そこはエジプトではなかったが、私はくつろいだ気分だった。ダグはチームメンバーの一人と一緒に自分のコンピューターにかがみ込んで、航空写真をもとに生成した、今日の発掘作業の三次元再現図を見ていた。[26]

私は、以前発掘された墓の素晴らしい写真を夢中で眺めたあとで、長テーブルでその日集めたデータの処理作業をしている、ダグの寄り合い所帯のチームに加わった。調査エリアの人工衛星画像をもう一度検討し始めると、画像は奇妙な角度になっていた。まるで巨人が巨大なチェスボードをねじったみたいに。

最初はそれが何なのかわからなかった。しかし今はもう、その場所を訪れて、山すそが海に向かってなだらかに傾いているのを見ている。起伏のある地形は人工衛星画像に歪みを引き起こす場合がある。そうした地形を見ているのだと知らなかったら、見落としてしまいやすい。[27]

景観や植生の種類、さらに埋没した芝土が地下で実際にどのようになっているのかといった、地上での新しい知識を身につけた私は、人工衛星データを再処理し、処理方法を改良する作業を始めた。時間が知らないうちに進んでいったが、私の体内時計ではほんの一瞬だった。砂時計の砂がそのあたりを漂っていた。

奇妙な形があらわれてきたので、私はヴァイキングの専門家に意見を求めた。発掘現場でデータを処理しながら、専門家からの反応や励ましをすぐにもらえるという、これほど充実した夜を過ごしたことは、私の研究者人生で初めてだった気がする。

結局、調べてみる価値があるということで発掘チームの意見が一致した遺構（おそらくは壁）は六カ所ほどになった。私は午前二時三〇分に小屋を出て、丘の上にある小さなホテルの部屋を目指して、早朝のしんとした空気の中を歩いた。ホテルに入る前に、地面から突き出している灰褐色の山々をもう一度眺めていると、完全なる静寂に包まれて、その場で動けなくなった。ここは伝説のために造られた土地であり、オーディンとフレイヤの恵みに感謝するのがふさわしいように思えた。

そうした埋没遺跡のいくつかは最終的に、実際にヴァイキング時代までさかのぼることがわかった。

離れの小屋を見つけるのはたいした成果ではないかもしれないし、実際ニュースにもならないが、そうした発見に考古学者の胸は高鳴る。私たちにとっては、ちょっとした細かい点が重要なのだ。離れの小屋は、全体としてみれば、より大きな構造や農場がどのように機能していたかを教えてくれる。農場の中心となる母屋に、乳を保存する搾乳所や鉄の道具を精錬する鍛冶場といった建物が付属していれば、その農場はうまくいっていた可能性が高いといえる。離れの小屋がない場合にも、農場の全体像について別のことがわかる。この農民は貧乏で、もしかしたら農場がうまくいっていない可能性がある。そして大きかった農場の規模が次第に縮小するとしたら、それは、戦争や凶作、気候変動を原因とする資源の減少と関係があるかもしれない。つまり、そこにあるのは単なる小さな建物ではない。物語だ。

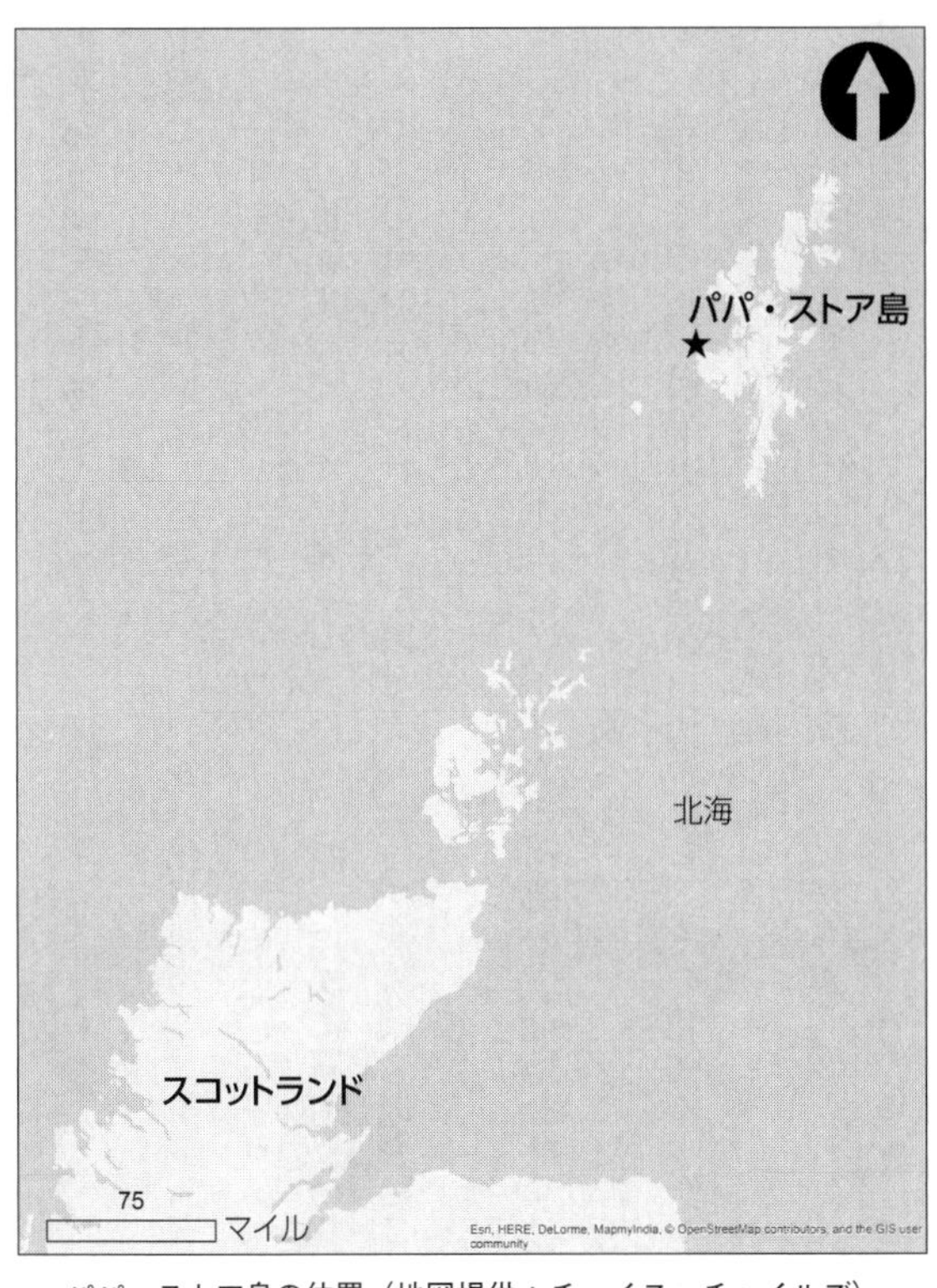

パパ・ストア島の位置（地図提供：チェイス・チャイルズ）

小さな壁は、人工衛星画像で発見できるもののほんの一部分だ。偶然見つかったものや、近代のものだとして無視されるようなものが、実はずっと意味のあるものだとわかることもある。

アイスランドからスコットランドへ

イギリスの北東端にあるシェトランド諸島は、岩の多い丘が連なり、羊がいて、畑が広がる場所だ。およそ一三〇〇年前、ヴァイキングはノルウェーから西に三〇〇キロメートル進んできて、この地域を征服した。[28] 九世紀までに、ヴァイキングはヤールショフに石造りの砦を築いていて、約五〇〇年にわたってこの砦を守り続けた。[29] このヤールショフ遺跡は、地表に見えているヴァイキングの遺跡としてはイギリスで最も大きい。

ここスコットランドでも、私の研究チームはノース人の遺跡の候補地を探す役割を任された。どの場合でも、私たちはその地域についてじっくり調べる。発掘や探査の報告書を読み込んで、何が見つかりそうか考えるのだ。候補となる遺跡を決めたら、その範囲の画像がないか、人工衛星画像のデータベースを探す。画像がなければ先に進めない。

さらにいえば、それは適切な画像でなければならない。私たちが必要としていたのは、同じ畑の作物の健康状態の差が一番大きくなる、夏か初秋のデータだ。[30] 私たちは、地上調査の候補地として八カ所を選んだ。そのうちの何カ所かでは、ヴァイキングの建物がはっきりと見えた。ロングハウスはすぐにわかる。

問題は、ロングハウスではない場合だ。スコットランドのある候補地では、芝地の中に曲線を持った壁がはっきりと見えて、私たちは興奮した。発掘チームが現地におもむいて調べてみると、農夫たちが現代の芝土を切り出してロングハウス形の建物を作っていたのだとわかった。私たちは引っかけられたのだ。

眺めの良いルーン文字

そして、パパ・ストア島のノースハウスのケースがある。およそ五〇年前、アンディ・ホルトとサビナ・ホルト・ブロックの夫婦は、子育てのためにシェトランド諸島西側の小さな島に移り住んだ。時代を先取りしていたこの若い夫婦は、持続可能な有機農場を作りたいと考えていた。そうした農場が流行する四〇年も前のことだ。自分の庭を掘り返しているときに、古いレンガやがれきを取り除くのは当たり前のことだ。ノースハウスでは、彫刻がほどこされた石が次々と見つかるので、二人はそれをドアの横のかごに入れていた。ある日二人が見つけたのは、模様が刻まれた、角のある円盤状の石で、それまでの石より大きかった。

それを地元の専門家に見せると、ヴァイキングが毛織物を織るのに使っていた織機用の重石だというので、二人は興奮した。[31] この重石には特別なところがあった。ノース人の文字であるルーン文字が刻まれていたのだ。つまり、それを使っていた人はみな読み書きができたことになる。読み書きの能力は特権階級のものであり、めったに見られない。二人の土地のどこかに、裕福なヴァイキングの集落か建築物があったのだ。

私のチームがパパ・ストア島の人工衛星データを分析すると、ノースハウスの隣に何本かの直線が見えた。この場所は調査の対象とはならないというのが私の意見だった。そこにあるのはどうも最近のものに思えた。私たちのデータ処理方法のせいで、その直線はけばけばしいピンク色のしま模様に見えていた。たぶんガス管か水道管だ。

私たちは処理したデータをすべてあちこちの専門家に送り、意見を求めた。ＢＢＣがパパ・ストア島で遺跡の撮影をすることに決めたと聞いて、私はひどく驚いた。そしてＢＢＣのスタッフにこんな電子メールを送った。

「その場所は、私たちの順位付けでは一番低くて、データのある八つの遺跡中八番目

ノースハウスの近くで発掘された壁の地上写真（写真：著者）

です。一九世紀の水道管の発掘風景を撮影することになってもいいですか？」

するると、もうこちらで決めたことなので、スコットランドに来る準備をしてほしい、という返事が来た。

またしても、エジプト学者が不慣れな地に向かうことになった。BBCのプロデューサーと待ち合わせた空港は、それまで見たなかで一番小さな空港だった。息子のプレイモービルの空港のほうが利用客は多い。そこから車でちょっと移動して、フェリーに乗った。突き刺すような水しぶきの向こうに、この世のものとは思えないような風景が広がっていた。あたりには、草に覆われた岩がちな地面が広がっていて、そこに点々といる羊は、もやに包まれた綿のボールのように動いていた。

「それで、何か面白いものをみつけたんですか？」私はディレクターのネイサンにたずねた。すると謎めいた笑みがかえってきた。

「すぐわかりますよ」

私がテレビの世界で理解できないのは、司会者を使って大がかりに発表するのが好きなことだ。つまり、「すごい！」と反応する瞬間をカメラでとらえたがる。そういう演出は私をものすごくいらいらさせた。地元の考古学チームはパパ・ストア島ですでに二日間作業をしていたが、私はその結果を何も知らされていなかった。

私たちはノースハウスに到着した。一九七〇年代にコミューンとして使われたあと、今はきれいな民宿になっていて、青灰色のノルウェー海が見渡せた。普通、民宿の敷地に入っていったときに、ノース人の遺物である鉢に出迎えられることはない。番組制作チームは、マイクを取り付けるまで、私が裏庭の発掘現場に近寄れないようにした。そこまでくると、ディレクターの目にはいたずらっぽい輝きが浮かんできた。

異常中の異常

誰もが機嫌がよく、ジョークを飛ばし合っている雰囲気から、私はよいニュースがあるのだろうと察してはいた。しかし門を出て、二〇×一〇メートルの庭に立ち、海食崖を左手に、妖精が住むような家を右手にしながら、そこで掘り出された「異常」を前にしたとき、私にはまったく心の準備ができていなかった。

それは長さ一五メートルほどの石の構造物だった。見たところ、粘板岩の庭の塀が地下一メートルの深さにあり、さらにそこから分かれた石の構造があるようだった。その瞬間、私の警告のせいで、私たちは古代の遺構を目にする機会を逃しかけていたことに気付いた。カメラがとらえていた私の「うわー」という声は、演出なしの本物の声だ。

シェトランド地方の地域考古学担当官のヴァル・ターナーが私を出迎えて、案内してくれた。発掘作業の前に、チームはシンプルなプローブを使って、ローテクがハイテクと同じくらい役に立つことを証明していた。そのうえで、二つのトレンチで発掘作業を始めていた。一方のトレンチは、石壁の中央部に近いところにあり、もう片方は南側の、石壁が消滅しているように見える場所にあった。その石壁は頑丈に作られていて、粘板岩の床板もしっかりと敷き詰められていた。一方で、南側のトレンチには、さらにすごいものがあった。その遺跡がヴァイキング時代のものであることを暗示する、石けん石〔訳注／緑色っぽい灰色の変成岩で加工しやすい〕の器の破片だ。[32]

それからの二日間、私は一二〇〇年前の砂場で遊ぶ子どもになった。北側のトレンチをさらに深く掘っていくと、床が何層も見つかり、この遺跡が少なくとも四〇〇年間使用されていたことがわかった。ノースハウスのキッチンテーブルでティーブレイクをとっていると、エネルギーあふれる考古学者であり、友人でもあるトム・ホーンが、ちゃめっ気たっぷりに笑いながら、体を弾ませてやってきた。トムがディレクターに何事かささやくと、ディレクターは「外に出て！」と告げた。

考古学者が珍しい遺物を発掘すると、発掘現場のエネルギーが変化するものだ。誰もかれもが、クリスマスに一番欲しかったものをもらった子どものようになる。庭に出てみると、そこは興奮の渦だった。

「手を出して」トムはそう言うと、私の手のひらに、橙茶色をした光沢のある宝石をのせた。

「ええ！」私は叫んだ。「どうやって見つけたの？」

「私には魔法の目があるんだ。君の人工衛星みたいにね」

私は親指と人差し指で、そのサイコロ大の石をつまんだ。面を刻んで磨いてあって、現代の指

ノースハウス近くの発掘現場で出土した赤メノウ（写真：著者）

輪に使われていてもおかしくないような宝石だった。最初は琥珀かと思ったが、持ち上げて光にすかしてみると、燃えるようなオレンジ色に輝いた。

赤メノウ！　ますます素敵だ。私は、約四〇〇〇キロメートル離れた、私の考古学研究の故郷を思い出した。古代エジプト人は、赤メノウを装身具に使うのが大好きだったのだ。[33]ヴァイキングにとっては、赤メノウは特権階級のものであり、大規模な交易所だったスウェーデンのビルカ遺跡などでしか見つかっていない。[34]それは黒海沿岸のどこかで採掘されていた可能性が高い。私が手にしている赤メノウは、ブローチか指輪に使われたもので、持ち主が誰であれ、とても重要な人だったに違いない。

私たちは証拠をつなぎ合わせて、発掘さ

れたのはノース人の砦らしいと判断した。

一二九九年に書かれた文書によれば、地域の支配者であるソルヴァルド・トゥーレソン卿[35]が、集めた地代を着服したとして告訴されていた。潔白を証明したかったトゥーレソン卿は、参考人に証言を頼んだ。そうした参考人を集めた会合の一つが、この島のどこかにあった、将来のノルウェー君主ホーコン公爵の家の居間で開かれていた可能性があった。私たちの発掘調査よりも前に、別の考古学者が、島内のビギングス遺跡（一二世紀から一三世紀の建造物）がホーコン公爵の農場だと指摘していた。[36]

しかし今回新たに見つかったヴァイキングの建造物は、海岸の隣という戦略的に重要な場所に位置しており、実はこれがホーコン公爵の家かもしれなかった。数日の発掘では、私たちは文字通り表面をこするのがやっとだったが、すでにたくさんの部屋が見つかっていた。下にある浜辺を歩いていると、崖のへりに沿ってはっきりとした石垣が野ざらしになっているのが見えて、遺跡がかつてははるかに大きかったことがわかった。悲しいことに、私はそこを離れなければならず、発掘された遺跡は保護のために埋め戻された。将来には、もっと多くの発見が待っている。

円形闘技場に心を熱くして

私は自分が間違っているときにはそれを認める。それに自己主張ができるうるさい五歳児の母親だから、自分の間違いに気付かされるのはしょっちゅうだ。パパ・ストア島の件で気を引き締めた私は、それ以来、複数の解釈がありうる結果は必ず疑ってみるようにしている。

とはいえ、これまで仕事をしてきたなかで一番恥ずかしかったのは、それより六年前、五歳児がまだお腹の中にいたときの出来事だ。別のBBCの番組で、イタリアの研究チームと一緒に仕事をする機会があって、それが人工衛星と地上の両面で、新しいテクノロジーに対する私の考え方をひっくり返した。

ローマのフィウミチーノ空港に向かう飛行機から見下ろすと、都市化した風景や畑の中に奇妙な六角形が見える。

滑走路から石を投げれば届くくらいの距離に、イタリアでも特に魅力的な遺跡に数えられるポルトゥス遺跡がある。ここでは、最新のマッピング技術がいくつか使われている。ポルトゥスは約一九〇〇年前、ローマの交易の一大中心地だった。地中海の古代の海岸線沿いにあったポルトゥスは、クラウディウス帝の時代である西暦四二年に建設された。さらに、トラヤヌス帝の統治期間である西暦九八年から一一七年の間に拡張されて、近隣にある大規模なオスティア港と一体となって、物資の重要な再分配拠点の役割を果たしていた。[37] 現在では、古代の海岸線は四キロメートル内陸にある。テヴェレ川が運んでくる泥が長い時間をかけて堆積し、防波堤に守られた巨大な港は徐々に埋まってきた。[38]

この遺跡は、現代のアマゾンの倉庫によく似ていた。ポルトゥスには、エジプトのワインからアラビアの香料まで、ローマ帝国のあちこちからさまざまな品物が流れ込んできた。船は、アレクサンドリアの有名な灯台を参考に設計された灯台に導かれて、港に入ってきた。そして空から見えた六角形の係留地へとゆっくりと移動して、倉庫に停泊し、積み荷を降ろす。係留地にはボート修理用の格納庫もいくつか点在していて、船の船長や倉庫の管理者が必要なものを一カ所で買える場所になっていた。品物は小型のボートに積み込まれ、テヴェレ川を通って北東にあるローマに運ばれた。海運業が盛況だったので、ポルトゥスの港町は繁栄し、家や倉庫が建ち並び、道路が整備され、共同墓地や大理石の採石場が作られた。[39] そして港町らしく、売春宿も十数軒はあっただろう。

ポルトゥスでは、昔から考古学調査が繰り返しおこなわれてきた。現在、ポル

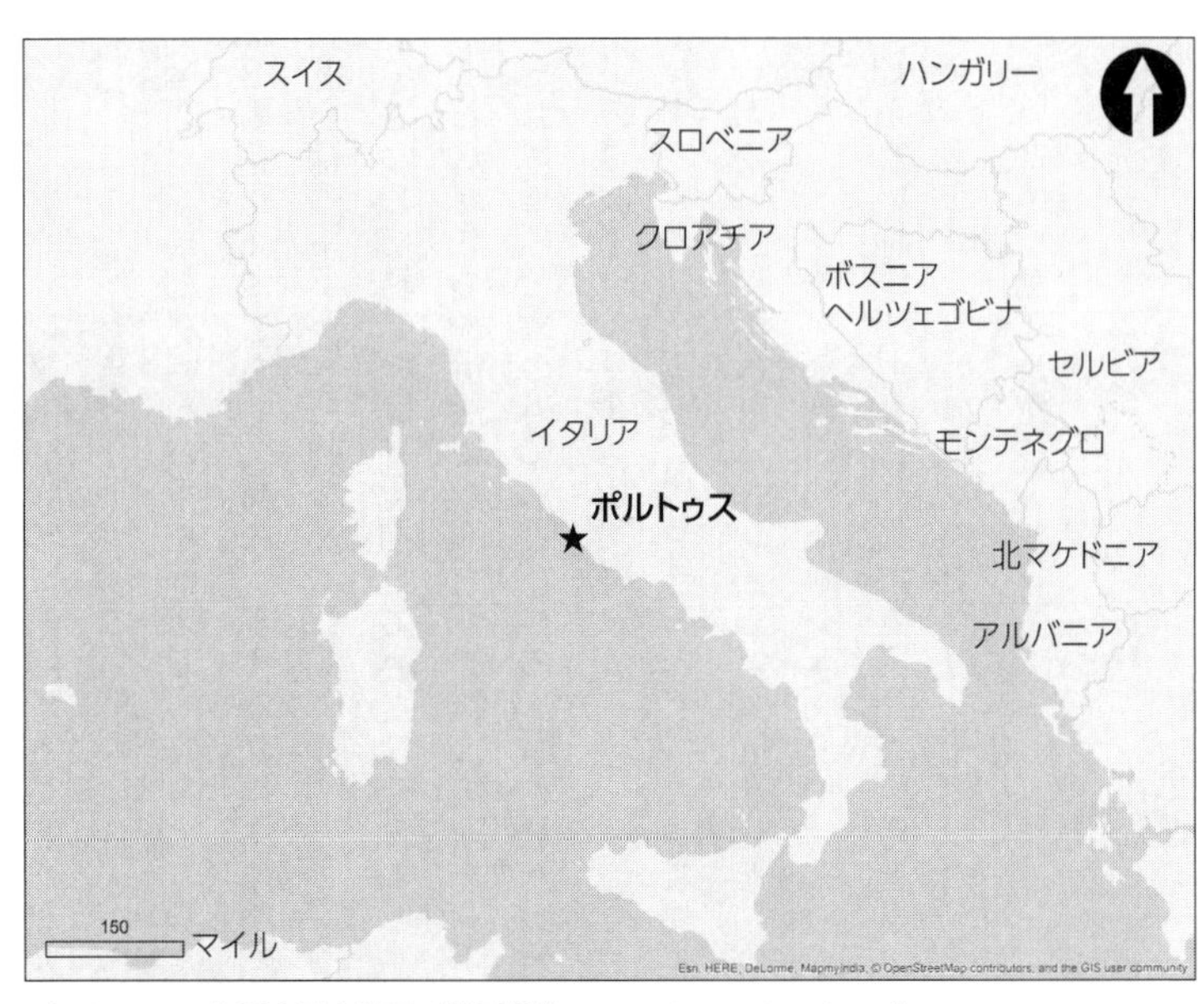

ポルトゥスの位置を示す地図（地図提供：チェイス・チャイルズ）

トゥスの発掘調査を指揮しているサイモン・ケイは、サウザンプトン大学に所属する気さくな大学教授だ。サイモンのチームは三〇年以上にわたって、さまざまな地上リモートセンシングのツールを駆使して、この遺跡の大部分をマッピングしてきた。いろいろな意味で、彼のチームは古代ローマの景観考古学へのアプローチの常識を書きかえてきた。同時に、ボート修理用の格納庫の役割などについての発見で、国際交易の状況を知る手がかりを明らかにしている。

サイモンたちは、現代の土地利用状況のせいできわめて難しい問題を抱えていた。今日のポルトゥスは、現代の建築物とさまざまな作物を育てる畑がごちゃ混ぜになった、複雑な場所だ。ポルトゥスの中心部分は遺跡公園の中にあるが、それ以外は公園の外にある。この分断された景観をマッピングするためには、調査計画と細かな手続きに莫大な手間が必要だった。

サイモンたちの発掘チームはそれまで、地中レーダーや航空写真、磁気探査などによって調査していたが、[40] 高分解能の人工衛星画像は使っていなかった。私はサイモンから、共同研究をしてみたいかどうかと聞かれた。私には嫌な予感がした。サイモンは絶対的なレジェンドで、そのうえ素晴らしい人物だ。それに、自分がほとんど知らない地域で、発掘隊長に人工衛星画像を振り回してみせるのは気が進まない。しかしサイモンが言うには、ポルトゥスで大規模な円形闘技場を何年も探しているのだが、まだ見つかっていないという話だった。

ローマ時代の遺跡探しの苦労

ローマには、皇帝による堂々とした建築物がたくさんあって、一目で簡単に見つけられるような、巨大でわかりやすい石の基礎部分が残っている。コロッセウムのように。ローマ時代の遺跡についてはこう言われることが多いが、実はそうではない。

急激な都市化や、石材の再利用、二〇〇〇年以上にわたる耕作によって、古代ローマの遺跡は多くが部分的に、あるいは完全に覆い隠されてしまっている。劇場や円形闘技場、ヒッポドローム（競馬場）は、古代の文書に書かれてはいても、現代の考古学者の目には見えない。保存状態のよい遺跡が残っているのは、ほとんどは運がよかったか、単なる偶然だ。現代の市街地が古代ローマの遺跡を完全に吸収している場合には、人工衛星画像を処理するにあたって深刻な問題が出てくる。確実なシグナルをバックグラウンドノイズと区別する作業は、宇宙考古学者にとって最大の難問なのだ。[41] 一方で、遺跡や景観にあるはずのものをあらかじめ知っていることは、既知のものから未知のものへと進む、適切な考古学上のプロセスに思えるかもしれない。しかしそのせいで認知力にバイアスがかかることがある。

そしてそのバイアスのせいで、何もない場所に形が見えてしまうことがある。これは「パレイドリア」という心理現象で、要するに、人工衛星画像の処理を何時間も続けていると、目がおかしくなってしまうのだ。何もないところに何かが見えたり、逆にそこにあるものを完全に見落としたりする。チームで作業をするのが必要不可欠なのはそのためだ。そうすれば互いに確認しあうことができる。または、疲れ切ったり、夢中になりすぎたりした仲間に、「君はおかしくなっているよ」と教えることもできる。

しかし、この共同研究が始まった頃、私はまだ自分のチームを立ち上げていなかった。学位論文の半分を使って、古代ローマ時代後期のエジプトについて書いていたので、古代ローマ時代の構造物についての私の知識は、面倒ごとに巻き込まれるには十分だが、自分の画像処理に自信を持てるほどではない、というレベルだった。しかし、どこかから手をつけなければならない。サイモンの論文を読んで、彼のこれまでの成果をよく理解してから、〇・五メートルの分解能を持つジオアイ1号が撮影した、特に乾燥していた二〇一〇年夏の画像を注文した。この画像には、可視光と赤外線の両方のデータがあった。

ポルトゥスの建造物の大半が石で作られており、古い河道が見つかる可能性もあったので、私は夏の画像を使えばはっきりしたクロップマークが見つかると期待していた。そして実際に見つかった！　家屋、大きな長方形の建物、道路など、十数の構造物が現れた。私はこの発見をとても誇らしく思いながら、サイモンと彼の研究チームに報告した。ほめられることを期待していた。私のどうしようもない膨れた自負心が破れたのは、翌朝のことだった。

「人工衛星画像でこういう構造物が見つかるのは素晴らしいですね」とサイモンは返事をくれた。「これらの構造物のことは、何年も前から知っています」残念ながら、一件か二件の論文を見落としたまま、何時間もかかる作業をしていたらしい。

わざと赤ちゃんみたいに思い切り叫んでから、机の下でスマホで「ボール・オブ・シェイム」

というゲームをやって、チョコレートをたくさん食べてみたものの、この先の作業で何をすればよいか途方にくれた。私の処理作業によって、宇宙から見えるものはもうすべて見えているのは確かなのだから。

最初は失敗したとしても

もしかしたら、違う季節に撮影された、少し違った画像なら、もっといろいろと見えるのではないか。幅広い波長帯に対応している、デジタルグローブのワールドビュー2号の画像が、その前の九月から利用可能になったばかりだったのも幸運だった。その年の秋は、イタリアの一部地域では記録的に雨が少なかった。[42] このデータには、可視光の波長帯と、二つの赤外光の波長帯が含まれていた。このうち可視光の波長帯は、「レッドエッジ」という、赤色光から赤外光までの波長帯だった。それまでの人工衛星画像には四つの波長帯しかなかったのに対して、ワールドビュー2号の画像には八つの波長帯があり、作物の健康状態の微妙な違いをうまく検出することができた。[43]

データ処理をしてそうした違いを強調すると、六角形の係留地の北東にあたる畑に、幅四〇メートルの不思議な楕円形が現れた。その楕円形の東側と西側には入口のようなものがあって、東西方向の道路につながっており、さらに北側には長方形の建物があった。この形はあまりにはっきりしていたので、私は、これは最近のものの可能性が高く、探していたものではないと判断した。おそらく、一九世紀に作られた、ある種の貯水施設だろう。それでも念のために、その画像をサイモンに送って意見を聞いてみた。

サイモンはとても興奮した。以前その場所で磁気探査を実施したときには、人工衛星画像で見えていたようなものは見つからず、地中レーダーでの調査はまだ実施できていなかった。しかしこれはどう見ても円形闘技場だ。長方形の構造物はおそらく付属の訓練用宿舎だろう。私とサイモンは、八〇年近く前の、同じくらい小雨の時期に撮影された航空写真を見て、やはり同じ場所に円形闘技場のかすかな輪郭が見えるのに気がついた。[44] 何を探すべきか理解すれば、それは一目瞭然だった。ついに、私たちはわくわくするような結果を手にしたのだ！

サイモンと、彼のチームの地上探査の専門家であるクリスチャン・ストラット、そして私が

円形闘技場の遺構が見える、ワールドビュー２号の処理済み画像
（画像提供：デジタルグローブ）

共著者になっている、この結果についての論文では、人工衛星画像と、磁気探査や地中レーダーなどの地上リモートセンシングのツール、そして航空写真の比較をおこなった。[45]私は、宇宙からの画像に興奮を覚えつつ、その限界を理解している。探査能力を高める手段として、地上リモートセンシングを一緒に使えば、人工衛星画像はさらに強力なものになる。

サイモンの研究チームは、将来的にこの円形闘技場を調査する予定だ。私にとって、この円形闘技場を追いかけた経験は、諦めないこと、そして最初からやり直すのをいとわないことを学ぶ、貴重な教訓になった。

適切な季節のデータを、適切な手法で分析すれば、対象とするのがどの地域でも、あるいは見つけたいのがどの古代文化だとしても、宇宙考古学は驚くほど多様な遺跡を浮かび上がらせることができる。とても大きな遺跡でも、逆に小さな遺跡でも、三〇センチから三〇メートルまでのあらゆる分解能のデータを使い、景観やその地質学、その環境が用意する建築材料を理解することで、発見につながる暗号を解読できるのだ。

こうした発見は、新しいテクノロジーのおかげで考古学者たちが得られるようになった深い理解への手がかりでしかない。発見だけが、あるいは新しい学説だけが重要なのではない。肝心なのは、考古学の土台を揺さぶること、そして新しいアイデアを試すことだ。そうしたアイデアは、うまくいくこともあれば、答えよりも多くの疑問を残すこともある。

第4章 危ない仕事

考古学は、私たちが誰で、どこから来て、どうやって今の場所にたどり着いたのかを教えてくれる。しかし考古学の世界でも、たとえ成功の確率がとても小さくても、風車と戦おうとしたドン・キホーテのように向こうみずな戦いに挑みたいという誘惑は強い。それは経験があるのでわかる。私は、研究分野として選んだ宇宙考古学の世界で恵まれた年月を送ったあとで、自分の専門以外の分野に挑戦するという、ドン・キホーテ的な時期を迎えた。

しかしまずは、順を追って考えていこう。あなたがさきほどあげたような壮大な疑問に興味を持ったとしたら、重要になるのは、そもそもどうやって考古学を始めるのかを知ることだ。ある人にとっては、考古学は家業である。あるいは大学で考古学の授業を取って、すべてが変わったという人もいる。子どもの頃からずっと、土を掘ることに、あるいは過去の世界に呼ばれていたという人も多い。しかし現実は、ハリウッド的なファンタジーとはかけ離れている。考古学の仕事につくには、重労働と犠牲を積み重ね、たくさんの運に恵まれることが必要になる。そのうえ、画期的な発見にいたるまでには、何年もの間、ノートパソコンをひたすら見つめたり、ほこりだらけの穴をかき出したりしなければならない。どちらの仕事も、体のあちこちが痛くなりがちだ。

どういう人が考古学者と名乗れるようになるのかというあたりには、混乱がある。残念ながら、私の知る限り、十分な経験値を獲得したところで専用の発掘用コテを授けてくれるような、考古学の妖精は存在しない（ただそんな妖精が本当にいたら、革ジャケットなんかを着こんでいそうだ）。北米の考古学者のほとんどは、最初は人類学や古典学、中東研究、美術史を専攻する。イギリスでは、考古学と人類学は、別々だがつながりの多い分野という位置づけだ。ヨーロッパや、地中海諸国の多くの大学では、たとえばトルコやローマ帝国などを対象とした地域研究の一環として考古学を学ぶ。世界のどの国でも、考古学の学位と同時に、観光学の学位も目指している学生が多い。考古学は他の仕事と比べると、あまりにも儲からないからだ。

それだけ多くの困難が待ちうけているのだから、なぜそんなに大変なことをわざわざするのかと思われてもしかたない。今日の考古学者たちの祖父というべきケント・フランネリーは一九八〇年代に、その時代の考古学者たちを皮肉った文章で、ある「古株」の考古学者について書いている。彼は考古学界の偉人であり、発掘への愛のためだけに発掘をしていた。そして、考古学は「パンツをはいてできることでは一番面白いことだ」という口癖で知られていたという。[1] 私が知っている考古学者の多くも、発見の陶酔感や、歴史遺産を守る取り組みには、代わりに金銭的な安定をあきらめるだけの価値があると考えている。

発掘がしたくなったら?

私はときどき、発掘隊長になれることはこのうえない名誉だと考えている人に出会う。私に言えるのは、願い事はよく考えてしよう、なぜなら、そこにいたる道は長くて孤独だから、ということだけだ。まずは発掘プロジェクトにボランティアとして参加して、何シーズンかかけて発掘のコツを覚える。そうするうちに、区画責任者になれるかもしれない。その後は、現場責任者からフィールド・ディレクターになって、発掘作業のすべてを管理する責任を負うようになる。大学での研究テーマに応じて、種子や動物の遺骸、碑文学(古代の碑文を描いたり、現代語に翻訳したりする分野)の現地専門家になる可能性もある。

やがて、幸運にも研究助成金をもらえたら、独自の研究テーマを立てて、指導教官が管理する遺跡の一部か、あるいは完全に別の遺跡で、独立して発掘作業を始められるようになる。そうなったら、お悔やみを申し上げます……じゃなくて、おめでとうございます!

大半の考古学者は、このような感じで一歩ずつキャリアの道を進んでいる。私は、エジプトで自分の発掘プロジェクトを進めるよりずっと前に、他の人のやり方をみて学んだ。博士課程に進む前と進んでから、そして博士号を取った後の時期に、グレッグがシナイ半島とナイル川デルタ地帯での発掘プロジェクトを指揮する様子を見られたのは幸運だった。その当時、私は自分の担当区画に没頭できる時間を楽しんでいた。丸一日、誰にも邪魔されることなく、作業クルーと一緒に発掘し、記録をつけ、平面図を描いた。そして本当なら私が注意を払うべきだった山ほどのごたごたに、グレッグが対応してくれるのを見守った。

エジプトで発掘チームを取りまとめるのがどれほど大変なのか、当時の私はきちんとわかっていなかった。ついに自分の初めての発掘プロジェクトを指揮したとき、私は気楽な発掘作業者から突然、発掘現場のCEOのような立場になって、プレッシャーを感じた。そんなことへの準備ができている人なんて誰もいないとは思うが。運よく、私が最初に指揮したのは小規模なチームだったし、大変なへまをやらかしたときには助けてくれる素晴らしい夫もいた。

習慣として、発掘シーズンの六カ月くらい前になると、私は月の大半を申請手続きに費やすようになる。発掘チームのメンバーは全員、履歴書とパスポートのコピーを提出し、セキュリティ関係の書類に記入しなければならない。事務作業の段階でしくじったら、チームのメンバーが参加できなくなる可能性があるし、実際にそういうことは起こっている。その後には、終わりのない連絡作業が続く。関係機関との調整、計画策定、飛行機のチケットや空港での出迎えの手配など、すべては発掘現場で一カ月間作業するための準備だ。私としては、仕事もなければ家もなく、子どももいなかった昔のように、もっと長く発掘をしたいのだが、あの頃より人生は複雑になった。

次に、一緒に仕事をしているエジプト人の現場の親方と数え切れないくらいスカイプをして、食事の計画を立てたり、作業員を確保したり、発掘用品の輸送を手配したりする。発掘用コテ、油性マーカー、グラフ用紙、クリップボード、使い勝手のよい製図用コンパス……そういった発掘用品の目録を確認するにも、何通もの電子メールが海を越えて行き来することになる。カイロで買うと時間がかかるだけなので、送らなければならないのだ。こういった準備は、私の助成金の銀行振り込み手続きが完了するまで始められないのだが、その振り込みはいつもぎりぎりだ。さらに、飛行機の預け入れ荷物の重量制限を超えないよう、バッグごとになんとか調整しながら、発掘の道具を輸送するのにどれだけ細心の注意が必要なのか、想像できないだろう。

エジプトに到着すると、カイロをいそがしく走りまわることになる。私は四、五日早く現地入りして、しかるべき政府の役人との会合を設定して、その発掘シーズンの計画を伝え、意見をもらい、正式な書類にサインする。その会合が完了する頃には、チームメンバーが世界中から飛行機でやってきて、発掘前の大量の買い物騒ぎを手伝ってくれる。出土品登録チームが使う頑丈な木製のテーブルから、トイレットペーパー、さらには何ケースものトニックウォーターまで、何台ものカートが雑多な日用品であふれかえる。つまり、これがエジプトなのだ。そして、ジントニックもその一部であり、毎日あっという間に午後五時になる。私たちには守るべき習慣がある。

いったん発掘が始まったら、私はホテルマネージャー兼食事メニュー担当者兼看護師兼外交官だ。予算の管理も私の担当だが、ありがたいことに、グレッグが手伝ってくれる。私は毎日ベテランスタッフのもとを回って、必要なものが全部あるか確認するし、政府の役人でも、他の考古学者でも、その日訪ねてきた人と面会する。

発掘現場での食事がいつも素晴らしいのは、私たちをお腹いっぱいにすることを誇りにしている、優秀な地元の料理人たちがいるからだ。私はおいしいものが好きだし、「軍隊は胃袋に頼って行進する」ということわざの正しさをちゃんとわかっている。発掘作業中の宿泊施設はそのときによって違いがあるが、たとえよい部屋でも、次の日には公衆トイレの手洗い場のようになりかねない。そして天気だ。そう、問題は天気である。エジプトでは日差しがつねに降り注いでいると思われるかもしれないが、強風や砂嵐、予想外の冬の雨などもある。

そして何が起きても、チームのみんなの面倒をみなければならない。私のチームには、核となるスタッフが一五人、発掘が本職の中心的なエジプト人スタッフが八人、さらに日雇い作業員や警官、守衛などのスタッフが七〇人以上いる。トルーマン大統領の言葉を借りれば、「責任は私が取る」ということだ。発掘プロジェクトを運営することの責任は、私が他では負ったことがないほど大きくて、とてつもないものだ。そして、自分で発掘用コテを手にして実際に地面を掘ることが、「やることリスト」の中でかなり下になってしまって、ストレスを感じることもある。

しかし重要なことは、発掘隊長がこういうことをするのは、ひとえにチームに最高の仕事をしてもらうためだということだ。世界トップクラスの専門家を集めて、彼らが健康で楽しく仕事ができるようにするとともに、作業員たちに十分な賃金と安全を保証するというのは、まったく当然のことだ。自分のビジョンや夢の実現には、まさにそういうものが、つまりたくさんの人たちの協力が最終的には必要なのである。だから、講演や論文発表などの機会があればいつでも、専門スタッフと作業員の両方を褒め称え、敬意を表するべきだし、彼らなしでは発掘プロジェクトが実現しなかったことを忘れてはいけない。それは地球上で最高の仕事だ。

こういったことを考えてみると、考古学の何が人々を駆り立てているのかが理解できるだろう。私たちは、『オズの魔法使い』のオズへと続く黄色いレンガの道を一歩先へ進もうと、いつも必死に努力している。それは、博士号を取り、ポスドクのポジションを見つけ、就職し、大学での終身在職権を獲得し、昇進し、研究助成金をもらうという道だ。世間のたいていの人は、退職後に旅行するのを目標に働き続けている。考古学者が働き続けるのは、発掘し続けるためであり、発掘ができるなら、お金をもらえなくてもするだろう。ほとんどの考古学者は、どこかの時点で、ただ働きをした経験がある。そうしなければいけないのはおかしいのだが。

劇的な発見をめぐる報道がそのまま現実世界での研究助成金や、大学への支援に結びつけばいいのにと思う。名声は考古学を前進させる直接の力にはならない。役に立つ場合もあるが、邪魔になることも同じくらいある。私たち考古学者を突き動かしているのは、貪欲な好奇心だ。私たちの心の中にいる子どもが、宇宙に向かって「どうして?」と質問し続けている。発掘現場の土をコテでひとすくいするだけのことが、いつも待ち遠しくてたまらない。やってみないとわからない。本当にそうなのだ。そのときだけ、ばらばらになったものが一つにつながるのかもしれない。

大胆に進めるためには……

大胆な主張をするのに必要なのは、大胆な検証だ。成果が出るかどうかわからない、リスクの高い科学研究をする場合、しっかりとした研究設計のもとで検証可能な仮説を立てて、すぐれた研究チームを作れば、研究助成を得られる確率はまったくのゼロから、一〇〇〇分の一くらいには上がる。大切なのは慎重さだ。当たれば大きいが成功の可能性は低いことは、利害関係者全員にはっきり示しておかなければならない。歴史に貢献することになるかもしれないというのが見返りだ。理不尽な話に思えるかもしれないが。

前の章を読んで、エジプト学者である私が、寒い土地でヴァイキングの遺跡を探すテレビ番組に参加するなんて、いったい何をやっているのかと不思議に思った読者もいるかもしれないので、ここでその背景を説明したい。息子がまだ一歳にもなっていなかった二〇一三年、私が制作に参加した、ローマ帝国についてのＢＢＣのドキュメンタリー番組が完成した。当時、ザ・ヒストリー・チャンネル（現ヒストリー）の「ヴァイキング～海の覇者たち～」というテレビドラマシリーズが始まったばかりだった。大英博物館ではそのすぐ後に、ヴァイキングをテーマにした展覧会とイベントが開催されて、大好評だった。そういう流れを感じ取ったのか、ＢＢＣが新しいヴァイキングの番組を提案してきたのだ。

私は彼らに、私の専門分野をお忘れではありませんか、と丁寧な電子メールを返した。私が研究しているのはピラミッドであり、ロングハウスではない。ローマ帝国時代後期の研究をしたことがあるので、東や西、北に少し離れたところにある古代ローマ時代の遺跡を探すというなら理にかなっているが、ヴァイキングの遺跡探しとなると、あまりに遠くへ飛躍しすぎという気がした。小さな子どももいるので、おむつやらお尻ふきやらを探すのに追われる毎日なのだということも、率直に伝えた。

それで話は終わったと思ったので、頼まれたことすらすぐに忘れてしまった。そのまま翌年の夏になった。グレッグと私はロンドンにいる親しい友人たちを訪ねることになったのだが、それをどういうわけかＢＢＣが聞きつけて、エグゼクティブプロデューサーと軽いランチでも取りながら、番組の企画について相談しましょうと連絡してきた。幼児がひどく騒ぐなかで、フィッシュアンドチップスを食べつつ、エグゼクティブプロデューサーは私に、カナダかどこかでノース人の遺跡を探すという企画を売り込んできた。私はあらためて、そのアイデアをあきらめさせようと説得を試みた。その当時、私は大学の考古学入門クラスの一部としてヴァイキングについて教えてはいたが、それだけのことだった。すると、エグゼクティブプロデューサーが魔法の言葉を唱えた。「調査費用は全部こちらがもちますよ」

ああ、私の弱点だ。そんな申し出はそうそうない。私にはちょっと変化が必要だったのかもしれない。あるいはランチと一緒に飲んだリンゴ酒（サイダー）のせいだったのだろう。私はリンゴ酒を一パイントグラス（約五〇〇ミリリットル）で飲むのが大好きなのだ。時差ボケと子どもの相手でへとへとで、一瞬おかしくなっていた可能性もある。イエスと答えた記憶はないのだが、そう言ったのは間違いなかった。その証拠に、家に帰ってみると、そのプロジェクトの予算関連のいろいろな電子メールがすでに届いていた。

その頃の私にはもう、このプロジェクトを手伝ってくれる自分の研究チームがいた。磁気探査の専門家で、難解なマッピング手法とビートルズの全作品に精通しているデイヴ・ギャシングスと、若きテクノロジーの天才で、ケンブリッジ大学で修士号を取ったばかりのチェイス・チャイルズが、新しいプロジェクトに飛び込もうと待ち構えていた。そして私の夫グレッグはとても興奮していた。大学で中世考古学を専攻しようかと思っていたという彼は、ヴァイキングの遺跡を訪れて、背景調査を手伝うのをとても楽しみにしていた。それに私は、声をかければ協力してくれるノース人の専門家をたくさん知っていた。何も問題はないだろう。そう思っていた。

実際には、問題だらけだった。

私たち以外に、これまでに数え切れないほどの探検家や冒険家、考古学者が北米にヴァイキングがいた証拠を探し求めてきた。ミネソタ州でヴァイキングのルーン石碑が発見されたという説がある。[2] きちんとした発見としては、メイン州のネイティブアメリカンの遺跡から出土したヴァイキングのコインがあり、これはヴァイキングがネイティブアメリカンと何らかの接触があったか、あるいは一時的な探検でニューイングランドにやってきていたことを示している。[3] さらにカナダ東部や、アメリカの北東岸でもヴァイキングの遺跡がさらに見つかるだろうと考えている人も多い。[4] そういう期待をするのは間違いではない。

ノース人が北ヨーロッパのフィヨルド地帯やアイスランドから勢力を拡大していった様子を思い描くには、アイスランドではあっという間に農民があふれ、彼らの息子や娘によって耕作に適した土地がどんどん分割されていったことを考えてみるといい。[5] 当然、その先にあったのは緊張と争いだ。

伝説的なヴァイキングである「赤毛のエイリーク」の名は、髪の色だけでなく、短気な性格からも来ているのかもしれない。エイリークはひどいけんかの末、荒くれエイヨルフと決闘者フラプンという二人の男を殺してしまった。[6] 九八二年にアイスランドから追放されたエイリークは、仲間を連れて西方にあるグリーンランドに向かい、そこに初めてのノース人の入植地を築いた。[7] 現在でも、崩れかけの教会と石造りの家の基礎がその名残をとどめている。[8] 東の入植地と西の入植地に三〇〇〇人を超える人々が住み、四〇〇年以上にわたってこの地に適応し、生き延びた。[9] 最初の入植者の子孫たちは、小氷期の襲来による気候変動で生活手段を失い、一四五〇年頃にこの地から離れたものの、それでもこのグリーンランド入植は素晴らしい成果だったといえる。[10] しかしこの新しい土地も、ノース人たちの探検欲を満たすには十分ではなかった。

ノース人の北米大陸探検のことを私たちが知っているのは、アイスランドに伝わるサガのおかげだ。[11] 『赤毛のエイリークのサガ』と『グリーンランド人のサガ』は、九九九年から一〇一七年までの期間に五回おこなわれた、ノース人が「ヴィンランド」と名付けた土地への旅について記している。[12] さらに、アイスランドの『植民の書』や、アイスランドの複数の年代記もヴィンランドについて言及している。[13]

ヴィンランドがどこにあって、どんな土地だったかというのは、ノース人研究の業界では今も活発に議論されている話であり、[14] 私には、その目下の議論に足を突っ込むような真似は、たとえ小指の先だけでも恐ろしくてできない。ヴァイキングは凶暴だと思っているなら、ノース人の専門家たちの議論の様子を見てみるべきだ。

ノース人は西へ、さらに南へと航海していった先で、特徴が異なる三つの土地に出会った。一つ目のヘルランド（「平らな石の土地」の意味）は海岸が岩場になっていて、木のない土地だと伝えられており、考古学者たちはこれがカナダのバフィン島のことだと考えている。マークランド（「森の土地」）はヘルランドの南にあって、現在のラブラドル半島だとされている。ラブラドル半島の海岸線には、密生した森が延々と続いているのだ。そしてヴィンランドは、さらに南のどこかにあるようだった。[15]

地名の解釈にさえ、さまざまな説がある。「ヴィンランド」（Vinland）というのは、ノース人がワインのためにブドウ（vine）を育てることができた場所かもしれないが、[16] ブドウではなく、ニューファンドランド島やセントローレンス湾沿いのどこかにたくさん生えていた、ワイン造りに適したベリーのことをいっているのかもしれない。今もその地域ではベリーが採れる。あるいは「vine」というのはブドウの木ではなくて、ただのつる草のことかもしれない。[17]

ノース人がヘルランドから船で南に進んだ後に、複数の入植地を築き、そのうちの少なくとも一つがニューファンドランド島にあったことははっきりわかっている。[18] 大きな疑問は、ノース人がどのくらい南まで進んだのか、そしてたとえ一シーズンだけでも、どこまで南で定住していたと考えられるのか、ということだ。この疑問こそ、私が自分のチームとともに、人工衛星画像を使って確かめることにした疑問だ。

ファーストコンタクト

ノース人の遺跡探しは、何度もおこなわれては失敗していたが、ある調査が予想外の成功を収めた。そして、その過程で北米大陸の歴史まで変えてしまった。

一九六〇年にこの調査を始めたのは、ヘルゲ・イングスタッドとアン・スタイン・イングスタッドというノルウェー人の夫婦だ。ノース人のサガを読んだイングスタッド夫妻は、ヴィンランドというのはニューファンドランド島のことだろうと考えた。ノース人がラブラドル半島から南下した場合に、ニューファンドランド島の北岸は上陸地としての条件を満たしている最初の場所だからだ。[19] 二人が地元の漁師のジョージ・デッカーに、自分たちは遺跡を探しているのだと話すと、デッカーは、芝土で作られた建物の土台がいくつも並び、草で覆われている場所へと案内してくれた。それはノース人のロングハウスと似た形をしていた。[20] どこでも地元の人は何でも知っていることがよくわかる話だ。

このランス・オ・メドーという遺跡から、イングスタッド夫妻がその後の数シーズンで発掘したものは、あまりに驚くようなものだったので、ノース人の研究者たちが信じるまでに何年もかかったほどだ。[21] 家屋跡からは石けん石で作られた紡錘車が出土した。これは毛織りの衣服の材料となる羊毛を紡ぐのに必要な道具だ。[22] 鉄製の船用の鋲は、そこまで大型の船で旅してきたことを示していた。[23] 他の区画を発掘してみると、鉄を精錬し、鉄製品を製造していた鍛冶場が見つかった。[24] とはいえ、疑っていた学者たちを黙らせたのは、ノース人の典型的な金属製リングピンの発見だった。[25]

放射性炭素を使った年代測定によって、西暦一〇〇〇年前後の複数の年代が示された。[26] この遺跡から見つかった建物は、その時代のアイスランドやグリーンランドの建物と同じ形をしていた。[27] こういったことから、イングスタッド夫妻が発見したのは、ノース人が北米にいたことの初めての証拠だと思われた。

イングスタッド夫妻の後にランス・オ・メドー遺跡の発掘にたずさわったのが、パークス・カナダ〔訳注／カナダの国立公園を管理する政府機関〕のビルギッタ・ウォーレスだ。[28] ウォーレスの発掘チームは、海岸に隣りあった沼地のエリアで調査をおこない、そこで木製品のかけらを見つけた。[29] 特に重要だったのは、バターナットの実や木材が発掘されたことだ。バターナットはクルミの一種だが、ニューファンドランド島には分布していない。それは、ランス・オ・メドーの住人がセントローレンス湾を船で渡って、木を切って木材を手に入れたり、探検したりしていたことを強く暗示している。[30] こうした証拠の積み重ねから、ノース人がランス・オ・メドーに短期間居住していて、その人口は最大一〇〇人ほどだったことが明らかになった。[31] 不思議なのは、出土品の中に動物の骨がなく、家畜小屋の痕跡もみられなかったことだ。[32]

サガに書かれたノース人の遠征をすべて考え合わせると、他にも集落があるのは確かだ。ランス・オ・メドーがヴィンランドだった可能性はあるが、ヴィンランドというのは地域全体を表す名前だったことも考えられる。そして私たちが調べれば調べるほど、北米東海岸沿いにある遺跡候補地では、リモートセンシング技術を用いた系統的な方法での調査が一度もおこなわれていないことがわかってきた。

ノース人の遺跡だけなく、他にも興味深いことがわかる可能性があった。カナダ東海岸やセントローレンス湾地域は、ドーセット文化[33]やベオスック文化[34]、海洋アルカイック文化[35]など、興味深い先住民文化があった土地だ。[36]そうした先住民文化の痕跡をさらに発見できれば、価値ある考古資料が増えることになる。

私たちは、研究計画を立てるにあたって、できる限り先入観にとらわれないようにしようと考えた。目指していたのは、特定の遺跡を見つけることではなく、リモートセンシングによる科学が、どんな時代のどんな遺跡の発見にも役立つのかどうか検証することだった。私はチームのメンバーとともに、北米の先住民古代文化を学んで、見つかる可能性のある構造物の種類の感触をつかんだ。さらに、アイスランドにあるノース人のロングハウスや農場の建築物や、北米のこの地域に一八世紀から一九世紀にかけて存在していた、標準的な種類の建築物を調べたりもした。

マッピングすべき広大な土地

この時点で、私たちはチェイスとデイヴの人件費と、多少の人工衛星画像の購入費用にあてる予算は確保していた。遺跡のマッピングや発掘をするには、通常は一つの狭いエリアを集中的に調べるが、今回はカナダ東海岸の海岸地帯全体と、さらにその南のアメリカのニューイングランド地方が対象なので、その地域の高分解能画像を購入しようと思ったら数千万ドルはかかってしまう。私たちは他のアプローチを探す必要があった。

グーグル・アースとビング・マップという、誰でも利用できる衛星画像プラットフォームのおかげで、カナダ東海岸の海岸地帯の少なくとも六〇パーセントのエリアでは高分解能データが入手できた。しかし人口の少ない地域では画像の質にむらがあった。そういう地域ではデータへの需要があまりに少ないのだ。低分解能画像だと、木々は見わけられるが、それより小さいものは見えなかった。

それから数週間かけて、遺跡候補地を探した。海岸線や、その近くの湖や川の岸辺を何時間もぶっ通しで詳しく調べた。不可解な形や特徴が見つかったら、すべてピンでマークをつけて、翌日のチームの検討会議にまわした。

古代遺跡のホットスポットになる可能性が一番高かったニューファンドランド島付近では、およそ五〇の遺跡候補地が見つかった。この段階で高分解能の人工衛星画像を買うと、三万ドル以上かかる。これでもまだ高すぎるので、代わりに私は、環境調査目的でマッピングを実施している政府機関が撮影した、高分解能の航空写真を見つけた。一〇〇〇ドルの掘り出し物だ。この航空写真には、マルチスペクトル（複数の波長を含む）データはなかったが、分解能が二五センチと高かったため、遺跡候補地をさらに調査する価値があるかどうかを判断するのに役立った。

この段階で、候補地は五〇から六になった。このくらいの数ならマルチスペクトル画像を買える。さらに詳しく調べると、四カ所はすぐに除外された。隆起地形や植生の成長という点から判断すると、航空写真では遺構のように見えたものがそうではないとわかったのだ。これで残りは二カ所になった。一カ所はランス・オ・メドー遺跡の西三〇キロメートルほどに位置していた。もう一カ所は、南に一一〇キロメートル離れた、ニューファンドランド島のほぼ最南端部に位置するロゼー岬にあった。

ロゼー岬は、深い森からセントローレンス湾に突き出しており、まばらな植生に覆われていた。人工衛星画像の一二〇×二四〇メートルの範囲には、はっきりとした黒い線が何本も見えた。幅八メートル、長さ二〇メートルの構造物がいくつかあって、黒い線はその輪郭をぼんやりと表していたようだった。南側と東側には細い黒の点線があって、「構造物」のほぼ全体を囲んでおり、農場を囲む境界線のように見えた。東には、畑の畝（うね）のようなものがあった。

ＢＢＣは、地上でさらに非破壊的な調査をおこなうという私たちの提案に応じてくれた。この段階で、私は許可手続きの方法を見つける必要があった。いきなりカナダの遺跡に行って、調査を始めることはできないからだ。それをやったら違法になる。私はニューファンドランド・ラブラドール地域考古学事務所の責任者であるマーサ・ドレークにメールで連絡し、初期調査の結果の報告書も添付した。

おかしなやつだと相手にされなくても当然の話なので、マーサからの返事を心配していたが、それはまったくの杞憂だった。マーサは人当たりが良く、親切で、私たちの計画に熱心に賛成してくれた。マーサは電話で私に、自分が協力する理由は、私たちが当然何かを見つけるだろうと期待しているからではなく、私たちがカナダ東部の特にニューファンドランド島の考古学に対して、新しい手法を試みようとしているからだと

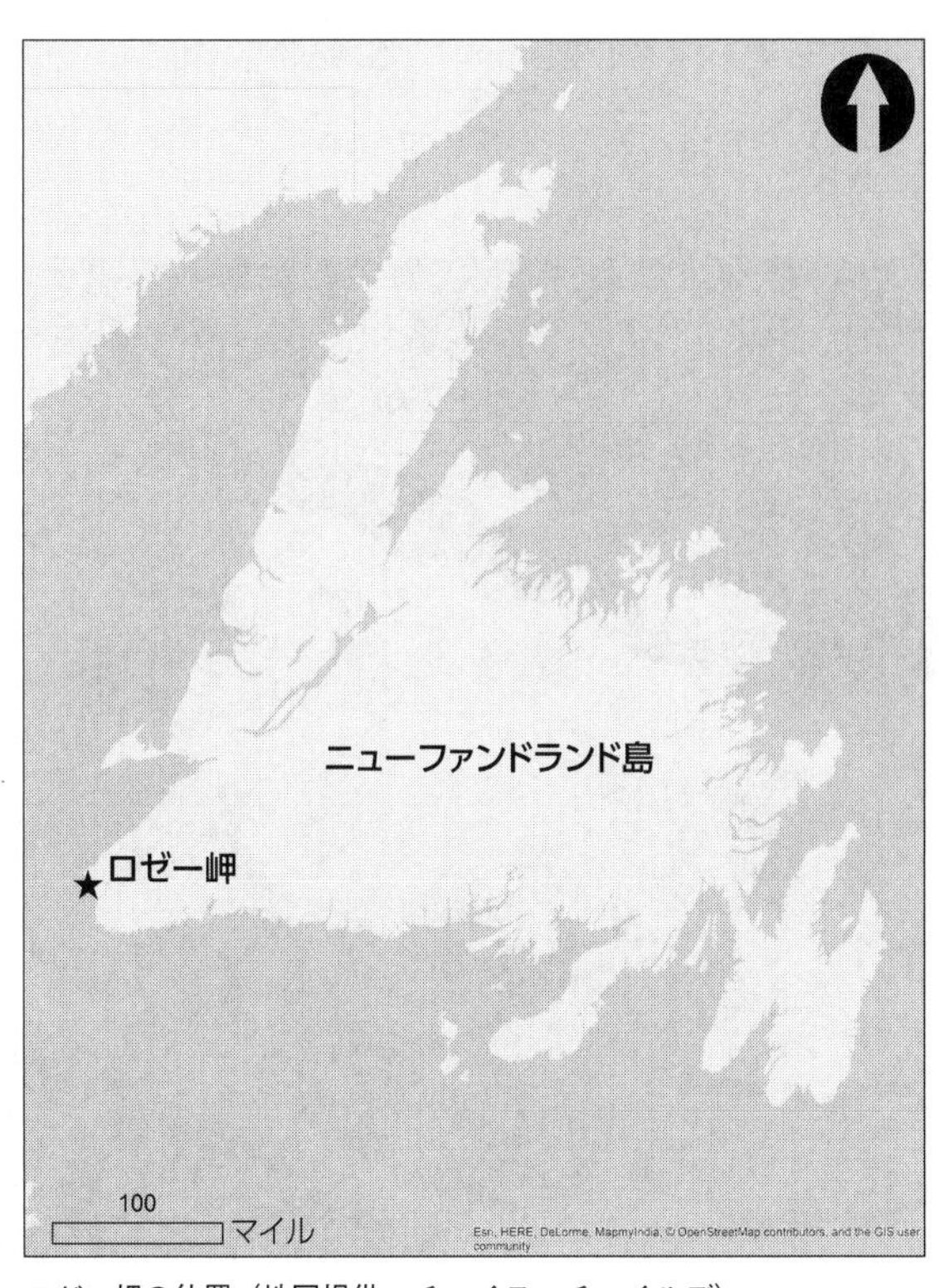

ロゼー岬の位置（地図提供：チェイス・チャイルズ）

話していた。

正式に許可が下りると、その年の一〇月には、デイヴとチェイスがアラバマ州バーミングハムから飛行機でディア・レイク地域空港に向かった。ロゼー岬まではそこから車で約三時間だ。まったくタイプの違う二人の優秀な人たちを一緒にしたときに、現実世界ではどうなるのか、私はよくわかっていなかった。チェイスは早起きをして、すぐに仕事を始めようとするタイプだが、デイヴはどちらかといえばコーヒーを燃料にして動く夜型人間だった。

ロゼー岬を見つけるだけでも一苦労だった。親切な商店主のエドウィン・ゲールが助けてくれなかったら、絶対に見つけられなかっただろう。ゲール

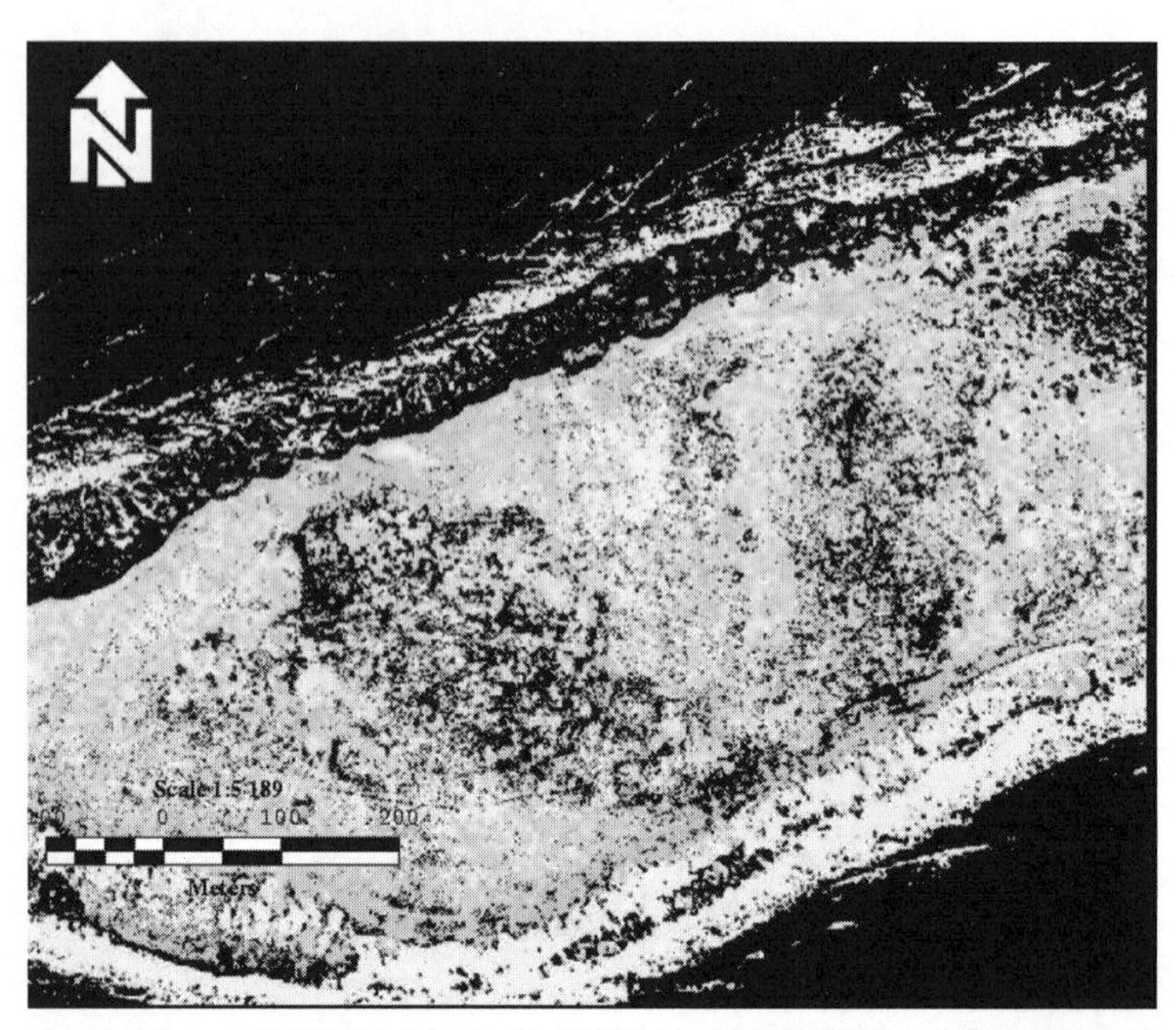

ワールドビュー２号が撮影したロゼー岬（処理後の画像）（画像提供：デジタルグローブ）

は、地元ではホッケーと呼ばれていて、彼の店では、食料品や釣り用のエサからギターまで何でも売っていた。ゲールはデイヴとチェイスに四輪駆動車を貸してくれて、クマと出会わないようにする方法を教えてくれた。ニューファンドランド島は今も自然豊かな土地なのだ。私が大学で授業に忙殺されていると、ときどきチェイスから心強いテキストメッセージが届いた。たとえば、「今日はデイヴが死にかけました」という感じだ。私たちが人工衛星画像で見ていた森は、ほとんど通り抜けが不可能だったし、秒速二七メートル以上ある突風のせいで、デイヴは高さ一五メートルの崖の側面からあやうく吹き飛ばされかけたのだ。

とても簡単とはいえない作業だ。

二人はデイヴの磁気探査に必要なグリッドの設定作業をなんとかやり遂げた。[37] デイヴがいつもの手順通りに磁力計を背中に取り付けると、強風の中で帆船のように風を受けることになってしまったので、磁力計を安全に運ぶ方法を見つけ出したうえで、予定していた週のうちに作業を完了した。そのタイミングで作業を終えられたのはよかった。二人がニューファンドランド島を離れた日、ロゼー岬は一メートルほどの雪で白く覆われたからだ。

思わせぶりな手がかり

ありがたいことに二人は無事に帰ってきた。私は二人と一緒にコンピューターを囲んで座り、画像処理を始めた。不安な気持ちで見つめていると、太い線が何本も現れ、磁力が急上昇している部分が調査区域全体で五、六カ所見つかった。この急上昇の位置は、人工衛星画像で見えていたものと一致していた。そこには何か、調査する価値のあるものがあるということだ。

マーサにこのデータをまとめたレポートを送ると、二メートル四方の区画をいくつか対象にした、限定的な試掘調査を一シーズン実施してはどうかと提案された。そして計画を立て、発掘をするために、この地域の遺跡についてよく知っているフレッド・シュワルツを紹介してくれた。フレッドが言うには、私たちがそれまでに見つけていたのは、おそらく考古学的な遺跡だと思うが、それが一八世紀か一九世紀の集落なのか、[38]それともニューファンドランド島の先住民文化の痕跡なのかを確認しておく必要があるということだった。

私たちは初期的な調査結果を、マサチューセッツ大学ボストン校のダグ・ボレンダーにも報告した。アイスランドで一緒に調査した、あのダグだ。ダグは慎重ながらも、興奮していた。結果がどうであろうとも、私たちはニューファンドランド島において考古学的異常の可能性があるものをマッピングするための信頼できる科学的手法を開発したのだと、ダグは言ってくれた。

二〇一五年六月に計画されていた発掘シーズンの前の短い期間で、私たちはニューファンドランド島南西部の集落の歴史を一生懸命に調べた。[39]エジプト学者がこういう状況になったら、誰でもそうするだろう。ロゼー岬付近を記したどの地図にも、家や集落は見つけられなかった。私たちはうまくいくことを願うしかなかった。

大冒険

私がニューファンドランド島に到着したのは、グレッグやチェイス、デイヴ、フレッドが発掘を始めてから数日後だった。ニューファンドランド島は、気温の変化や天気の移り変わりが激しい土地だ。私は、列車が脱線するほどの強さになるという、「家を倒壊させる風」（レックハウス・ウィンド）について、何かで読んで知っていたので、多少慎重になっていた。しかし、ニューファンドランド島の住民がみせてくれた底なしの親切さと気前の良さとともに、あの海岸の空気の匂いはずっと忘れないだろう。まるで浜辺に沿ってクリスマスツリーを育てる農場があるかのようだった。すがすがしさと清浄さ、そして手つかずの自然に、私は息を飲んだ。

私たちのチームは毎日、ゲールの店から徒歩で三キロメートルほど、とてつもなく変化に富んだ土地をてくてく歩いた。誰か一人が発掘用器材を載せた四輪駆動車で現場に向かっている間、他のメンバーは木々がまばらに生えた丘を抜けて、あちこちの小枝にピンクや黄、白の花が咲くなかを通り過ぎ、ずっと歩いていった。木材運搬用の古い道を歩いていくと、深い森に入りこみ、ぬかるんだわだちを飛び越えた。その先にある草深い丘は、海を見下ろす崖と、深い沼地に向かって下っていた。

ロゼー岬は海にかなり突き出しているので、私たちは密生する灌木や低木の間を、海岸線に沿って歩き続けた。崖下の岩場ではアザラシが日光浴をしていた。とても天気が良い日にはクジラも見えた。やっと岬に着くと、そこでは膝まである草と湿った芝土に足をつかまれ、転ばされてしまうのだった。

考古学では細部がなによりも大事であり、きちんとした発掘作業では最初に必ず、後から参照できるようにグリッドを引く。グレッグと他のメンバーがすでに、発掘現場の西半分に一二〇×二四〇メートルのグリッドを引き始めていた。その際の基準にしたのは、一〇〇年前から継続中のカナダ政府による測量プログラムの一環として、カナダ測地調査所が一九七四年に設置した測量標だ。[40] 磁力データが急上昇していた場所や、人工衛星画像で遺構の候補とされた場所を地上で特定するのには苦労したが、そのくらいではひるまなかった。

デイヴがさらに磁気探査を実施する間に、私たちはさまざまな種類の発掘区画を用意した。フレッドは、無愛想だが穏やかな人物で、三〇年にわたって、カナダ東部の遺跡と思われる場所をくまなく発掘してきた経験があった。そのフレッドは、発掘現場の自然な土層を確認するために、人工衛星画像で何も見えていなかった場所に試験区画を設けて、そこを掘った。チェイスと私は北にある、幅一メートルの「壁」らしきものが見えていた場所を調べた。数日後、デイヴは最初の調査で発見していた磁力データの急上昇地点をもう一度見つけた。他の地点ではマイナス二からプラス二の範囲にしかならない磁力計の目盛が、その地点では二五〇と急増するのだ。これは、地下に磁力の異常を引き起こす原因があることを示していた。たぶん何かが燃えた場所か、溝だろう。

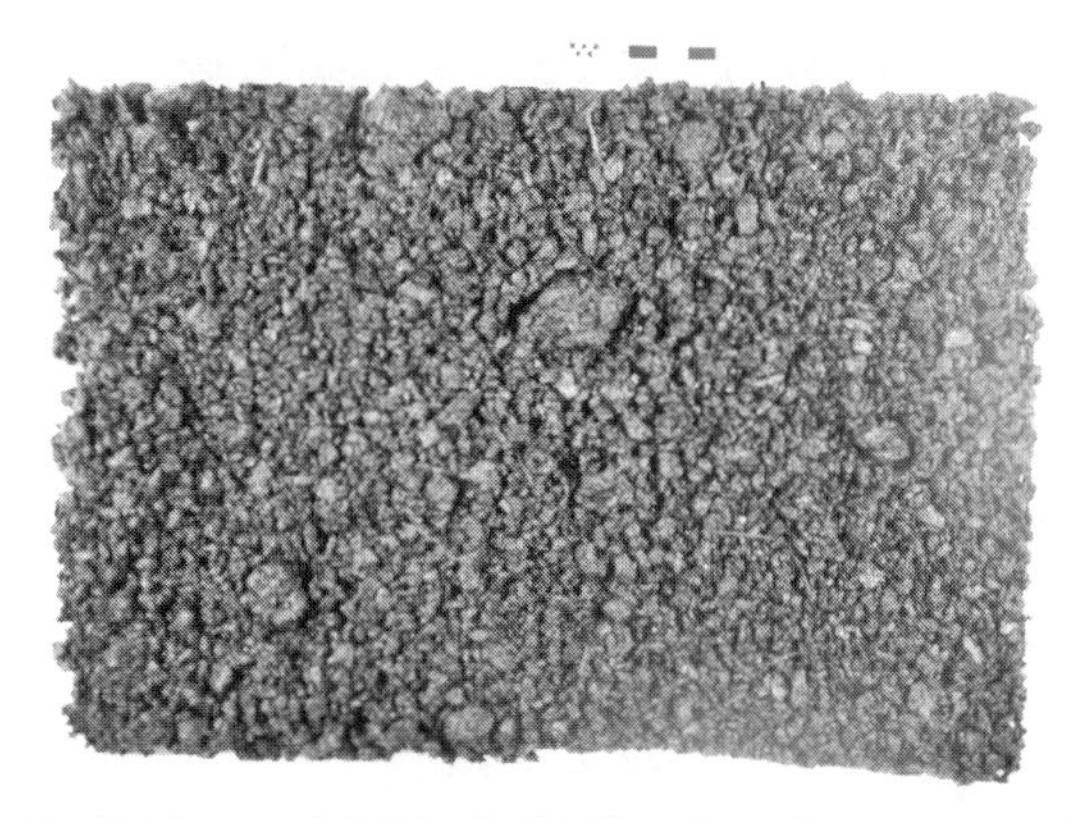

ロゼー岬で見つかった沼鉄鉱（写真提供：グレッグ・マンフォード）

その場所に新たに小さな発掘区画を設けて掘ってみると、すぐに卵形の大きな岩が、一部が地表に飛び出す形で埋まっているのが見つかった。その区画にぎっしりと生えている草や根を取り除くと、その大きな岩は熱によって割れているようだった。さらに、深さ五センチから下の部分には、暗い色の金属塊がハンダ付けされたかのように付着していた。

私たちは最初、この岩が重要だとは思っていなかった。しかしさらに深いところを私とフレッドが掘ると、二五センチコインくらいの大きさをした、もっと固いかけらがいくつも出てきた。私たちはそれを近くのきれいな水たまりで洗った。焼けた沼鉄鉱のようだった。沼鉄鉱は、湿地帯で見つかる、鉄が凝縮して塊になったものだ。ヴァイキングはこうした不純物の多い堆積物を溶解して、さまざまな加熱工程をへて鉄にして、釘や道具を作った。私たちの見つけた沼鉄鉱では、一部の塊に泡のようなものがあった。加工した金属である証拠かもしれない。フレッドは、この地域で長く発掘をしてきたが、こういうものを見るのは初めてだと言った。

これは私たちにとって重要な瞬間だった。過去の誰かが沼鉄鉱を意図的に加熱して、そのくずを捨てた場所を見つけたのかもしれなかった。私たちはその堆積物のあとを追うために、その区画を広げていった。

さらに深く掘る

発掘作業を始めた日から、毎日のように雨が降っていた。北大西洋の風が吹きつけ、凍てつくような寒さだった。発掘現場も、私たちのチームも、ほぼずっとずぶ濡れだった。例の岩を手でこすってみると、表面から黒いものが剝がれ落ちたのに気付いた。木炭の残りだろう。この土地が長い間水分を多く含んでいたせいで、たくさんの有機物が分解されており、土の中には、とげほどの大きさの小さな木炭のかけらのようなものが数多く含まれていた。そのため、手のひらを土にこすりつけると、手には黒い筋が残った。その場所から採取できるものはすべて採取した。

チェイスと私は、ほぼ円形のくぼみを見つけた。くぼみを囲むように、いくつもの石が狭い間隔で地面に埋め込まれていた。さらにくぼみの横には大きな岩もあった。その中に沼鉄鉱がおよそ九キロ分、二〇センチの深さでたまっていた。沼鉄鉱をねずみ色の層が薄く覆っていて、それは灰のように見えた。私たちは興奮を抑えるのに苦労した。

ロゼー岬で見つかった炉とみられる遺構（写真：著者）

しかしフレッドにはなかなか信じられなかった。ニューファンドランド島でこれまで見つかっている古代先住民文化は、どれも沼鉄鉱を使っていなかった。これまでに知られているドーセット文化やイヌイット文化の道具ではすべて、隕鉄が原料として使われていたし、これがどちらかの文化の遺跡だとしたら、フリント製石器を製作した跡など、先住民の活動の痕跡が他にあるはずだった。[41]ヨーロッパからの入植者も、ヨーロッパから乗ってきた船で金属製品を運んできたので、沼鉄鉱の精錬をおこなわなかった。[42] さらにいえば、発掘作業に取りかかる前にフレッドが指摘していたように、この遺跡が一八世紀から一九世紀にかけての集落か、あるいは一軒の家屋だったら、陶器が見つかっていただろう。[43] ニューファンドランド島で見つかっているフランス人やイギリス人の家の跡からは必ず、陶器のかけらが出土しているからだ。

そうなると、考えられるのはノース人しかいない。

この場所は、一キロメートル離れたところに砂浜があり、安全な入り江にも近いので、一時的な入植地とまではいかなくても、小規模な野営地としては理想的な立地のように思えた。私たちは、ノース人が居住した最西端と最南端の証拠を発見したかもしれないと考え始めた。ランス・オ・メドーは、孤立して存在していたわけではなかったのだろう。あるサガでは、「ホップ」という場所について触れている。[44] この場所は、ノース人たちが穀物を栽培できるほど温暖な場所で、川とつながった入り江に面した入植地にあった。偶然にも、発掘現場があるコドロイヴァレーという地域は現在、ニューファンドランド島の農業地帯として知られている。一〇〇〇年前はもっと暖かかったかもしれないが、それでもニューファンドランド島全域で農業ができるほどではなかっただろう。

点をつなぐのは簡単だった。そして点の数はさらに増えていった。私とチェイスが発見した「炉」のすぐ南側で、グレッグは別の区画を発掘していた。ダグ・ボレンダーは、調査が終わる数日前から発掘に加わり、グレッグの区画と私たちの区画の間を調べ始めた。そこは人工衛星画像で黒い遺構が見えていた場所だ。ダグが表土を削り取り、調査する層を露出させた。するとダグがこうつぶやくのが聞こえた。「ありえない。信じられない」

ダグはどうやら、ノース人が作った芝土の壁と思われるものを発見したようだった。茶色と黒の芝土の帯が斜めになり、うねっているのだ。ダグは同じものを数え切れないほど見たことがあった。私は後になって、アイスランドで芝土の壁を見たが、ニューファンドランド島で見つけたものと見た目は同じだった。

私たちは、泡の入った沼鉄鉱以上の遺物を見つけられなかったが、これは意外ではなかった。私が話をした専門家はみな、ノース人の遺跡では遺物の数は多くないと言っていた。ランス・オ・メドー遺跡もそうだ。私たちは意気揚々としてロゼー岬から引き上げた。次の夏はもっと大勢で戻ってこようと決めていた。私たちの試験的な発掘調査は大成功に思えた。

年代が明らかになる

グレッグと私はサンプルを大学に持ち帰って、何人もの専門家に郵送した。その後グレッグは何百時間もかけて、発掘後の記録やデータ分析をした。その冬も深まった頃に、岩に付着していた炭素塊サンプルを放射性炭素年代測定法で分析した結果が戻ってきた。私たちはそのサンプルを採取するために、明らかに焦げた形跡がある例の岩の上部と側面から、炭化した物質をかき取っていた。発掘現場にあった他の岩には、そういうものはなかった。

年代測定によれば、九五パーセントの確実性で、西暦一二五五年から一二八七年の年代に相当するということだった。これは私たちが期待していた、ノース人が活動していた時代と重なる。実をいえば、この年代はランス・オ・メドー遺跡よりも二五〇年ほど後にあたり、ノース人がどのくらいの期間カナダにいたかということについては憶測の余地を残す結果だった。他にも、七六四年から八八六年という年代も出ていた。地中に埋まっていた枯れた木の根は、一七世紀初めという年代を示していた。これは、その木がロゼー岬に根を下ろしたのが、ニューファンドランド島のその部分にヨーロッパ人が居住していたことが判明している時代よりも前であり、木が枯れて以来、地面が掘り返されていないということだ。[45]

私たちは同じ大学の地質学者であるスコット・ブランデに、岩の上部あたりから取った、同じ「燃えた」物質と、岩の下部の横にあった沼鉄鉱の分析を頼んだ。別々の部分が同じ年代や活動を反映しているかどうか判断するためだ。そして実際に、その通りだという結果になった。さらに、大学があるアラバマ州バーミングハムに長く住んでいるスコットは、市の製鉄業について詳しく研究していたことがあり、鉄の精錬には摂氏一二五〇度という温度が必要で、これは草原火災で生じる温度よりずっと高いと教えてくれた。[46] さらに、スコットが分析した沼鉄鉱や岩に付着していた残留物サンプルの一部は、鉄の純度が七五～八五パーセントとかなり高く、精錬に適していた。

ノース人の金属精錬に詳しい、デンマークのオーフス大学のトーマス・バーチに相談してみると、私たちが発見したのは、当初考えていたスラグ（鉱滓）ではなく、火であぶった沼鉄鉱であり、これはさしあたりの証拠からみて精錬プロセスの最初の段階で出てくるものだと考えられることがわかった。沼鉄鉱を高温の火の中に直接入れると、水分を多く含むため、爆発してしまう。低温の火でゆっくりあぶって水分を追い出せば、沼鉄鉱は精錬の次の段階で使えるようになる。これは、沼鉄鉱は普通、指で簡単に押しつぶすことができるのに、私たちが発掘した沼鉄鉱の一部には泡が含まれていて、とても押しつぶせない理由を説明できるように思えた。

確かに、私たちはロゼー岬で、ノース人の活動らしきものの最初のヒントを発見したように思えた。しかし、これは科学だ。そして科学はときに残酷である。

ふたたびニューファンドランド島へ

発掘結果を何人かのノース人の専門家と、マーサ・ドレークの事務所に送ると、土壌科学者数人、ノース人集落の専門家数人、古代の植物遺物の権威、遺跡の年代決定の専門家、花粉の専門家数名、そして追加の測量技師を紹介してもらえた。発掘調査計画の設計には数カ月をかけ、さらに専門家に確認してもらうようにした。

そこから、私たちが積んだ不安定なカードの家は徐々に壊れていった。発掘を始めて「炉」の周りの区画を広げてみると、最初は芝土の壁のように見えていて、人工衛星データと幅が完璧に一致していたものが、その先まで続いていた。どこまでも続いていた。それは芝土の壁などではなく、地中の水の動きと、岩盤の傾きの組み合わせによって生じた、珍しい特徴のある土だったのだ。地元の熱心な考古学者のブレア・テンプルによれば、そういうものをカナダ東部で見たことはないという。私たちはひどくがっかりしたが、ブレアが粘り強く励ましてくれたおかげで、すぐに前に進むことができた。

「炉」の遺構は、初めて発掘した夏にひどく水に浸かったせいで、木炭だと考えていた証拠がすべて失われていた。その当時、私たちは一日に数回、発掘区画から水をくみ出さなければならなかった。これは考古学をしていて経験しうるなかで、この上なく破壊的なプロセスだ。その遺構からはそれ以上何も得られなかった。

沼鉄鉱はたくさん見つかった。炉の周りでは特に集まっていたが、思った以上の範囲に広がっていて、それらはその場所で自然に形成されたものだった。人工衛星画像で壁を連想させていた遺構もすべて、自然のものだとわかった。濃い緑色の植生がはっきりとした長方形になっていた部分もそうだ。人工衛星画像への期待が裏切られた格好になり、私たちは意気消沈したまま、その発掘シーズンを終えた。

サンプルはそれこそ無限にあった。私たちは実験室で分析するために、ニューファンドランド島の半分を持ち帰ってきた気がする。まずは、沼鉄鉱の中に含まれていた五個の「焦げた」砂岩と石英のサンプルを、ワシントン大学のジェームズ・フェザーが運営するトップクラスの研究室に送った。熱ルミネッセンス年代測定と光刺激ルミネッセンス年代測定という方法で、年代測定をするためだ。[47]この二つは考古学者にとってきわめて価値がある年代測定法だ。熱ルミネッセンス年代測定からは、鉱物が最後に摂氏五〇〇度以上に加熱された時期がわかる。摂氏五〇〇度以上というのは、意図的に燃やされたことを示す温度だ。光刺激ルミネッセンス年代測定を使えば、石英で同じことができる。

二〇一八年春までに得られていた年代は、「炉床」の遺構のサンプルを使った放射性炭素年代測定によるものだけだった。もし同じ考古学的文脈から取られたサンプルの熱ルミネッセンス年代測定と光刺激ルミネッセンス年代測定が実質的に同じ時代を示せば、直径が約四〇センチある、自然にできたくぼみの中で、誰かが沼鉄鉱を意図的に燃焼させたのだといえる。このくぼみの外には、たとえば大規模な林野火災や落雷で生じるような、認識できる規模の「燃焼」は他にみられなかった。

二〇一八年四月末、私はフェザー博士からの電子メールで、熱ルミネッセンス年代測定と光刺激ルミネッセンス年代測定の結果を受け取った。二〇一六年の発掘で自信をなくしていた私は、この年代測定は失敗だと見なしていたので、追い打ちをかけられる覚悟をしたのは確かだ。

ただ、結果は予想とは少し違っていた。粒の細かいサンプルから得られた光刺激ルミネッセンス年代測定による年代は西暦九二一プラスマイナス一三〇年だった。つまり七九一年から一〇五一年の期間のどこかということだ。それよりも粒の粗い複数のサンプルから得られた結果は西暦一二〇〇プラスマイナス三〇〇年、つまり西暦九〇〇年から一五〇〇年だった。残念ながら、光刺激ルミネッセンス年代測定による分析では、大きな岩自体や、「炉床」に隣接する区画内で、明らかに燃焼が起こっていたことは確認されなかった。したがって、沼鉄鉱や、それを加熱したり、加工したりするのに使われたと私たちが予想していた遺構について、決定的な証拠は見つからなかった。

ノース人か否か

そんな混乱するような結果によって、七六四年から一五〇〇年までのすべて独立でうまく重なり合う四通りの年代が、同じ考古学的文脈から得られたといえるようになった。ただし他に、放射性炭素年代測定ではこれより前の年代も出ている。岩の上部を覆っていた、「ノース人」とのつながりが最も強い物質が、下部の「炉床」遺構と関係しているのは疑う余地はない。

植生があれほど誤解を招くようなパターンになっていた理由が私には少しもわからないし、研究チームでもまだ答えを探しているところだ。遺跡全体に生えていた草と、奇妙な「芝土の壁」の部分が、何らかの理由で健康状態が少し良くなり、直線に近いパターンを描いていたのだろう。鉱物濃度や、植物の相互作用など、土の中にある何かが原因だったかもしれない。層状になった土が、周囲の土よりも多くの水を保っていたとも考えられる。あるいは、遺跡の北側にあるロングハウスらしき形が、すでに知られている他のロングハウスとサイズや形、向きが同じなのは、ただの偶然なのかもしれない。大切なのは、考える範囲を広げて、ものが現れる、または現れない理由を解き明かすことだ。私たちには、考えなければならないことがまだたくさんある。

十分な証拠からいえるのは、一つか複数のグループが、遅くとも一〇〇〇年前にロゼー岬にやってきて、かなりの量の沼鉄鉱を移動させるか、集めるかして、それで岩の上部を覆うとともに、石で囲んだくぼみの中に入れたことだ。私たちの最初の調査は、かなりの量の沼鉄鉱を加熱するか、岩の中に埋め込むのに十分な熱が起こされていたことを示している。その加熱には石炭を使ったようだが、状態の良い石炭は残っていない。自分の目が見たものはわかっている。

私たちはアメリカ先住民か、ドーセット文化の人々が意図的に沼鉄鉱を加熱した初めての証拠を見つけた可能性もある。そうだとすれば画期的な発見だ。あるいは私たちが見つけたのは、ノース人がこの場所に一時的に滞在した証拠だったかもしれない。彼らは別の場所で沼鉄鉱を精錬して釘を作り、船を修理しようとしていた。ロゼー岬でそのために十分な量の沼鉄鉱を集めて、加熱する作業まで終えると、移動してしまったのだろう。その場合には、あまり遺物が見つからないことになる。

ランス・オ・メドーの発掘で知られるビルギッタ・ウォーレスは、夫のロブとともに、わざわざロゼー岬の発掘現場に来てくれた。ふたりは本当に素晴らしい人たちだ。ビルギッタは考古学界の大御所の一人だ。親切で心が広く、経験豊かなビルギッタは、数世代にわたる考古学者たちのよき相談相手となってきた。発掘シーズンの終わりに、腰かけておしゃべりをしていると、ビルギッタは私に、この遺跡はあなたがたが望んでいたものではなかったが、あなたたちの調査によって、いつかこの地域で実施される考古学調査が越えるべきハードルを高くしたのだと言った。「何を見つけたかは重要ではありませんよ。あなたたちは最先端技術を使ったし、素晴らしい発掘戦略も取った。関心を持った専門家たちを集めることもした。この遺跡でやれることは全部やりましたよ。新たなノース人の遺跡を探そうという最近の調査では、いつもそこが足りていなかった。だからがっかりする必要はありませんよ」

この件は私に考える材料を与えてくれた。ロゼー岬が明らかにノース人の集落だと判明していたら、この遺跡で何年にもわたって発掘調査ができたし、高額な研究助成金にも応募できたし、カナダ政府と協力して、この地域を観光目的で開発することもできた。どれも悪いことではなかっただろう。今後も、加熱された沼鉄鉱と思われるサンプルや、奇妙なパターンを示していた植生の分析を重ねて実施する必要がある。しかし今のところ、そしてもしかしたらこの先ずっと、この遺跡は何かの手がかりになるというのが精いっぱいだ。

私はこうした調査をすべて終えてみて、ヴィンランドは一つの場所ではなく、ニューファンドランド島とセントローレンス湾全体を指しているのではないかという気がしている。LIDARのような航空レーザーマッピング技術を使えば、ノース人の野営地が見つかるかもしれない。また、かなり内陸の耕作に適した土地の近くや、あるいはロゼー岬の近くで、今は植生に隠れてしまっている集落が発見されるかもしれない。

科学が基本とするのは、将来的に再現することが可能な実験方法であり、感動的な発見だけが科学ではない。カナダでは今後一〇年間で、マッピング技術の進歩や、偶然の発見、あるいは単に今まで以上に探すことにより、もっと多くのノース人遺跡が見つかるはずだ。ニューファンドランド島の西岸沿いにある近代の集落の一部が、ノース人遺跡の上に建設されている可能性も同じように高い。結局のところ、三〇〇年以上前の入植者たちも、ノース人がおそらくそうだったように、できるだけよい場所を選んだはずだ。それに人は、ずっと人が住んできた土地に住み続けるものだ。

グレッグも私も、ニューファンドランド島にもう一度行きたくてしかたない。ドン・キホーテが突進した風車が十分キラキラしていたら、私だって突進する。ＬＩＤＡＲを使い、これまでにわかったことをきちんと踏まえれば、遺跡候補地の調査をはるかに短時間で実施できると思っている。確かに、私はこれまで以上のリスクと、失敗の可能性を呼び込んでいるが、たくさんの経験があってそうしているのだ。仲間の考古学者たちには、このプロジェクトのおかげで、ノース人遺跡が存在する可能性がある地域での考古学調査への関心がふたたび高まったと言われた。また、思いやりがあり、私たちを温かく迎えてくれたニューファンドランド島の人々にとっても、このプロジェクトは素晴らしいことだという声もあった。自分たちの島の過去についての理解を深めて、地元の人々は興奮していた。ゲームはまだ続いている。驚きのニュースを期待していてほしい。

第5章　間違った場所を掘っている

ある遺跡が頭から離れなくなることがある。同じ音楽が頭の中で流れ続けるようなものだが、それよりも心の奥深くに入り込んでしまって、動かすことができない存在になる。私がナショナルジオグラフィック誌と図書館の本以外で、実際の考古学を初めて「見た」のはテレビだった。公共テレビがときどき放送するドキュメンタリー番組から、映画『レイダース／失われたアーク《聖櫃》』までいろいろだ。私の心をとらえたのはエジプトだった。七年生［訳注／日本の中学一年生にあたる］の自主研究で、私は冷蔵庫の梱包用段ボールを使って、装飾をほどこした石棺を作り、トイレットペーパーを体に巻き付けた。箱から出てくると、その格好のままでクラスメートに向けて、ミイラ処理した自分の臓器のことを説明した。怖がっている子が半分、面白がっている子が半分だった。最近は自主研究のために専門家の助けを借りるなんて話があるが、私はむしろ、自分が専門家になることを選んだ。それだけのことだ。

子ども時代に『レイダース』を観ていて、一番好きだったのはタニスの遺跡のシーンだ。地図の間、幻の都市の配置図、失われた聖櫃（契約の箱）が隠された秘密の遺跡などが出てくる。そして邪悪なたくらみを抱いたナチスが手当たり次第に発掘をするのだが、インディの友人サラーはひと言であっさりと、ナチスの考古学は失敗だと言い切ってしまう。

「やつらは間違った場所を掘っている」

それからしばらく、私はタニスのことを考え続けていたといってもいい。心の中にある、子ども時代の夢がつまった場所で、タニスへの思いをことことと煮詰めていたのだ。

タニスの物語

とはいえ、ハリウッドがタニスについてきちんと理解していたとはいえない。旧約聖書ではゾアンと呼ばれるタニスは、エジプトのナイル川デルタ地帯の東部に位置する。カイロからは北に車で三時間ほどの距離だ。ナイル川のメンデス分流（テル・テビッラが面している分流）より南にある、タニス分流沿いに発展したかつてのエジプトの首都である。文書記録から、近隣の都市ピラメセス（現在のカンティール）がタニスの前の首都だったのが、第一九王朝（前一二九六～前一一八六年頃）以降だということはわかっているが、タニスについては、第二一王朝（前一〇七〇～前九四五年）以前の考古学的な記録が事実上ない状況だ。[1]
古代タニスの一部と重なっている、現代の町サン・エル＝ハガルの大通りや路地を、車で右に左に曲がりながら進んでいると、はるか昔に放棄された大都市の上に自分がいるかもしれないとはとても思えない。町の外に出ると、白塗りのだだっ広い別荘のような建物に出迎えられる。玄関に続く歩道には、ピンクのブーゲンビリアが咲き誇っている。裏手のベランダまで行くと、思わず息をするのを忘れるだろう。まるで果てしない海のような、ほこりっぽい丘がいくつも連なっているのだ。丘の麓には、白い石がいくつも集まって、大規模な神殿群を作っている。

エジプトには、タニスのような遺跡はほとんど残っていない。南アメリカ大陸が傾いたような敷地の形をしているタニス遺跡の広大さは、どんな形容詞を使っても表せない。朽ちつつある大都市というしかない。南北に二キロメートル以上、東西に一・五キロメートルの広がりがあるタニス遺跡は、私の見積もりでは、地上部分の体積が二二〇〇万立方メートルある。一〇メートル四方の標準的な発掘区画を一シーズンで四区画調査すると考えると、考古学者がこの遺跡をすべて発

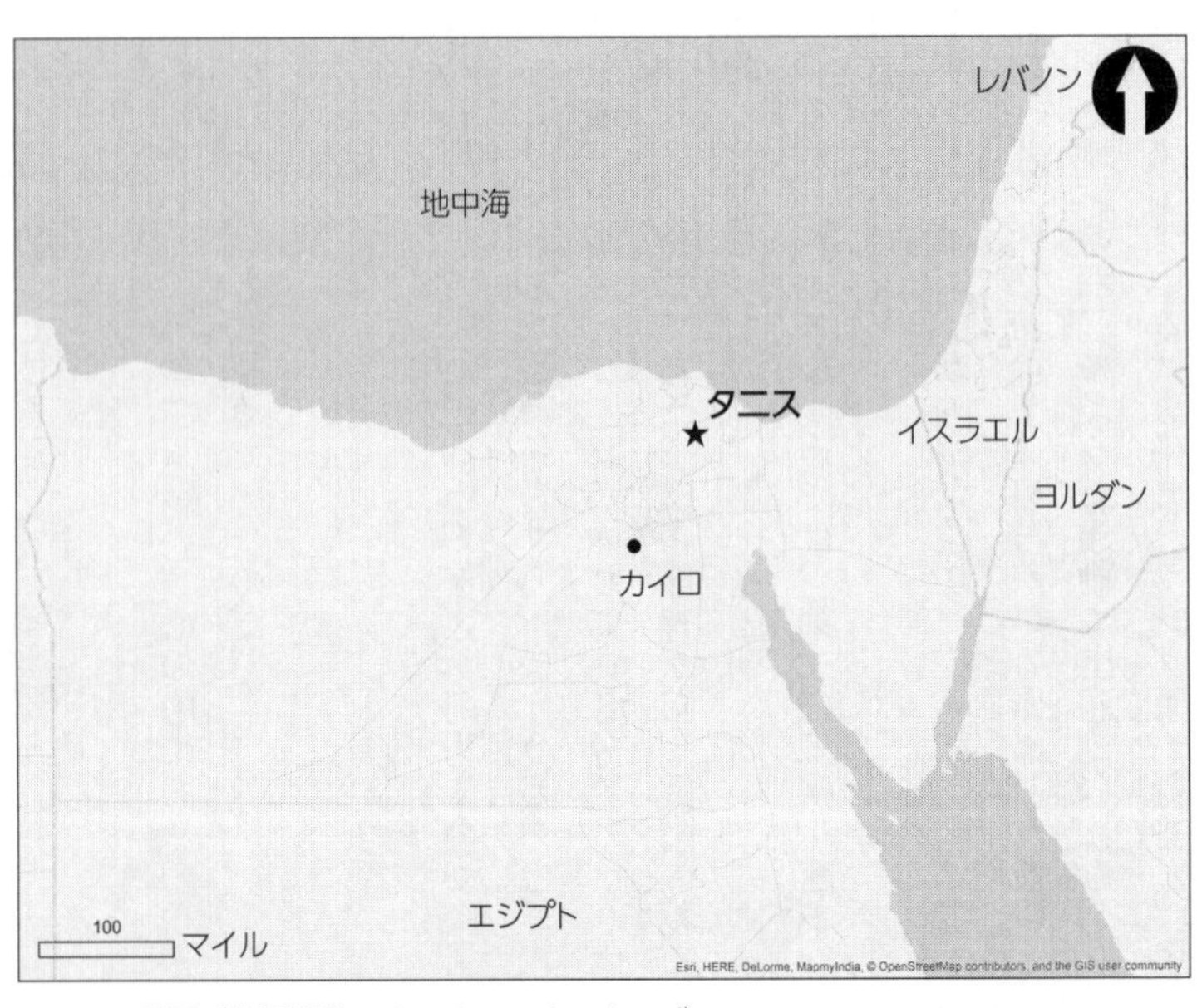

タニスの位置（地図提供：チェイス・チャイルズ）

掘するには五万五〇〇〇年かかる計算だ。

遺跡の真ん中あたりまで行くと、あちこちに日干しレンガのかけらが一〇メートルから一五メートルの高さに積み上げられているのが目に入る。遺跡全体が柔らかいシルト層で覆われているので、歩きにくいこともある。特に雨期には、ハイキングブーツに大量の泥がついて、厚底靴みたいになってしまう。

最も重要な聖域は遺跡の最北端にあって、その部分は地形図では緩やかに盛り上がっている。ここにはアメン・ラー、ムト、コンス（エジプトでよく見られる神と女神、その息子の三柱神）をそれぞれまつった神殿があり、ラー神信仰の中心地だったと考えられる。[2] そこで高さ四メートルの立像や石碑の間を歩き回った観光客には、この遺跡への日帰り旅行が忘れられないものになる。

タニスは、第三中間期の幕開けにあたる紀元前一〇七〇年から紀元前七一二年まで、三五〇年以上にわたってエジプトの首都であり、エジプト第二一王朝と第二二王朝の王たちがここを住まいとしていた。[3]

エジプトの偉大な帝国時代といわれる新王国時代が終わりかけていた頃、リビア人たちがエジプトの西方砂漠地域に進出し始めた。不安に思った人々は、増えつつあった騒乱から守るために自分たちの町を要塞化した。[4] 第二〇王朝の最後のファラオであるラメセス一一世は、タニスの南約二〇キロメートルにあるピラメセスから統治をおこない、[5] デルタ地帯では、位の高い神官のスメンデスがラメセス一一世の右腕として働いた。

ラメセス一一世の治世がぐらつき、終わりに向かう頃、スメンデスはエジプト北部の王権を握り、第二一王朝をおこした。そして首都をタニスに移し、有り体にいえば、引っ越すときに元の家の電球を持ち去るようなことをした。タニスの建築家たちは、ピラメセスから石材などの建築資材をすっかり奪い取ってしまったのだ。あまりに何もかも持ち去ったので、後世の考古学者たちは長い間、タニスのことをピラメセスだと勘違いしていたほどだ。[6] 後のプスセンネス一世（前一〇三九～前九九一年）は、自ら新しいことを考え出した。他よりも安全だというメリットと、君主崇拝を結びつけたいという思いから、タニスの神殿群の

タニスの風景（写真：著者）

内側に自分の墓を作ったのである。古代エジプトの基準に照らせば、これはかなり過激なおこないだった。[7]

第二二王朝の最初の統治者であるシェションク一世（前九四五〜前九二五年、聖書ではシシャクと呼ばれる）は、エジプト国内では内乱が起こり、メンデスやデルタ地帯西部ではリビア人による権力争いが生じるなかでも、タニスに新たな宮殿を建設した。[8] そこから何もかもうまくいかなくなった。第二四王朝があった紀元前七一二年頃には、タニスはもはや首都の座を維持できなくなった。[9]

タニス遺跡調査の幕開け

タニス遺跡にはとても長い調査の歴史があり、始まりは一九世紀初頭にナポレオンの遠征でこの地を訪れた学者たちだ。ピエール・モンテという考古学者は、フランス人による発掘の伝統を引き継いで、ある偉大な発見をした。その発見は、この分野にいる私のような考古学者たちが、エジプト学の歴史上で最高の発見の一つとみなすものだ。[10]

二〇世紀の初めごろ、モンテの発掘チームはタニスを一一シーズンにわたって精力的に発掘した。目指していたのはピラメセスの発見だ。すでに書いた通り、タニスをピラメセスと間違えていたのである。モンテは、アメン・ラーの神殿を囲む防御壁が、神殿自体の壁ときっちり平行に走るのではなく、南西方向にずれていることに気付いた。それは確かに重要なことに思えた。モンテたちが、その角部分にある日干しレンガの構造物を調べてみると、九つの墓が見つかり、そのうち五つは王のものだった。さらに深く掘ってみると、さらに多くの墓が見つかった。

その一つが、プスセンネス一世の墓だった。斬新な構造をしていただけでなく、ほとんど荒らされていなかった。この時代のファラオは銀製の棺に安置されていた。古代ヌビアから輸入できた金とは違い、銀は地中海東岸か西アジア地方から輸入しなければならなかったため、はるかに高価だった。[11]

モンテはがっしりした銀の棺を見つけた。タニスのミイラははるか昔に腐敗しており、多少の略奪にもあっていたが、それでも墓にはおびただしい数の宝物や宝石類があり、ツタンカーメンの墓で見つかったものに少しも負けないほど美しかった。[12] 金の器、供物卓、ネックレス、ブレスレット。オリンピックの金メダルのように首から下がる胸飾り。それは考古学者の夢そのものだった。ほとんどの宝物に、ラピスラズリや赤メノウ、トルコ石の繊細な象眼や、装飾的な象形文字、スカラベなどがほどこされていた。私のお気に入りは、羽根を一枚ずつ象眼で表現してある、金のハヤブサの胸飾りだ。[13]

しかし、モンテの発見はタイミングが悪かった。それは一九三九年のことで、当時はナチスドイツが世界中の注目をすっかり集めていて、モンテの発見はその陰に隠れてしまった。

世界が戦争の恐怖から立ち直り始めた頃には、タニスのニュースはおぼろげに記憶されている程度になっていた。現在、カイロにあるエジプト考古学博物館を訪れる観光客は、ツタンカーメン王の宝物に気を取られて、タニス遺跡の展示を見落としてしまいがちだ。それはこの博物館では、知られざる最も貴重な収蔵品なのだが、この点も、私には少しひいき目があるだろう。

メンフィス、アマルナ、ピラメセスのような、名の知られている古代エジプトの他の首都と比べると、タニスの集落のことはほとんどわかっていない。普通、こういう遺跡を調べると、遺物を含む層がいくつもある。それがきちんと層になっている場合もあれば、ばらばらになったパズルのようにごちゃ混ぜ状態のこともある。その配置を知らなければ、その都市の集落や、行政機構、人口、階級構造、日常生活について仮説を立てるのはとても難しくなる。層の配置がわからない遺跡の重要性を把握しようとするのは、ニューヨークやワシントンＤＣの地図なしで、アメリカの東海岸を理解しようとするようなものだ。

しかし、他の多くの遺跡と違って、タニス遺跡の集落の証拠は現代の都市の下にあるわけではない。それは開けた野外にあって、ほとんど調査されていない。タニス遺跡にはたくさんの可能性があるのだ。

伝統は考古学において、私たちに基礎を教えてくれると同時に、足を引っ張ることもある。特にタニス遺跡のような広くて複雑な遺跡ではそうだ。一九七〇年代まで、エジプト学者は主に神殿や墓、ピラミッドの発掘に取り組んでいた。エジプトの日常生活に注目した考古学者は珍獣のようなものだった。その後、考古学における思想や慣習が変化して、古代の集落を研究する集落考古学に深く取り組む考古学者が現れた。[14] 神殿や墓にこだわる発掘プロジェクトが大半のなか、エジプトの都市に注目するプロジェクトも増え始めた。集落についての研究が進むにつれて、古代エジプトでの暮らしがどんなものだったのか、新たな理解が得られるようになった。この集落考古学という小分野は、生まれてから五〇年たつが、いまだに複雑で理解しにくい面が多い。一つの遺跡に積み重なっている何百もの層を復元するのは決して簡単ではないからだ。しかし、だからこそ面白いといえる。

地図の間に押し入る

私がタニス遺跡を初めて宇宙から見たのは二〇一〇年。大学学部生のときに初めて現地を訪れてから一〇年後だった。宇宙から見た遺跡のサイズや、屋外に置かれた石像（ラメセス二世時代のものの再利用だ）の数に感動した記憶はあるが、それ以上の話ではなかった。別の言い方をすれば、人工衛星画像からたくさんのものが見つかるとは期待していなかったのだ。神殿のどれかで、新たな部屋が見つかるくらいだろう。

当時はまだ、高分解能の人工衛星画像の価格が下がっていなかった。データの価格がひどく高いせいで、遺跡の地面の下の小さな遺構を探すのに人工衛星画像を使っている考古学者はほとんどいなかった。私は教育機関ユーザーとして、デジタルグローブのデータを割引価格で使えたので、とても助かった。

ただ、デジタルグローブのデータベースにはたくさんの画像があったが、同社が軌道上に持っている人工衛星の数や種類は、現在ほど多くはなかった。自分が使うデータについて好みを言える状況ではなかったから、とにかくあるものを使うしかなかった。

それより前におこなっていた、低分解能のデータを使った分析から、冬の数カ月間に撮影された画像を使えば遺跡全体の構造を容易に検出できることがわかっていた。遺構を探す場合も同じだろうと考えていたところに、幸運が重なった。データベースに二〇一〇年一月に撮影されたタニス遺跡の画像が二枚あったのだ。それぞれワールドビュー1号とワールドビュー2号で撮影したものだった。ワールドビュー1号で撮影された画像は、〇・五メートルというちょうどいい分解能を持つ、パンクロマティックレンジの画像だった。パンクロマティックは「汎色」という意味だが、その名称の直感的なイメージとは反対に、白黒画像のことである。一方、ワールドビュー2号の画像は、近赤外線領域も含めて八つの波長帯でマルチスペクトル撮影されていた。分解能は一・八四メートルで、ワールドビュー1号の画像よりも低かった。このマルチスペクトル画像のほうがたくさんの遺構が見えるが、ダブルベッドより大きい遺構に限られるのが難点だった。

そのデータを大学の研究室でダウンロードしてみると、ひどく時間がかかった。待っている間に、私は手元にある考古学の本をめくって、タニス遺跡の地図が載ったページを開いた。そうするのはしばらくぶりだった。すぐに、遺跡の中央部と南部にある大きな空白域が目に飛び込んできた。北部にある神殿群が遺跡全体を圧倒している。あまりよく知らない人がみたら、この遺跡は神々に礼拝するための聖域であって、それ以外には使われていないと思うだろう。

ようやくデータの準備ができたので、ワールドビュー2号のマルチスペクトル画像を、私がメインで使っている処理ソフトの「ＥＲマッパー」に読み込ませて、遺跡とその周囲の畑を表示させた。拡大すると、巨大なアメン・ラー神殿の壁が見えてきた。中央にある石灰石のブロックが明るい白に輝いているせいで、神殿の壁が少しぼんやりしている。有名なホルス神殿がある南のほうに画面をスクロールさせた。

ホルス神殿の外側から約一〇〇メートル南のところに、ぼやけた線が集まった部分があった。地下に構造物があることを示す特徴だ。データをあれこれいじったり、光の波長帯の組み合わせを変えてみたりすると、もう少し細かい部分が見えてきたが、画像は大部分が不明瞭なままだった。とはいえ、私にとってはこれで十分に成功だといえた。ぼやけた線が集まっている、六〇〇メートル×八〇〇メートルの部分は、私が地上で見た経験からいえば、これといった特徴もない茶色いシルトが広がる場所で、データはその範囲に建物の壁がいくつか埋まっている可能性を示していた。

次に、ワールドビュー1号のＪＰＥＧ画像に取りかかった。私は、その白黒画像のデータをそのまま処理するのではなく、「パンシャープン処理」という手法を使うことにした。[15] パンシャープン（pansharpening）を、「鍋（pan）」を「研ぐ（sharpen）」と読めば、命を賭けた料理対決みたいな響きがするかもしれないが、それは次のような仕組みだ。分解能が一・八四メートルの画像では、それより小さな遺構が見えないが、その画像に高分解能のパンクロマティック画像を融合させることで、性能アップができるのだ。結果として、高分解能のマルチスペクトルデータができあがる。手品みたいだと思うのはわかる。確かにそんなものだ。

こんな風に考えるのはどうだろう。低分解能のカラー画像では、畑にどんな作物が育っているかが見えて、高分解能の白黒画像では、内部にある畑の区画が見える。その二つを合体させれば、作物自体の情報と、重要な畑の小区画のデータを、同じタイミングで、かつ同じ分解能で得られる。低分解能画像と高分解能画像の範囲が地理的に完全に一致していなくてもいい。重なり合う範囲が自動的にパンシャープン処理されるからだ。

私は、それほど期待せずに、画像を融合させる処理が終わるのを待っていた。そしてできあがった新しい画像を拡大して、北のほうから見ていった。神殿の壁は少し鮮明に見えたが、石灰石はやはり明るく輝いていた。人工衛星がこの画像を撮影したのが昼近い時間だったので、明るい色の石が太陽光を反射するのはしかたない。

あらわになったタニスの街

さらに画像を下にスクロールしていったところで、私はあやうく椅子から落ちそうになった。幻覚を見ているのかと思った。古代都市の全体像がパソコンの画面から飛び出してきたからだ。マルチスペクトル画像で見えていた、不明瞭なぼやけた線の中から、輪郭のはっきりした建物や通り、郊外エリアなど、あらゆるものが浮かび上がってきたのだ。

考古学者の一生のうちに一度あれば恵まれた人生だったといえるほどの大発見だった。

しかし、私の秘策はそれだけではなかった。パンシャープン処理の後には、ラジオのチューニングを調節して、できるだけ良く聞こえるようにするのに似た、細々した作業をおこなった。調整の方法は本当にたくさんあって、それこそ圧倒的な数だ。しかし、画像が撮影された季節や、画像の分解能、その地域の地質、遺跡の土壌の種類、探している構造物のサイズや、建材の種類がわかっていれば、調整作業の範囲を絞ることができる。

そうした調整作業では、一〇〇〇個ものデータポイントのそれぞれに合わせた処理をする。隣りあった画素の明るさの微妙な違いを強調させる処理方法もあれば、ある画素が取りうる値の幅全体を広げるような処理方法もある。[16] さらに、画像のある部分でうまくいく処理でも、画像全体に適用するとうまくいかないこともある。

午後から夜にかけて、何十種類もの処理方法を試してみた結果、タニス遺跡の中心市街地を大まかに示す、くっきりした画像ができあがった。それは『レイダース』の地図の間に登場する地図にそっくりだった。違うのは、私の地図にはちょっとだけ想像力が必要だということくらいだ。マルチスペクトル画像を撮影する人工衛星は、私にとってのラーの杖飾りだったし、私の顔には、インディと同じように、忍耐強い考古学者の前に偉大な古代の秘密が姿を現したのを見たときの驚きの表情が浮かんでいた。

今では、誰でもグーグル・アースの人工衛星画像を見れば、タニス遺跡の中央部と南部に構造物の輪郭を確認することができる。その人工衛星画像の分解能は〇・三メートルだ。これは現在の平均的なノートPCよりも小さい。しかし二〇一〇年の時点では、そうした分解能は実現していなかった（前に言ったように、ワールドビュー1号の分解能は〇・五メートルだ）。テクノロジーがどれほど劇的に発達したかがわかる話だ。

家に帰り、その画像を見せにグレッグのところに行った私は、震える手でバッグからノートPCを取り出そうとして、あやうく落としそうになった。

「なにごとだい？」グレッグが聞いてきた。私はノートPCを開いて、画像を表示させた。グレッグはじっと見てから、「これは何かな？」と言った。

「何だと思う？　タニスよ！　タニスの全体！」

グレッグはマウスを握ると、処理済みの人工衛星画像をスクロールしては、あちこちをズームインしたり、ズームアウトしたりした。私が細かい部分をすべて指し示して、それがエジプト学にとってどんな意味があるのかを説明したところで、グレッグに、自分は一九八八年からエジプトの調査をしてきたのだと言い返された。ああ、そうだった。

私とグレッグは、この先をどう進めるか相談した。まず、データをデジタル化して、個別の建物がもっとはっきりと見えるように、コンピューター上で描画する必要があった。私は自分のマウスと、ＡｒｃＧＩＳというソフトウェアの作図ツールを使えば、八〇〇平方メートル分の市街地図を描画できると考えていた。ＡｒｃＧＩＳは、地図や、国勢調査などの関連情報をレイヤーとして保存する機能を持ったソフトウェアだ。

そう、やってはみた。そして無残に失敗した。ズームアウトすると、建物の線は真っ直ぐに見えるのだが、ズームインしてみると、線は輪郭がぼんやりしていて、太さが違う。六時間かけてあれこれ試した末、私はあきらめてしまった。ばらつきのある細かな部分をもっと簡単に描き出す方法があるはずだ。

グレッグは、タニスの市街地図を手書きするという、最高にシンプルな方法を思いついた。昔ながらのやり方だ。タニス中心部の市街地を巨大なポスター用紙に印刷してから、その上に透明なプラスチックシートをかぶせて、細かい線をすべてペンでなぞるのである。これは、エジプト学者が石材や神殿の壁にある壁画などを記録するときに使う方法の一つだ。私はまず、元になる画像を印刷所に持ち込んで、一枚の紙にできるだけ拡大して印刷するように頼んだ。印刷所の人はびっくりしたようだった。

完成した地図は二メートル×一メートルで、ダイニングテーブルをすっかり覆うほどの大きさになった。一度に少しずつ描いて、全部描きおえるのに二カ月以上かかった。グレッグは私にも壁の線くらいは引かせてくれた。女性を差別しているわけではない。グレッグは自分の作品を守ろうとしただけだ。ＡｒｃＧＩＳで引いたがたがたの線を見ていたらわかったかもしれないが、私は、テクノロジーを使いこなせても、図を描くのは下手なのだ。

だいたいだが、その二カ月間の実際の作業時間は五〇時間を超えていたと思う。細かな部分について議論して、明らかな遺構は直線で、不明瞭な遺構は点線で描いてあることを確かめると、それ以上できることはなかった。その地図からは、それぞれに特徴のある建物や、三段階に重なりあっている居住層について、私たちがそれまで論文で読んでいたことよりもはるかに多くのことがわかった。

人工衛星画像と地上探査を比べてみる

私とグレッグは面白半分で、人工衛星画像と地上探査の効率を比較してみることにした。比較対象として選んだのは磁気探査だ。ニューファンドランド島で使った、あの地下マッピング技術である。遺跡が平らで、邪魔になる植生がなければ、優秀な磁気探査の専門家一人と助手一人で、通常の作業日一日で八〇平方メートルを探査できる。専門家は五日間探査するごとに、探査データを処理するための日を一日必要とする。タニス遺跡では、中心市街地が六四万平方メートルあり、さらにその南には、はっきりとした構造物がある区域が二万平方メートルあるので、合計面積は六六万平方メートルになる。

その面積をすべて探査するには一〇三日かかる。標準的な作業期間を一カ月とすると（専門家は他にも仕事があることが多いので、それ以上長くは頼めない）、一〇三日というのは発掘シーズン五回分にあたる。磁気探査の費用は平均一日約一〇〇〇ドルで、それに専門家チームの飛行機代やホテル代、食事代、国内旅費を加えると、タニスの集落全体の探査費用は二〇万ドルになる。

ただしこれは、エジプト政府から磁気探査の許可が得られていて、必要な装置の輸入を通関業者がうまくやってくれて、届いた装置がきちんと動いて、探査の専門家が体調をちゃんと維持していることが前提だ。どれ一つとして保証はされてない。

それと比べると、人工衛星画像の価格は二〇〇〇ドル、私たちが費やした時間はたったの六〇時間程度だ。磁力計データのほうが多少細かい部分までとらえられたかもしれないが、それでも人工衛星画像の圧倒的な勝ちだ。いや、高度数百キロメートルの宇宙空間から撮影したものを、ダイニングテーブルの上で見られたことを忘れてはいけない。

タニス遺跡ははっきりと分かれたいくつもの居住層があって、そこには道路が通り、あらゆる階級の人の家があり、行政機関の大きな建物があった。一部の建物は、遺跡の他の建物よりも大きく、精巧にできていて、おそらく上流階級の家か、宮殿だったのだろう。そうした建物は少なくとも三つあるようだった。

人工衛星画像をもとに作成した地図があれば、私たちは過去に旅することができる。そして、タニスという都市がどのように機能していたかを理解することも、初めて可能になる。このことがさまざまな意味を持つのは、なによりも、タニスが古代の首都としては最も大きく、よく知られた都市にかぞえられているからだ。

掘り進める

宇宙から何かを見つけたら、必ずそれを発掘調査か地上探査によるグラウンドトゥルース（現地調査）で調べなければならない。地図がよくできていて、街並みなどを明確に「示して」いた場合でも、タニスの地表で見つけたものが地下の何に対応しているのかを確かめなければならないのだ。タニスで二〇一四年に発掘調査を実施していた、考古学者のフィリップ・ブリソー[17]をリーダーとするフランスチームが協力してくれたおかげで、私たちは人工衛星データの真価を問う機会を得ることができた。

私はすぐにフィリップに連絡を取った。グラウンドトゥルースを実施するためには、フィリップは南部エリアでの試験的発掘調査の許可をエジプト政府に申請しなければならない。しかし、それまで人工衛星画像を使ったことがなかったフィリップは、私たちの結果に懐疑的だった。

秋の発掘シーズンの最盛期に、私は発掘現場に到着した。タニス遺跡では、いたるところに歴史の香りが強く漂っている。フランスチームの発掘作業小屋は一〇〇年近く前からあるもので、壁にはこれまでそこで発掘を実施してきた考古学チームすべての写真がかかっている。フィリップは、人付き合いのよい熱心な発掘隊長で、私を歓迎するために、本物のフランス流のもてなしをしてくれた。ランチは美味しかったが、ボウルに入って出された鶏の足は食べないでおいた。特に、フィリップが私の目の前にそれを突き出して、チームの人たちからどっと笑い声が上がってからは。

フィリップがあちこち案内してくれたのは素晴らしかった。ムト神殿では発掘調査が進行中で、豪華な彫刻をほどこした石材がいくつも発見されていた。私が気に入ったのは現場の保管庫で、そこは、過去一〇〇年間のフランスによる発掘調査で見つかった、完全な状態や復元された状態の土器であふれていた。そこに保管されている壺は、この遺跡そのものの歴史だけでなく、この遺跡での発掘の歴史を伝えていた。もしかしたら、その中のいくつかは、あのモンテ本人が手で持っていたものかもしれない。

遺跡の中央部では、人工衛星画像でみるとホルス神殿のすぐ南に二〇×二〇メートルのはっきりとした家が現れていた。ここでフィリップのチームは数日間作業して、厚さが最大二メートルある壁を発掘していた。その家の中央には、幅が一メートルしかない小さな部屋があった。おそらく保管庫だろう。これは人工衛星画像ではとらえられていない。不思議だ。私はフィリップに印象をたずねた。すると、満面の笑みが返ってきた。

「うまくいってますよ。八〇パーセントの精度というところかな。あの画像は小さな部屋を拾っていなかっただけで、壁の境界線から、本当の壁の角までは、二〇センチから三〇センチくらいのずれです」

発掘チームは、それぞれの部屋を一メートルほど掘り下げた結果、さまざまな建築層をみつけていた。そのうちのいくつかは、私たちがダイニングテーブルの上で見ていた家の周辺にある、別の建築層と一致していた。

人工衛星画像で建物があれほどはっきりと浮かび上がったのは、遺跡のどういう性質によるものなのかを突きとめようと、私たちは発掘区画の端の部分や、表面のシルトの深さを調べた。タニスでは、遺跡を覆っているシルトが、デルタ地帯にある他の集落のマウンドの大半よりも、いくらか砂に近いという特徴があった。この砂に近い土は、建物の基礎に使われている崩れかけの日干しレンガとの対比がはっきりしている。また日干しレンガは、冬の雨期に水を吸収するとさらに独特の色になる。ここでうまくいった方法が、他の遺跡でも同じ結果を出すとはかぎらないのはわかっている。それでも私は、タニス遺跡を訪れてからは、人工衛星画像を使うこと全般についい

タニス遺跡でフィリップ・ブリソーの発掘チームと一緒に発掘作業中（写真：著者）

て、そして特にこの古代都市の再現に着手することについて、かなり自信を深めた。

タニスの日常生活

タニスにはあらゆる種類の人々が住んでいた。王や王妃、神官、役人、建築家、兵士、そして神殿や宮殿、中心街を支える大勢の労働者だ。[18]現代のあらゆる大都市と同じように、タニスには賑やかな中心エリアがあった。ナイル川のタニス分流は、遺跡の北東部あたりでカーブしていて、彫刻がほどこされた石材を神殿や職人の工房に運ぶのが楽だった。その地形を考えれば、港の地区が何カ所かあり、[19]川沿いには市場が点在していたはずだ。その市場では船の船長や商人が、北はイスラエルから南はヌビアまで、帝国のあちこちから集まってきた商品を売っていた。王家の谷とつながりがある南部の都市ルクソールにも、同じような市場があったことがわかっている。[20]

神官たちは神殿に近い北部エリアの住居に住んでいた。[21]神殿の規模からすると、高位の神官やその補佐役から掃除人まで、数百人が神殿で働いていたと考えられる。神殿には朝から晩まで、市民からの食べ物や供え物が運ばれてきた。また祝祭の期間には数千人のタニス市民が、王の姿を一目みたいとか、神々から幸運を授かりたいなどと考えて、神殿の外庭に押し寄せた。[22]

市の中心部にあるホルス神殿のすぐ南には、家が建ち並んだ地区が見つかった。それぞれの家は二〇平方メートルほどで、通りに沿って並んでいる。そうした家には、四つから八つの部屋があるようで、他よりも大きな部屋が少なくとも一つあった。こうした家は、タニスよりも三〇〇〇年前にエジプトの首都だった、アルマナにある王室関係者の邸宅に似ているようだ。

タニスの役人の家に用事があって行くと、建物の中央の部屋が公的なスペースになっているので、そこに案内される。役人のそばには書記がいて、会話にしたがって必要な公式文書を用意することになっていた。建物の壁は、白いしっくいの上に塗料をぬってあり、石か木の柱が天井を支えていた。[23] 使用人たちは、客の喉の渇きを癒すためにパレスチナからの輸入ワインをいつでも杯に注げるよう、そばに控えていた。[24]

家の奥は家族用のスペースで、台所や寝室、さらに独立した浴室まであった。[25] 三〇〇〇年前にしては悪くない。アマルナと同じように、こうした家には二階以上にも部屋があった可能性がある。最も素晴らしいのは、こうした家は市の中心部にあったので、所有者たちは通りを五分ほどのんびり歩けば、神殿や行政機関の建物に行けるし、宮殿までは小走りで二分ほどしかかからなかったということだ。ナイル川からは涼しい風が吹いてきたので、タニス市内のこの一角はもっと貧しい地区よりもずっと空気が良かった。このあたりは最高の不動産物件だった。お金の余裕があればだが。

このあこがれの住宅街のすぐ南には、二〇部屋から三〇部屋をそなえた大邸宅か宮殿がいくつかあり、上流階級の人々か、二つの王朝にわたるエジプトの王や王妃が住んだ。[26] 近くには、職人たちが一生懸命働く工房があり、見事な装身具や精巧な製品を作っていたし、[27] 料理人たちは地中海沿岸から運ばれてきたスパイスや素材を使ったごちそうを用意して、いつでも宴を開けるように準備していた。[28] 諸国からの使者は、喫緊の外交問題を王の耳に入れてもらうことを期待して、タニス市の幹部がやって来るのを待っている。王家用の一角は、詮索好きな臣下たちの目が届かない場所にあって、王妃や王室の人々が住んでいた。

謁見室の床にはおそらく、ナイル川の鳥や獣、さらにエジプトによる諸国支配の象徴が美しく描かれていただろう。王の周りには、ご機嫌を取ろうとする宰相や財務長官、数え切れないほどの書記たちが取り囲んでいた。[29] エジプトの第三中間期の頃でも、ファラオは地上の神として生きていた。ファラオはエジプトに利するように、宇宙の力の均衡を取ろうとしたからだ。[30]

タニス遺跡のあるマウンドの最も南のエリアは、尾のような細長い形になっており、ここには八メートル四方の家が数十軒、より有機的な形で隣りあって建てられている。この地域があまり裕福でないことはすぐに見てとれる。[31] それぞれの家の部屋数は一つか二つだったようで、たぶん、隣接し合って建てられた一間だけの住居に家族で住んでいたのだろう。これは宮殿で働く人たちの家だった可能性がある。発掘してみないとわからないが、このあたりがタニスの中でも貧しい地区だったのはかなり自信を持っていえる。裕福な地区の目と鼻の先にある便利な施設からも、一番遠かった。ここは他とは違う地域らしく、人工衛星データで観測されていた建設の第二段階と合致していた。

景観や人口を復元する

人工衛星画像から、この活気ある地域社会の人口を解明するのは、微妙な作業だ。タニスの七〇〇年ほど後のアレクサンドリアのような大都市では、人口が最大で推定五〇万人になったことがわかっているので[32]、この数がヒントになるかもしれない。ここタニスでは、数十軒の家が見つかっており、中心部の総面積もわかっている。デルタ地帯では、近代都市の成長や、農民が土壌をごっそり取っていったせいで、遺跡がかなり損なわれている。そのため私たちは、この都市が実際にはどのくらいのサイズだったのか、考えてみなければならない。

タニスの市街地を取り囲む畑では、地面の下に構造物がある可能性がクロップマークのかたちでたびたび示されている。何本かの線は、現代とは異なる古代の畑の境界線を表しているし、別の線は、人工衛星画像ではっきりと見えている遺構と、サイズも形も同じ構造物を描き出している。周囲の村やサン・エル゠ハガルに住む農民たちと話してみると、土を掘っているときに出てきた日干しレンガ造りの構造物や、土器のかけらが集まった場所のことを誰もが詳しく説明してくれた。

一九六〇年代は、コロナ計画による優れた人工衛星画像が登場してから一〇年後にあたるが、当時のタニス遺跡の面積は今よりも約五〇パーセント広かったようだ。現代の農地が、やや低い遺跡の北と東のエリアの大部分に入り込んでいるうえに、サン・エル゠ハガルの市街地が五〇〇パーセント大きくなっているのだ。さらに東と南のエリアでも、古代の水路があった証拠が失われている。

タニス遺跡は、ナポレオンのエジプト遠征があった二〇〇年前とはかなり見た目が変わっている。この遠征の報告書である『エジプト誌』は、全二三巻構成で一八〇九年から一八二九年にかけて発行され、エジプト全域の詳細な調査についてまとめられている。この素晴らしい大著は、今ではオンラインで入手可能だ。[33] タニス地域のオンラインマップでは、遺跡の大きさは、おおざっぱな推測ではあるが、今の二倍ある。

三〇〇〇年前にタニス遺跡を取り囲んでいた景観を想像してみるとわかりやすいかもしれない。そこにあるたくさんの小さな遺跡はかつて、首都を支える村や農園のネットワークを形成していた。毎年起こるナイル川の氾濫時には、その中心都市であるタニスは、いくつもの小さな島に囲まれた大きな島になる。このネットワークがどこまで広がっていたかは、コアリング調査や非破壊的な調査を組織的に実施するまでわからない。そしてそうした組織的な調査を完了するには何年もかかるだろう。

視野を広げる

タニスや、その周辺の地域社会の特徴や広がりを理解することは、近代的な都市生活の基礎が最も早く生まれた地域である、エジプトや中東の研究にとって大きな意味がある。人工衛星を使った私たちの調査は、エジプトで最も継続的な居住がおこなわれた、最も広大な首都の地図を初めて作りあげたことで、欠けていた大きなパズルのピースを埋めた。しかしよく見ると、解決すべきパズルは他にもある。集落の空間的な構成や、この特定の首都における都市生活の特徴について、私たちはどんな仮説でも立てられるが、その先に進むには慎重な発掘調査が必要だ。

私たち考古学者は、世界中の主要な古代都市についてとても多くの仮説を立ててきた。そして人工衛星技術が進歩するほど、私たちが知っていることがいかに少ないかがわかる。私の研究チームでは最近、ワールドビュー3号の画像を入手した。その分解能は〇・三メートルで、撮影に使う波長域が中間赤外線まで広がっており、タニス遺跡に見える構造物の数は、ワールドビュー2号の画像の二倍だ。

たとえば、フランスチームが発掘していた家を以前のデータを使って分析したときには、小さな部屋が一つ見えていた。この家を、もっと強力なワールドビュー3号のデータを使って、高い分解能で調べると、さらに小さな部屋がたくさん見えた。それはこの家だけでなく、タニスのどの家でも同じだった。遺跡全体では数百もの家や構造物が姿を現した。そこは、以前のデータで空白だと思っていた部分だった。私たちは現在、タニスで新たに見つかった家を三次元で復元する作業にかかりきりだ。そうすることで、この遺跡をもっといきいきと描けるようになるだろう。

とはいえ、一つですべてを再現できるようなデータセットは存在しない。人工衛星のデータには、一年のさまざまな時期についての一般的なルールが当てはまる。つまり、干ばつの時期もあれば、珍しく雨が続く時期もあるかもしれない。以前の画像にあった宮殿からは、三〇〇〇年前の王族たちの日常生活を想像できたが、より分解能の高いワールドビュー3号の画像では、宮殿の中はまったくの空っぽだ。やはり、画像を撮影した季節やその日の天気が影響していたのだ。最新の画像は、一年の中でも多少乾燥した時期に撮影されたようだ。

新しいデータセットでは、中心都市の建築物の層に以前は見えていなかった新しい層が浮かび上がっていて、ますます謎が深まっている。古いデータと新しいデータの違いを見たうえで、撮影された季節も分解能もさまざまなデータの検証をしたいと考えている。それは時間のかかる作業になるだろう。さらに最近はワールドビュー4号の画像データもあるので、これを検証する必要があるし[34]、新しいタニスの画像も数十枚ある。インディの杖飾りには表と裏の二面しかなく、正しい長さの棒に挿すだけでよかったが、私たちのラーの杖飾りにはいくつもの面があるし、使い方もそれほど簡単ではないのだ。

少なくとも、強力になったこの人工衛星画像があれば、考古学者は発掘場所の選択を、これまでより綿密に、かつ生産的におこなえる。データの質が向上したおかげで、発掘シーズンに注目する予定のテーマを正確に説明した、これまでよりずっと良い研究助成申請書を書ける(あるいは、最近増えてきている個人寄付者に向けて、うまい売り込みができる)。「今回の発掘では、私たちのチームはタニス遺跡で上流階級の家二軒ともっと貧しい階級の家二軒を発掘する予定です。それによって、ある裕福な都市における居住環境や、食料と物資両方の入手しやすさを比較します」と説明したうえで、発掘対象の家の正確な見取り図を示せば、あらゆる関係者にとって説得力のある話になる。

現代の都市とその未来を見通す

私たちはタニスのような都市を通して、私たち自身の社会を理解できる。同時に、崩壊しつつある現代の都市の遺物の中から、未来の考古学者たちは何を発掘するのだろうかと考えさせられる。私たちの社会が永遠に存続するというのはおごった考えだ。現在のタニスを見たうえで、紀元前一〇〇〇年のタニスの住民に、この都市の痕跡がやがてすべて失われると告げることを考えてみてほしい。

都市を形づくるものは何か、都市のどこに維持すべき価値があるのかという点をめぐる私たちの意識が、これからの都市が進化する方向性を決めるだろう。この本を書いている現在、デトロイトからナッシュビル、バーミングハムまで、アメリカ各地の多くの都市が復活を遂げつつあるが、その理由はまだわかっていない。四〇代以下の人々が都市の中心部に戻ってきて、自分でビジネスを始めていることや、最近のクラフトビールムーブメントが最も意外な場所の再開発を一気に加速していることが理由かもしれない。外部投資のせいということもありうる。こうした有機的なプロセスを解き明かせば、一度は立て直せないと考えられた都市にとっては、無限の可能性が広がることになる。

しかしその代わりに、最近では田舎町が崩壊しつつあり、社会の中では、そうした町を守るべきか、それとも都市だけの国家になるべきかという議論が広がっている。人類の奥深い歴史を掘り下げて調べていけば、こうした大きな問題に答えるための枠組みを見つけることができる。

ハリウッド映画をめぐる私の夢物語は、今や古代の遺物となったＶＨＳプレーヤーで、古代都市を発見する映画を見たところから始まった。そして天空から神の視点で見ることによって、その同じ古代都市が自分のノートＰＣの上で現実のものとなるのを目にするにいたって、ぐるりと一回りした感じがする。過去を新たな視点で理解する力とは、本質的には、新しい技術を使う方法を見つけ出すことと、その技術でも届かないような、もっとよい質問を考え出すことのバランスにあるのだと私は学んだ。うまくいくこともあれば、いかないこともあって、それでいい。

私たちはたまに、発掘用コテのひとすくいや、ピペットの先から落ちた一滴、新たに適用されたアルゴリズムから、自分たちが抱えている疑問への答えを見つけ出すが、答えというのは、暑い日にタニスの街に吹く涼しい風のように、一時的なものだ。私たちにできるのは、自分たちが正しい場所を掘っていると期待することくらいだ。

第6章 世界一周〝新〟考古学の旅

アラバマ州バーミングハムの通りを歩いているときに、私が好きなことの一つが、道路工事の穴をのぞき込むことだ。もうちょっとましなことを趣味にするべきかもしれないが、長い年月をかけて積み重なってきた、層になった道路を見るのが大好きなのだ。住んでいる町の周りに何本か残っている丸石を敷いた道では、遠い昔の馬や馬車、人々を思い浮かべる。ほぼどんな場所でも、歴史は私たちの足の下で待ち伏せしているのだ。

砂漠や森林の下には、考古学者がまだ発見していない遺跡や、文明までもが隠れているが、そのとてつもない数を私たちは正しく把握していない可能性がある。ある遺跡に新しい遺構を一つ発見したり、まったく新たな遺跡を一つ見つけたりするのは、それはそれで重要だ。ところが今では宇宙考古学を利用して、数百、数千、あるいは数万という新たな遺跡や遺構を見つけられるようになった。

この莫大な数によって、考古学はかなりのスピードで姿を変えつつあるため、私たちはそれに合わせて新しい問題提起をしていかねばならない。一世紀前だったら、いや二〇年前でも、考古学者はこうしたデータセットのサイズを想像できなかっただろう。このようなビッグデータの分析はそれ自体がかなり新しい分野だが、コンピューター科学者と考古学者はマッピングやモデリングの方法を練り上げるために、これまで以上に連携を深めるようになってきている。

何がわかっていないのか

同時にいえるのは、まだ見つかっていない遺跡がどのくらいあるのかは見当もつかないということだ。考古学者は、失われた宮殿の手がかりや、所在不明の王墓のありかを求めて、碑文や古文書、パピルスなどを必ず調べる。ドイツ人考古学者のハインリヒ・シュリーマンが若い頃からホメロスの『イリアス』に夢中になり、やがてその舞台である古代都市トロイの探索に乗り出した逸話は、古代文献の研究が遺跡の発見に繋がったおそらく最も有名な例だろう。トロイを発見しようと決意したシュリーマンは、一八七一年にトルコのヒサルリク遺跡の発掘に着手したが、のちに実施した発掘で多くの発掘層を跡形もなく破壊してしまった。現在、そこはトロイ遺跡として知られており、シュリーマンが掘った巨大なトレンチは今でも見ることができる。しかし一般的にいって、文書などからわかることには限界がある。

ローマ支配下のエジプトの徴税記録には、数十の古代の町の名前が記載されているが、現代の町の名前がそれらと同じとはかぎらないので、古い町や都市があった場所のヒントにはあまりならない可能性がある。課税台帳に載るくらい重要な町の場所でさえ、そんなに簡単にわからなくなるくらいだから、それほどの規模ではない、もっと小さな町を見つけるには運次第の面がある。

実際のところ、私はよく、まだ見つかっていない古代エジプトの遺跡はどのくらいあるのかと聞かれる。これは答えられない質問である。そういう質問は私の好みだ。

エジプトの裕福な人々の墓のうち、すでに見つかっているのは一パーセントだということから、もっと貧しい人々の墓地についても簡単に推測できる。これは集落や、消滅した神殿、工業地域、採石場、軍の駐屯地でも同じだ。さらにそれを世界全体に広げれば、中東やアフリカ、中央アジア、極東にある、到達不可能な未踏査の地がどのくらいあるのかが推測できる。中南米の熱帯雨林や、カナダの荒野、アメリカ中西部の砂漠や、北極圏に広がる平原も考えてみてほしい。さらに広大な土地が海の底に沈んでいる。かつての氷河期には海面上にあったが、気候変動や地質学的な変化を受けて海に沈んだ土地だ。[1]

自分たちが住む惑星の表面について知らないことが、そんなにもあるのだ。だから、考古学者が毎週のように、巨大な墓地だとか、今まで知られていなかった古代都市とか、さらにはネアンデルタール人が洞窟画を描いていた証拠[2]といった新たな発見をしても、あまり驚いてはいられないだろう。

アメリカの未発見の遺跡

世界中にどれだけの遺跡があるのかを実感するには、まずは自分の住んでいる場所の近くを考えるとわかりやすい。ヨーロッパ人がアメリカで最初に居住した場所でさえ、完全には特定されていないのだ。一五四〇年、エルナンド・デ・ソトは、コンキスタドール（征服者）の一団を引き連れて、フロリダの最初の上陸地からノースカロライナまではるばる探検したらしく[3]、ジョージア州マクローでは、その証拠の可能性があるものが発掘されている[4]。デ・ソトは、アラバマ州のどこかにあるメルバという場所で、先住民族の伝説的な首長のタスカルーサと戦ったといわれている[5]。しかしメルバの正確な場所は今日も謎であり、アラバマ大学で毎年開かれる学会では、その点をめぐる議論が白熱して殴り合いになりかねないという話だ。

今からわずか三五〇年前には、私たちの都市にそびえ立つ超高層ビルの森の代わりに、本物の手つかずの森があった。北米大陸には、ヨーロッパ人の入植以前に、先住民族が一万八〇〇〇年前から居住していた。ミトコンドリアDNAを調べてみると、その時代に南北アメリカ大陸への移住がたった一度だけあったことや、現代の先住民はすべて、その移住してきた集団の子孫であることを示す証拠が見つかる[6]。これまでに知られている人間居住の遺跡には、一万四〇〇〇年以上前のものがある[7]。一四九二年には、ヨーロッパ人と先住民の歴史的な接触があり、記録上はこれが最も古いが、先住民の人々はそれ以前に六〇〇世代（数にすると数千万人）にわたって南北アメリカ大陸に暮らしていた。

地図には、そうした先住民グループの本来の名前や居住地が示されているが、名前が失われてしまったグループもある。それを見ると、先住民グループが広い土地をひんぱんに移動していたことがわかる[8]。一部のグループは、狩猟や漁の場へと季節ごとに移動することで、文化の活動範囲を広げていき、その文化の痕跡の可能性がある遺跡もあちこちに残っている。[9] カリフォルニア州北部のシスキュー郡だけで一万以上の遺跡がある。[10] 一方、この郡の面積は州全体の二六分の一だ。カリフォルニア州全体で遺跡の分布密度がシスキュー郡と同じだと仮定すると、この一つの州で見つかっている遺跡がおよそ二五万カ所あってもよいことになる。これをアメリカ全体で計算すれば数千万カ所になる。

現在のアメリカには、連邦政府が認知している先住民族が五六七あり、そのうち二二九はアラスカ州に居住している。[11] カナダには、ファーストネーション〔訳注／カナダでの先住民族全体を意味する呼称〕が六三四ある。[12] どちらの国も、面積は一〇〇〇万平方キロメートル近い。大陸の四〇パーセントには、深い森林や、山がちな地形、一年のうち何カ月も雪に覆われる土地が広がっているなかで、そうした人々の遺跡を探すのは容易ではない。[13]

一八世紀以降のアメリカでは、入植者の西への移動と、それに続く多数の先住民の強制移住が、無数の先住民遺跡の破壊につながった。[14] リモートセンシング技術によって、そのときに何が失われたかが明らかになってきている。ジョージア州天然資源局のメラニー・ライリーと、アイオワ大学内にある州考古学事務所のジョセフ・ティファニーという二人の考古学者は、トゥールズボロ・マウンズ国定歴史建造物の調査にＬＩＤＡＲを取り入れることで、新たな視点を得た。このトゥールズボロのチームは、西暦二〇〇年から三〇〇年頃のものと伝えられる囲われた土地や、破壊された墳丘墓の痕跡を探索した。

これが成功だった！　ライリーらのチームは、囲われた土地、八つのマウンド、九つ目のマウンドらしきもの、そして二つの考古学的異常の位置を突きとめたのである。[15] 探索対象の景観は主に木々で覆われており、目で見てわかるマウンドは二つしかない。このことからは、木々の生え方から遺跡を判断したり、地面の上にあるものから遺跡の広さや規模を判断したりするのは不可能だということがよくわかる。

はるか南のフロリダ州にあるエバーグレース湿地では、マツの林や、ソウグラス［訳注／ススキの一種］の茂る湿地、深いマングローブのせいで、一般的な徒歩での考古学調査がほぼ不可能になっている。ここで考古学者はＬＩＤＡＲを活用して、西暦一〇〇〇年から一五〇〇年頃の土塁を見つけだした。[16] リモートセンシングには、先住民文化の多様性と豊かさについて理解を深める、はかりしれない可能性がある。同じように、最近になってドローン撮影技術が進歩したり、州政府機関が低価格または無償で提供するＬＩＤＡＲデータがさらに入手しやすくなったりしたおかげで、ヨーロッパ人の進出についても急速に理解が進んでいる。

考古学者のキャサリン・ジョンソンとウィリアム・ウィメットは、オープンアクセス方式で提供されているニューイングランド地方南部のＬＩＤＡＲデータのおかげで、以前は知られていなかった、一八世紀から一九五〇年代までの建物の基礎や、農場を囲む石塀、古い道路を数多く見つけることができた。[17] この地域が現在、大部分が森林に覆われていることを考えると、他にどれだけ多くの農場があるのかという疑問が浮かび上がってくる。

このような発見は、アメリカの社会史における暗い時代についても教えてくれる。奴隷を所有していたプランテーションについては、文献が残ってはいるものの、考古学研究の対象となったことで、奴隷の日常生活に目が向けられるようになってきている。ＬＩＤＡＲは、メリーランド州のチューリップヒルやワイホールにあるプランテーション跡地の三次元マップを作るのに役立った。テラスらしき構造や、土手、奴隷の居住スペース、花壇などが新たに見つかった。ただし、この場所を調査した考古学チームは、こうした発見を確かめるために試験発掘が必要だと強調している。[18]

こういった成果はあるが、アメリカやカナダでは世界の他の地域に比べて、リモートセンシング調査は驚くほどわずかしか実施されていない。こうした状況が変化すれば、多くのことがわかってくるだろう。

世界の遺跡巡りへ

おそらく、これまでに遺跡を探すためにマッピングがおこなわれたのは、陸地表面では全体のわずか一〇パーセントであり、海洋底ではさらに少なくなる。それでも見るべき遺跡はたくさんある。そこでこの先では、世界中でおこなわれてきた遺跡調査を肌で感じて、私の仲間の考古学者たちによる驚くほど広い範囲にわたる発見を味わってみよう。宇宙考古学の将来の可能性について、研究者たちが感じている興奮をすぐに共有できるはずだ。

一八世紀や一九世紀のヨーロッパやアメリカでは、裕福な家の青年たちが地中海諸国や中東地域にグランドツアーに出かけ、古代世界の驚異に驚嘆して、刺激を受けて帰国したものだ。私たちだって、自分で世界を狭めてしまわなくたっていい。これから出かける遺跡への旅も、豪華なクルーズ船とか飛行機に乗って、スタイリッシュに出かけよう。ディナーの服装に決まりはないけれど、ちょっとおしゃれな装いで。船や飛行機では、ジントニックをいただく。もちろん、健康のために。

マヤ遺跡のマッピング

さあ、デッキチェアにのんびりと寝そべって過ごそう。ただ、最初の目的地はそれほど遠くない。これから向かう地域は、リモートセンシングによる考古学上の発見を育てる苗床だといわれることがある。ここ数年、メディアの注目を最も集めているのも、当然といえば当然だ。よく知られている古代遺跡から、何万もの新しい遺構が見つかるというのはそうそうあることではない。船は中央アメリカを目指して、南へ進路をとっている。

そこはマヤ文明が三〇万平方キロメートル以上にわたって広がっていた土地だ。その面積の四三パーセントはうっそうとした熱帯雨林や、その他の植生で覆われている。[19]

この地域の景観を考えると、考古学者は遺跡を調べるのにＬＩＤＡＲデータを使う必要があるが、それは時間との闘いになっている。森林破壊の影響は、環境だけでなく遺跡にも及んでいて、驚くほどの勢いで破壊が進んでいるからだ。違法な伐採や、農業での化学物質の使用、ドラッグの生産によって森林がどれだけ失われたかを調べることはできるが、これまでに消失した古代遺跡の数となると見当もつかない。

すでに説明した通り、考古学調査がＬＩＤＡＲによって大変革を遂げたのは、中米のベリーズでのダイアン・チェイスとアーレン・チェイスの研究が始まりだった。同じ研究の一環として、チェイス夫妻はメキシコ中西部にあるアンガムコ遺跡の周辺で、九平方キロメートルの範囲をＬＩＤＡＲでマッピングした。アンガムコは、アステカ帝国の敵国だったタラスカ王国が建設した都市だ。チェイス夫妻の研究からは、数百の住居地区が巨大建築物へとつながる、大規模な都市型集落の姿が浮かび上がった。[20] そんな驚きの研究成果が明らかになると、すぐに他のマヤ文明研究者たちのＬＩＤＡＲマッピングプロジェクトにも研究助成がおりるようになった。

それでは、ヘリコプターに乗って、マヤ帝国が支配した地域の素晴らしい景観を鳥瞰的に眺めていこう。グアテマラへ向けて内陸に進むと、ベリーズの熱帯雨林の上空を飛行する。その緑の海を見下ろしていると、ジャガーや、フェルドランスという毒ヘビがいるこの熱帯雨林でのフィールドワークは、臆病者には向かないことがよくわかる。私は大学学部生の頃、そこで実施されたベリーズ・バレー考古学踏査プロジェクトの調査に参加する機会があった。二週間にわたって熱帯雨林で生活し、マヤ族が埋葬や儀式に使っていた洞窟網のマッピング作業を手伝うという、素晴らしい経験をした。木の板根を乗り越え、草木のつるが生い茂るなかを歩いていくことさえ一苦労だった。

グアテマラの領空に入り、同国で最も有名な遺跡とされるティカル遺跡に近づくと、ピラミッド型の石灰石の建築物が樹冠からちらりと見えてくる。『スター・ウォーズ 帝国の逆襲』のワンシーンを思わせるが、映画とは違って、けたたましい鳴き声のアカコンゴウインコが美しい姿を見せる。実際にその映画の撮影場所であるこの遺跡には、異世界めいた景色が広がっている。現実のティカル遺跡では、銀河帝国軍のストームトルーパーと出くわす心配はないが、ここではウマバエのほうがはるかに恐ろしい。ウマバエのウジ虫は孵化直後、人間の皮膚の下に入り込んで寄生するのだ。

巨大構造物以外のものは上空からはなかなか見えないし、地上に降り立っても、遺跡の残りの部分は密生した植生に隠れていてわかりにくい。二〇一八年初頭、この地域についての大きな発表があった。ある考古学者のチームが、考古学研究用に収集された過去最大のLIDARデータセットを使って、グアテマラのマヤ生物圏保護区内の一〇地区で合計二一〇〇平方キロメートル以上を分析する研究をおこなった。調べたのは、ティカル遺跡やホルムル遺跡などの大規模なマヤ遺跡だ。その結果、六万以上の建造物が見つかったという発表だった。[21]

ぴんとこない人のためにいうと、これはとんでもない数だ。このニュースを見た私がすごい大声で叫んだので、夫は、私の背中に飼い猫が飛び乗りでもしたのだろうと思ったくらいだ。

この成果はすべて、パクナムLIDARイニシアティブが、グアテマラの一万四〇〇〇平方キロメートルの範囲のマッピングを目指して実施した、三年計画のプロジェクトの一部だ。パクナム財団は、マヤ生物圏保護区の保全と研究を実施する非営利団体である。このプロジェクトの共同ディレクターのフランシスコ・エストラーダ・ベッリは私に、ホルムル遺跡近くでの地上調査で危険な目にあった話をしてくれた。

真夜中に、フランシスコはエアマットレスの下で何かが動く気配で目を覚ました。マットレスを持ち上げると、長さ一・五メートルのヘビが、ちょうど頭の真下にあたる場所でとぐろを巻いていた。最悪だったのは、ズボンをはいて助けを呼ぶには、そのヘビの上にもう一度マットレスを置かなければならなかったことだ。考古学はわくわくするという程度に思っていた人もいるだろうが、おあいにくさまだ。[22]

それはともかくとして、遺構が同じような密度で分布していると仮定すると、このプロジェクトの調査対象地域だけでも、未知の構造物が四〇〇万件存在する可能性がある。マヤ帝国は、西暦八〇〇年頃の全盛期には三〇〇万平方キロメートル以上の面積があったので、中央アメリカのうっそうとした熱帯雨林の下には、八六〇〇万近くの遺跡や遺構が隠れている可能性があることになる。さらにこの数字には、マヤ帝国がおこなった大規模な景観の改変事業は入っていない。私の学生たちにいわせれば、「ヤバい」というところだろうか。

アマゾンの秘密

たくさんの新たな遺跡を見てきたので、しばらく船上でのんびりしよう。船はブラジルの海岸線に沿って進み、アマゾン川流域の熱帯雨林を通り過ぎていく。この熱帯雨林の面積は、六〇〇万平方キロメートルほどだ。[23] 一〇〇年以上前、この熱帯雨林のさまざまな地域から考古学調査の新時代が始まった。一九二五年に探検家のパーシー・フォーセットが、アマゾンのどこかに謎の都市「Z」があると考え、それを発見しようと探検にでかけて行方不明になったことは、その時代の考古学をめぐる最も有名な話の一つだ。[24]

フォーセットの身に何があったかはともかく、彼の主張は部分的には正しかったことが、フロリダ大学のマイケル・ヘッケンバーガーの発見によって明らかになった。ヘッケンバーガーのチームは先住民グループの協力を得て、アマゾン川の源流であるシングー川上流域で、これまで知られていなかった、広場を中心とした街と村を二八カ所発見したのだ。[25] こうした集落にはいくつもの水路があったほか、集落の間は古代の道で結ばれていた可能性がある。[26] ヘッケンバーガーらの発見は、人工衛星画像を使ったものではないが、先コロンブス時代にアマゾンへの居住がどのくらい進んでいたかがよくわかる。この地域をリモートセンシング技術で調べたら何が見えるかは、想像するしかない。

アマゾンの熱帯雨林ではブラジル西部のアクレ州でも、ヘルシンキ大学のマルティ・パルッシネンが率いるチームが、航空写真とグーグル・アースを使って二〇〇以上の地上絵を新たに発見した。この地上絵で描かれた図形や地理的なパターンは、ナスカの地上絵と同じように、人間が石のような素材を使うか、または石を取り除くかして地面に作ったもので、ときには途方もない規模になることもあった。アクレ州で発見されたその地上絵は、西暦二〇〇年から一二八三年の間に「新しい」文明が存在していたことを示している。パルッシネンのチームは、森林破壊の後に撮影された人工衛星画像を使ってこの遺跡を詳しくマッピングし、直径九〇メートルから三〇〇メートル（アメリカンフットボールのグラウンドの一つから三つ分）までの不思議な形を明らかにした。これらは、儀式と防御のいずれか、あるいは両方に使われていた可能性がある。地上での調査からは、かつてはあまりに辺鄙すぎて大規模な開発をおこなえないと考えられていた地域に、六万人以上が居住していたことがわかった。グーグル・アースの対象範囲には制約もあるため、パルッシネンのチームは、自分たちが発見したのはこの地域にある遺構の一〇パーセントにすぎないと考えている。つまり、この地域にはほかに二〇〇〇近くの巨大構造物があることになる。[27]

この発見からは、この地域には考古学的な発見のとてつもない可能性があることがわかる。アマゾンにはかつて、中央アメリカのマヤ文明地域と同じくらいの密度で集落が存在していたかもしれないのだ。私は、この地域で近いうちにＬＩＤＡＲ観測が用いられることを期待しているし、そうなれば大ニュースになるような発見があるだろう。

さて、船がチリの南端にあるホーン岬をまわるあたりでは、船内も多少危ない状況になる可能性がある。これからペルーに行くんだから、船酔い止めの薬をしっかり飲もう！　今では南米で特に人気の旅行先になっているマチュピチュ遺跡を、ハイラム・ビンガムが一九一二年に調査したときの壮大な物語は知っているかもしれないが、それはやがて起こる事態を暗示していたのである。[28]

ペルー全体では、高分解能の人工衛星画像やドローンによって、考古学的な発見だけでなく、多くの古代遺跡の盗掘跡のマッピングが可能になっている。[29]ペルーでははるか昔から盗掘が後を絶たず、痛ましいことに、古代の墓地の多くには盗掘孔が無数に掘られている。盗掘者は墓の中から、鮮やかな色の織物を探し出して転売しようとするもので、たいていはうまくやりおおせる。最近、イーベイで「古代遺物　ペルー　織物」（antiquities Peru textiles）というキーワードでざっと検索してみたら、チムー文化やワリ文化、チャンカイ文化のものが何十点もヒットした。出品物の中に遺跡の場所を明記したものはなく、来歴が相当に疑わしいことがうかがえた。

危機にさらされているペルーの遺跡をマッピングすることで、考古学者たちは遺跡の保護に乗り出せる。ローザ・ラサポナラが率いるチームは、クイックバードとワールドビュー1号という二基の人工衛星の画像を組み合わせて使うことで、ナランハダピラミッドの地下に埋まったアドベ（日干しレンガ）造りの遺構らしきものの証拠を見つけた。この遺構は後に、地中レーダー探査と磁気探査によって確認されている。[30]ほかでも、考古学者であり、ペルーの文化副大臣を務めたことがあるルイス・ハイメ・カスティーリョがいくつもの遺跡でドローンを利用して、畏怖をおぼえるほど美しい三次元モデルを製作している。そうした取り組みもあって、ペルーはおそらく、世界でドローンによって最も徹底的なマッピングがおこなわれた国の一つといえるだろう。[31]

ポリネシアをめぐる先入観

太平洋を渡っていく間、少しゆっくりする時間がある。遺跡ツアーの次の目的地である、ポリネシア地域で考古学上最も有名な島の一つに上陸する前に、ちょっと説明をしておこう。現在ではチリの一部になっているイースター島（現地名はラパ・ヌイ）には、人間の形をした彫像として有名な巨大なモアイ像が、一六三・六平方キロメートルしかない景観の範囲内に九〇〇体以上ある。私がイースター島での考古学調査の話が大好きな理由の一つは、ラパ・ヌイ文明が「崩壊」した経緯や理由をめぐる長年の仮説が、人工衛星技術によってひっくり返されたことがわかるからだ。ものごとは、見かけ以上に複雑なことが多いのだ。

イースター島を歩き回ると、太平洋を背景にしてくっきりと浮かび上がる、明るい緑色の風景に心を打たれるだろう。グアテマラの風景を見たあとではとりわけ、この島が孤立した場所のように思える。石の歩哨のようなモアイ自体は、角張った顎をしていて、何の表情もなく、挑みかかってくるようだ。このモアイはどういう経緯でここにあるのか、私たちは不思議に思わずにいられない。

ヨーロッパ人が一七二二年と一七七〇年にこの島を訪れたとき、そこには三〇〇〇人の住人がいた。ラパ・ヌイの過去をめぐる通説はかつて、現代人にとって教訓になるといわれていた。ラパ・ヌイの人々はこの島に住みつくと、島の天然資源を過剰搾取し、森林を破壊し、動物を絶滅に追いやったというのだ。イースター島を最初に研究した考古学者たちは、この島への人の居住が始まったのは西暦四〇〇年から八〇〇年頃だとみていた。しかし、ニューヨーク州立大学ビンガムトン校のカール・リポと、オレゴン大学のテリー・ハントが植物の種子の放射性炭素年代測定をすると、イースター島への先住民の入植が始まったのは、初期の説よりもずっと遅い西暦一二〇〇年以降であることを示す証拠が見つかった。[32]

リポとハントは、高分解能の人工衛星画像を使って、古代のモアイが島を横切って運ばれてきた道路をマッピングした。[33] ふたりは調査中に、材料を切り出した石切場から続く道の途中で、六二体のモアイを発見した。そのモアイが静止している姿勢から、リポらはモアイが最終的な位置までひきずられたのではなく、左右にいる人々によって、直立状態で「歩かされた」のだという仮説を証明した。[34] この発見があれば、モアイを移動させるためのころを作るために、大規模な森林破壊が起こったという固定観念は捨ててよいことになる。ラパ・ヌイの先住民は、森林ではなく知恵を利用して、自分たちが作りあげた最高の芸術作品を動かしたのだ。

農業目的で森林を破壊した場所では、ラパ・ヌイの先住民は火山岩を砕いて、腐葉土のように畑にまくことで、土地の生産性を保っていた。[35] 最近の地理空間分析によれば、ラパ・ヌイの人々は、アフ（複数のモアイを載せられる巨石の土台）を、淡水の水源のそばに建設していたようだ。おそらく、限りある天然資源とつながっている領地を誇示したかったのだろう。[36] ラパ・ヌイの先住民が絶滅したのは、彼ら自身が文明崩壊の原因を作ったからではない。ヨーロッパ人が病気を持ち込んだせいだ。[37]

イースター島を後にして、他に何も見えない荒海の真っただ中を進む間に、西洋社会は、植民地主義者的な心理に根ざした先入観のつじつまを合わせるために、世界中の先住民グループについて、ほかにどんな誤った解釈をしてきたのだろうかと考えてみる。リモートセンシングなら、もっと事実にもとづいた解釈をもたらすことができるように思える。

シルクロード

太平洋を渡って西に向かい、アジアに入ると、目の前には果てしのない風景が広がる。ここではリモートセンシングの機会も、風景と同じようにどこまでも広がっている。その対象地域は巨大だ。シルクロードの広大な地域ではまだ遺跡のマッピングがおこなわれていない。ただし中国の考古学者たちはすでに、中国の二五省の遺跡地図をもとにして、紀元前八〇〇〇年から西暦五〇〇〇年までの遺跡五万一〇七四カ所をデータベース化している。[38]

一五〇〇年以上にわたって使われたシルクロードは、中国から陸や海を通って、インド、インドネシアへと続き、イランを横断し、中東を通って、東アフリカへ、さらにヨーロッパへと続いている。シルクロードは一つの道路ではなく、たくさんのルートがあって、それらが水やその他の資源の入手状況によって時代とともに変動した。シルクロード沿いの遺跡の全体的な規模や、そうしたネットワークに含まれる道路の数は、まだ明らかになりつつある段階だ。シルクロード沿いの遺跡の多くは、地上探査を実施しなくても、宇宙から見た形やサイズをもとに時代を識別できる。こうした方法で、将来的にはさらに数百の重要な遺跡をリモートセンシングで調べることが可能だ。

ある研究では、中国の陝西(せんせい)師範大学の胡宁科(こねいか)と中国科学院の李新(りしん)が、コロナ衛星とグーグル・アースのデータの助けを借りて、中国北西部の居延(きょえん)オアシスの周辺に、それまで知られていなかった西暦一〇二八年から一三七五年の期間を中心とする七〇の遺跡を発見した。[39] シルクロードのルート上にある他のオアシスや交易所、分岐点など、まだマッピングされていない地域はどれだけあるのだろうか。

インダス文明の新たな始まり

西に船を進めて、クメール王朝時代の壮麗な寺院であふれるタイ、ベトナム、カンボジアを回る。タイやベトナムの熱帯雨林はまだマッピングされていないが、新しいLIDAR探査キャンペーンが近々立ち上がるという話を聞いている。冒険が始まるのはもうすぐだ。

さて、次に訪れるのはインドだ。活気にあふれ、変化に富み、古くからの歴史を持つこの国は、リモートセンシング技術を活用できる潜在的な可能性が世界中で最も高い国に数えられる。こうした好奇心をそそる見通しが特に大きいのがインダス文明だ。エジプトやメソポタミアといった同じような古代文明と比べると、インダス文明については宇宙からのマッピングがあまり進んでいない。インダス文明は、エジプトやメソポタミアよりも大規模で、インドやパキスタンだけでなく、その周辺地域まで広がっていた。

最近のマッピングの結果をみて、私たちの期待は高まっている。ケンブリッジ大学のキャメロン・ピートリのチームは、インド北西部のリモートセンシングと地上探査によって、[40]古代遺跡とその近くにある河川の関係を視覚化している。具体的には、中程度の分解能の人工衛星画像データを使用して、一万平方キロメートルを超える古代河川の流路をマッピングした。さらに、この景観の地形の三次元モデルを作成し、そのモデルのプログラムをどんな研究者でも使えるようにと公開してくれている。[41]

インド工科大学カーンプル校のアジト・シンと、インペリアル・カレッジ・ロンドンのサンジーブ・グプタのチームは、レーダーによって測定した標高モデルとランドサット衛星のデータを使って、インド北西部でサトレジ川の旧流路（ガッガル・ハークラー川として知られる）の位置を突き止めた。一世紀以上の間、考古学者たちは、インダス川流域の都市集落が最も集中していたのは、ヒマラヤ山脈を水源とする大規模な河川に沿った地域だと考えていた。このことはかなり確実視されていて、紀元前二〇〇〇年から紀元前一九〇〇年頃にその川が干上がったり、移動したときに、その都市集落も衰えて放棄されたとされていた。

これは納得のいく説だが、リモートセンシングによる調査や、その後のコアリングや年代測定によって、完全に覆されてしまった。そうした新たな調査で、実際に川が干上がったのは紀元前六〇〇〇年以前で、インダス文明が出現した紀元前三〇〇〇年よりもずっと前だったことが証明されたのである。このことからは、インダス文明の集落は、比較的安定していて、予測不可能な洪水が起こらない旧流路沿いに出現したことがうかがわれる。[42]

今後数年間で、アジアのあちこちで見つかる遺跡などのことを考えると、とてもわくわくしてくる。インド洋を越え、南アフリカまで船が進む間、腰を落ち着けて、しばらくそのことに思いをめぐらせよう。南アフリカに着いたら、元気を出すために、ワイナリー巡りをする必要があるかも。

人類の始まり

南アフリカまでくると、すっかり暑く、ほこりっぽく感じられる。アフリカ大陸の大部分では、考古学的なマッピングや調査がまだおこなわれていない。ホモ・サピエンスが登場して以来、この地に暮らした人々や、そこで広がった文化の多様性の素晴らしさを説明しようと思ったら、すぐに分厚い本数冊分になるだろう。遠い昔にさかのぼると、私たちの家系図は、木というより、枝がぎっしりと生えた低木のようにみえる。そして人間の祖先の新たな化石発掘地が意外な場所に現れる場合がある。人類の起源についての理解がかろうじて少し進んだ程度だということを考えれば、アフリカは考古学的発見の最前線だといえる。

アフリカの南部や東部の広い地域は、人工衛星画像を使った調査の機が熟しているし、初期人類の化石発掘地として特に有名な場所もいくつかある。そしてここで私たちの調査の道をつけるのは、人工物ではなくて植物だ。南アフリカのウィットウォーターズランド大学の古人類学者リー・バーガーは、グーグル・アースを使って、南アフリカでオリーブの木とスティックウッドの木が生えている場所を探した。この二種類の木は、地下洞窟の入口付近に育つ傾向があるのだ。[43] こうした洞窟は、初期人類が隠れ家にするのに理想的な場所だったので、そこで初期人類の新種の化石が見つかる可能性がある。

ケニアのトゥルカナ盆地の周辺は、リチャード・リーキーと妻のミーブ・リーキーによる有名な発見の多くの舞台である。リチャードは、世界的に名の知られた人類学者のルイス・リーキーとマリー・リーキー夫婦の息子だ。現在では、リチャードたちの娘であるルイーズが、リーキー家に伝わる仕事を引き継いでいる。ハイパースペクトルカメラ［訳注/複数の波長ごとに撮影可能なカメラ］や、他のリモートセンシング機器は、ルイーズたちのような人類の進化を探る研究者たちが、他の遺跡の場所を探すのに役立つかもしれない。雨が降った後や、水などによる土地の浸食作用の結果として、化石は地表に現れてくる。そうした化石が数百平方キロメートルもの範囲のあちこちに散在している可能性がある場合には、地上探査をしても、運良く何か見つかるか、うれしい偶然が起こるくらいがせいぜいだ。

しかし、ハイパースペクトルカメラで作成した高分解能地図から、化石が出てくるかもしれない場所が具体的にわかれば、探索のターゲットを絞りやすくなる。私は光栄にも、トゥルカナ盆地で調査をしているルイーズ・リーキーのチームとの共同プロジェクトで、化石探索のためのマッピングを手伝った。その結果は暫定的なものが中心だが、ハイパースペクトルカメラは、化石が豊富な他の地層と同じ分光特性を持つエリアを検出していた。そういった新しいデータが人類進化の理解に役立つのだと考えると、心が浮き立ってくる。

ジンバブエの栄光

次の目的地までは、まず北へ、それから東へと、長い陸路の旅になる。巨大な石造りの建物が残るグレート・ジンバブエ遺跡は、ユネスコ世界遺産であり、ジンバブエの人々の心の糧だ。この遺跡が最近、高分解能の人工衛星画像を使ってあらためてマッピングされた。グレート・ジンバブエ遺跡には、紀元前三〇〇年から西暦一九〇〇年までの期間に五つの居住層がある。一九九〇年代には政治情勢が悪化したため、残念ながら考古学調査を完全に中止しなければならなかった。

最近になって、ケープタウン大学のシャドレック・チリクレのチームのおかげで、中断していた考古学調査が再開され、さっそく人工衛星画像から、これまで知られていなかった段々畑や、位置が特定されていなかった壁、そして遺跡の中心となる丘へと続く三本の道が見つかっている。[44]この先さらに人工衛星を使った調査が進めば、二〇〇ほどの小さな石の住居群や、ジンバブエ南西部にあるマペラ・ヒルなどの石の囲いについて、さらに多くの知識が得られる。そして、この地域がこれまで考えられていたよりも、はるかに政治的に重要だったことがわかるはずだ。[45]

ここで中央アフリカに向かうと、そこはまた森林地帯だ。数百万平方キロメートルの面積を持つ熱帯雨林が、カメルーンからガボン、コンゴ、ウガンダ、そして中央アフリカ共和国へと広がる。アフリカ西部でも、うっそうとした植物が風景を一面に覆っている。こうした地域は、考古学調査がほとんどおこなわれておらず、この五〇年でようやく研究が始まったところだ。

この地域では、進行中の紛争や病気の蔓延、インフラストラクチャーの不足のせいで、地上での調査は難しい。しかし、この地域の歴史の豊かさや、最近、南アメリカの熱帯雨林で新たな遺跡や遺構がいくつも発見されたことをふまえて、この地域でのＬＩＤＡＲ探査がぜひとも必要とされている。何が見つかるか見当もつかない。きっと、大規模な農業や、まったく未知の文明の存在をうかがわせる新たな兆候が見つかるかもしれない。どんな遺跡でも見通す目を与えられて、それを世界中のどこか一カ所に向けられるとしたら、私はこの地域を選ぶ。ここでの発見の数々は、アフリカ大陸に対する私たちの見方を大きく揺さぶるだろう。

なじみの地域

アフリカ大陸の東岸を北上していくと、紅海では素晴らしいシュノーケリング体験ができる。高い透明度を誇るこの海はサンゴの一大生息地で、鮮やかな色のブダイやエンゼルフィッシュもたくさん泳いでいる。そしてこの海のシーフードは素晴らしい。マシュー・メレディス・ウィリアムスが実施した、レーダーと高分解能の人工衛星画像を使った調査プロジェクトによって、サウジアラビア沿岸のファラサン諸島と、エリトリア沿岸のダフラク諸島に四二〇〇カ所以上ある貝塚について、多くのことがわかってきた。

貝塚は無数の貝殻が積み重なった小山で、高さが六メートルになることもある。海の幸をよく食べる地域なら、世界のどこであってもよく見られる。紅海沿岸ではこれまで二〇カ所の貝塚しか知られていなかったので、新しい情報がたっぷりと得られたことになる。貝塚ができた年代には幅があるが、大半が五〇〇〇年以上前に作られたようだ。[46] これはつまり、紅海沿岸地域には、これまで考えられていたよりも多くの人々が住んでいた可能性があるということだ。

私たちは内陸部に向かい、砂や岩に刻まれているワディ（涸れ川）を通って、エジプトのはるか南にある古代ヌビア（現在のスーダン）に到着した。古代ヌビアは、アフリカにおける最も偉大な文明の一つであり、有名度で勝る北のエジプト文明と比べると、注目度があまり高くなく、人工衛星画像の分析も進んでいない。一九六〇年代には、スーダンでのダム建設プロジェクトの影響で水位が上昇することになったのがきっかけで、大規模な調査がおこなわれ、数えきれないほどの考古学的発見があった。今日でも、同じようなダム建設プロジェクトが広大な土地を脅かしているため、考古学者たちは限られた時間で調査しなければならない状況だ。

人工衛星画像で遺跡を探し出せる可能性が高まっているのが、スーダンの首都ハルツームの北三五〇キロメートルのところにある、カリマ遺跡とジェベル・バルカル遺跡だ。考古学者たちはこの場所で、ナイル川の旧流路の位置を突き止め、高分解能の三次元遺跡地図を作成した。またゲベル・バルカル遺跡では、今後の発掘調査の対象となるような遺構がたくさん見つかった。[47]この地域で人工衛星画像を利用することの緊急性は、どれだけ強調してもしたりない。スーダンのこの地域には未知の遺跡が数多く存在する可能性があるが、同時に金採掘などの開発も進んでいて、やはり深刻な脅威にさらされているからだ。[48]

スエズ運河を抜けて、エジプトを通り過ぎると、西にナイル川デルタ地帯が見えてくる。私はここでの発掘調査で、これから死ぬまでディナーでの話題に困らないほどの冒険をしてきた。たとえば、ある男性から、歯が一本もない自分の息子と結婚してくれと言われたことがあった。息子さんは私が作る料理をおいしく食べられないのでは、と答えたところ、間髪を容れずにこう答えてきた。「心配ない！　息子はあんたが作ったスープなら食べられるから！」

デルタ地帯の向こうには、不毛の地である西方砂漠が広がっている。この砂漠はサハラ砂漠への玄関である。九〇〇万平方キロメートルの面積があるサハラ砂漠は、気候の変化を何度となく経験してきた。かつては雨が多かったが、半乾燥の気候になり、それが乾燥気候になって、また雨が多くなっているのだ。ここで隠れた遺跡を探すには、宇宙から見るのが一番だといえる。サハラ砂漠は一〇カ国にまたがっており、あまりにアクセスが悪くて調査できない土地が広いからだ。ただ、あなたがラクダなら、やってみればいい。

レスター大学のデイビッド・マッティングリーとマーティン・ステリーがリビア南西部で進めているプロジェクトでは、これまでに一八〇以上の共同墓地と、一五八の新たな集落を発見している。このプロジェクトでおこなった、高分解能の人工衛星画像や、ドローン、凧から撮影した写真による調査から、紀元前三〇〇〇年から西暦五〇〇年頃に繁栄した「失われた文明」であるガラマンテス文明について、新たな知識が得られた。[49] マッティングリーらのチームは、リビアやチュニジアでの調査で、他にも数多くの砦や集落、道路、耕作地などを発見しており、そこからこの地域での実際の居住の規模を明らかにしている。

戦火の中の遺跡

イスラエル、レバノン、トルコと続く海岸線に船を走らせると、リモートセンシングが素晴らしい変化を起こしている、また別の風景が見えてくる。LIDARの活用では、中央アメリカが先頭を走っているものの、考古学者たちが中東で発見した遺跡の数もあっけにとられるほど多い。[50]
こうした新しいデータを考古学的に検討する作業はまだ始まったばかりだ。ハーバード大学の研究チームは、シリア北西部の二万三〇〇〇平方キロメートルの地域を対象として、低分解能の人工衛星画像と、異なる数シーズンのデータを使って作成した数値標高モデルを調べた。その結果、この地域だけで一万四〇〇〇カ所の遺跡を発見した。[51] シリアやイラクの一部、アフガニスタンでは紛争が続いていることから、リモートセンシングは、考古学者がマッピング作業を続けるのに不可欠な手段になっている。

オーストラリアのラ・トローブ大学のデイビッド・トーマスは、アフガニスタンの遺跡をマッピングして建物の構造を調べるために、グーグル・アース画像に注目してきた。二〇〇八年にトーマスは、高分解能のグーグル・アース画像があるのは、アフガニスタンの国土のわずか七パーセント（四万六〇〇〇平方メートル）だと指摘した。この狭い面積に約二五〇の遺跡が知られているが、そのうち建物の詳細な平面図があるのはわずか三三カ所だけだ。全国規模のデータベースでも、現時点で一三〇〇カ所の遺跡しか登録されていない。[52]

アフガニスタンのような国での考古学調査には大きなリスクがある。トーマスは、二〇〇五年に首都のカブールに戻ろうとしたときに、彼のチームがチャーターした飛行機がやって来なかったという事件について語っている。トーマスのチームは、カブールまでの五〇〇キロメートル近くをはるばる車で戻らなければならなかった。ある村のはずれでは、真っ暗な道の真ん中に大砲が無造作に放置されていて、危うく衝突しそうになった。トーマスが航空会社に飛行機がやって来なかった理由を問い合わせると、「そういうこともあります」と返ってきたそうだ。[53] 私ならこういう場合に「そういうこと」なんて言い方はしない。

トーマスのチームは四五カ所の中世の遺跡について（そのうち平面図があったのは八カ所のみ）、人工衛星画像を使ってその地表に出ている遺構を描きだした。チームはさらにレギスタン砂漠だけで、野営地やダム、壁に囲まれた土地、住居、小集落など、新たに四五一カ所の遺跡を発見し、遺跡の密度は一平方キロメートルあたり〇・三二カ所になったという。アフガニスタンの国土面積は六五万三〇〇〇平方キロメートルだ。国土全体に同じように遺跡が分布しているとすれば、全体では二〇万九〇〇〇カ所以上になるだろう。

これは驚くことではない。アフガニスタンという国は、西洋と東洋が交わるところにあり、古代でも現代でも諸外国が価値を認めて征服しようとねらった土地だ。[54] シカゴ大学のアフガニスタン遺産マッピングプロジェクトで進行中の研究では、新たな集落や、隊商が休憩した建物、河川の旧流路などが数多く見つかり、存在が明らかになっている遺跡の数が三倍に増えた。[55]

アフガニスタンの隊商の後を追って西に進めば、ヨルダンにたどり着ける。この国の面積はアフガニスタンのおよそ八分の一だが、同じように豊かな歴史がある。ここで私たちは、西オーストラリア大学のデイビッド・ケネディとオックスフォード大学のロバート・ビューリーが、何万枚という航空写真を使って、過去三〇年にわたり続けてきた研究を見学しよう。[56] ヨルダン西部には、ヨルダン古代遺跡局が把握している遺跡の数は八六八〇カ所しかないが、ケネディたちは二万五〇〇〇カ所の遺跡を見つけている。彼らの推定によれば、この国には一〇万カ所の遺跡が存在する可能性があるという。[57]

最近はグーグル・アースの高分解能画像の対象範囲がヨルダンのほぼ全土に広がり、ケネディとビューリーは、「中東および北アフリカの危機に瀕した遺跡」プロジェクトの一環として、遺跡探しを続けている。オックスフォードに本拠地を置くこのプロジェクトは、この地域全体の遺跡に迫りつつある脅威のマッピングを目的としている。[58] またMEGAヨルダン[59]は、ヨルダン古代遺跡局が支援しているウェブサイトで、二万七〇〇〇件以上の既知の遺跡をデータベース化している。[60] この数字からいけば、ヨルダンの遺跡の密度は一平方キロメートル当たり〇・三カ所ということになる。ただしこれは既知の遺跡だけを考えた密度だ。

世界で最もマッピングが進んだ国々

船はさらに西に進んでいくが、ローマに立ち寄ってパスタとジェラートを食べよう。そろそろ、船の中だけ歩き回っていた足をストレッチしなくては。かれこれ六万キロメートルも航海してきたのだから！　イタリアは基本的には、一つの巨大な遺跡だといえる。人々は何千年も前から、この景観の中に密集して居住してきたからだ。イタリアの環境分析技術研究所のローザ・コラジーとローザ・ラサポナーラの研究チームはＬＩＤＡＲを使って、イタリア南部で中世の遺跡を発見し、そこに埋もれていた構造物を見つけ出すとともに、[61] アプリア地方の河川の旧流路をマッピングした。[62] さらに、マルチスペクトル画像や航空写真を地上でのリモートセンシングと組み合わせた調査は、ヴェネツィア潟近くのアルティーノというローマ時代の都市の詳細な概要を明らかにするのに役立った。[63]

ヨーロッパには、リモートセンシングで取得したデータを使ってきた長い伝統があり、この地域の考古学者の多くは、人工衛星画像を早い段階で研究に導入していた。しかし、ヨーロッパではマッピングが進んでいる範囲が広いにもかかわらず、今でも新たな丘上集落やローマの大邸宅、中世の教会といった驚きの発見が続いている。

地中海を抜けて、さらに北上すると、私たちの旅もそろそろ終わりだ。

イギリス人は地図や、地図作りが大好きだというのは、ちょっと控えめな言い方だろう。イギリスは、世界でも地図が特に発達している国の一つである。ロンドンでタクシー運転手になろうとしたら、二万五〇〇〇以上の通りの名前と、二万以上の名所、加えてそうしたあらゆる場所を結ぶ三二〇通りのルートを記憶して、その「知識」を確かめるテストを受けさせられるくらいだ。[64]テストに合格するには三年から四年かかる。

そんなわけで、イギリスには登録済みの遺跡が一九万カ所以上あるというのは驚きではない。[65]これは、面積が二四万三〇〇〇平方キロメートルの国としては相当な数だ。それでも、マッピングの対象はまだある。たとえば、ランカシャー州に残る、全長一七キロメートルのローマ時代の道路がそうだ。[66]二〇〇八年以来、国土のかなりの部分について、分解能が二五センチから二メートルまでのＬＩＤＡＲデータが利用できるようになっている。こうしたデータがあるおかげで、これまで知られていた遺跡も異なる視点から見直されるようになっており、すでにイギリスの考古学を変化させつつある。二〇一八年の夏は、降水量が例年よりも少なかったせいで、国中の畑でクロップマークが大量に出現した。そのため考古学者たちは、クロップマークがまた消えてしまう前にドローンを飛ばして、短い間だけ現れる遺構の手がかりを撮影しようとした。[67]

ドーバー海峡の対岸のベルギーでも、ＬＩＤＡＲを使った同じような調査をして、森の中から、鉄器時代の丘上集落の可能性がある遺跡や、ケルト民族が作った畑の中の塚などを見つけた。この調査を実施したフランドル遺産局のチームは、ＬＩＤＡＲを使うことで、野生生物の管理と、遺跡の保護を同時におこなえるようになった。[68]

水中考古学

大西洋を渡るニューヨークへの帰路では、深い海の中を見てみよう。水中考古学とその素晴らしい可能性について説明しなかったら、私たちの「八番目の大陸」を見落としてしまうことになる。人工衛星では、海面での光の反射や海水の動きのせいで、水深の深い場所を見ることはできないが、最先端の水中リモートセンシング技術を応用した調査が進歩しつつある。私は専門家の試算として、世界の海には未発見の沈没船が三〇〇万隻あるという話を聞いたことがある。沈没船だけでなく、地震や海面の上昇によって海に沈んだ遺跡を深い海の中から探し出す難しさを考えれば、人工衛星やドローンは、あらゆる種類の水中遺構を探す手段としては、考古学者にとって最も費用対効果がよいものかもしれない。

グーグル・アースは、シンプルだが役に立つツールだ。ウェールズの沿岸では、干潮時に撮影された画像から、一〇〇〇年前に石を積み上げて造った魚を捕るためのわなが見つかったこともある。[69] NASAの科学者たちは以前から、無料で提供されている低分解能のランドサット8号画像を使って、沿岸水域に沈んでいる難破船を発見する方法を紹介している。水没した物体の上を流れる水の動きによって、砂や泥が海底から海面へ持ち上げられるので、人工衛星画像の中でそうした堆積物の上昇現象を探せばよいのだ。[70] アメリカ北部のヒューロン湖では、水中の沈没船を見つけるためにドローンが利用されている。[71]

そういった種類の画像では、岸の近くにある遺構しか見つけられないので、OpenROV[72]のような水中ドローンが考古学的発見や沈没船のマッピングに役立つだろう。OpenROVは、ブリーフケースくらいの大きさのマシンで、誰でも購入して使うことが可能だ。将来的には、人工衛星画像の波長帯が増えれば、海や湖の水面下のマッピング能力が向上するかもしれない。私は、ギリシャの島々での水中探査があれば、とにかく一番に立候補するつもりだ。いつものように大変な目に遭うのはわかっているけれど。

ではまだ見つかっていないものは何か？

この章の冒頭で投げかけた疑問を、こんなふうに言い換えてみたい。「世界中でこれから見つかる遺跡のだいたいの数を言えるだろうか?」こんな当てずっぽうの見積もりに刺激を受けて、新しい世代が考古学調査を始めたり、考古学的技術が新たに開発されたりすることになるかもしれない。

それではその数を考えてみよう。私たちはこの章で、アジアの中でマッピングがまだ実施されていない地域でのさまざまな発見から、すでにマッピングが進んでいる国で、新たなLIDARデータが明らかにした遺構まで、現時点でどれだけの発見があるかを見てきたところだ。そしてそれらは、リモートセンシングで観測できる大規模な遺構だけであり、鋭い観察力のある人が歩いて調査すれば見つかるような、もっと小さい遺跡は含まれていない。

地球上にある居住に適した陸地の面積は四〇〇〇万平方キロメートルほどだ。この章で取り上げてきた地域やその他の地域で、一つの国にある大規模な遺跡の数を考えると、一平方キロメートルあたり〇・三カ所から一カ所弱の遺跡が存在するという数字が得られる。ただしこれは、何を遺跡と見なすかという条件をそれぞれの国がどのように定めているかによって違ってくる。地域レベルの大規模な探査で明らかになった、宇宙から検出できるサイズの遺跡の分布密度の最小値を取って、それを世界全体に拡大すれば、遺跡の候補地は一二〇〇万カ所あるという計算になる。

この数字に、これからの数年で発表されると私が知っている結果をいくつか加えて、そこから推測してみるという、ちょっと思い切ったことをしてみたい。

陸上と水中を合わせた地球全体では、大きな集落から小さな野営地まですべてを合わせると、五〇〇〇万カ所以上の未知の遺跡があると私は考えている。そしてこれは、控えめに計算した結果の数字である。

遺跡の発見が大規模かつ早いペースでおこなわれ、それによって新しい重要な問題が議論できるようになっていることを考えると、今は確実に考古学の黄金時代である。それも、今後のセンサーの性能向上によって実現する発見と比べれば色あせてしまう。宇宙空間にＬＩＤＡＲなどのレーザーマッピングシステムを投入して、地球上の植物で覆われた地域すべてで、地下の構造物をマッピングできる日が来ると考えてみてほしい。

人間が人間らしい姿になってから一万三八〇〇世代が経過し、過去五万年に一〇八〇億人が生きていたと考えられる。[73] そう考えると、たどることのできる人間の活動はたくさんある。私は、地球の表面の一〇パーセントで考古学調査がすでに実施されていると推定しているので、約三六〇〇万平方キロメートル近くの居住可能な地域が未調査のままだということになる。[74] これには沈没船や、海や湖、川に水没した遺跡は入っていない。ちなみに、私の計算が救いがたいほど間違っている可能性はある。未知の遺跡の数はこれよりずっと多いかもしれないし、ずっと少ないかもしれない。この本を読んでいる人の誰かが、私の間違いを証明してくれることを期待している。

世界中のどんなところにどんな種類の遺跡があるのかについて理解を深め、地表や地下からデータを集めることができれば、私たちの発見を通して、文明が出現して、拡大し、やがて崩壊して、回復力があればふたたび拡大していく流れや、その理由についての新たな知識が得られるようになるだろう。

第7章 巨大王国の崩壊

考古学上の発見の世界をめぐる旅を終えたところで、あなたは時差ぼけになっているはずだ。しばらくはギザにあるメナハウスホテルに滞在して、飲み物を楽しみ、ホテルの豪華な庭のすぐ奥にそびえ立つギザのピラミッド群を眺めて過ごそう。分厚いクッションのついた椅子を、真鍮製のローテーブルに寄せてみよう。赤いタルブーシュ［訳注／円筒形でつばのないトルコの帽子］をかぶったウェイターが注文を取りに来てくれる。長い一日の終わりに私が飲みたいのは、冷たいハイビスカスジュースだ。新鮮で、酸味があって、少しだけ甘いのがいい。

過去から学ぶ未来への教訓

ギザのピラミッド群は、建設から四五〇〇年が経過し、もともとあった石灰岩の外装石が失われた今もまだ、もやがかかった日でさえ、一〇キロメートル近く離れたカイロ市内から私たちの注目を集める。ピラミッドは私たちに、古代エジプトについて、そして私たち自身についてのさまざまな疑問を考えさせる。たとえば、これほどとてつもない規模でおこなわれていたピラミッド建設が終わった理由や、エジプト文明が古王国時代に発展し、やがて衰退して、中王国時代に復興した理由などだ。

私たちの時代にあるものが、果たして数千年後まで残るだろうかとも考えてしまう。ピラミッドを目の前にすると、私たちが永遠に存在できないのは明白だ。これまでになく揺れ動く世界で足場を保とうと四苦八苦する私たちに、ピラミッドはいろいろな教訓を与えてくれる。

ピラミッドがナイル川の岸辺に、白く光り輝きながら歩哨のようにそびえていた頃、エジプトの人々は、そうした記念碑的な建造物がやがて、空っぽの永遠の廃墟になるとは想像しなかったはずだ。その時代の人々は、建設工事をしたり、貿易をおこなったり、いろいろな計画を立てたり、新しいことを覚えたり、複雑になっていく世界の中で生きていくための日常の雑事に追われたりして、いつも忙しかった。私たちがSNSでやるのと同じように、彼らも壁（ウォール）にメッセージを書いていたし、ネコにも夢中だった。

宇宙から地上の遺跡をみて、さまざまな情報を集めた後で、過去の人の立場で考えてみるとまた違った視点が得られる。特に、メナハウスホテルのバーに座って砂漠を見渡している今は、それを考えるのにいいタイミングだ。目の前の砂漠にある広大な共同墓地には、古代の人々の生活を伝えるたくさんの手がかりが隠されているのだから。

物語に織り込まれた手がかり

私たちは人の骨からその人の人生全体を描き出すことができる。たとえば、エジプトのデルタ地帯北東部にあるテル・イブラヒム・アワド遺跡の墓地から見つかった、庶民の女性について想像を膨らませてみよう。彼女を「愛しい人」という意味のメリトと呼ぶことにする。本当の名前はわからない。私たちの手元にあるのは、発掘された成人女性の骨だけだ。地中から何が見つかるのか、そして見つかったものからどんな物語を語ることができるのか、予想もつかない。とくにメナハウスホテルのとてもおいしいジントニックを何杯か飲んだ後では。

まだ五歳かそこらの頃、メリトは用水路に足を浸してぶらぶらさせながら、葦の茎を編んでいた。もう一度より合わせると、葦舟の船首がしっかりとして、水に浮かべられるようになる。競争だって大丈夫だ。

「急げよ、ちびすけ！　僕らのはとっくに完成してるぞ！」

メリトはテティに、先に行くように叫んだ。二歳年上のテティは、なんとしても競争に勝ちたがっていて、自分の舟を、鳥たちで賑やかなパピルスの茂みの先にある、土手が低くなっていて、王様の牛たちが水を飲みにくるあたりまで導いていた。「メリト、早く！　来ないとお前の舟を踏みつぶしちゃうぞ！」

遠くでごつんという音がした。一番上の兄のセネブが、何かでテティをぶったのだ。それでもテティはゲラゲラと笑っている。

「そんなことしたら、ぶったたくから！」メリトが叫び返した。幼いメリトだが、棒を使う戦いごっこをしたら、兄たちにも引けを取らない。メリトは静かな音をたてて流れる水に舟を浮かべた。

川下には、牛たちの角とつやつやの毛皮があふれていた。牛たちは尾を振り回しつつ、土手を下りて、水しぶきを上げげた。牛たちをずっと追いたててきたのはメリトの父だ。メリトは父に手を振った。

「おい、メリトがワニに食われないようにするんだぞ」と父が呼びかけた。「それから、飼い葉を刈り取らなきゃいけないのを忘れるな。肉をもらってきて欲しいなら、飼い葉を集めるのを手伝ってくれ」

「はい、父さん」子どもたちは面白くなさそうに答える。テティは自分の舟を水から引き上げた。

「それに、うちにも畑があったらいいなと言ったのはお前たちだぞ」

セネブはキルトの裾を握りながら、目をくるくるさせた。

「大農園に売るものが何もなくてもいいなら別だが」テティはそのことについて考えてみた。歩き始めながら、うわの空で腹のあたりをさすると、メリトが腕をからませてきた。

家族の家は近くにあった。王室の放牧場を通り、ナツメヤシの果樹園を抜けた先が、メリトたちの小さな敷地だ。そのあたりでは、日干しレンガの家々が、毎年発生する増水を避けて、街を囲む壁よりも高いところに階段状に広がっている。数千軒の家々が、神殿や州侯の敷地の間にひしめいていた。

セネブは飼い葉をいくらかつかんで、家の横に建て増しした家畜小屋で居眠りをしているロバにやった。家の中では母が昼食を用意している。父が帰ってきて、家族みんなでテーブルを囲み、野菜の煮込みとパンを食べた。

母は、テティが皿に残った豆を口にかき込んでいるのを見て微笑みながら、父に「ヘテプ、街にメリトも連れて行ってくれる?」と頼んだ。彼女がもう一つだけある別の部屋に目をやると、そこには織機があって、遺体を覆うのに使う亜麻布を織っている途中だった。父はうなずいた。

その日の午後、メリトは父の手をしっかりと握って、狭くて曲がりくねった道を一緒に歩いていった。州侯の邸宅に着き、門に立つヌビア人兵士の前を通った。兵士の一人がメリトに手を振ってくれたが、持ち場は離れなかった。

「税のことか?」ふたりが入ってくるのを見た書記がたずねた。

豪華な中庭に入ると、父は屈んでメリトの顔を覗き込んだ。

「ここで待っているんだよ。迷惑になることをしてはいけないよ」父が小声で言った。

父の背は低くはなかったが、高さは家族の住む家の三倍もの高さがあり、幅も家族の畑よりも広い大きな家の中に消えていく後ろ姿は、とても小柄に見えた。メリトはしゃがみ込んで、書記たちがあぐらをかいて座り、膝の上に帳簿を広げているのを眺めていた。書記たちが着ているキルトは、母がメリトに織り方を教えようとしたことのある、高価な織布でできていた。ところが、そこに現れた男が着ていた亜麻布は目がとても詰まっていて、布地の向こう側にへそが見えるほどだった。

その男は書記たちの前に立ち、見下ろした。胸には金細工の首飾りがきらりと光っている。「陛下は今年の税収にお喜びだ。お前たちの主人は、陛下からサッカラに墓所を授かることになったぞ」すると一人の会計官が、部下の足し算を訂正しながら顔を上げた。「本当ですか？　それはわが州にとって大変光栄なことです」しかし、その会計官は立ち上がりもせず、すぐに数字に目を戻した。その高官は決まり悪そうに黙り込むと、やがていらいらとした様子で兵士たちを一瞥し、立ち去った。

「メリト、おいで！」父が戻ってきて、メリトを抱き上げた。メリトは笑い声を上げ、父が手に持たせてくれた焼き菓子にかじりついた。「州侯様がくださったんだよ」父はそう言って、笑顔を見せた。「さて、兄さんたちの舟の競争がどうなったか見にいこうか」

古王国の繁栄

メリトとその家族の物語は、古王国時代（前二七〇〇～前二二〇〇年頃）末期にあたる、国が比較的平和で、繁栄していた時期から始まる。長きにわたる古王国時代には、国の権力が強まり、一つにまとまっていった。王たちは現人神として、現在のカイロのすぐ南にあるメンフィスから国を治めていて、[1] この国の人民と資源を一つにするのに必要な社会基盤を監督していた。[2] 有名なエジプトの官僚制が生まれ、書記や行政官、さらには建築家や職人がエジプトの社会構造の根幹になっていった。

大規模なピラミッド建設は、第四王朝時代にダハシュールに建設された「赤いピラミッド」から始まった［訳注／最古のピラミッド建設はサッカラの「階段ピラミッド」から始まった］。スネフェル王（前二六一五〜前二五八九年）はこのピラミッドで、それ以降の王族の墓で典型的に用いられるようになる設計を完成させた。そうした巨大プロジェクトの実施や、急激な国の成長のため、エジプトは海外進出の必要に迫られた。スネフェル王は何度も海外遠征を実施して、シナイ半島では銅とターコイズを、ヌビアでは金を、そしてレバノンではスギ材を手に入れた。第五王朝時代（前二四九八〜前二三四五年）には、エルトリアにあったと考えられるプント国など、さらに遠い国々にまで手を広げて、貿易商や使者が金や香、ヒヒなどを手に入れていた。

富は国内からも押し寄せてきた。デルタ地帯には牛を育てる大農園が新たにできた。そのため、王族もピラミッドの建設作業員も同じように、牛肉を日常的に手に入れられるようになった。また、メリトの家族のような何世代もの人々の雇用も生まれた。王室の農業集落は、葬祭集団に与えられたものも含めて、何万人もの労働者を養って、それでも余剰が出るほどだった。[3]

複雑さを増す国政を取り仕切り、さらに重要とされた国の徴税を管理するために、現在の州や都道府県によく似たノモスという地方制度が生まれ、国全体が上エジプトで二二、下エジプトで二〇の単位に分割された。それぞれのノモスは州知事にあたる州侯によって統治された。[4] もともとは、メリトの家族が住んでいたような良好な牧草地のことをノモスと呼んでいた可能性もある。牛とその健康はそれほど大切なことだったのだ。

しかし地方の高官たちも、宮廷から十分に離れていたおかげで権力を固めることができ、地元で影響力を高めていった。権力構造の変化と地方分権化はジェドカラー＝イセシィ王（前二四一四～前二三七五年）の時代に始まった。州侯たちはそれまで、王への忠誠心を示して影響力を引きだすねらいで、王家のピラミッドの周辺に自分の墓を建てていたが、この時代には自分の州にある個人的な葬祭神殿に埋葬されるようになった。一般人も、それまでは王族か貴族だけのものだった宗教的な特権を手にするようになっていた。

そしてはるか南方ではヌビアが力を示し始めた。第六王朝に変わる頃には、より力強いヌビア文化が新たに生まれた。そしてヌビアとの外交窓口は、王直属の高官ではなく、アスワン地域の州侯にゆだねられていた。

ペピ一世（前二三二一～前二二八七年）が即位する頃には、ノモスの高官たちは自らをたたえるために、装飾がほどこされた巨大な墓を建設して、富と権力を臆面もなく誇示するようになっていた。一方で王家のピラミッドは数世代前から規模が小さくなっていた。ピラミッド・テキスト（王の墓室の壁一面に刻まれた秘教的な呪文）は、王の名を輝かしくたたえるものだ。[5]とはいえ、そうしたテキストを刻むにはそれほど労力がかからなかった。また、人目に触れることもなかったので、以前のピラミッド・テキストと同じ内容が書かれることはほとんどなかった。

ペピ一世は結局、勝てない相手を味方にしてしまおうと考えて、上エジプトのアビドス地方の高官の娘と結婚した。これはとても抜け目ないことに思えるが、ペピ一世のやることに一貫性はなかった。ダハシュールにあるスネフェル王の葬祭集団の租税を免除したのである。王室の葬祭集団からの収入は、王にとって貴重だったので、それを手放すわけにはいかなかったのだ。

ペピ二世（前二二七八〜前二一八四年）が六歳で王位を継承し、一〇〇年近くにわたって在位した時期には、エジプトは手のつけられない状況になった［訳注／在位期間はもっと短かったという説もある］。租税が免除になるケースがさらに増えたことで、国から富が流出するとともに、集権的な管理体制が崩壊しはじめ、地方の統治者は親から子へと世襲されるようになり、王が任命することはもはやなくなった。さらに悪いことに、ペピ二世の軍勢がヌビアとシナイ半島で大敗してしまった。拡大などという考えはとてもではないが許されない状況になったのである。

最後のフロンティア

シナイ半島西岸の紅海沿いにあるエジプト古王国の砦は、外国での作戦中止のこのうえない証拠だ。私は幸運にも、二〇〇二年から二〇一〇年まで夫グレッグの発掘調査に参加することができたが、二〇一〇年にはエジプト中間期時代の現代版が始まって、シナイ半島の政情はあまりに不安定になってしまった。それは美しい遺跡で、私たちはいつかまた発掘をしに行きたいと強く願っている。この遺跡は、石でできた円形の構造で、直径は四〇メートルあり、壁の厚さは七メートル、高さは砦の北側では三メートル以上ある。ここは銅とターコイズの採掘のために、エジプトが定期的に繰り返し派遣した遠征隊の拠点だった。[6]

エジプトでは、国が大きく成長したことで、外国産の原材料の需要が生まれた。裕福な人々はみな、ターコイズで作ったアミュレット（護符）や宝飾品を欲しがった。ターコイズは愛と豊穣の女神ハトホルにささげられた宝石だったからだ。銅も誰もが必要とした。石工のたがねや大工の工具から、ナイフや斧、鏡やかみそりなどの個人的な日用品、祭礼に使う像や器、さらには化粧品まで、さまざまなものに銅が使われた。エジプトを作りあげたのは、石材ではなく銅鉱石だったのだ。そのため、銅山を利用できることは重要だった。

私たちは、この独特な砦でのフィールドワークを通して、この砦が少なくとも四回か五回の遠征隊によって使われた後、激しい高潮によって部分的に破壊されたと推測した。紅海で異常気象が起こると、こうした高潮が発生するのだ。砦の海に面した壁は、海水に吹きつけられてセメント状になった塩でおおわれていた。また、西側の稜堡か波止場と思われる場所は、一部が完全に壊れていて、砕けた石材が海岸の小石や貝殻と一緒になって、かき混ぜられたような状態だった。

エジプト人たちは紀元前二二〇〇年以前に砦の一部を解体していた。おそらくは、敵対していた可能性のある地元勢力に再利用されるのを防ぐためだろう。あるいは、単に砦を移転させるためだったのかもしれない。南側部分の壁は厚さ二〇センチまで薄くし、西側の出入口をつぶした。さらにグレープフルーツ大の丸石を使って、砦内部の通路をふさいでいた。その上で砦を放棄していたのである。

今になって考えれば、それほど驚くことはない。高潮と思われる現象で大変な被害を受けて、本国から増援部隊が来るかどうかも確かではないとしたら、そこからさっさと逃げて、国に帰って不確かな将来と向き合うべきタイミングだったのだ。私たちが発見していたのは、古王国が衰退する前に、エジプトからシナイ半島へ採鉱を目的に送られた最後の遠征隊の一つの証拠だったのかもしれない。そう考えると、目の覚める思いがする。

ペピ二世の治世が終わりに近づくと、エジプトの国内情勢は不安定さを増し、何か一つでもきっかけがあれば中央政府が倒れるというところまできていた。

「メリト、そっちはだめ」セネブが鍬でぐっとかくと同時に、泥の小山の上にいたメリトが、別の小山に飛び移った。「そっちもだめだったら」

用水路をきれいにする作業をしながら、テティがにやりと笑った。最近、また一本前歯が抜けたばかりだ。メリトは笑い声をあげながら、乾いた畑に飛び降りた。

「息子たちよ」息を切らしながら父が言った。「今日のうちにこの作業を片付けなきゃならないぞ」手にした鍬を、日焼けしたその肌と同じくらい暗い色の土に振り下ろす。痩せて引き締まった体は、夏の猛烈な暑さのせいでびしょびしょに汗をかいていた。「メリト、水を持ってきてくれないか」

メリトたちの水がめはエジプトイチジクの木の下にあった。いくつもある灌漑用水路は、はるばる川まで伸びている。川の水位が上がったあとに、貴重な水を閉じ込めておくための小山の準備は万全だ。川が氾濫した水は、セネブが生まれる前からずっと、毎年この畑まで上がってきていた。

その夜、母はお祝いのためにいつもよりも多くビールを用意した。黒い巻き毛を後ろでまとめていて、父のくだらない冗談に笑っている。オイルランプがその笑顔を明るく照らしていた［訳注／オイルランプが発見されているのは中王国時代以降］。メリトは眠りに落ちながら、母さんの歯には薄い茶色の筋が何本もあるのはどうしてだろうと考えた。私の歯は白っぽくて、すべすべなのに。

「ちびすけ、起きて」

メリトは目をしばたたいた。眠りについてからずいぶんたっている。

「テティ、なに?」テティはメリトを起き上がらせると、窓の外を指さした。

「見て、ソプデトの星がまた昇ってきたよ。もうすぐ氾濫だ。そうなったら、イチジクの木のところまで葦舟を競争させよう」メリトは眠い目で、空で一番明るい光をじっと見た。ソプデトの星は絶対にうそをつかない。

しかし、その次の日、川岸に集まった住民の前で、神官が刻み目のついた柱で水位を調べたが、増水の兆候はなかった。

一週間後の同じ場所では、人々は子どもたちを抱き寄せ、声をひそめて話していた。神官の顔は青ざめているようだった。メリトの家族が家に帰る途中、波止場を通りかかると、良い香りのする材木を積んだ船が停泊していた。デッキの半分は空だった。不安げな様子の高官と分遣隊が下船して、州侯の屋敷に向かうなか、一人の水夫が係留杭に船を固定していた。父は驚いてその水夫に声をかけた。

「ナクトか？　いつ以来だ？」

「ヘテプじゃないか！」友人である二人は抱き合った。「俺が最後にビブロスに行って以来だから、本当に久しぶりだ」そう言うと、ナクトは険しい顔でスギ材に目を向けた。「なんだって俺らがこんな苦労しなきゃならないんだか。陛下の名前でどうにでもなった時代があったのに」

「メンフィスじゃそんなに大変なことになってるのか？」

セネブはその辺をぶらついて、聞き耳を立てていたが、メリトはテティの手を引っ張った。石段を降りて、水位を測る柱のところに行くと、二人はしゃがんで、手のひらを使って、水面と下から二番目の刻み目の距離を測った。

「お母さん、こっちに来て！　水がこんなに低いよ！」しかし、母は見たくないようだった。その目は、川下の共同墓地の方角を見つめている。

二人が階段を上って戻ってくると、父はセネブの肩に手を置いた。一番年上であるセネブは、さっきの高官と変わらないくらい浮かない顔をしていた。「テティ、今はその話はいいから。テティとセネブは一緒に穀物倉庫に来てくれないか」

「でも、倉庫はまだ一杯だよ」セネブが言った。父が首を振る。
「そろそろ穀物をきちんと測る方法を覚えてもいい頃だ」メリトは母を見上げた。母の手が自分の手をぎゅっと握るのを感じた。
「では、あなたには布を織る方法を教えなきゃね」

デルタ地帯の集落のパターン

ここで、メリトが暮らしていたテル・イブラヒム・アワドが私たちの物語の中でどのくらい重要なのかがわかるように、視野を広げて考えてみよう。私が二〇〇〇年代初めにデルタ地帯で実施したリモートセンシングプロジェクトは、それ以前の発掘や探査から知られていた七〇〇カ所の遺跡の上に、一枚の層を加えたに過ぎない。二〇〇三年の夏、テル・テビッラでの発掘調査の最中に、自分の発見を地上で確認しようと、私は週末の小旅行にでかけた。それは、テル・テビッラに隣接する五〇キロメートル×六〇キロメートルの周辺地域内でより大きな集落パターンを調べるという貴重な機会になった。

人工衛星画像で特に注目していた「新しい」遺跡だけでなく、既知の遺跡もいくつか調べた。その多くは地図上の点でしかなく、年代の情報はない。そうした「空白のページ」に現地踏査で訪れるのは、地表の物質文化の証拠を集めて、記録し、年代を分析するよい機会のように思えた。

そこで私は、他の遺跡との共通点を探して、自分の発見を、調査地域やデルタ地帯全体からすでに見つかっている年代の証拠と結びつけた。それはデルタ地帯で初めてまとめられた大規模な集落パターンになった。見えてきたのは不可解なパターンだった。

デルタ地帯東部で収集されたあらゆるものから、古王国は二九カ所の遺跡を残していることがわかっている。[7] その集落の証拠は、古代文書が正しいことを裏づけ、外国への拡大が、国の安定性が高まり、繁栄と成長の道を進んだのと同時だったことを明らかにした。しかし、私が古王国直後の期間の遺跡の証拠を見たところ、人が居住していた遺跡は四つしかなかった。デルタ地帯を東部から西部まですべてあわせると、三六カ所あった古王国の遺跡が、紀元前二一六〇年から紀元前二〇五五年の第一中間期にはわずか一一カ所に減少している。

私の調査地域では、何かが原因で大規模な集落の放棄が生じたいっぽうで、エジプト人たちはわずか四カ所の集落でもがき続けたのだ。テル・テビッラの南にあって、この地方の中心地だったメンデス遺跡には、この時期に年代が一致するとみられる居住エリアがある。[8] テル・シャルファ遺跡[9]とテル・アクダル遺跡[10]では、地表から土器が見つかっている。そしてメリトが家族と一緒に暮らしていたテル・イブラヒム・アワドには共同墓地がある。[11] 私は、これらの場所で人々の居住が続いた理由を解き明かすために、あらゆる考古学記録や文献を調べ始めた。するとその答えは、エジプトの偉大なるピラミッド時代がなぜ、どのようにして終わりを迎えたかという問題に、驚くような影響を与えるものだった。

男たちが水がめを次々と手渡していき、水不足の作物に水をやる。残った牛たちに、なんとかして餌をやらなければならない。牛たちの肩から尻にかけては、痩せた皮膚が波打ち、そこには炎症を起こした赤い傷口が目立っていた。

一〇歳のテティと一二歳のセネブは、二人で力を合わせれば、父から手渡された大きな水がめをなんとか持つことができた。水がめを運ぶ列の先にある畑はまるで、とげのある低木と、牛には食べられない硬い草しか今まで生えたことがないように見えた。一日の労働時間が終わると、日は暮れていて、家族の畑に水をやる時間はないだろう。

かつて牧草が育っていた場所にあるのは土ぼこりだ。風が吹くたびに土ぼこりがさらに吹き飛ばされていくのに、メリトには世話をする時間がなかった。日の出から日没まで、母の織機の隣にある自分の織機で作業をしていたからだ。

増水の水位が低かった一昨年は暮らしが厳しかった。昨年の夏にソプデトの星がようやく川を眠りから起こす頃には、穀物倉庫は空になっていた。それからの一年はいくらかましで、ちょっとした休息の期間だった。しかし先月、ソプデトの星が空に光り輝いて、住民たちは期待を高めたが、増水はいっこうにやってこなかった。

水がめを送る列に沿って、州侯が書記を従え、大股で歩いてきて、やがて立ち止まった。

「ヘテプ、お前の提案を考えてみた」州侯は小声で言った。父が頭を下げた。

「ありがとうございます。私らで用水路の上流側を修理できれば……」州侯がうなずく。書記は巻いてあったまっさらなパピルス紙を広げ、筆を湿らせて、州侯の決定を待った。

「牧草地につながる用水路は、王の領地になっておる」父は目をぎゅっとつぶると、次の水がめをセネブに渡しながら、痩せた肩に力をこめた。

「申し訳ありません、あれは私の土地ではありません……」

「とはいえ、われわれがあの用水路を修理してはならない理由が思い浮かばんのだ。王様がそのために誰もよこしてくださらないなら」父は顔を上げた。

「それなら、私らが用水路から新しい支流を掘って、もっと上の畑に水を戻してやればいいのでは？」しかし、州侯がうなずいたときにちょうど、運んでいる途中の水がめがテティの手から滑り落ちて、州侯の足に水がかかってしまった。セネブに小さな声で叱られながら、顔を真っ赤にしたテティは、体を半分に折って謝った。州侯は少し笑顔を見せつつ、子どもたちの手足はガゼルよりも痩せていると考えていた。

「ヘテプ、お前の息子たちが一人前の仕事をするなら、穀物の割り当て量も大人と同じにすべきだな」合図をすると、書記が走り書きで記録を取った。そして州侯は列に沿って歩いていった。

数日のうちに、州侯は用水路工事のてはずを整えた。すぐに作物が育ち始めて、牧草地は緑色になった。新しい用水路の工事にはたくさんの人々が関わっていたので、収穫の季節が来ると、どの家族の倉庫にも割り当て分の穀物が流れ込んだ。

菜園の雑草を抜いていたメリトは、手を止めた。菜園の土は、父とセネブが掘った新しい用水路の水で潤っている。痩せているメリトの体はすぐに疲れてしまう。深呼吸をして、犬歯を剥き出して、黒い溝の水にうつす。筋がある。母さんと同じだ。メリトはにっこりした。また母さんと一緒のものができた。三年の間に、メリトは機織りがうまくなった。ただ、体はほとんど成長していなかった。

「ねえ、終わったかい？　こっちに来て、縦糸を通すのを手伝ってちょうだい」母が呼ぶ声が、空っぽの家畜小屋を通り抜けて、ドアから響いてくる。

「母さん、今行きます」水泥棒の雑草をもう一本抜いてから、立ち上がった。

ふとメリトはいぶかしげに目を細めた。畑の向こうの道路から、ダチョウの羽飾りみたいな砂埃が立ち上っている。

「母さん！　母さん！　来て！」

急いで平屋根に上って、見渡してみた。北からも西からも、道は人でいっぱいだった。たくさんの家族が、そして家族と離れてしまった人たちがいた。荷物を抱えている人たちもいたが、ほとんどが力ない様子だった。皮膚から骨という骨が浮かび上がってみえた。母が手を口に押し当てた。

「メリト、あなたのおばさんたちにお供えをしてるのを知ってるわね？」メリトは顔をしかめた。母の声はくぐもっていて、とても変に聞こえた。

「あの女の子のおばさんたち？」

「そう。あなたよりも年下のね。こういうわけなのよ」母は涙を拭った。「おいで。あの人たちも私たちも、みんなナイル川の子どもだよ。食べ物を集めて、街の入口に持っていかなくては」

「でもセネブが、うちの穀物倉庫はまだ半分も入ってないって……」

「心臓を天秤にかけられたいの？　私たちはマアトの教えを守らなければならないのよ」母は下に降りる階段のほうに向かった。「たとえ王様がそうなさらなくても」［訳注／マアトは「善」「真理」「正義」を意味する概念であり、そうした概念をつかさどる女神の名。死後の世界では、死者の心臓と女神マアトの羽根を天秤にかけ、過去の罪を裁くとされた］

ナイル川の氾濫とだえる

エジプトは古代世界の穀倉地帯（ブレッドバスケット）だったというのはよく聞く表現だ。エジプトがパン（ブレッド）の入ったかご（バスケット）だったなら、ナイル川はそのパンを焼いたパン屋だ。この国の盛衰は長い間、ナイル川やそこからひいた用水路、そしてナイル河谷に広がる農業用地や砂漠の天然資源とからみ合ってきた。[12]
ナイル川には、エチオピア高原のタナ湖を起源とする青ナイル川と、はるか南方のビクトリア湖を起源とする白ナイル川という二つの支流があって、スーダンのハルツームで合流している。[13]赤道付近の湖沼地帯にはほぼ毎日雨が降るため、ナイル川は一年中途絶えることなく流れているが、[14]タナ湖とビクトリア湖が一杯になるのは、五月後半から六月にかけてアジアで吸い上げられた水が、アフリカに押し寄せ、年に一度のモンスーンとして降り注いだときだけだ。この湖からあふれた水が、ナイル川の分流を増水させる。

一九〇二年と一九七〇年に洪水対策のダムがアスワンに完成する以前は、エジプトを流れるナイル川には、このモンスーンのもたらす水が勢いよく流れてきていた。水位を測るために作られたナイロメーターは、アスワン近くのナイル川に古代から浮かぶエレファンティネ島で現在でも見られる。カイロのローダ島に残るイスラム時代のナイロメーターには、凝った装飾がほどこされていて、ナイル川の増水がどの時代でも重要だったことがわかる。こうしたナイロメーターでは、ふだんの水位だけでなく、毎年の増水水位が記録されている。その水位は年によって大きな差があった。

ナイル川の増水は、水位が高すぎれば家などが破壊されてしまうが、ちょうど良い水位であれば、農作物の収穫量が増え、魚がたくさん取れるようになり、牧草が十分に育ち、土に水分を与えると同時に、泥と一緒に栄養分を運んでくれる。租税はその水位で決められていたので、増水水位は王室の財政状況にも直接影響を与えた。

しかし、増水しても水位が低ければ、農業に適した土地全体に計画的に作られた水路や用水路のシステムが機能しなくなった。インドからのモンスーンによる雨が十分に降らないと、エチオピア高原から流れ来るピーク時の水量が大幅に少なくなる。そうなると、エジプトでは増水の水位が低くなり、穀物の収穫量が減る。そうなっても、大規模な食糧不足が必ず起こるとは限らなかった。地方の州侯や有力者の墓碑銘には、彼らが乏しい水資源をやりくりしようと努力したことを誇らしげに称賛する言葉が刻まれている。

ナイル川は、地中海に向かって北に流れていく途中で七つの分流に分かれる。この分流によって、エジプトのデルタ地帯の複雑な景観が生まれ、三角州では一〇〇〇年に一メートルのペースで泥が堆積して、土地が高くなっていった。それは、増水した川の水が毎年確実にやってきて、勢いよく流れるとともに、土地を肥沃にしていることを示す重要な証拠だ。[15] 分流の周辺に古代の集落が集まっていたのは、こうした農地が近くにあり、交易ルートにつながっていて、地域の交通手段にもなるというメリットがあったからだ。

一方で、ナイル川で適切なレベルの増水が起こらなかった場合には、ナイル川の分流沿いの小さな集落は力を失い、血が通わなくなった手足のように死んでしまいかねなかった。[16]

増水は起こらなかった。それも何年も。州侯の墓のために、おかかえの石工が素晴らしい墓室を造ったのと同じ頃、父はテティのお墓を掘った。

父はできるだけきちんとした穴を掘ったが、今では他のたくさんの墓穴が、石のように固い地面をむしばみつつ、古い墓地の外に広がっていた。町を取り囲む壁の外側にある、難民たちの小屋がある通りには、ハゲワシや野犬がうろついていた。

「テティはあんな目にあわないからな」父は固い決意をこめて言いながら、壊れたつるはしを研ぐ。自分の持ち物との交換で、もっと良いつるはしを手に入れるのは不可能だった。そもそも銅がないのだ。

日が暮れる前に、母は自分の亜麻布でしっかりと巻いた包みを穴の中におさめた。一三歳の男の子だと思えば、その重さはないに等しかった。

いくつもの石で穴を埋めているところに、兵士の一団をしたがえた人物が大股で丘に昇ってきた。

「ヘテプ、うちの壁画職人から聞いた。どの息子だ？」州侯は父の後ろに、セネブのうつろな表情と、その妹の頬に浮かび上がっているきゃしゃな骨を見た。メリトは一二歳になったばかりだったが、八歳の子どもほどの身長もなかった。その黒い目はうつろだったが、悲しみにあふれた様子で州侯をまっすぐ見つめていた。

「下の息子です」お辞儀の姿勢をゆっくりと正しながら、父が言った。セネブは墓穴を埋めた石から目を離せずにいた。

「しかし、穀物の割り当てを増やしてやったではないか……」

「あれはとてもありがたいことでした。ただ、しばらくたちまして、あれではもう足りなくなったのです」

「神々は慈悲の心をお持ちだ。なぜもっと欲しいと言ってこなかったのだ？」

「そうなれば、どの家から食べ物を取ってくることになったでしょう？」メリトに見つめられているのがつらくなった州侯は、町を見渡した。「神官様は、ヘビの女神にお供えをするのをやめたと言っていました。畑にはもうヘビがいません。ネズミもです。みんな食べられてしまいました」母は父を片手で抱いた。泣いていなかったが、やつれた顔だった。

メリトは、州侯が歯を食いしばるのを見た。州侯はなにごとかつぶやいた。そよ風を受けて、一人の兵士のヘッドバンドについていたダチョウの羽根飾りがはためいて、メリトは母の手を握った。屋根の上から見た風景を思い出したのだ。この町の人々は寛大な行いをしたのに、何の役にも立たなかった。州侯が喉をごくりとさせた。

「同盟を結んでいる地域に支援を頼まなければならぬ。彼らの用水路にはまだ水があるのだ。ヘテプよ、家族を連れて南に行き、私たちのために穀物を手に入れてきてくれ。お前が誰よりも正直な男だと、わしは知っている」

一家は翌日、わずかな持ち物を手にして旅立った。メリトは墓地を振り返りながら、必ず戻ってくるとテティに約束した。

古王国の崩壊

ペピ二世の一〇〇年近くにわたる治世期間が停滞状態に陥るにつれて、王のための巨大建設プロジェクトは遠い記憶となった。ピラミッドは私にとって、権力と栄光のはかなさを象徴する存在である。古王国の統治者たちはすべてを手に入れたが、それを使い果たしてしまった。その後を継いだ者たちは、なんとかやりくりしなければならなかった。第八王朝(前二一八一〜前二一六一年）のものとして知られているのは、カカラー・イビという王の小さなピラミッド一つだけだ。[17]

エジプトはぐらつき、やがて地方の州侯たちが独自の軍隊をもつようになると、統治体制が二つの流れに分裂した。第八王朝がメンフィスに、そして第九王朝と第一〇王朝（前二一六一～前二〇一〇年）がカイロの南一〇〇キロメートルにあるヘラクレオポリスに樹立された一方で[18]、ルクソール（当時のテーベ）や、はるか南のモアッラやエドフでは別の統治拠点が勢力を伸ばした。[19]こうした地方の統治者は結婚による同盟関係で結びつき、増えゆく自分たちの財産を使って、各地方のさまざまな美術様式の発展を支えた。そうした美術様式は、色の組み合わせが独特で、質にはばらつきがあった。脇に追いやられた王は、もはや時代遅れの存在だった。

エジプトはすっかり変わっていくことになる。

一時代の終わり

古王国が終わりを迎えた理由とその過程については、エジプト学者の間で熱心な議論がおこなわれている。[20]社会や政治、経済といった面の要因が作用していたことはわかっているが、複雑な状況にあったことは間違いない。[21]気候の乾燥化が衰退に拍車をかけたという説もある。

増水水位の低い年が続いたことが原因で、私たちの集落調査で明らかになった、デルタ地帯東部での集落の放棄が起こった可能性がある。エジプトやさらに遠方で得られた考古学的証拠や文書記録は、ナイル川が果たしていた役割が、従来考えられていたよりはるかに大きかったことを示している。[22] ナイル川の増水水位が一、二年にわたって低い場合だけではなく、水が少ない期間が長く続いた場合の影響を理解するには、後年の記録を調べる必要がある。

古王国時代の神官はナイロメーターの測定値を石に刻まなかったので役に立たないのだが、イスラム時代の水文学者たちは現代の研究者たちのためにもっと気前よく記録を残してくれた。西暦一〇五三年から一〇九〇年の期間に、四〇回発生した増水のうち二八回は水位が低く、物価の暴騰や、飢餓、疫病や人食いが起こった。エジプトの人口は一〇〇年で二四〇万人から一五〇万人に減少した。西暦一〇六八年のある目撃報告では、飢えた女性が自分の装飾品をわずかな量の麦と交換する様子が描写されている。[23]

4・2kaイベント

古王国が終わりを迎えていた頃、エジプトだけではなく、古代の中東や地中海沿岸のあちこちが大変なことになっていた。ここで今最もキャッチーな科学用語を取り入れたい。「現在から四二〇〇年前のイベント」、簡単にいえば「4・2kaイベント」だ〔訳注/kaはkilo annum(ラテン語で「千年」の略)〕。紀元前二二〇〇年頃をピークとして、何かとても大規模で、とても悪いことが起こったのだ。その一部として、モンスーンパターンや地中海の偏西風の変化が起こり、それがアフリカやアジアでの干ばつや寒冷期につながった。[24] しかし、エジプトや、ケニアのトゥルカナ湖、エチオピアのタナ湖で干ばつが起こっていた可能性があるというのは、どんな証拠からいえるのだろうか。

エジプトで4・2kaイベントが発生していたという証拠の中では、エチオピア高原の降水量の記録から得られたものが最もすぐれている。トゥルカナ湖や、エチオピア高原のアッベ湖とズウェイ・シャラ湖での環境コアリング調査からは、紀元前二二〇〇年頃に水位が低かったことがわかっている。これはインド洋のモンスーンが弱まっていたことを反映するものだ。[25] また白ナイル川では、その流域に雨を降らせる雨雲が南に移動した時期に、平常時の流量や増水水位が低くなったことがわかっている。[26] 反対に、この雨雲がふたたび北に移動した時期には、エジプトでは増水時の水量が増えた。[27]

デルタ地帯の各地で何度も実施された、深い地中のコアリング調査では、水酸化鉄の濃度が高い層が見つかった。この水酸化鉄は、強い乾燥によって氾濫原の土壌に残る成分だ。植物は鉄を吸収して成長するが、干ばつの時期に枯れそうになっている植物は栄養素を吸収できないため、鉄が土壌に残るのだ。[28] そうした水酸化鉄を含む土壌サンプルの年代を調べると、紀元前二二〇〇年から紀元前二〇五〇年の間にきっちりとおさまった。まさに古王国の終焉をまたぐ期間だ。[29]

弱った植物は、土壌をあるべき場所にとどめておけない。ちょっとの雨や風で、土壌がトン単位で浸食されるようになる。デルタ地帯のブトという遺跡には、[30] 遺物の破片や物質文化の痕跡がまったくない、厚さ一メートルの不毛の堆積層があるが、この層は古王国とつながりがある可能性がある。[31] その時代には、砂漠の他には何一つ栄えなかったのだ。メンフィス[32]やダハシュール[33]では遺跡が砂に埋まった。これは、現在では北アフリカでのサハラ砂漠で見られるのと同じ、気候変動に関連した砂漠化現象だ。[34] 4・2kaイベントが実際に起こったという証拠は、地中海や中東、さらにその先の地域でのコアリング調査の分析結果から積み上がっている。

インドでは、川に生息したプランクトンの酸素同位体分析から、その期間にモンスーンが弱まっていたことが示されており、これが問題の根本的な原因になっていた可能性が高い。イスラエルの洞窟堆積物は降雨量の減少を示している。一方、トルコの湖底堆積物には、栄養分を含まない、風で運ばれた砂や泥が大量に含まれていたが、樹木の花粉はほとんどなかった。現在のシリアやイラクでアッカド王国が崩壊する一方で、メソポタミア北部の農地が放棄され、難民がメソポタミア南部に逃れたのもちょうどこの頃だ。まったくの混乱期である。世界的な気候変動が長期間続いたことは、重要な気候パターンに関連する二〇近くの異なる記録から示されている。[35]

エジプトの人々はこういった災難を、気象学的に説明することはできなかった。彼らにとって、空に昇ってくるソプデトの星（今でいうシリウス）が夏至の時期の洪水を告げるが、川に水が満ちるのはひとえに神々の恵みによるものだった。王が神々との対話者として果たす主な務めの一つが、神聖なるマアトの天秤を維持することだった。増水の水位が低いのは、マアトがひどく乱されている証拠であり、王がみずからの務めを果たしていないことの表れとみなされた。つまり、人々を無防備な状態にしているということだ。

このあたりは、現代的な目で見れば、とてつもなく皮肉な話になっている。古代エジプトの人々は、特に重要な神として、太陽神ラーを崇拝していたことで有名だ。一方で現在わかっているのは、太陽こそ、世界中で起こった気候の大変動の元凶だったことである。気候の専門家は、4・2kaイベントが太陽放射の変動によって引き起こされた可能性があると考えている。太陽放射の変動が各地域の気温に影響を与え、それがモンスーンパターンを変化させた可能性があるのだ。[36]そう考えてみると、おそらく、太陽神ラーが不機嫌になったことが古王国の終焉の原因だったのだ。

町の神殿の近くにある織物工房からは、畑はとても遠くて、メリトには緑色の霞のように見えた。このあたりの川幅はとても広くて、最初の頃は恐ろしく感じたものだ。

「こんなに偉大な川なのに、よくも私たちを裏切ったりできるもんだわ」メリトはぶつぶつ言った。父はこの土地の州侯に穀物の援助を嘆願しに行っていて、メリトは母の手伝いをしているところだ。「あとで川まで行って、石を投げつけてやろう！」母が微笑んだ。ただ、しばらく前から、母はなかなか笑い声を上げなくなっていた。

父の交渉には時間がかかった。ここには養わねばならない兵士や住民がたくさんいるうえに、永遠ともいえるほど長生きをしていた王は、西にある冥界に去っていた。この地の州侯は、自分のほかに頼れるものはなかった。

窓辺の席から、メリトはヌビアからの使節団が到着するのを見ていた。背が高く、堂々としていて、色鮮やかな革製の服を着て、金と黒檀の耳飾りをしていた。使節の一人がチーターを連れているのを、メリトは目を丸くして見つめた。使節団は手ぶらでやってくるわけにはいかないのだ。

「メリト、杼から目を離してはだめよ。その亜麻布は、神官様どころか、お人形にも着せられないようになってしまうよ」メリトは笑い声を上げた。

母やメリトがセネブと顔を合わせる時間は少なかった。故郷の州侯が手紙を送ってきて、セネブが「生命の家」で書記の訓練を受けることを認めてくれたのだ。父はその名誉な知らせを受け取って、しばらく言葉を失った。最近のセネブは、夜遅くまでオイルランプをつけて、複雑な文字の練習をしている。メリトのために、牛を表す記号を全部書いてくれたりもした。

この町に着いてから一カ月後、メリトは、舟に最初の穀物を積んで故郷に向かう父を見送った。「ここでは神様たちがおまえを見守ってくれるよ」と父は声をかけたが、川面に近い砂州に立ったメリトはうつむき、身震いをした。川に何年もの時間が吸い込まれていった。旅から戻ってきた父は、故郷は持ちこたえているが、墓地ばかりが広がり続けていると教えてくれた。ある日の午後、メリトは、シロアリの塚のように神殿を取り巻いて立っている穀物倉庫の間を抜けて、生命の家に亜麻布を届けに行った。生命の家の戸口にはセネブがいて、メリトの身長よりも長さのある弓を手にした兵士とおしゃべりをしていた。セネブが手を振る。「ちびさん、おいでよ。友人のアンテフだ。アンテフ、この子はメリトだよ」メリトは戸惑った様子で、若いヌビア人を見上げた。

「アンテフっていうの？　でも……」どう言えばよいかわからずに、口ごもる。「それってエジプト人の名前よ」アンテフは明るい笑顔を見せた。なめらかな前歯の間には隙間がある。

「僕のあだ名だよ。州侯様が、僕を見ると息子のアンテフのことを思い出すって言うんだ。僕たちは一緒に訓練を受けてるんだ」

「故郷に帰りたくなったりしない？」

そこへはげ頭の年老いた神官がせき立てるような様子でやってきて、メリトが抱えていた亜麻布の束を取り上げた。

「ほらほら、セネブ、あの神官の勤務表はひとりでに複製されたりはしないぞ」

「もちろんです、先生。僕はただ……」神官はくすくす笑いながら、若者の肩に手を置いて、中に引き入れた。

「わなをうまく仕掛けたら、あとは放っておいたほうがうまくいくものだ」セネブは笑みを浮かべて、振り返った。メリトは、アンテフの言葉に声を立てて笑いながら、黒髪を耳にかけた。

やがてメリトはアンテフに、牛を育てる大農園での子ども時代の話をした。やがて二人が結婚すると、アンテフはメリトに牛が彫られた美しい鉢を贈った。鉢の牛たちは光るほど磨き上げられて、つやがあり、肥えていた。

「僕の故郷の人たちも牛の群れを大事にするんだ。今はここが故郷だけど、僕たちは本当の故郷を忘れないよ」

ソプデトの星が昇っては沈み、川の水位が十分に上がる年もあれば、あまり上がらない年もあった。州侯は穀物倉庫を空にしないように奮闘し、息子の代になってもそれは続いた。

アンテフとセネブは母の家を増築した。年老いた母はやがて、自分の子どもたちが仕事をしている間、孫たち全員の面倒を見てくれるようになった。メリトはそれをありがたく思っていた。

メリトが織った最高級の亜麻布は、アヒルや薬になった。そして、一番上の息子テティが生命の家で訓練をすることをセネブが許可した日を祝う、ターコイズの指輪にもなった。

メリトが昼食を準備している間、父は庭のナツメヤシの下で休みながら、母が小さな女の子を抱き上げるのを見ていた。その子の素晴らしい笑顔は、前歯の隙間も含めて、アンテフそっくりだった。母の目の周りには、灌漑水路よりも深い笑いじわが刻まれている。メリトはため息をついた。畑で一緒に過ごした友達は、こんなふうに楽しい思いをしながら暮らしてきただろうか?

メリトの一番下の娘が結婚した夏、息子のテティは、セネブが母の棺に、そしてわずか一カ月後には父の棺に文字を書くのを手伝った。アンテフは息子たちの手を借りつつ、川の西側の崖にある、石を切って作った墓穴に棺を降ろした。

メリトはアンテフのきつい巻き毛からほこりをはらった。そこには白いものが混じるようになっていた。「ありがとう」メリトはつぶやいた。「こんなふうに埋葬できて。いろいろと苦労してきた二人だから……」アンテフはメリトをしっかりと抱きしめた。その黒い瞳は力強かった。「私たち家族は強い。一緒だからここまでできるんだ」アンテフはそう言うと、笑顔を見せた。「それにセネブが神官だから、そのつても役に立たなかったわけじゃない」メリトは笑って、涙を拭った。「さあ、行くんだ。待っているからね」

メリトは、オイルランプ一つで照らされた墓室の中に、何年も前に頼んで作らせていた木製の舟の模型を下ろした。父と母の身の回りのものが、整然と、そして丁寧にまとめて積み重ねてあった。皿の数は、母が家で使っていた数より多かった。十分な量の食べ物が来世のために供えてある。隣りあった二つの棺は光り輝いていた。しかし、髪をそり上げ、神官のローブを着て、厳粛な顔つきのセネブの息子たちが、墓のドアをふさぐための祈りの言葉を唱えている間、メリトは北の方角を見ていた。兄のテティが一人で眠っている、川下の方角だ。

テル・イブラヒム・アワドの本当の物語

テル・イブラヒム・アワドは大規模な集落で、干ばつが続いた時代にも、他の町が放棄されていくなかで、なんとか存続したようだ。おそらく、現代の都市が危機を迎えた場合と同じように、テル・イブラヒム・アワドは困難な状況にある人々が移り住む避難場所だったのだ。近くにあるメンデスも、ナイル川のメンデス分流やセベニトス分流の水位の低さに影響を受けたのは間違いない。[37] ただし、デルタ地帯東部地域の中心都市として重要な存在だったメンデスは、潜在的な避難所となり、他の場所で不足していたときでも、資源を自由にすることができたのだろう。この資源が近隣の集落にも少しずつだが届いていたのかもしれない。

テル・イブラヒム・アワドの人々がぎりぎりの暮らしをしていたというのは、それほど驚きではないだろう。一部の考古学者は、文明が環境を原因とする困難に見舞われると、人々は影響を受けた都市を離れて、それまでよりも広い範囲に分散して、よりシンプルな生活をするようになると考えている。それはいうなれば、生存主義(サバイバリズム)の先駆けである。これによって、資源の競争をそれほど伴わない、テル・イブラヒム・アワドなどの大きな集落では、食料を必要とする人口が少なくなった。[38]

とはいえ、生き延びるのはやはり大変なことだった。メリトが子ども時代を過ごし、最終的に亡くなった場所であるテル・イブラヒム・アワドからは、飢餓か病気によって死が蔓延していた証拠と思われるものが見つかっている。メリトは、古王国から第一中間期、中王国にかけて使われていた共同墓地から発掘された七四体の人骨の一つだった。

そうした人骨の平均死亡年齢は、古王国時代末期には四五歳だったのが、その後の第一中間期には、栄養不足が主な原因で三六歳に下がった。[39] さらに中王国初期の成人では、歯がエナメル質減形成になっている割合が他の時代より高かった。エナメル質減形成は、歯の形成中に健康上のストレスを受けたことを示しており、おそらく、第一中間期末期に子ども時代を過ごした人々が経験した、極度の飢えを反映しているのだろう。エナメル質減形成になると、歯に筋ができたり、穴があいたりする。古王国が崩壊しつつある時代に育ったメリトやその母親は死ぬまで、微笑むたびにその口から、苦しかった人生の始まりのしるしが見えたはずだ。

やがて訪れた運命の好転も、同じくらいわかりやすかった。考古学者の調査によれば、第一中間期に副葬品とともに埋葬された人の割合は、三一パーセントから三二パーセントだった。中王国初期には、この割合が二倍になった。これは、エジプト全体が回復に向かい、下流階級がより裕福になったことを反映している。[40]

上エジプトは、古王国末期の干ばつの影響を受けはしたが、それほどひどい被害は受けなかったようだ。幅広いナイル川の本流には何十億トンという流量があり、デルタ地帯の分流の流量よりもはるかに多かった。第一中間期には、ルクソールから南に約九〇キロメートルに位置するエドフなどの都市が栄えていたようだし、ナイル川河谷の町の中には、人口が増加したところまであった。実際に上エジプトの集落は、古王国が終わりつつあった頃、権力と影響力を高めて、地域の中心地として機能していた。

それでもさまざまな碑文が、深刻な欠乏や不安定さに苦しみ、国が危機にあえいだ時代があったことをはっきりと示している。そしてその文章は、エジプトで書かれたものの中で最もドラマティックなものに数えられる。少なくとも七つの碑文が、ナイル川の水位が非常に低いため、河床が水面上に出てしまう「浅瀬の時代」、つまり干ばつに直接言及している。州侯が難民の人々に食料を提供したという記録があるので、[41] エジプトのある地域の州侯が別の地域に助けを求めていたことも十分にありうる。

「母さん、その年でこんな旅をするのは無理だよ」

背が高く、父親譲りのつやつやしたかたい巻き毛をしたテティは、腰に手を当てて、険しい顔をしている。そのお腹は前よりも丸くなってきた。その後ろでは、テティの下の息子が頷いている。朗唱神官のキルトを着たその体つきはすらりとしている。焼いたアヒルをあれだけ食べさせようとしているのに。メリトは神々が惜しみなく与えてくれることに、毎日感謝していた。

「そんなに年寄りじゃないですよ」メリトは、牛が彫ってある美しい鉢を亜麻布でくるみながら言った。台所のドアのところでは、立派な体格の若者が肩に弓をかつぎあげながら言った。

「おばあちゃん、だめだよ。ヘラクレオポリスとメンフィスが戦争をしているんだから、無理だ……。僕の部隊も、ソプデトの星が昇る季節の前に派遣される予定なんだ」

メリトは、「それじゃあ、おまえと一緒に北に行けばいいかしらね」とにっこりした。若者は唇をかんだ。おばあちゃんと言い争いをしても無駄だと、おじいちゃんがいつも言っていたじゃないか。テティがため息をついた。

「父さんは一緒にいて欲しいって言っていたんじゃない?」テティが言う。メリトは、パンと調理した牛肉を土器のカップの中に入れ、壺にビールを用意した。

「そうしてくれとは言われなかったわ」
メリトの髪に白髪が交じるようになり、やがて真っ白になると、アンテフはその髪を後ろになでつけて、彼女の顔をよくのぞきこんだが、それでも彼は何も言わなかった。メリトは、ターコイズの指輪をはめていた指についた、白い筋をなでた。今、その指輪はアンテフと一緒に眠っている。

織って作ったバッグに供物を入れて、メリトは町の賑わいを抜け、神殿の前を通って歩いていった。この近くで織物の仕事をしていた頃には、通りにはこんなに人はいなかった。しかし今では、ひどい干ばつから逃れてきた人がさらに増えていて、ぎっしりと建てられた家々が自給自足の村となり、彼らの第二の故郷になっていた。メリトは、そういう新たに到着した人たちからいろいろな話を聞いたせいで、いまだに夜中に目を覚ましては、家族を呼ばずにいられないのだ。

船頭が舟を漕いで、川の西岸へと渡してくれた。その墓石は両親の墓の横に立っていて、丘のそれほど上ではなかった。

「愛しいアンテフ」そう語りかけて、アンテフのために、そして両親のためにビールを注いだ。「セネブの息子たちがあなたの祭礼をとりおこなってくれるから。それに子どもたちもあなたのところに行きますから。それぞれの時が来たら」

供物をするときのお祈りの言葉はそらんじている。足元にある墓室には供物などがぎっしり詰まっていて、アンテフの故郷や南の地方がモチーフになった絵が鮮やかに描かれている。石碑に彫られた言葉に指を走らせたが、メリトにはどれがアンテフの名前なのかわからなかった。砂漠の風が砂と岩の間をさっと抜けてきた。

「葦の野で、またあなたのことを見つけますからね」ゆっくりと、ぎこちなく立ち上がると、丘を下った。振り返ることはしなかった。

ほどなくして、メリトは舟の上に立っていた。マアトの羽根よりも重くない心臓で、神々の前に立つ覚悟はできている。メリトのバッグも重くはなかった。掘り出したばかりのアメジストを数個。これは簡素な墓所と交換するためだ。そして、メリトの記憶にある、あの公正な州侯の孫に宛てた推薦状だ。南風がメリトの背中を押した。その足元には、思い出が全部詰まったあの鉢と、ヘテプの息子テティの名を刻んだシャブティ［訳注／死後の世界で召使いにする魔法の人形］の箱があった。

メリトはあの水路に行って、テティのために葦を切ってくるつもりだった。たぶん、舟の作り方は忘れていないはずだ。

時代の終わり

古王国という国が崩壊したことを、私たちはいささかの疑いもなく知っている。国レベルの崩壊において（そして想像上のメリトの人生の中でも）気候変動が重要な役割を果たしたことを示す証拠が見つかっている。州侯が残した墓[42]からは、中央政府が存在しなくなったことで生まれた権力の空白を、州侯たちが埋めていた状況や、彼らの権力の高まりが第一中間期になっても続いたことがうかがえる。確かに、上エジプトであったような地域レベルの繁栄では、採石や採鉱、交易のための海外遠征を支えるには不十分だった。そうした海外遠征をおこなえず、さらに働き手の栄養状態がよくない状況では、ピラミッドの建設は不可能だった。強力で資金力のある中央政府があれば、干ばつの影響を数年遅らせることができたかもしれないが、そうだとしても古王国が存続していたかどうかは、想像するしかない。

第一中間期はその名前が示す通りの時代だったというのが、エジプト学者の一般的な見方だ。つまり、二つの偉大な時代にはさまれた、大混乱と不安定の時期である。代償は大きかったが、古王国の終焉は、革新と実験の時代への道を築いた。まるで古王国の宮廷が人々の創造性を抑圧していたかのようだった。エジプトの他の部分が古くからの伝統から自由になるためには、中央政府が崩壊する必要があったのだ。

各地域の貧しかった人々が裕福になったことを反映して、墓が大型化し、副葬品の質が良くなった。人々は、王の力を借りずに不死を手に入れたいと切望するようになった。さらに、宗教が個人のものになっていき、かつては王族のものだった神聖なピラミッド・テキストやコフィン・テキストが、壁画職人を雇う余裕のある、あらゆる人の墓や棺でみられるようになった。墓からは、様式や機能がそれまでとは異なる、新たな種類のアミュレットや、よりいっそう手の込んだシャブティが見つかっている。生活用品などからは、地域的な多様性が高まり、もののデザインや形状、質に変化があったことがわかる。各地域の絵画様式も同じように活気あるものになり、日常生活を描写する表現が見られるようになった。

王はもはや、宇宙の天秤である「マアト」を保証できなくなった。おそらく、王をあてにできなくなったことで、人々は独立独歩の精神をいっそう深めていき、そこから自信を高め、自らの能力に気付くようになったのだろう。そうした状況のなかで、メリトの家族の場合のように、社会の流動性が高まっていった。広い地域で副葬品の数が増えたことがそれを裏付けている。しかし、今後も確実なことはわからないだろう。

私たちにわかっているのは、第一中間期の州侯であるメンチュヘテプが上エジプトの三州と同盟関係を結び、その息子アンテフがさらに、ルクソール付近を拠点とするテーベ王国を樹立したことだ。テーベの勢力と、対抗するヘラクレオポリスの勢力の間で、エジプトの支配権をめぐる激しい戦争が起こり[43]、人々の運命は大きく揺り動かされた。テーベ勢力の自称「王族」は、アシュートにあったヘラクレオポリス勢力の要塞を奪った。さらに、ヘラクレオポリスにあった彼らの首都を征服して、紀元前二〇四〇年頃にエジプトを再統一し、中王国として復興させた。これが「ゲーム・オブ・ノモス」だと考えてみると、なかなかすごい結末だ。

これほどの破壊的な混乱と気候変動が、現代の私たちに与える影響を理解するためには、こうした崩壊現象というべきものを、本質的に政治や経済の側面だけによるものだと片付けてしまうことはできない。かといって、気候変動が唯一の原因とみなすことも不可能だ。古王国の終わりには、こういった要因すべてがより合わさって破滅的な状況を作り出し、それがテル・イブラヒム・アワドの一人の女性をはじめとする、他の何万人もの人々の人生に影響を与えたのだ。こうしたことを理解するにあたって、宇宙からより広い視野で見ることは、最初の一歩に過ぎなかった。

ピラミッドの影が砂の上に伸びていく頃、あなたはたぶん、まだメナハウスホテルのベランダにいて、ディナーのことを考えているだろう。エジプトでピラミッドが建設された時代を理解すれば、ピラミッドの影響力はますます大きくなるばかりだ。ピラミッドは、エジプトという国の成り立ちと、その国が崩壊したときに失われたものと得られたものを証明する存在だといえる。エジプトは復活を遂げて、ピラミッドと、現代の私たちには事実というよりフィクションに思えるような古代の権力闘争とともに、新しい始まりを迎えた。世界がひっくり返るとき、巨大王国は崩壊するかもしれない。しかし人々は、最も予想外のやり方で立ち上がるのだ。

第8章　首都の発見

古代エジプトについては、振り返っていろいろと考えられるところが私たちの強みだといえる。古王国が終わりを迎えなければならなかったのは、創造的な文化が爆発的に開花した中王国に道を譲るためだった。[1] このような回復力は、つまり、過去の文明が乗り越えられない困難に直面した際にいくどとなく示してきた、困難に負けない気概というのは、現代の私たちにとってどんな意味があるのだろうか。このことは、私たちが未来の世界を生き抜き、そこで繁栄しようとするのなら、もっと深く考える必要のある問題だ。

現在の状況はかなり差し迫っているように思える。海水面上昇や気候変動、野生動物の生息地の喪失が問題視されているのは間違いない。しかし大きな逆境から素晴らしい創造性が生まれることもある。人間性の表出の歴史にみられる、そういった重要な時代を詳しく調べてみれば、革新や文化的成長が、強い社会的ストレスとどれほど密接に関係しているかが理解できる。現代文明が大きな挫折を味わっても、すべてが失われることはないだろう。実際のところ、私たちが適応し、変化するにつれて、将来的には多くのものが得られる可能性がある。

「失われた都市」イチ・タウイの栄華

古王国時代のような重要な歴史時代がなぜ、どのようにして終わりを迎えたかを理解することは、社会がふたたび立ち上がる理由やプロセスを解明するための基礎になる。第7章で私たちが見てきたのは、エジプトで第一中間期が終了する時期までだ。その当時、第一一王朝のメンチュヘテプ二世がヘラクレオポリスの政治勢力と戦い、紀元前二〇四〇年に彼らに勝利した。その業績から、メンチュヘテプ二世は「二つの国の統合者」という名を得た。[2]

エジプトを再統一した後、メンチュヘテプ二世は地方を王の管轄下に戻した。情勢が安定化したところで、メンチュヘテプ二世は金を求めてヌビア北部を訪れたり、採石場や、南方にある豊かなプント王国に調査団を送ったり、シナイ半島のターコイズ鉱山や採石場を再開したりした。そして、エジプト各地では神殿がふたたび建設されるようになった。[3] 古王国時代に失われていた富と安定がよみがえり始めたのだ。

それにもかかわらず、次の第一二王朝は内戦とともに多難なスタートを切った。初代の王であるアメンエムハト一世（前一九九一～前一九六二年）は、メンチュヘテプ四世（メンチュヘテプ二世の孫）の宰相として仕えた後、権力の座についた。[4] 彼は首都を移して、そこを「アメンエムハト・イチ・タウイ」と名付けた。「二つの国土の征服者アメンエムハト」〔訳注／「二つの国土」は上エジプトと下エジプトのこと〕という意味だ。征服者万歳、といったところだろうか。

アメンエムハト一世は、現代のリシュト近くにあったイチ・タウイ（略してそう呼ばれている）を一望する砂漠に、古王国の葬祭施設の様式を取り入れた自らのピラミッドを建設し、輝かしい過去の習慣を再現することで自分の権力を世に広く知らせようとした。[5] 王になるときに彼を後押しした人の中でも、特に中エジプトと上エジプトの中心地を監督した人々と、水を再分配する貯水池を作るのに力を貸した人々には、王から墓などが贈られた。[6]

アメンエムハト一世は、エジプトの歴史上初めて、息子のセンウセレト一世（前一九七一～前一九二六年）を共同統治者に指名した。[7] その治世は波乱に満ちた時代だったので、安定を実現するため

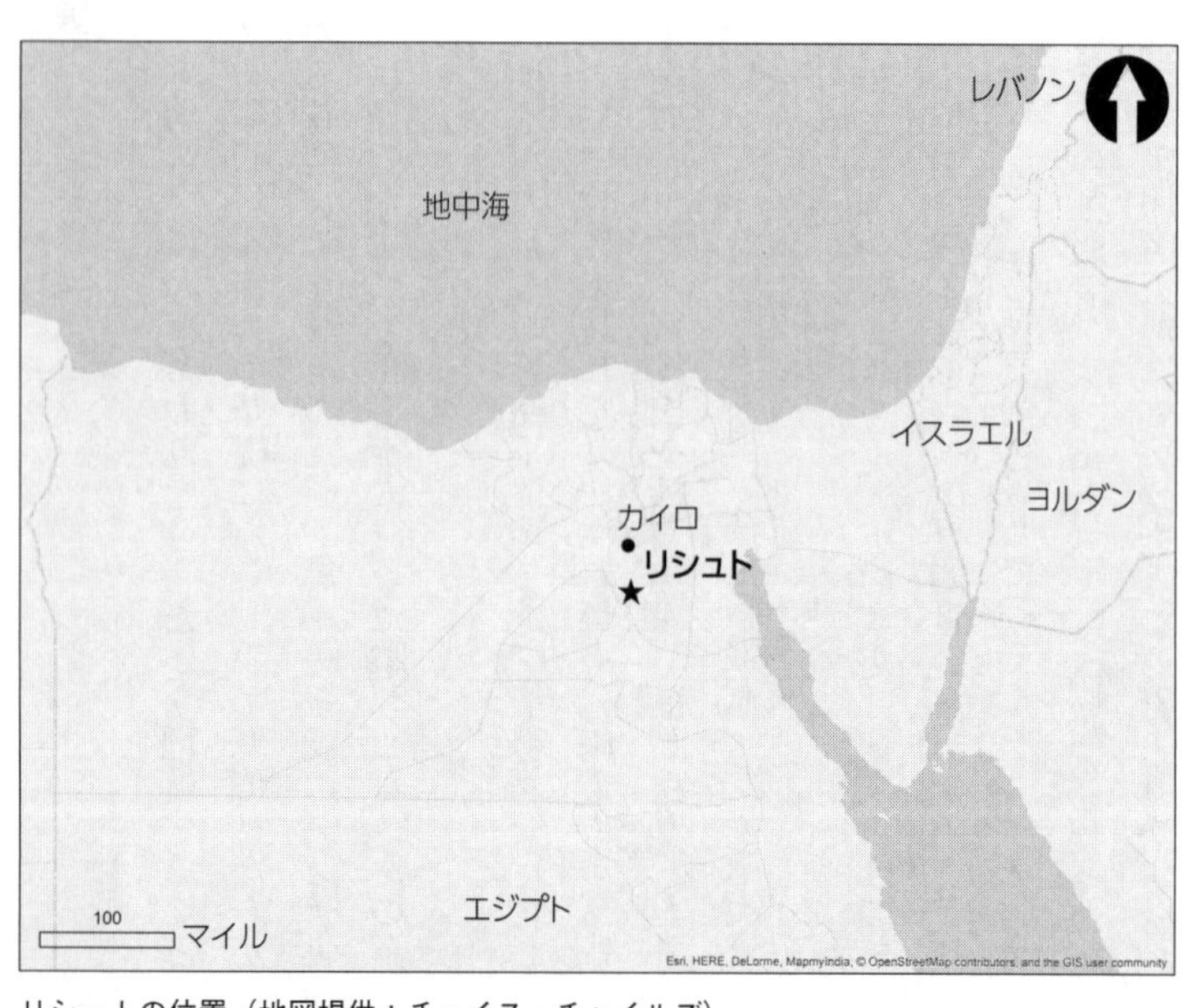

リシュトの位置（地図提供：チェイス・チャイルズ）

の手立ては何であれ試してみる価値があったはずだ。センウセレト一世は王の代理として、軍隊と採鉱のための遠征隊の指揮をとった。そしてアメンエムハト一世が治世三〇年目に亡くなると、単独で国を治めるようになった。[9] アメンエムハト一世は暗殺された可能性があるが、誰が手を下したのかはわからない。中王国時代の「シヌへの物語」が事実を書いているとすれば、センウセレト一世は、父が殺されたときにはちょうどリビアへの遠征で不在だった。[10] この「シヌへの物語」で描かれている冒険は読む価値のあるものだ。

センウセレト一世は三五カ所の神殿を新たに建てたり、大きくしたりした。さらにリシュトの南にピラミッドも建設した。[11] その治世には、急成長する富裕層からの資金援助や、中流層や上位中流層の台頭、[12] そして海外遠征に支えられて、とてつもなく素晴らしい美術や建築が生まれた。彫刻職人は王に生き写しの像を作った。第一二王朝時代の墓の壁は、画家の手によって、ナイル川に生息する鳥たちを描いた写実的な絵で覆われた。その羽根の色合いは、繊細なグラデーションで描かれている。[13]

こうした美術分野の爆発的な発展のさなかには、職人たちの作品の買い手となりうる官僚の人数が増えたことも知られている。文学も発展した。現在、エジプト学の学生は誰でも、中王国時代の共通語である中エジプト語を学ぶことから始める。[14]「シヌへの物語」のようなきわめて優れた物語や、教本、対話集、新しい宗教の本、さらに婦人科の薬の処方まで残っている。[15] こうした黄金時代は、紀元前一七五〇年頃まで二〇〇年ほど続き、イチ・タウイの王宮[16]は大きく栄えた。

ナイル川沿いで繁栄したイチ・タウイは何万人もの人であふれた。外国から来た貿易商と付き合いがあった相手には、地元の商人や音楽家、職人、作家だけでなく、死体防腐処理人がいたようで、ミイラビジネスが大流行していたのは間違いない。[17] ここには、数千の墓が集まる墓地があった。[18] 町を見下ろす砂漠には、ジェベルと呼ばれる石灰岩の丘の向こう側に、革新的な設計の王のピラミッドが日干しレンガ製の建設用スロープの上に建てられていた。このスロープは現在でも残っている。[19]

荷を満載した平底舟が、上流階級のために仕事をしている彫刻職人のところに、繊細な彫像や供物卓に使うアスワン産のピンク色の花崗岩や暗灰色の玄武岩を運んできていた。[20] 他の専門的な職人の工房では、装飾品やアラバスターの壺、そして木製の模型が作られていた。そうした模型には、舟や農作業、パン作りなどの家事作業、さらにミニチュアの兵士をかたどったものまであった。この小型立体模型は、中王国時代の美術と職人技の独創性を表すもので、シャブティと同じように、死後の世界での従者となるお守りだった。

私がこの失われた都のことを初めて知ったのは大学生の頃だった。教授が中王国について説明するなかで、イチ・タウイはピラミッド複合体に近い氾濫原のどこかに位置しているが、四〇〇〇年分のナイル川の泥土に埋もれていて、見つけるのは難しいだろうと言ったのだ。私には、やりがいのある挑戦のように思えた。

イチ・タウイを探して

実は、イチ・タウイの一部は今でも見えるところにある可能性がある。過去のリシュト発掘チームの一つを率いた、メトロポリタン美術館の学芸員ディーター・アーノルドは、アメンエムハト一世のピラミッドの東にある水路沿いから、土器や、石灰岩のかけら、柱の基部など、中王国時代の痕跡が広範囲で見つかったと記録している。[21] センウセレト一世の時代の玄武岩製供物卓も同じ水路から見つかっていて、[22] 近くに神殿があった可能性を示している。行方不明のまま、永遠に見つからないものなんてない。そんな気がする。靴下は別として。

それらしい遺物がいくつか見つかったら、もっとたくさんの遺物があるはずだと私は見抜いていた。一九九四年に、NASAはスペースシャトル・エンデバー号に、地球の表面全体の標高を三〇メートルの分解能で記録するセンサーシステムを搭載した。この「シャトルレーダー地形ミッション」（SRTM）のデータを使えば、科学者は地球のあらゆる場所のデジタル標高モデルを無料で作成することができた。それぞれの画像は、たくさんの標高点の集合であり、標高が高いほど色が濃くなる陰影画像として表現されている。データを調整すれば、標高の高いエリアを強調することはできるが、地表の地形の詳細はわからない。

それでも無料データというのはたまらない。二〇一〇年春、私はリシュト周辺のデータをダウンロードして、この遺跡と氾濫原を含めた三次元モデルを構築した。次にランドサット衛星データータを用意し、私がいつも使っている画像処理ソフトのERマッパーを使って、ランドサットのデータを三次元モデルにかぶせた。そうすると、リシュトの東にある幅四キロメートルの氾濫原の三次元画像ができた。

SRTMデータを使った三次元モデルのすごいところは、風景のちょっとした変化を強調できることなので、バムハ村の隣にあるくぼんだ部分に目をとめた私は、ERマッパーで高さ強調のレベルを最大にした。ナイル川の古い流路がはっきりと現れた。バムハ村から南西に、リシュトの墓地の方向に流れている。ナイル川がかつてイチ・タウイのそばを流れていたことはわかっているが、エジプト学者がそれまでに描いた地図では、この遺跡の近くに川があるとされたことはなかった。

リシュト付近でのコアリング調査（写真：著者）

リシュトと現代の道路にはさまれた畑には、小さく隆起したエリアも見えた。それが実際に古代のマウンドの名残かどうかを知るための方法は一つしかなかった。

コアリング調査で見つかった宝石

私たちはその年の秋、カイロ大学地質学部とともに、リシュトの遺跡に行き、鍵となる地点でコアサンプルの採取をおこなった。地元の屈強な男性数人の力を借りつつ、直径一〇センチのコアリングビットで重い泥やシルトを七メートルの深さまで掘り進んだ。

その共同調査のリーダーは、エジプト国立リモートセンシング・宇宙科学機関に所属する紳士的な研究者であるエルサイード・アッバス・ザグルールだった。さらにチームには、二人の優秀なエジプト学者が参加していた。中王国の土器の専門家であるオーストリア科学アカデミーのベッティナ・バーダーと、エジプトの景観の専門家であるケンブリッジ大学のジュディス・バンバリーだ。

誰がやったとしても、成功率は低かっただろう。探しているのは数千年前に失われた都市で、ナイル川はそこから東に三キロメートル移動しており、おそらくあらゆる痕跡は破壊されてしまっているだろう。ＮＡＳＡのデータに現れたとてつもなくわずかなヒントを手がかりに、何らかの都市の証拠を見つけだそうとしていたが、エジプトにあった他の首都のさまざまな位置からみて、その失われた都市があるのは、二〇平方キロメートルの範囲の内側のどこかだった。それを直径一〇センチのコアリングビットで土を掘って見つけなければならない。その場合に、GPS測量のエラーや、景観の起伏、そして単なる不運によってうまくいかない可能性は考えに入っていない。

途方もなく困難なことだったが、とにかく私たちは掘った。それは、発掘調査のミニチュアのような感じだった。私たちのチームは、コアサンプルの土の種類や、密度、石などの含有物を詳しく記録した。掘り進めるにつれて、土がシルトから粘土や砂へと変化していくのがすぐに見てとれたので、それぞれの層を連続的な地層図の一部として描いていった。ザグルール教授のように土のことで興奮する人を、私は生まれてこのかた見たことがない。新しいコアサンプルが出てくるたび、土の密度が変化していくのを見て、飛び上がらんばかりに喜ぶのだ。教授はあっというまに、そうした土の変化からこの土地の歴史を読み取ってしまう。その仕事ぶりを見ていると、偉大な指揮者が交響曲の素晴らしさを引き出していくのを見ているような気持ちになった。

その後、それぞれのコアサンプルを水と一緒にいくつものふるいに通す処理をした。網目の大きさは、一番上のふるいの一センチから、一番下のふるいの五ミリまで、徐々に小さくなる。少しずつ、ぐちゃぐちゃになったコアサンプルを水と一緒に一番上のふるいに入れる。その水は流れていって下のバケツに落ちる。汚れるが、満足感が得られる作業だ。堆積物が粒子の大きさによって勝手に選り分けられていくのだから。石のような大きな粒子は一番上のふるいでつかまり、細かいシルトはふるいの下にあるバケツに流れ落ちる。それぞれのコアサンプルで大きな粒子と小さな粒子の質量の合計を比べれば、川の流れがそのサンプル部分の土を堆積させたエネルギーや、シルト堆積物の時間的な変化など、環境にまつわる物語が読み取れるし、ナイル川の蛇行についての手がかりも得られる。運が良ければ、過去に人が暮らしていた証拠も見つかることがある。

四、五メートル掘り進んだところで、たとえるなら、金の壺というべきものにあたった。確かに、少なくとも壺ではあった。コアに土器のかけらが含まれるようになってきたのだ。ベッティナは不思議な力を楽しそうに発揮して、見つかったものを広げ、それぞれを調べた。土器の権威であり、中王国研究の第一人者であるベッティナには、四〇〇〇年前の器の一部である小さなかけらを見て、その器のシリアル番号を言い当てるのに近いことができるのだ。作業を終えて、私を呼ぶときのベッティナは、とてもうれしそうな様子だった。土器のかけらはすべて第一二王朝と一三王朝のものだったのだ。かけらはたくさんあって、なかには美しい最高級の器のかけらもあった。家族ですごす祝日のために、おばあちゃんが取り出してくる上等な陶磁器のようなものだ。

その間、いつも瞳を輝かせている思慮深い地質学者のジュディスは、別のものをさっと持ち去って、熱心に調べていた。にこにこしながら私に見せてくれたのは、コアから取り出した三つの石だった。アメジスト、メノウ、そしてもう一つが、明るいオレンジ色をしたカーネリアンだ。カーネリアンは磨いてあったうえに、古代の人々が穴を開けようとしてできた、小さなくぼみがたくさんついていた。エジプトでのコアリング調査で、加工済みの半貴石が見つかったのはこのときが初めてだったし、本格的な発掘調査でもそういうものが見つかるのは十分に珍しいことだ。

都市の過去と未来

「ツバメが一羽来たからといって、夏になるわけではない」という格言がある。同じように、これほど思わせぶりな結果が出たからといって、一回のコアリング調査からそこが町だと判断することはできない。そして、見つかった加工品がイチ・タウイの町自体のものでなければ、掘り当てたのは職人が集まる郊外地区なのではないかと私は考えた。職人の工房がかなり集中している地区だったので、手探りのコアリング調査でもうまくいったのではないか。中王国の王宮や首都が繁栄すると、さまざまな加工品の需要が高まった。なかでも半貴石は特に流行した。三〇キロメートル南にあるラフーンにある第一二王朝のサトハトホルイウネト王女の墓から見つかった、王族向けの宝飾品では、カーネリアンやラピスラズリ、アメジスト、ターコイズといった半貴石がすべて金と組み合わされて使われている。[23] こうした希少価値のある美しい資源が、いつでもイチ・タウイに大量に流れ込んでくるようにすることが大切だったので、王宮の高官は、そうした資源を目的とした遠征隊を記念する石碑を建て、碑文を刻んだほどだ。[24] 古王国時代末期の疲弊した状況とは大違いである。

ただし、この土地がその秘密をずっと隠し通してきたのは驚きではない。五メートルのシルトというのは、相当な厚さだ。テル・テビッラ遺跡の調査で見てきた通り、ナイル川は時とともに流れを変えてきた。それによって、かつては自由に流れていた流路が浅くなったり、ときには居住域全体がシルトに埋まったりもした。私たちが掘った、中王国の世界をのぞく深さ四、五メートルの穴は、あちこちにさまようナイル川が残していたシルト層を掘り抜いていたのだ。[25]古代エジプト人が首都であるイチ・タウイを放棄した時期、あるいはイチ・タウイが泥の下に消えた時期については、まだわかっていない。

イチ・タウイは、絶妙な場所にあった。王や王族の墓を建てるための砂漠に近く、デルタ地帯と上エジプ

エジプト・リシュトの墓の盗掘跡（写真：著者）

トの中間という戦略的にも優れた位置だった。メンフィスにあったかつての首都を囲む有名な「白い壁」[26]に対抗して建てられたのか、イチ・タウイの多階建ての建物[27]はしっくいで白く塗られ、ゆったりと間隔をあけて建てられていた。港にひしめくたくさんの船には、石灰岩や玄武岩の石材が満載で、大規模な建設工事がますます増えていった。せわしげに工事が進む高台の砂漠では、男たちが石材をそりに載せて、ピラミッドまで引っ張っていく様子が目に浮かぶ。[28]

イチ・タウイの高台部分は、現代の畑の表面近くにあるかもしれない。そうだとしたら、私たちが遺跡の一部を地面のもっと近いところで発掘できる可能性もあるだろう。我慢強さというのは考古学で一番大変な部分だが、イチ・タウイの町が調査を三八〇〇年間も待っていたのなら、あともう少し待ってくれるのではないだろうか。

発掘の始まり

正直なところ、リシュトでの予備的な調査を続けられるとは期待していなかった。もちろん、リシュトに戻ってコアリング調査を重ね、古代都市にあった何かが発掘できる範囲にあるのかどうか確かめたいという思いはあったが。私たちが二〇一〇年に氾濫原で短期的な調査をおこなった翌年、アラブの春が勃発した。ギザの南で大規模な盗掘が発生したことを受けて、エジプト考古省は、発掘作業は危険過ぎると考えて新たな発掘申請を認めなかった。

しかし、私がイチ・タウイ遺跡に引きつけられた理由として大きかったのは、二〇一一年初頭以降に撮影された高分解能衛星画像で、そこが盗掘されているのを見たことだった。そこには八〇〇以上の穴が見えた。[29]この時点では、こうした穴が実際に墓を盗掘した跡なのか、それとも盗掘を試みて地面に残った小さな穴にすぎないのかはわからなかった。

二〇一五年春、私はエジプトを訪れた。リシュト地域では状況が落ち着いていたので、私は考古省に、遺跡を訪れて写真撮影をおこなう一日限りの許可を求めた。損傷のひどさには衝撃を受けた。なお悪いことに、見たところ未盗掘だった墓の多くが盗掘者のターゲットになっていた。盗掘は古くから起こってきたことだが、現代の盗掘の証拠を自分の目で見るのはつらかった。

私は、当時は考古省のダハシュールとリシュトの担当ディレクターだったモハメド・ユセフ・アリと共同プロジェクトについて相談した。その結果、リシュトの南部で小規模な調査をおこない、盗掘された墓を調べることになった。私たちは、盗掘されずに残っているものはそんなにないだろうと考えていた。

二〇一五年一二月、私たちは調査を始めた。現場は、ギザのピラミッドから直線距離で南に四五キロメートルのところにあった。つまりこれは、渋滞の状況にもよるが、朝と夜に二時間から三時間のドライブをするということだ。ナイル川西岸の古い流路に沿った道を通うのは、大変ではあるが、風景は絵に描いたように美しかった。道路の右手では、アブシール、サッカラ、そしてダハシュールのピラミッドが、古代エジプトのデシェレト〔訳注／古代エジプト語で「赤い大地（砂漠）」の意味〕の混沌とした世界への入口を守っている。左手にはディスコのミラーボールのような朝日が昇ってきて、ナツメヤシや、傾斜地に広がるアルファルファの畑にかかる霞越しに、ピンクやオレンジ、黄色にきらめいている。

リシュトが近づくと、ドライブは少し危険になってくる。ぎっしりと建ち並んだ現代の家に車をこすらないように、スピードを落とす。家はとてもカラフルで、家主がイスラム教の聖地メッカへの巡礼をしたことがあれば、飛行機やバス、カアバ（メッカの大モスクの中心にある聖殿）の絵が描いてある。

村の畑では、白いトキや、トサカがめだつヤツガシラが作物の周りを素早く飛び回っている。その向こうでは、ナイル川の氾濫原が突然、チャートが散らばる砂地に変わる。その砂地から続く丘は、広大な西方砂漠へとつながっている。墓地はすぐ目の前の砂漠の端にある。その遺跡は平穏だ。歴史が私たちに、大きく息を吸うように語りかけ、息を吐くまで待っていてくれるような場所だ。

はるか昔のこの場所には、現代の混み合った墓地そっくりで、どの方角を見ても、色を塗ったり、石灰岩を貼ったりしたレンガ造りの大きな家族の墓が広がっていた。ただし、アメリカの一般的な墓地とは違って、古代エジプトの墓はかなり賑やかで、親族が供え物をしにやって来て、墓の前庭で食事をすることまであった。[30] 夜中まで続くメキシコの「死者の日」のようだ。墓地を見下ろす場所には、センウセレト一世とアメンエムハト一世のピラミッドがあって、今では砂っぽいがれきの山になっているが、下層には外装石がまだ剝がれずに残っている。それぞれのピラミッドの隣には、王の親族のものである小ぶりなピラミッドがあり、さらに第一二王朝時代の社会の最上層にいた人々の縦穴式の墓がいくつもある。イチ・タウイという都市で暮らし、仕事をした上流階級の市民は、王やそのピラミッドに近い埋葬場所ほど格式が高いと考えていた。死後の世界で住む砂漠のペントハウスというわけだ。[31]

私たちはモハメド・ユセフに連れられて、センウセレト一世のピラミッドのすぐ東側にある、すでに盗掘に遭った墓に行った。岩盤の一部が突き出しているジェベルと呼ばれる地形に向き合うように、T字型の輪郭がなんとなく見えた。そして、私たちがいわば高級住宅街にいるのは間違いなかった。王子や宰相の墓はピラミッド本体に隣りあうように建てられたかもしれないが、他の一等地はピラミッドにつながる道路の近くから見つかる場合がある。それこそ私たちが見つけたもの、センウセレト一世のピラミッドの道路を見渡す墓だ。

私たちの目標は、墓を十分に発掘して、墓に頑丈な金属の扉を取り付け、盗掘者の立ち入りをかたく防げるようにすることだった。問題は、私たちが掘っていくほど、墓が大きくなっていくことだった。数百トンもの砂が入り込んでいる内部は、ウサギの巣のように広がっていた。なんとか頑張って、地下の墓所や、石を切って作った複雑な通路や縦穴を完全に発掘して、立ち入り禁止にできるようにしなければならない。

私たちとエジプト側のチームを合わせても、中心チームは少人数だった。砂を掘り出す大変な作業は、地元の村から雇った五〇人ほどの人たちに頼んだ。その作業の監督役になったのが、ルクソールのすぐ北にあるクフト村出身の六人の男性たちだ。クフト村の人々には、一八八〇年代から外国の発掘チームとともに作業をしてきた歴史があり、西洋の考古学者が考えもしないほどフィールド調査の経験が豊富な人たちが多い。彼らは一般作業者の監督をする親方というだけでなく、細かな発掘作業の手助けもしてくれたし、古代エジプトの祖先の伝統を受け継いで、問題をすぐに解決できる優れた技術者でもあった。彼らはどんな大きな石でも動かせるし、どんな壁にも筋交いを入れられる。グレッグはクフト村の人々と三〇年近く一緒に仕事をしていて、彼らからすっかり受け入れられていた。ある壁を破壊する厳密な手順について、グレッグは彼らといつもアラビア語で楽しそうに相談している。

　エジプトでの発掘調査には、必ず「ライース」と呼ばれる、作業員の親方にあたる人がいる。私たちのライースであるオマール・ファルークとは、私が二〇〇五年に実施した博士論文のための調査以来、ずっと一緒に仕事をしている。ある日アマルナで、私たちは自分たちが「双子」である、つまりまったく同じ日に、六時間違いで生まれていたことを発見した。今では、彼とはお互いに家族ぐるみの付き合いをしていて、私の息子は彼のことを「オマールおじさん」と呼ぶ。私たちの発掘作業では、オマールは実質的にライースをとりまとめるライースだ。というのは、私たちのチームで働く他のクフト村の人々はみな、よその発掘現場では責任者をしているからだ。前歯の間に隙間があり、ウィーンの紳士がうらやむような口ひげがあって、すぐに笑うオマールは、映画の登場人物そのものだ。そのうえ状況判断に優れているし、誰かがするべきことをしていないのを嗅ぎつけることができる。それが私でも！

二〇世紀初め頃の、古い時代の壮大な発掘作業の写真をみたことがあれば、そのリシュトでの最初の発掘シーズンがどんなふうに展開したか想像できるだろう。砂漠を背景に大勢の作業者が配置され、第二次世界大戦のスタイルのキャンプ地に白い帆布のテントが立っている様子には、昔の発掘現場の魅力的な雰囲気が少なからず漂っていた。屋外トイレはそれほどでもなかったが。

私が以前教えていたモリー・ヘイトと、チェイス・チャイルズが、盗掘された墓のマッピングを進めていくにつれ、発掘区画は深くなり、墓の広間まで達した。時間は、この遺跡に対してとりわけ情け容赦なく作用したようだ。それはこの墓の建設を請け負った人物が、設計に手をぬいたからではなかった。

上流階級向けの「死後の世界」物件

この墓は、他の中王国の墓と同じくらい（そして古王国の州侯以上に）高いところを狙っていて、新築時には、ピラミッドの正面の道を真似ようとしていた。裕福な人々が一番欲しかったのは、増水時のナイル川の川面から墓まで続く、日干しれんが造りの道路だった。[32] しっくいを塗った入口の前には、塗料か石灰岩で白く輝く礼拝堂が供物を待ちうけている。入口の先の木製の扉には、訪問者に向けて、高名なる墓の主の姿と名前が示されている。

内部の薄暗い広間はジェベルを掘って作られていて、六本の柱が天井を支えており、墓の主が、陰になった壁の装飾の中でしかめ面をしていた。墓の縦穴は、この広間か前庭の床に空いていたのだろう。背後には、壁にさらに沈み込むように三カ所の窪みが作られている。そこには死者の像がいくつもあり、周りには死者の来歴が彫られていた。こういったものはすべて、死者の身体や財産、名前、功績が永遠に続くようにするためのものだ。そしてこの墓の主は、古代の墓カタログに載っていたものをすべて注文していた。

しかし時間というものは、裕福な人々の望みをそれほど気にかけない。残っていたのは、ドアの石造りの蝶番だけで、広間からは空が見えた。採石か地震のせいだろうか、天井が崩壊していたのだ。自然は、墓の主の名前を壁からはぎ取ってしまったようだ。おそらく、古代に発生した自然災害が原因で、とんでもない破壊が生じていることに私たちは気付いた。立派な装飾に彫られたヒエログリフも、文字が続いていないものがほとんどだ。

しかし三カ所の窪みや通路、道路には最近の砂が積もっていて、二一世紀のがらくたが一緒に散らばっていた。この墓の損傷には現代の盗掘者も関係しているようだった。

一緒に働いているエジプト人たちが、最近何人かの盗掘者を追いかけて、文字が刻まれた石灰岩の石材を取り返したことを報告してくれた。私たちはすぐに、墓の主の身元のようなものがわかるのではと期待した。その写真を見せてもらうと、石材には墓の主の五人の息子の名前はあったが、本人の名前はなかった。

私たちが見つけた、掘り起こされた石のかけらには、丸のこの痕がついていて、私たちに答えを教えてくれていたはずのレリーフが盗まれた場所を示していた。また数メートルの厚さで積もったがれきは、盗掘を防ぐために考古省が必死で墓を埋め戻そうとしていることの説明になった。私たちは掘り進み、混沌の中から事実を選り分けていった。やがて、墓の主の経歴まではわからないが、墓自体のなりたちがはっきりとした形を取ってきた。

広間の後ろ側では、ジェベルが建築家たちの大がかりな計画を阻んでいた。墓を作った人たちは、中央と右側の窪みは完成させていたが、左側の窪みの作業は、最終的に天井を落下させる原因になったのと同じ、弱い石灰岩に突き当たったところで中断していたようだ。そして中央の窪みは、墓の主が生者の世界に歩いていく場所だが、その壁に私たちは、墓の主の像が、つるはしを何百回も打ち込まれて壊されているのを見つけた。キルトと足の部分の形には、作品のなめらかな表面に一本の傷がつけられていた。地震は破壊の原因になるが、つるはしを使うことはないし、売れる可能性があるものを台無しにするのは、現代の盗掘者の習慣にはないことだ。

シャベルで砂を一杯かきだすごとに、破壊されていたものの美しさが輝きを増していった。砂の中から現れた、素晴らしい絵が描かれた石灰岩のかけらは、モスグリーンや赤、黄土色、黄、黒、そして高価なエジプシャンブルーといった鮮やかな色合いをしていた。[33] 果物や焼き菓子、パン、花、斧、鳥、そしてたくさんの人たちが供物としてごちそうを運んでくる様子を描いた絵が、粉々になっていた。石のかけらから高官の小さな顔がこちらをじっと見ていた。その目や鼻は、職人が昨日描き終えたばかりのように鮮明だった。[34]

そうした塗料の下には沈み彫りがほどこされていて、象形文字や絵の詳細な輪郭を表現していた。文字が刻まれたかけらの中には、王族や神殿のための碑文に肩を並べるような、スケールの大きなものもあった。そしてそれは、正面の彩色された窪みだけの話だ。右手の窪みは、考古省の人々が取り戻した石材が盗掘時に剝がされた場所で、そこにはとても繊細な未着色の彫刻があった。平均的な墓と比較すると、出費を惜しんだりしなかったので、この彫刻は、近くの町に住む腕の優れた職人に依頼していた、報酬のよい長期的なプロジェクトだったにちがいない。

しかし、この遺跡のどこを見ても、墓の主の名前はわからないままだった。

名前を永遠に残す

「ターラ・ムディーラ！」発掘シーズンも半ばのある朝、丘の斜面に大声が響き渡った。私はキャンプで発掘器材を整理しているところだった。早くこっちに、女隊長！、と言っているのだ。

私は走って見に行った。石材の角が地面から突き出していた。文字が刻まれた汚れのない面に、「in-t-f」というヒエログリフがみえる。「アンテフ」だ。ついに名前が見つかった。そしてその石材（柱の角のようだった）が精巧に仕上げられていることから考えて、これは探していた人物の名前だ。誰もが興奮した様子で見に来て、掘り出す前にその場で写真を撮った。裏返してみると、文字を刻んだ別の面には「世襲貴族」という肩書きが彫られていた。墓の主が裕福な人物だったことはすでにはっきりしていたが、かなり地位の高い高官だったことがこれでわかった。

そこからはまるでダムが決壊したようだった。さらにいくつもの肩書きが他の石灰岩のかけらから見つかった。「軍の偉大なる監督者」と「王室の印璽官」という肩書きは、[35]亡くなった人物が国防長官と財務長官を兼務していたことを意味している。この国の主流派である軍人の地位にあったアンテフが、センウセレト一世の政権内で強い影響力のある有力者だったことは、その墓がセンウセレト一世のピラミッドの道路近くに位置していることから推測できる。

未着色の装飾がある右側の窪みの外側には、別のレリーフがあり、捧げ物をするアンテフの息子たちの姿か、少なくともその足の部分が描かれていた。その横には、何行にもわたる文章の一部が残っていた。アンテフは自分が「イピから生まれた」ことを繰り返し書いている。とても美しい黒い玄武岩の石材が建設当時の場所に見つかったが、そこにはアンテフとイピの両方の名前が刻まれていた。中王国の墓では、こういった形で息子が母に敬意を表するのは珍しいことではないとはいえ、ここにいるのは間違いなく、ミイラ（マミー）ならぬ母親（マミー）にべったりの息子だ。岩を切り出して作られた墓にはさらに複雑な構造があった。きれいにした右側の窪みの壁には隙間が空いていて、より最近の侵入用の縦穴に続いている。私たちがこの発掘シーズン最大の発見をしたのはこのときだ。

その右側の窪みの中で、砂や最近のがらくたの中に伏せるような形で、表面全体に文字などが刻まれた高さ二メートルの石灰岩の石材が見つかったのだ。それは、この世と次の世を結ぶ「偽扉」で、死者が食べる供物がささげられる場所だ。偽扉の上の方には、この墓室の特徴である精

アンテフの偽扉（写真：著者）

緻な沈み彫りで、アンテフが食べ物であふれた供物卓の前に座る様子が描かれている。その下には、アンテフの生涯をふりかえる六段組の碑文がある。

ぶっこわされたとでも、いいようはいくらでもある。完全破壊されたとでも、いいようはいくらでもある。偽扉は、大きく割られた部分がいくつかあり、碑文や供物の沈み彫りの部分は、幅の広いたがねのようなもので削り取られていた。アンテフの顔はなくなってしまっていた。誰がいつこんなことをしたのかは知りようもない。左上の欠けた部分は、部屋を覆っていたもっと運びやすい（つまり売りやすい）レリーフを盗もうとした、現代の盗掘者のしわざにほぼ間違いない。とはいえ、荒々しいたがねの跡からは、物質主義的な動機によっておこなわれたのではないような感じがした。

これは歴史に刻まれた誰かの負け惜しみなのだろうか？　それとも、現代の泥棒が、自分たちに盗めないものを破壊したのだろうか？　二つ目の可能性は、おかしな話のような気もするが、よく考えてみれば、盗掘者が筋の通らないことをする可能性はある。もしかしたら、これはもっと昔に、墓を冒瀆する目的で誰かが墓を破壊したのかもしれない。あるいは、罰として破壊した可能性もある。

いずれにしても、私たちにとって幸運なことに、偽扉は普通、ほぼ決まった形に作られていて、さらに左右対称になっている。左右どちらかに部分的に残った文字から、ここでもアンテフの肩書きや、イピから生まれたことにこだわる文章を解読することができた。しかし、イピがどういう人物なのか、そしてなぜ息子が自分の母方の血筋をそんなにしきりに強調するのかは、わからないままだった。発掘シーズンが終わって、私たちは疑問ばかりを抱えて遺跡をあとにした。

アンテフというのは中王国でよくある名前だが、このアンテフがその地位についていた期間はいったいどのくらいの長さだったのだろうかと、今も私たちは疑問に思っている。アンテフの名は、それ以前の碑文に出てきていないからだ。「軍の偉大なる監督者」[36]という肩書きは、アンテフが第一一王朝末期から第一二王朝初期にかけての時代を生きたことを裏付けており、センウセレト一世に仕えていた可能性を強めるものだ。たぶんアンテフは、あまりにもいろんな人の感情を害したせいで、墓を冒瀆されることになったのかもしれない。あるいは、そんなとてつもない規模の墓を建てるのはひどい思い上がりであり、隣にそびえる王のピラミッドに対するあまりにもあからさまな挑戦だとされた可能性もある。そうでなければ、質の低い岩を選んだせいで、自然の反撃に遭っただけかもしれない。

深まる謎

私たちは、より大規模な発掘に対応するための新たなメンバーをチームに迎えたうえで、二〇一六年一二月と二〇一七年一二月にリシュトに戻った。アンテフの墓所にある広間の下部まで到達するには、道路や墓のメインの入口に残っている一二メートルの層を発掘する必要があった。レキシン・フンメルの愛情のこもった勤勉な手によって、遺跡内のいっそう良い場所から見つかった土器片に中王国の年代が与えられ、ある決まった種類の土器であることから、それが墓への供物であることが確かめられた。

砂の層には、日干しレンガの破片や、小さいものから大きいものまで数多くの石灰岩製レリーフのかけらが含まれていた。圧倒的な数の出土品が押し寄せてきても、私たちのアーティストであるシャキーラ・クリストドーロウは、そういった美しいものを描けることを喜んでいた。シャキーラは発掘現場で、中心となる発掘クルーよりも高い場所にある机に向かい、オペラのアリアをハミングしながら、水彩絵の具を使って、レリーフのかけらの完璧な復元画を描く。彼女はロンドンの高級画材店で、その名も「エジプトブルー」という絵の具まで手に入れていた。

私たちは、うんざりするほど部分的にではあるが、アンテフ自身の姿を垣間見ることができた。肖像画で残っているのは四分の一だけで、センウセレト一世が別の場所でつけているのと同じ男性用カツラをつけた後ろ姿と、肩と胸、腰のあたりが見えている。さらに、私たちが追っている男は、軍人としての職務に本気で打ち込んでいた。他の裕福な宮廷人は、自分を裕福で太った姿として描かせていたのに、アンテフなら、ボディービルダー向け雑誌の表紙を飾ることができただろう。碑文に軍人としての肩書きが何度も出てきて、そこにはひざまずいて弓を射る人の象形文字が使われていることを考えれば、それも当然だろう。

二〇一六年の発掘シーズンが終わる頃、アンテフの役職や家族関係にかんする他の手がかりはまだ見つかっていなかった。そして、発掘最終週の大騒ぎのさなかに、テレビの撮影までおこなわれた。撮影チームが到着した日は、ちょうど広間の入口通路まで掘り下げたところで、あまりに目を瞠るような出土品があったものだから、私たちがそれをこっそり地面に埋めていたに違いないといううわさが現場に広まったほどだ（子ども用そりと同じ大きさで、厚さは三倍もあるレリーフを地面にこっそり埋められるものならね）。

ひと目見たとき、私たちはそれが椅子に腰掛けたアンテフの姿だと考えた。絵は足元から腰までしかなかった。[37] クルーが十分に撮影をした後で、ようやくシャキーラが絵を見ることができた。「ちょっと、みんな……言いにくいんだけど」シャキーラは、記録作成チームの他のメンバーに向かって叫んだ。「ねえ、これって女性に見えない？」写真の時代になっても、いまだに発掘現

アンテフの母イピを描いた絵（写真：著者）

場にアーティストがいるのはこれが理由だ。

腰掛けた男性と思われていた人物は、女性だったのだ。等身大の姿で、きゃしゃな足まで描かれており、ぴったりしたドレスをまとっていて、ひだ付きの飾りリボンが背中のほうに垂らしてあった。[38]バングルをはめた手には唐竿を持っていた。それは王位のしるしだ。この女性は、生まれながらに権力をふるうことのできる立場にいたのだ。彼女がアンテフの母イピだと私たちは確信している。アンテフが、イピが自分の母であることをしきりに強調したのも無理はない。[39]

墓の底まで

二〇一七年の発掘を進めるうちに、私

たちはアンテフの墓の発掘作業がおそらく一生かかる研究になるだろうと気付いた。グレッグは数メートル下の墓の入口通路の端にいて、日干しレンガの壁が、石を切って作った縦穴をふさいだり、覆い被さったり、横切ったりしている場所の層を剝がしているところだった。彼は、どの層がいつできたのかを調べる作業に無上の喜びを感じていて、誰にも邪魔されたくないと考えていた。特に自分の妻に邪魔されるのを嫌がった。頭蓋骨と交差させた骨のマークをつけた「立ち入り禁止」の看板まで貼っていたほどだ。そして、彼がきっちりと区切った日干しレンガをまたいでしまった不運な人がいたら、こう告げた。墓穴は、ずっと前からそこでお待ちかねだよ……。

縦穴のいたるところに、アンテフを記念する事柄が彫られた、玄武岩製の赤い供物卓の一つか二つ分の破片が散らばっていた。途方もなく高価で大切なものだったはずなのに、それが焼かれて、本当に粉々に砕かれていた。これを見て、誰かがアンテフに死後の世界を楽しませたくないと考えたのだという印象を強めた。

家族の骨でさえ、普通ではありえないほどばらばらになっていると教えてくれたのは、発掘チームお抱えの骨の専門家である、生物考古学者のクリスティン・リーだ。クリスティンは、過去の人々の生活状況や、病気や食生活を調べることにかけては、世界で一、二を争う研究者だ。この遺跡では、成人の男女と、数人の子どもの遺骨を発見していて、その全員がしっかりとした体つきをしていて、ほぼ健康体であることを確かめていた。さらに、明らかに栄養不足とわかる骨もなく、その持ち主が良質なタンパク質や他の健康に良い食べ物を手に入れられたことがわかった。つまりは、首都に暮らす富裕層といって一般的に思い浮かべるような食事をしていたのだ。彼らの骨は、この墓での長年にわたる盗掘によって散らばってしまった可能性が高いが、破損箇所は新しくはなかった。そう考えると、壊されたのはずっと昔で、骨と墓は同じ時に壊されたのかもしれない。今のところは何ともいえないが。

ついに、墓の大広間の底に近づくと、彩色されたレリーフのかけらの中に、ミイラの包布や副葬品が見つかるようになった。数千年にわたって大規模な盗掘に遭っていたにもかかわらず、アラバスターの壺の破片や、[40]ファイアンス焼（釉薬をかけて焼いた、とても美しい青色の陶器）[41]で作られた彫像の付属品やアミュレット（護符）が見つかった。アミュレットの中には、壊れたセクメト神や、小指の爪ほどの大きさしかない小さなネコの形をしたものがあった。[42]

アンテフの家族の中に、私たちが二〇一〇年のコアリング調査でその工房を偶然見つけた、イチ・タウイの宝石加工職人たちの熱心な客がいたのは明らかだ。よく目の利く作業員たちが、ラピスラズリやアメジスト、ターコイズでできたビーズを見つけ出した。頭蓋骨の近くでは、魔法のような魅力を持つ象眼細工の目が、砂の中からこちらを見あげていた。大理石でできた白目の部分は、端が本物そっくりにピンクがかっている。オニキス製の黒目は鏡のように磨かれている。それが棺の元の位置に納められていたときには、見た人を動けなくするほどの力があったはずだ。

こうした出土品は、中王国時代に多くの人が経験した命運の大きな変化を表している。アンテフというのがエジプト南部の名前であることはわかっているので、彼の家族はおそらく、上エジプトからアメンエムハト一世とともに北に移ってきたのだろう。アンテフの墓に見られる美術品や、精巧に彫られたヒエログリフ、墓自体の設計はどれも、その三〇〇年前のピラミッド時代を終わらせる原因となった、砂ぼこりや飢え、気候の大変動のなかから復活してきたのだ。

リシュトの墓地で建築家や技術者が作業していたのは三八〇〇年も前のことだが、私たちは、ともに働くクフト村の人々の中に、エジプトの深い建築の伝統が今も生きているのを見た。発掘作業では、子どもの象ほどの重さがある巨大な石灰岩に出くわすことがあって、クフト村の人々がその石を動かしてくれなかったら、その先の発掘ができない。深さ三メートルの広間からそんな巨大な石灰岩を持ち上げるときには、われらがクフト村チームは、ロープや複雑な結び目、ロープと、統制の取れた人力による、巧みなシステムを準備した。

指揮をとるオマール親方の「一つになって！」という掛け声で、六人の男が前に立ってロープを持ち、二人の男が後ろから押しながら、数秒おきに「せいのー、それ！」と声を上げた。彼らは本当に一つになって、全員の力を足し合わせたよりも大きな力を出した。クフト村の人々は、最初にリシュトの墓を建てた男たちから数えて優に一五〇代目の子孫だったかもしれない。

二〇一七年の発掘シーズンの終わりが近くなって、私が作業者たちと一緒に大広間の柱の基部の砂を取り除いていると、床に暗い穴が見えた。私たちは四〇〇〇年前の入口をのぞき込んだ。そこにあったのは、遠い昔と二〇一一年の二回にわたって破壊された、アンテフの元の墓所のようで、入口をふさいでいた石はまだへりの部分にしっくいでくっついていた。あまり遠くない場所から、無傷の器が三個出てきた。そのうちの一つが墓所の床に置かれていた様子は、まるで時間が凍りついたかのようだった。おそらく、この器を置いたのは、イピの子孫の一人に最後に供物を捧げた人だろう。私たちは将来、この部分の発掘を続けるつもりだ。

宇宙から地上へ

二〇一七年の発掘シーズンには、それまで続けてきた発掘作業に加えて、盗掘孔も含めた遺跡の南側のマッピングという、さらに重要かつ野心的な目標を立てた。

私たちのチームの探査技師のアハメド・イブラヒム・アハメドは、トータルステーション（位置をXYZ座標で測定できる測量・探査用機器）を使って、リシュト南部の詳細な三次元マップを作成する作業をしてくれた。一方で、別のチームがディファレンシャルGPSを使って、私たちが人工衛星でマッピングしていた盗掘孔の状況を記録した。エジプト考古省のマフムード・アラムと、エジプト核物質研究所の地質学者のレダ・エスマット・アル・アラフィは、その記録作業に短期間加わり、有益な仕事をしてくれた。マフムードは熱心な若手遺跡査察官だ。レダは、以前私の博士課程学生で、何にでも好奇心があり、彼女が笑うと誰でもつられて笑ってしまう。

私たちは、人工衛星がとらえていたのが、適当に掘り返した跡なのか、本物の墓なのか、それとも自然の地形なのかを確かめる必要があったのだ。

わずか数週間で、彼らは八〇二の墓の記録を作成した。どれもそれまでエジプト学者たちが知らなかった墓だ。そこにはあらゆる種類の墓が含まれているため、この地域の埋葬習慣を今後理解するのに役立つだろう。私たちは現在、墓の種類や建築材料、大きさ、位置、石の状態、そして盗掘にあっただいたいの時期をまとめた、検索可能なデータベースを作成しているところだ。今回調べた縦穴式墓の多くには、家族用の区画として、一つの墓に二つから八つの墓室があったので、全体としては、四〇〇〇人以上の人々が埋葬されている可能性がある。彼らはみな、イチ・タウイに暮らし、そこで亡くなった人々だ。

さらに、リシュトの北部地区には、マッピングすべき墓が一〇〇〇以上あり、さらに五〇〇〇人以上の人が埋葬されている可能性がある。そしてこれらは、盗掘によって明らかになっている墓だけだ。この遺跡に未発見のまま残されているものはどのくらいの規模があるのか、さらにそこから中王国についてどんな新しいことがわかるのかと考えると、思わずはっとさせられる。

発掘シーズンの最終日、私は墓地を見渡す丘のてっぺんに向かった。むき出しになった広間や、後年に割り込むように作られた墓に傷つけられた道路に息を飲んだ。私たちは、縦穴式墓や、礼拝堂の窪みに一つ残らず、頑丈なレンガのおおいをしたうえで、鍵付きの鉄のドアを設置した。ジェベルの頂上には監視小屋が新たに建てられた。そこには私たちのプロジェクトが雇った監視人がいて、古代の墓地全体に投光照明を当てている。人工衛星画像からはすでに、その監視小屋を設置して以来、新たな盗掘が減少したことがわかっている。

将来的には、アンテフの墓を復元して、粉々にされたレリーフをつなぎ合わせるのが私たちの夢だ。破壊行為の原因は永遠にわからないかもしれないが、アンテフの墓での私たちの発掘作業や、同時に実施された保護対策は、アンテフの家族が暮らし、埋葬された地域社会の最後の名残を保護してきた。いつの日か、彼らのことがもっとわかるようになるかもしれない。アンテフの墓は、数多くある過去の未解決事件の一つかもしれないが、私たちがこれまでに発見してきたことを考えると、私はまだ望みを持っている。

人類のための希望製造装置

第7章と8章では、私たちはかなりの旅をしてきた。エジプトの偉大なピラミッド時代がどのようにして終わったかを学び、中王国においてふたたび文化が花開いた様子を見てきた。「崩壊」という言葉は、古王国の終わりについて多くの考古学者が用いているように、完全なる破壊を意味する。私は、古王国の終わりから中王国の始まりにかけての時期はむしろ、外力の変化に応じて、風船がしぼみ、また膨らんだ時期だと考えている。エジプトが第一中間期に経験した大きな混乱の中から、中王国が始まった。それを「古代エジプト2・0」と呼びたい。前よりも優れた国ではなく、違った国になったのだ。

現在の私たちの社会もまた、自らを改革し、進化するためには、しぼむ必要があるかもしれない。私たちは、過去から学ぼうとする個人であろうと、権力構造全体を変えつつあるグループであろうと、新たな限界を押し広げ、試すのを決してやめないということが、古代の歴史からの教訓だ。それはこれまでも、これからも変わらない。一つの偉大な時代の終わりは、新たな時代が始まることを保証するものではないが、そうなる可能性はある。そうした将来を見通す力を、私たちは過去から得ることができる。

現在のリシュト遺跡の範囲は墓地のみにとどまっている。イチ・タウイの町は、現代の生きているリシュトの町の下から今も手招きをしている。そのリシュトには、砂漠の墓地に埋葬された人々の子孫がいるかもしれない。私たちは、アンテフやイピがどのような人生を送ったのかをまだ解明していないが、彼らを忘却の世界から連れ戻し、すべての古代エジプト人にとっての最大の願いをかなえた。[43] それは後世に名を残すことだ。

考古学は、人類のための希望製造装置だ。私はそう考えている。古代エジプトのさまざまな時代が始まっては終わり、また始まったことについて読んだ後で、ぜひみなさんが私と同じように考えてくれたらうれしい。そして、そうした物語がエジプトだけのものではないこともわかってもらいたい。それはどこでも私たちの足下にある。そうした物語には、発掘する価値があり、守る価値がある。

第9章 未来の考古学

——二一一九年。中東のとある場所、古代のマウンドにて。

ロビーは、休閑地を足早に進みながら、前方に盛り上がっているマウンドの様子をうかがった。五〇〇平方メートルの広さがあり、その端には壁の一部が見えているが、この場所ではこれまで地上からの考古学調査がおこなわれていなかった。しかし、一〇〇年前の人工衛星画像には遺跡がはっきりと見えている。考古学者たちはなぜこうした遺跡をきちんと調査してこなかったのだろうか？　彼らは原始的な条件で仕事をしていたから、とロビーは考えた。正直なところ、彼らがデータを少しでも回収できたことからして不思議だ。

作業時間は一時間しかないので、ロビーはすぐに取りかかった。シルバー・メタリックのバックパックを下ろして、上部をぽんと開ける。バックパックの中は発泡体で仕切られていて、その間から丸みを帯びたロボットを何十個も取り出した。それぞれの直径はジュースの缶ほどで、色は赤、緑、青、黄がある。ロビーはそれを地面に置いた。

それぞれをぽんと叩いて「サーベイ」モードにした。次に小さな箱を取り出した。中には、ペーパークリップほどの大きさの色とりどりの小型マシンが数機と、銀色の細長い棒が一本、フリスビー大の円盤が一個入っていた。ロビーは棒に円盤を取り付けて、地面に向けて伸ばしてから、ペーパークリップ大のマシンを振った。

「待て」ロビーが言った。ロボットがすべてブンブンと音を立て始め、一列に並んだ。「レッド、ゴー」

赤のロボットがプロペラを回して離陸した。半分は列をなして遺跡中を飛び、残りの半分は遺跡周辺の半径五キロメートルの範囲を決まったパターンで飛行した。赤いロボットの残り時間一〇分をカウントダウンするタイマーが動き始めた。片方の目でそのタイマーを見ながら、ロビーはあぐらをかいて座り、バイザーの画面にホログラム・マップを表示させた。赤いロボットは、ＬＩＤＡＲや熱赤外センサー、ハイパースペクトルセンシングシステムを搭載している。そのロボットのそれぞれが地下の構造物をほぼ完全に近い精度で検知していくと、ホログラム・マップに探査データがさっそく表示されていく。遺跡の三分の一にあたるエリアは背の低い植物で覆われていたが、地面がむき出しの残りのエリアと同じように、地下の構造がはっきりと見えた。

三次元画像がホログラム・マップに表示されると、そこには川の旧流路や用水路が、仮説にもとづいた変化のタイムスケールとともに描き出された。遺跡の地下構造物の大半が表示され、そこに埋葬地や行政地区、居住地区、工房の集まる地区といったホットスポットがあるのを見て、ロビーは満足そうにうなずいた。建物の一つは宮殿のように見えた。

回収時間まで残り四〇分。「グリーン、ゴー」ロビーは言った。緑のロボットがブーンと音を立てて飛び去った。地面の一〇センチほど上の高さを、植物の間を抜けたり、迂回したりしながら、遺跡を約一〇センチ間隔のルートで何度も往復した。ロビーのバイザースクリーン上には、地下構造物の三次元イメージがさらにはっきりと浮かび上がった。遺跡全体の三次元配置図が、地下方向にどんどん広がっていて、最終的には地下八メートルの深さまで到達した。スクリーン上には、建設の初期段階から後期段階までが色のグラデーションで示されており、そこにある建物が、数千例を記録する内部データベースと照合された。数十の建物が明るく光った。残りは三五分しかない。作業リストをなんとか最後まで片付けられそうだ。

「ブルー、ゴー」青色のロボットが九機ずつのグループで、スクリーン上で光っていた建物の上を飛ぶ。一メートル間隔でホバリングしながら、強力なレーザーを使って地面に穴を掘り、鉛筆ほどの太さのプローブ（探針）を地下七メートルの深さに打ち込んだ。そのプローブが超音波を発して測定をおこない、また次の場所に移動していくのを待った。

何かを探知して、すべてのプローブがいっせいに焦点を当てたので、ロビーは座り直した。構造物が現れ、その壁の内側にある遺物や埋葬者がすべてそろったモデルが表示された。そこにある部屋の九〇パーセントが明るく光った。

「ホットスポットが多いな」ロビーはつぶやく。残り時間のカウントダウンを確認して、唇をかむ。あと二五分しかない。「プローブ格納。ゴー、イエロー。ゴー、ディグボット」

一列に並んだ小さなマシンが、ブンブンと音を立てながらホットスポットの正確な位置まで一直線に飛んでいき、掘り始めた。すぐ後ろを飛んできた黄色のドローンが、掘り始めた場所のすぐ上にホバリングする。ディグボットは掘り進んでいって、埋葬者を一つずつスキャンし、何種類かサンプルを採取した。地表に戻ってくると、粉状にした骨を、黄色のドローンに搭載されているDNA解析用のスペクトロメーターに渡した。

「一致しました、一致しました」黄色のドローンは、埋葬者を一人ずつ近隣の村や地域の家系図と照合し、すべての遺物を近隣や数百キロメートル離れたところにある生産地と結びつけた。土器やそのかけらを何千種類もの土器が登録されたデータベースで検索していきながら、一致したことを示す高い音声を立て続けに出す。

ロビーは、スクリーン全体にデータが泡のように広がっていくのを見ていた。

「回収時間まで一五分」カウントダウンタイマーの自動確認機能が調子の良い声で言ったが、ロビーは、ある表示が点滅しているのに注意を奪われていた。さらに拡大して見てみた。いくつもの巻物だ。周りが焦げているものもあるのだろうか？　ロビーは手を振るような動きをした。専門的な機能を備えたスキャンボットが五機、古代の言葉を記録するために、地下の記録保管所に一直線に飛んでいった。ロビーのスクリーンには、まるで地面から吸い上げてきたかのように、その巻物が表示された。それを広げると複雑な文章が現れた。いくつかの巻物は古代の書記によって再利用までされていたので、文章が層になって、羊皮紙の上に幽霊のように浮かんでいた。

「回収時間が近づいています」

ロビーの集中型データベースのアイコンが緑に点滅している。マッピングとデータのスキャンが終了したのだ。数分で、レンダリングしたデータから検索可能なパターンが出てくるはずだ。

「ロボット、ホーム」ロビーは遺跡全体に向かって叫んだ。戻ってきたロボットを一台ずつオフにして、丁寧にバックパックに戻す。ぞっとするような警告音が聞こえて、ロビーは顔を上げた。それはツタンカーメンの銀のトランペットの音で、二〇〇〇年前の旧式の録音だ。[1]「いいぞ、時間ぴったりだ。報告しろ」

「地域レベルと国レベルの遺跡データベースのスキャンが完了しました。一五件の遺跡歴史仮説を計算中、繰り返し処理*開始中*。歴史一から一〇を削除、確率は九〇パーセント未満です。残り五件のうち、四件は一一七七年に放棄されたという遺跡履歴と一致します。放棄モデルが正しい確率は九四パーセント未満で、残り一つの居住モデルは九五パーセント以上です」ロビーはうなずいて、グラフをさっと動かした。

「では、その残り一つを説明してくれ」

「遺跡への居住は紀元前三二二五年に、約二〇〇人の集落として始まりました。これが紀元前二四七八年には二〇〇〇人の小さな都市に成長しました。拡大の原因は、川の流路が移動したことです。さらに、他国からの交易品が入手しやすくなりました。きわめて裕福な支配者層がいた証拠もあります。紀元前二三一〇年には、地域の支配者が、独自の軍隊の設立に取りかかり……」

「そしてこの地域を支配した」

「その通りです。半径四〇キロメートル以内の五〇以上の都市を支配しました。彼は自らが王であると宣言して、二〇年にわたって支配を続けましたが、最高位の聖職者によって地位を追われました。聖職者は紀元前二二九〇年に大きな戦争に敗れました。その上に、シルトの堆積層が一メートル強あります。その層に土器のかけらは含まれず、その後一〇〇年にわたってこの集落に居住の証拠はありません」

「干ばつかな」

「その通りです。四三〇〇年前の干ばつが原因で、この地域では大規模な集落の放棄が起こっています。紀元前一八〇〇年に人口五〇〇〇人の町がふたたび出現し、そこには地域の支配者がいました。その後、飢饉や病気の期間が続き、紀元前一一七七年頃には火事がありました。ローマ時代には、通行料を取る大規模な道路の建設によって、この遺跡には二〇〇〇人強の住人がいました。西暦一四六年頃に、戦争によって、子どもから中年までの男性が虐殺されました。女性や少女の遺体が極端に少ないことから、みな奴隷として連れ去られた可能性が高いです」

「素晴らしい」

「感情価を読み取れませんでした。読み取りを希望しますか？」ロビーは飛び上がった。

「いや、いや、必要ない」ロビーが空中をスワイプすると、スクリーンから回答選択ボックスが消えた。「最後まで説明してくれ」

「西暦六六一年から七五〇年のウマイヤ朝時代には、小さな集落が出現します。この集落が現在まで続いています」

遺跡と周辺の景観を映像化したものが現れて、ディグボットが検知した変化を反映する形で、時代につれて進化する様子を示した。また地域全体の地図には、交易の拠点と天然資源、侵攻してきた敵の出身国や、川の旧流路が表示された。

「遺跡歴史の分析完了。エラーの確率はプラスマイナス二パーセントです」ロビーは悪態をついた。一パーセントでもあると困るのだ。

「最新のプローブモデルを展開できるようになるのはいつだ？」

「わかりません」

「おっと、やめよう。セッション終了」

完成したレポートが現れた。地域の河川系や、建築段階、遺跡で見つかった土器、遺骨とDNA、遺跡の発展と成長、崩壊、放棄、再居住といった章がある。遺跡の配置図や地図、復元図がスクリーン全体にぱっと表示された。その間に、土器の破片のスキャンイメージが一つずつ飛んでいって、あるべき位置に収まって、美しい軟膏壺の形が復元された。

「そして最高なのはこの章だな……」ロビーはそう言って、笑顔になった。五〇〇〇年にわたる食文化を詳しく説明した部分だ。今日は忙しい一日だったし、お腹も空いてきた。

「警告！　警告！　回収時間が過ぎています」

ロビーは悪態をこらえて、「承認：最終レポート」の表示を押した。「うちのボスはあの二パーセントを嫌がるだろうな」しかし今は、ビールのほうが大事だ。

ロビーは着陸地点に戻った。無人航空機が立てる低い音が大きくなるにつれて、砂であたりがかすんできた。ロビーが彼のロボットアバターを、バックパックを取り囲むようなコンパクトな正方形に折りたたむと、航空機から磁石のついたアームが伸びてきて、彼を回収した。

数秒後、アーキオビジョン社の本社で、ロビーはＶＲ（仮想現実）バイザーを外し、頭を左右に振った。最終レポートには、二〇一〇年に実施された考古学調査が何度も出てきた。近くの遺跡からの発掘レポートまであった。かなり多くのデータを見落としていたのだ！

それにしても、あんなに土だらけの場所だとは……。細菌やハエもたくさんいるなかで、快適な居住ポッドから何カ月も離れなければならないなんて。そんなこと誰がしたがるだろう。

ロビーは鼻にしわを寄せ、目をぱちぱちさせながらスクリーン上で回転する軟膏の壺を眺めた。遺物を地中から取り出すなんて、時間の無駄だ。ロビーは毎日、会社に入ってくるとき、玄関にあるツタンカーメン王のマスクの額を軽くたたく。もちろん、３Ｄプリンターで作った正確なレプリカだ。専門家もだませるだろう。金（きん）も使われている。地球外での採掘が本格的になっているからだ。金やラピスラズリは、どちらもポテトチップ並みに安い。

「本物のポテトか」ロビーはつぶやいた。「いい考えだな」空中に浮かんでいるホログラム時計の数字をちらりと見た。時間通りに、今日五つ目の遺跡調査が完了した。ここで昼食をとっても、今日の残りの回収スケジュールに影響しないだろう。ただ、ビールはあとにしなければ。「ノルマにはうんざりだよ」そう言って、立ち上がった。

食堂のトレーを前にしながら、ロビーはあのエラー評価のことを考えていた。勤務査定には響かないはずだ。しかし、ランキングはどうなるだろう。今、全体で三位だ。キューブ状の食べ物をフォークで突き刺して、あっという間に飲み込んだ。

「あのロボットを新しいのに変えさせられるだろうか」ロビーは配膳ユニットに向かってつぶやいた。「うちのボスのことだし。でもそれでいいんだろうな。あのロボットたちは役目を果たしたんだから」

でも自分はどうだろうか。カウンターの向こうの壁一面に設置されているスクリーンには、宇宙船の建造現場の様子がリアルタイムで映し出されていた。回転する銀河のような自動化された動きの中から、調査船があの壺のようにできあがっていく。ほんの数カ月後には、あの船は地球サイズの太陽系外惑星「ロス１２８ｂ」に向けて打ち上げられるのだ。[2] やがてそのスクリーン上に、ロビー自身の顔と「トップクラスの考古技術者（アーキオテク）」という文字が流れていく。ロビーがその調査船チームに加わる可能性はまだ大いにある。

アーキオビジョン社の従業員の中で上位一〇位になれば、宇宙に行くチャンスが与えられるのだ。アーキオビジョン社が、ロビーのような二〇人の技術者の手によって、一日に全体で一〇〇カ所の大規模古代遺跡をマッピングできるなら、他の惑星の遺跡を調査することも実現可能だった。「国連太陽系外惑星探査ミッション」での試験探査契約の期間中に、アーキオビジョン社はすでに一万カ所の遺跡を調査していた。

「それにあと一カ月ある」ロビーはそうつぶやいて、最後に残っていたキューブのかけらをかき集めた。

「間違っています」と配膳ユニットが答えた。「食堂のサービスは一〇分後に終了します」

ロビーはぼうぜんと配膳ユニットを見つめると、スクリーンを見上げた。人間はこれまで、古代エジプトやシリア、イラクなど、多くの場所で生き延び、繁栄し、失敗してきたが、ロビーが今待っているのは、星の世界に向かえという命令だ。

もっというなら、ロビーがこれまで調査してきた遺跡の住人なら、そのことについてどう思うだろうか?

「おお、やったな、ロビー」そういいながら、トレイを配膳ユニットに戻す。「おまえはわけのわからない昔ながらの考古学者じゃない」スクリーンにあったように、ロビーは「考古技術者」だ。そして考古技術者こそ、ロビーを引きつけてきたものだった。最新のおもちゃがなんでも使える。給料もいいし、地球の外で暮らすチャンスもあるし……。

地球の外の世界には本物の謎がある。地球上の遺跡はほとんどがマッピング済みだ。

「どれもほとんど同じようなものだし」ロビーはため息をつく。

スクリーンにロビーの顔がまた流れてくる。笑顔を浮かべて、自信のある表情をしていて、活発だ。かつてロビーが教えを受けた年老いた大学講師たちの素朴さは、ロビーにはない。正確にレンダリングされた彼らの姿は、ロビーの腕時計からホログラムとして投影されていた。ロビーは授業以外の場では、友達とあの世代のことを笑っていた。

二〇六〇年にさかのぼれば、ベテラン考古学者の最後の一人が、がたの来たロボットのように土を掘っていた。やがて最後の発掘用コテをしまいこんだ。あの考古学者たちが授業の動画を録画したときには、みんな一〇〇歳くらいだった。

とはいえ、発掘現場での仲間意識だとか、二〇七〇年代に初めて検出された地球外からの電波のことを話すときには、老考古学者たちの表情が変わった。もちろん、ロビーはそれを笑ったものだ。彼は、建造現場にそびえ立つ宇宙船をじっと眺めた。そして、宇宙で古代文明の痕跡を発見することを想像した。そのときの自分が、どれほどあの考古学者たちに似ているかは気付かずに。

真実はもう、地面の中にはなかった。それは外の世界にあるのだ。

現在へおかえりなさい!!

これはまったく荒唐無稽な話に思える。むかし私が幼稚園の先生に言われたように、「科学よりもサイエンスフィクションのほうに興味がある」人が思いつくような話だ。確かに、私はその頃からあまり変わっていない。子どもだった一九八〇年代に、『スター・ウォーズ』と『インディ・ジョーンズ』が交配してできた種が、私の頭の奥深くに植え付けられ、やがて本物の研究的興味へと育ったのだから。私はここまでのページのほとんどを、宇宙から見た地球の姿について、そしてそれ以上に考古学からわかる私たちの過去について語ることに費やしてきたが、私たちが進む未来についてはまだ取り上げていなかった。

調査や研究を二〇年続けてきて思うのは、考古学者というのは、過去について想像している時間のほうが、考古学の未来を思い描いている時間よりもはるかに長いということだ。たぶん私たちは、細かな部分にとらわれすぎているのだろう。あるいは、自分たちが間違っていると判明するリスクを恐れているのかもしれない。確かに、それは恐怖だ！

大きな夢を抱いて

しかし私たちが、たとえ少しの時間でも、考古学の未来を自由に夢見れば、考古学者や、科学者、医師、ロボット科学者がすでに、さきほど出てきたテクノロジーをすべて使っていることがわかる。現在使われているテクノロジーは、まだ小型化されず、携帯可能でもないかもしれないし、取り付けてあるセンサーの数が少ないかもしれない。ただ、私たちが現在どれほど多くのテクノロジーを使っていて、それらがどれほど急激に進化してきたかをじっくり考えてみれば、私には二一一九年のあの世界が近づいてきているのがわかる。

テクノロジーの進化の中で、三〇年はそれほど長くはない。一九九〇年代初頭より前には、インターネットについて聞いたことがない人がほとんどだったのを思い出してほしい。一〇〇年前には、電話はとても裕福な人の家に登場し始めたばかりだった。それが今では、二五億三〇〇〇万人がスマートフォンを所有している。[3]

驚くことに、発明家は、何十億ドルという大金を稼ぎ出せるような次の注目テクノロジーのヒントを集めたいと考えて、サイエンスフィクションをじっくりと読み込んでいるという。[4] サイエンスフィクションを通して考古学調査の未来を思い描くというのは、それと同じくらい価値があるかもしれない。

たとえば、一カ所の遺跡全体のマッピングと発掘を一時間で完了するとか、あるいは最小限の範囲を調査して、それをうまく組み合わせることで、遺跡という難問全体の答えを推定できるようにするというのは、現時点ではこのうえなく非常識な考えだ。一つの考古学者チームが、一カ所の遺跡を四〇年以上にわたって調査し続け、おそらく発掘責任者のキャリアすべてがその調査に費やされるような場合でも、かろうじてその表面をなでたくらいだろう。

ちょっと算数をしてみよう。算数は楽しいものだから。広さが五〇〇メートル四方で、高さが八メートルのマウンド（現在の地面より下になる部分は除く）を考えると、遺跡の大まかな体積は二〇〇万立方メートルになる。一回の発掘シーズンに、一人の考古学者と地元の発掘作業員は、二カ月間で一〇メートル四方の区画を三・五メートルの深さまで発掘できる。この発掘分の体積は三五〇立方メートルだ。

一カ所の遺跡では、一シーズンでそのサイズの区画を四つ発掘できる可能性があるので、合計で一四〇〇立方メートルになる。四〇年間、標準的なペースで発掘を続けると仮定すると、五万六〇〇〇立方メートルが発掘される。これは遺跡全体の体積の三パーセント弱だ。この発掘から、年に一回の発掘調査報告書や、数百件の研究論文、数十人分の博士論文、そしてたくさんの学術書が生まれることになる。

そこで一〇〇パーセントにするには、四〇年に三三をかける。この計算から、一カ所の遺跡の発掘に一三二〇年かければ、すべてを理解できることになる。一年中発掘が可能だとしても、やはり実験室での集中的な作業や、結果の分析、論文の準備などの時間も計算に入れなければならない。一カ月の発掘に対して、そうした追加の作業時間が優に四カ月から八カ月必要だ。

そこへさらに、その地域にある遺跡の数 x をかけたらどうなるだろう。

考古学の黄金時代といわれる現代に見られるあらゆる進歩をもってしても、それだけの発掘をするのは不可能だ。そのうえ、別の現実も押し寄せてくる。考古学者たちは、一カ所の遺跡で数シーズン以上にわたって調査する機会を得られない場合があるのだ。すでに説明した研究助成金や発掘許可の問題や、キャリアの変化が原因となって、発掘責任者が別の遺跡に移ることはどこでもあることだ。一つの遺跡にずっと関わるには強い情熱が必要だ。なんといっても、それだけの時間を注ぐことになるからだ。私は、エジプトでは特に大好きなリシュトの遺跡とずっと付き合っていくつもりだが、マッピング対象となる他の遺跡もつねに探している。それが私にとっていいことなのか、悪いことなのかわからないが、おそらくわからないままでいいのだろう。

現在の状況

遺跡について一時間で理解するという話は、いうまでもなく、サイエンスフィクションどころか、ファンタジーに近い。しかし現状を見たうえで、フィクションの世界のロビーが二一一九年に思いのままに使っていた魔法のおもちゃ箱を考えてみると、私たちが自動運転小型ドローンを使ってマッピングや調査、三次元復元図の作成をおこなう段階にいかに近づいているかがわかる。

すでにリモートセンシング機器は、人工衛星からヘリコプター、ドローン（無人機とも呼ばれる）まで、地面から離陸させられるあらゆるものに搭載されている。考古学調査で一般的に使われるドローンは、直径約五〇センチだが、ドローンのテクノロジー自体の小型化はどんどん進んでいる。最近ではおもちゃのドローンなら手のひらサイズのものが買えるし、ジュース缶ほどの直径のミニドローンも新たに発売されている。[5] そうした小型ドローンの中には、カメラを搭載したものもある。[6]

二〇一五年以前は、搭載するリモートセンシング機器が重いほど、より大型のドローンが必要になり、場合によっては飛行機かヘリコプターに頼らねばならなかった。今では、標準的なドローンでも、ＬＩＤＡＲシステムと熱赤外カメラ（またはハイパースペクトルカメラ）を簡単に持ち上げられる。その点では、ロビーが初期探査に使った赤いロボットとそれほど変わらない。[7]

これらの機器はどれも、過去一〇年で大幅に小型化した。高性能の熱赤外カメラはスマートフォンと同じサイズになっている。今から一〇〇年後に、十分に小型化した熱赤外カメラを手のひらサイズのドローンに搭載するというのは、それほど非現実的には思えない。

理論的に考えれば、二一一九年には、地下の遺構や、遺跡の活動エリア、地形、川の旧流路を、それぞれのドローンシステムでマッピングすることが可能だろう。

ハイパースペクトルイメージング

ハイパースペクトルイメージングと呼ばれるテクノロジーは、リモートセンシング考古学のわくわくする新領域だ。この本でもたびたび出てきた標準的な可視光画像や近赤外画像には、四つから八つの波長域が含まれるのに対して、ハイパースペクトル画像には数百の波長域のデータが含まれるので、地面の化学組成についてのヒントが得られる。[8] コンピューター画面の色が八色から二五六色に増えるようなものだと思ってほしい。そうなると、写真の細かい部分や微妙な部分がずっとよく見えるようになるだろう。

小型スペクトロメーター（分光計）[9]は、高校にあるような一般的な顕微鏡くらいの大きさの装置で、どんな物質でも、その化学組成に対応する分光特性を測定できる。地質学者は地層のわずかな違いを検出するのにスペクトロメーターを活用しているが、[10] 考古学者が使うようになったのはかなり最近で、その性能をまだ完全にいかせていない。最初のステップとしてするべきことは、分光特性の比較をするために、遺跡や地域ごとにデータベースを構築することだろう。

地表にあるすべてのものには、独自の化学的特性があることが以前からわかっている。遺跡の地中に埋まった遺構が分解されると、その構成物質の小さなかけらが放出されて、その上にある地層と徐々に混ざりあうのだ。これは肉眼では観察できないかもしれないが、赤外域データを使うと、こうした変化をマッピングできる（雨が降ると変化がさらにはっきりする）。それによって、日干しレンガの建物や、集落の基礎部分の輪郭の位置を見つけることが可能になる。[11] 石造りの遺構が埋まっている場合には、中赤外域データを使うと遺構がさらにはっきりする。

ハイパースペクトルデータを使うと、遺跡内の異なる活動エリアを区別することも可能だ。たとえば、土器や金属製品の製造には高熱で燃焼させる必要があるので、化学残留物がはっきりと残る。そうした化学残留物は工業地区があった証拠になる。墓地の地区には骨が多く含まれるので、土壌の鉱物濃度が変化する可能性がある。また骨が細かな断片になって、遺跡の最上部で骨の断片が観測されることが多く、それが墓地の存在を示すはっきりとした特徴となる。ハイパースペクトルデータの場合、こうした異なる種類のエリアはそれぞれ、光スペクトルのグラフ内のスパイク（とがった点）として記録される。またエリアごとに、より見やすくなる波長域が決まっている場合もある。

熱赤外イメージングも、考古学者にとても面白い新たな研究手段をもたらしてくれる。どんな都市でも夏の一番暑い時期には、コンクリートが昼間の熱を吸収し、夜になって気温が下がると熱を外に放射する。夏の夜には、熱を遮る木々の多い地域と比べて、都市部の温度のほうが三度から四度高くなり、このせいで夜間の人工衛星画像では都市が文字通り輝いてみえることがある。[12] 地下の遺構も、温度差はずっと小さいものの、夏の熱に対して同じように反応する。

アメリカのニューメキシコ州のチャコ・キャニオンでは以前から、考古学者たちがキバと呼ばれる地下の儀式室を見つけるのに熱赤外カメラを使っている。[13] それを考えれば、同じ種類のイメージングを他の砂漠環境にある地下の墓を見つけるのに使うことも、すっかり現実の話だといえる。もしかしたら、考古学者が長い間、隠された墓所を探し続けてきた、エジプトの王家の谷でも使えるかもしれない。最大の温度差をとらえるのにとにかく必要なのは、適切な季節と時間帯に撮影された画像を手に入れることだ。

複数のセンサーを一台のドローンに搭載することは、今後数年のうちに実現するだろう。それは単に効率性の面から強く求められているからだ。そして効率が高まれば、そのまま費用の削減につながる。研究予算がこれまでになく圧迫されている状況では、費用削減は不可欠だ。当然ながら、センサーの数が増えれば、地下の探査や発掘の精度もあがるだろう。すでにＬＩＤＡＲシステムとハイパースペクトルカメラを同時に航空機に搭載している研究者がいるし、[14] テクノロジーの小型化が進めば、標準的な搭載機器の種類がさらに増えるだろう。

上下からのスキャン

次にロビーの緑色のロボットについて考えよう。それぞれの遺跡を、周辺の景観の中でスキャンできるロボットだ。遺跡は孤立して存在しているわけではない。これまでの章でも、地域社会の盛衰を理解するには、原材料の入手可能性や川や湖の移動を知ることがいかに重要になっているかを見てきた。そのため私たちは、川の旧流路や古い水源[15]を探したり、鉱物の採掘や採石ができる場所を見つけたりするために、古代都市の周辺を探査する。

現在は、磁気探査や比抵抗探査、地中レーダーといった探査手法が主流になっている。そしてこうした物理探査手法では装置そのものがとても大きく、技術者は標準的な一シーズンの探査で何百キロメートルもの距離を歩くので、現場での作業はとても大変だ。しかしこうしたテクノロジーが改良されれば、探査システムもほかのテクノロジーと同じように小型化し、部品が軽量化されるだろう。探査システムが、ロビーが使っていたような自動運転ドローンに搭載される日が来ると私たちは期待しているが、足を痛め、前屈みになって磁気探査をしてきた専門家は、そんなことは望んでいないかもしれない。

現在の研究者たちが、物理探査機器に記録されたデータをコンピューターにダウンロードして、リモートセンシングプログラムと同じようなソフトウェアで処理するには、探査がすべて終わるまで待たなければならない。こうした機器で取得したデータを無線でコンピューターに送信することは以前から可能だが、[16] 広く実践されてはいない。地中のセンシングとデータ送信テクノロジーの開発が続いていけば、自動無線アップロードの実現が期待できる。さらに、データをただちに遺跡の三次元モデルに投入して、地下五メートルから八メートルの深さに達する構造物をレンダリング表示するところも、簡単に想像できる。ほんの五〇年前には、地中リモートセンシング装置はまったく存在していなかった。今は秘密を隠している地面が、一〇〇年後には私たちに向けて大きく開かれるようになって、発掘調査がおこなわれなくなることも十分にあり得る。

ロビーの青いロボットが描き出した素晴らしい三次元復元図も、実用化の初期段階に来ている。私たちは、超音波が周囲の状況を復元する様子を見たことはあっても、それを特に意識していなかったかもしれない。コウモリやイルカはそういうことを自然にやっていて、私たち人間もようやくその方法に気がついたのだ。無人自動車は、進路上にある物体を検知するために超音波や光を発している。それによって、物体の種類を暫定的に決めたうえで、人＝止まる、自動車＝加速して衝突を避けるというように、物体の種類に応じた行動を取る。[17] このテクノロジーをドローン群に取り付けている科学者はすでにいて、[18] マッピングへの応用例が数多く考えられている。センサーが小型化し、感度が高くなれば、プローブによって地下に送り込むことは可能だ。

一方で、さきほどのサイエンスフィクションでは、巻物を発見する場面で、巻物をそのままの状態でスキャンしていたが、古代の美術品や書物をスキャンしたり、内容を明らかにしたりする技術は、すでに大きく前進している。科学者たちは現在、レーザーを使って、墓の壁からすすを取り除き、とても美しい絵画を見つけ出している。[19] 古い手稿に赤外光をあてて、どれがパリンプセストかを調べることも可能だ。パリンプセストとは、最初に書かれた文字が削り落とされて、上から別の文字が書いてある手稿のことで、下の文字は人間の目では見えなくなっている。[20]

さらに位相差X線イメージングを使えば、イタリアのヘルクラネウム遺跡で見つかった、焼けた巻物の中を見ることができる。ヘルクラネウムは、西暦七九年にベスビオ火山の噴火で破壊された都市で、同じ噴火で破壊されたポンペイほど有名ではないが、負けないほどの魅力がある。そのきつく巻かれた巻物は、とてももろくて、開いて読むことは不可能だが、このテクノロジーを使えば、炭化したパピルスのシートの間に隠れている単語や文字を拾い上げることができるようになる。この研究は今のところ、概念実証の段階にすぎないが、専門家たちは近いうちに書物全体を読めるようになると自信を持っている。[21]

機械学習――最先端領域

こうした形で、かなり先進的なイメージングテクノロジーの基礎となるものは、今後発展していく準備ができている。一方で、ロビーが自由に使っていた、情報を互いに結びつける機能も実現に近づいていて、そこから調査候補の遺跡をピンポイントで決めるためのあらゆる情報を得る段階も遠くはない。それは機械学習と呼ばれるものだ。

機械学習、あるいはコンピューター・ビジョンは現在、大半のコンピューター科学プログラムで不可欠な要素になっている。それは顔認識プログラムのようなものを支える原動力だ。コンピューターは何千もの例にアクセスすることができ、ニューラルネットワークを使って、そうした例と、受け取った新しい要素に対応する画素を比較する。

こうした種類のソフトウェアは、スマートフォン・アプリの多くを動かしている。たとえば、お気に入りのカフェで流れている曲や、写真に撮った鳥の名前を調べるときに使うアプリだ。[22] 機械学習は、何らかの形で一種の拡張現実に相当するものだ。私たちはその中で、コンピューターの力を借りて、データ量がますます増えていく生活で生じるノイズからシグナルを区別している。

人工衛星画像は、機械学習に使うのに最適な種類のデータだ。サイズが大きな人工衛星データセットがある場合、エジプトにある盗掘孔すべてをマッピングするのに、私たちの三人のチームでは六カ月近くかかった。盗掘孔があるとわかっている画像と比較することで、盗掘孔がありそうな地域を検出するようにマシンをトレーニングできれば、どれだけ早く作業を終えられただろう。そうなれば、私たちの仕事は、何十万平方キロメートルもの面積を自分たちで探すことではなく、見つかった穴を確認することだけだったはずだ。たぶんエジプト全域の作業を一週間で終えられただろう。

機械学習を使って、人工衛星データの中にある未知の遺跡を検出する可能性というのは、現在の考古学分野では最先端の領域だ。なにも特徴がない地域を自動的に消していくことができれば、疲れた目で見たら見落としていたかもしれないような興味深い地域に焦点を合わせることができる。データサイエンティストはすでに、ギリシャの人工衛星画像を使って、税金を逃れるために金持ちの家主が隠していたプールを探し出すといった作業の機械学習アルゴリズムを開発している。[23]

考古学分野全体が現在、基本的には、世界中の遺跡でまったく同じ反復プロセスにのっとっている。つまり、他の場所の発掘調査やリモートセンシングの結果にみられる同様の遺構と比較して、自分たちの遺跡の中でもっとも有望なホットスポットを特定してから、発掘をするというプロセスだ。ただ、それをかなり遠回りしてやっている。機械学習なら、このプロセスを大幅にスピードアップでき、コアリングや地震探査の精度を高められる。とにかく期待しかない。

他の応用例では、発掘調査後に、機械学習が同じように仮想的な手を貸してくれる。発掘シーズンの終わりに、あらゆる考古学者の時間をかなり消費するのが、自分自身の発見を裏付けたり、説明したりするために、同じ遺構や遺物が出土している他の発掘済みの遺跡を突きとめることだ。その作業をマシンがやってくれたら助かるだろう。

グーグル・Nグラム・ビューワー（Google Ngram Viewer）[24]のような検索エンジンはすでに、何百万冊もの書籍のデータベースを探し回って、単語やパターンが最初に使われた事例を探せるようになっている。あるアマチュアのシェイクスピア学者は、Nグラム・ビューワーと似た検索プロトコルを使用する剽窃チェックプログラムを活用して、シェイクスピアが自分の戯曲の重要なインスピレーションの元にした本を見つけ出した。[25]

それと同じソフトウェアの原理は、都市の平面図や、建物、壁から、怪しげな工芸品まで、あらゆる「似た」ものを探すのに応用できるだろう。マシンなら、材料や形状、サイズ、テクノロジーを知っていれば、遺物のデータベースから似ているものを簡単に探せる。そうした比較は予想以上に短時間でできるうえ、欠けた部分が少ない他の遺跡や遺物の情報から、完全な三次元復元図を作るのにも役立つだろう。

来年の誕生日には、ディグボットが欲しいな……

しかし、実際の発掘作業となると、ロビーの物語に出てきたような小さなディグボットを使って、発掘と3Dスキャンができるようになる日はずっと先のような気がする。しかし、ロボットとセンサーはすでに私たちの日常生活の一部になっていて、ロボティクスの進歩が、かつては想像の産物だったものを現実に変えつつある。

たとえば、マサチューセッツ工科大学のスピンオフ企業であるボストン・ダイナミクス社が開発した、動物に似たロボットが、ドアを開けたり、階段を上ったり、バク宙をしたりするビデオは、ネットで一気に拡散された。あちこちで言われているが、このビデオを見ると誰もが、あのターミネーターの「アイル・ビー・バック」という台詞を思い出す。そしてボストン・ダイナミクス社のロボット自体も、二〇一七年のＴＥＤに登場して、多くの人を怖がらせた。私もその時、ロボットが動いているのを見た。[26]

とはいえ、私たちが今すぐに、支配者となったロボットから逃げる必要はないだろう。ネットで拡散された別のビデオでは、ロボット掃除機のルンバが、イヌのふんを家の床にたっぷりと広げてしまっている。[27]この動画をみれば、やるべきことをできていないガジェットもあることがわかる。しかし、それもすぐにできるようになるだろう。

アメリカ国防高等研究計画局（DARPA）が、ビルの間を猛スピードで飛び回ったり、昆虫を模倣したりする小型ロボットの開発に成功し、[28]盗掘が激しい中エジプトのエル＝ヒバ遺跡などのエジプトの盗掘孔をロボットで探査できるようになれば、[29]将来的には小さなロボットが実際の発掘作業だけでなく、古代の遺物を動かさないようにして、地下の遺構をスキャンするようになる。それがちょっと飛躍した話に思えるのなら、最近では博物館や遺跡で、遺物や骨格の三次元高分解能スキャンをおこなうことが一般的になっていることを考えれば納得できるはずだ。それに、ディグボットは地面の下に入っていくので、化学的検査用のサンプルやDNAを採取してくるというのも、当然理にかなっているだろう。

DNA分析もやはり、考古学にとって、すでに速いペースで進歩しつつある革命的なツールだ。23アンド・ミーやアンセストリー・ドット・コム、ナショナルジオグラフィックのジェノグラフィック・プロジェクトに、自分のDNAサンプルを送ったことのある人もいるかもしれない。こうしたプロジェクトは、何万人分ものDNAを分析していて、分析結果から、自分の祖先がアフリカから広い世界に出て行った道筋をたどることも可能だ。[30] 私は三・七パーセントがネアンデルタール人で、〇・九パーセントがデニソワ人だという。それは、考えてみれば、私の数え切れないくらい前の祖先にはネアンデルタール人がいるということだ。私の眉毛が太いのはそのせいかも。

もっと短いタイムスケールで考えれば、ずっと前に亡くなった遺体の組織から採取したDNAが、複雑な家系図を復元するのに役立つことがある。これは、カイロのエジプト考古学博物館にある王族のミイラのDNAを比較した際に、考古学者によって発見されたことだ。[31] 将来、ロビーの黄色のロボットのようなものによって、現代人とともに、古代人のDNA分析がさらに進めば、何十万年も昔までさかのぼる可能性のある家系図ができるのは間違いないと私は思っている。つまりは、私たちはみんな親戚なのだ。遺跡にある骨格から採取したDNAサンプルの数を増やしていけば、そうした家系図上の人々を特定の場所と結びつけたり、地域レベルや国際的なデータセットと対応させたりするのに役立つだろう。

考古学分野におけるDNA検査はかなり進歩していて、古代の人々の歯垢を採取することで、具体的な病気が特定されている。[32] 最近では、骨格しか残っていない一万年前の人の皮膚の色までわかるようになった。[33] 医学分野が飛躍的に進歩するなかで、古代の人々の外見や体格の変化が明らかになる可能性も広がっている。

未来はここにある

先ほどの物語では、ロビーはコンピューターが出してきた遺跡の分析報告書を読んで、仕事を終えていた。コンピューターが提示する遺跡の全歴史は、信頼度のかなり高いものだった。ここは、読んでいて最も受け入れにくい部分だったかもしれない。考古学者は、何十年もかけて自らの考古学の知識や、発見を解釈するスキルを磨き上げるうちに、中年世代になる。その世代になってやっと、他を押しのけるような堂々とした主張ができるのだ（これはただの冗談で、大学院生の頃にそういうことをし始める）。現在の発掘責任者は、一つの遺跡で三〇年や四〇年にわたる調査をした末に、その遺跡にかんする本を一冊書くということをしているが、そこまでしても、自分が教えた学生が一〇年後に、自説の大半が誤りだったことを証明するのをながめることになるだけだ。そしてそれが理想の形だ。

しかし、ロビーのロボットが収集してきたデータのすべてがそろっていて、それが標準的な発掘調査数百年分と、それに対応する実験室での作業に対応するのであれば、すぐに結果をまとめることができない理由は見当たらないとも思う。統計処理のためにデータをコンピューターに入力し、その結果として、たとえば、ある遺物が普及し、その後廃れたというパターンを示すことは、今でもおこなわれている。一カ所の遺跡から大規模なデータセットが得られる場合、現時点ではそれを完全に処理するのにかなりの計算能力を必要とするが、これは一〇〇年といわず、今後五年のうちに問題でなくなるだろう。一カ所の遺跡のデータすべてをコンピューターに入力して、あらゆる建物や遺物、遺体の骨格、テクノロジーを、他の類似の遺跡すべてと即座に比較できれば、その遺跡の完全な姿を描き出すことは手の届く範囲にあるといえる。

わたし（アイ）は考古学者（アーキオロジスト）

将来を垣間見る物語の最後には、ロビーが単なる技術者であり、タッチやジェスチャーで操作するロボットアバターと触覚テクノロジーを使って、コンピューター上で作業をしていたことが明らかになった。このあたりは、現在のテクノロジーの状況とそれほどかけ離れていないだろう。仮想的なアバターはコンピューターゲームではかなりありふれた存在だ。また、ドローン搭載のカメラを使い、それをタブレットやコンピューターで操作しながら、近づくことが難しかったり、危険だったりする場所やものを見ることは今でもおこなわれている。テレビゲームシステムがユーザーの動きをどうやって把握しているかについても考えてみてほしい。

私は、その次の段階である、未来的な無人自動車に搭載されている触覚テクノロジーを試してみたことがある。それを使うと、身体を左右に動かして、車内テレビのチャンネルを変えられた。[34]触角テクノロジーは、センサーがユーザーの動きを検知して、それを解釈して、コンピューターや他のマシンに伝えることを可能にする。『アイアンマン』や、ちょっと昔なら『マイノリティ・リポート』といった映画であったような、ユーザーが設計や何かの調査をするときに、一メートルほど離れたところから、スワイプ動作でスクリーン上や空中のイメージを消すというエフェクトは、今ではかなり現実に近づいている。それと同じような機能があるマイクロソフトのキネクトは、外科医がMRIなどの画像を、コンピューターに触れるのではなく、身体の動きで操作できるようにしている。そうすれば、手術室が無菌状態に保たれる。[35] また訓練用の手術シミュレーションによって、外科医は実際の手術前に練習ができる。[36] 遠隔手術が実用化するのはもうすぐかもしれない。遠隔操作による発掘調査も同じだ。

二〇人の考古学者チームと大勢の地元の作業者たちで、何年もかけて作業するのではなく、ロボットの集団を二〇人の技術者がコンピューター上で操作すれば、たった一日で一〇〇カ所かそれ以上の遺跡を完全に調査できるだろう。実際に現地で調査するのは、素晴らしく、楽しい作業だが、ロボットアバターを使えばはるかに効果的におこなえる。ロボット技術の現在の進歩から考えると、ロボットによる発掘は一〇〇年かからずに実現するかもしれない。

こうした変化は、私たちにもすでに見えてきている。考古学の習慣と、他の科学分野の融合が進んでいるのだ。考古学者は、遺跡での記録から、写真撮影、出土品の分析にいたるさまざまな作業で、コンピューター科学や工学といった分野の研究者と協力することの重要性に気付いてきている。将来的には、すべての考古学者が科学の基本的な知識も身につけるようになる可能性が高いと、私は考えている。それをチャンスととらえて、学生たちはすでにそうした分野の授業を選択するようになっているし、科学や学際分野の知識がしっかりしている大学院生は、就職のチャンスがかなり高くなる。現在の大学の学部制度の本質や持続可能性というのは、この本の趣旨からはかなり外れるが、考古学が科学の中のサブテーマになっていくのかどうかという点は、私たちが自問しなければならない問題だ。

ロビーは考古学の「古い人たち」、つまり地面から遺物を取り出して、収集していた人々を見下していた。現在、遺物や化石の3Dスキャンデータをおさめた、世界規模のデータベースが作られていて、誰でも遺物や化石をさまざまなメディアに出力できるようになっている。[37]最近の考古学の授業では、3Dプリンターで作成した出土品を使うことが多くなっている。そうすることで、世界中の学生が、初期人類の頭蓋骨のような、普通は研究室に保管されている貴重な出土品の感触を味わうことができる。[38]

細かな点の改良はつねにおこなわれている。マサチューセッツ工科大学の科学者たちは、物質の色や手触りを再現する技術の実験を進めており、[39]彼らのプリンターが標準的な3Dプリンターの一〇倍速く作動することをすでに確認している。[40]これが実現すれば、遺跡の盗掘は本当の終わりを迎えるだろう。コレクターは、古代の遺物が欲しければ、本物と同じ素材を使っていて、高性能の顕微鏡で見なければ本物との違いがわからない復元品を手に入れられるようになるからだ。

そこに誰かいますか？

偉大なSF作家のアーサー・C・クラークはこう言ったことがある。「二つの可能性がある。

私たち人間は宇宙で一人ぼっちか、そうでないか、どちらかだ。どちらも同じくらい恐ろしい」[41]このことは驚くような話につながる。今まで説明してきたような研究を、宇宙を高速で進むこの地球上の考古学から切り離して、他の惑星上に文明らしきものを探す取り組みと深く結びつけるのだ。私たちはすでに、高性能の望遠鏡とコンピューターテクノロジーの進歩のおかげで、何千個もの太陽系外惑星の存在を知っている。私がこの本を書いている時点で、そのうちの二個が「地球型」惑星だと考えられている。ただし、それを確認するには何十年もかかるだろう。[42]

その可能性を少し考えてみよう。

一九六一年に天文学者フランク・ドレイクが考案したドレイク方程式は、[43]私たちが電磁波で検出できるレベルまで発達した文明を持つ知的生命体が他の惑星上に存在する確率を表す式だ。テクノロジーが発達するにつれて、そのような文明を検出する可能性も高くなる。将来、地球型惑星がさらにたくさん見つかり、太陽系外惑星の数が無限に増えるのは間違いない。SETI(地球外知的生命体探査)[44]が探している電磁波や、その他の生命の兆候が検出される日がくるかもしれない。そしてそれがきっかけとなって、探査の範囲がさらに遠くまで広がるだろう。

生命をどのように定義するかという問題は、実際には物質文化をどのように定義するかという問題なのだが、そのあたりは脇においておこう。私たちが考えなければいけないのは、自分たちが本当に何も知らないもののことをあれこれ調べるには、そもそも何から始めればよいのか、ということだ。ある惑星に生命が見つかり、その「集落」もわかったとして、それらとの比較に使える既知の人工物のデータベースは存在しない。そうした世界を見つけるのが人工衛星にしても、探査機にしても、その集落の遺跡が砂の中に埋もれてしまう前の適切なタイムウィンドウにあたることがやはり期待されている。宇宙飛行士やＮＡＳＡのエンジニアは、そうした地球外文明を研究する能力が一番高いのは自分たちだと思っているかもしれないが、考古学者は、未知の物質文化とそれを創造した人々を調べ、分析する能力を十分に備えた唯一の研究分野の代表者だ。私は考古学者の側につく。

ここに皮肉があることを私は見逃さない。考古学者は長い間、ばかげた「古代宇宙人説」と戦ってこなければならなかった。地球外生命体がピラミッドを建設したという説もあれば、まったく新しい文化的発展に見えるものは基本的にすべて、地球外生命体がもたらしたものだという主張もあった。[45]こうした考え方は、実は人種に対する差別と偏見によるものだ。残念ながらこうした説は、何千年も残る壮大な建築物を、自分とは違う肌の色の人々が建設したことを受け入れられない人々から、いまだに広く支持されている。

そうした説と長年戦ってきた考古学者も、宇宙では自分がその宇宙人になって、自らのスキルを総動員して、完全なる未知の存在に取り組むことになる。考古学者には、地球の探検の歴史や、他の文化との「ファーストコンタクト」についての知識もあるし、ひどく間違った方向に進んだ文明の数千年の歴史を生かすこともできる。運が良ければ、未来の考古学者や、アーキオビジョン社のような会社に雇われた人々は、こうした細やかさを生かして、過去への旅路で遭遇した落とし穴や恐ろしい経験を避けることができるだろう。あるいは、未来の世代から非難されるような、新しい落とし穴を作り出すだけかもしれない。

過去をのぞく窓

私は昔、科学分野の学士号のない人はＮＡＳＡの宇宙飛行士になれないことを気にしていた。最初の学位が文学士である私は、いくらリモートセンシングが専門でも、宇宙飛行士になれない。しかし、二〇一八年二月にイーロン・マスクが「ファルコン・ヘビー」ロケットの打ち上げに成功したことからいけば、[46]将来の宇宙飛行士は民間部門から選ばれるかもしれない（ただ、ＮＡＳＡの人がこの本を読んでいたら、私の予定はまだ空いていますので、声をかけてください！）。

私にとって最大の懸念は、ロビーという人物に表されている。私たちが発掘をしなくなり、土から遠ざかったら、私たちと過去をつなぐもの自体が失われるだろう。それは爪の間に入り込むものであり、そこにかつて暮らしていた人々の本物のＤＮＡを含むものだ。[47]発掘現場で感じる、まだわからないことがあるという大きな予感は、私たちを現実に引き戻し、謙虚な気持ちにさせる。一生を通して発掘シーズンのたびに発見があるという幸運に恵まれるかもしれないが、何も大きな発見をしない可能性もある。あるいは思い違いをするかもしれない。そうした危険や謎、失敗の可能性がなければ、考古学がもたらす驚きはあっさりと消え去ってしまう。

私が知っている考古学者の大半には、逃してしまった発見にまつわる、語るに値する話がある。

時間切れで手が届かなかったというだけのものもあれば、仲間に先を越されたというものもある。素晴らしい秘密が自分たちの次の発掘シーズンを待っているとわかっていて、ただ政府が許可の発行を再開してくれさえすればいい、というケースもある。考古学はいつも運任せだ。だからこそ、私たちはサイコロを振り続ける。コンピューターが考古学者の仕事をすべてこなすようになったら、私たちは決まった時間にボタンを押す機械になり、コンピューターが探検家になる。満足できる結論に自分でたどり着けないのなら、あるいは少なくとも、自分のあらゆる知識にもとづいた、筋の通った結論を出せないのなら、もう面白くはない。

未来の探検家には、私たちの発掘方法は原始的で、私たちの行動は野蛮だと思われるかもしれない。ある種の古代遺物コレクターはそういった言葉で評価されるに値すると、私は固く信じている。しかし、私が不安に思っているのは、考古学が進化するにつれて、驚異の念が失われることだ。ギザのピラミッドの前に何度立っても、私はいつもその気持ちを抱く。拡張現実メガネをかけた未来の観光客が、ピラミッド建設の様子を早回しで体験し、仮想現実で再現した古代エジプトの書記がガイドを務めるという場合、その体験は私のものと同じだろうか？　それとも、それは未来的なテーマパークだろうか？

さらに悪いのは、将来的には考古学がゆがめられて、巨大企業のもうけ話になり果て、現在の考古学で一般的な契約よりもはるかに大きなレベルで進められる可能性があることで、それはむなしいような気がする。現在、私たちはすでに政府の研究助成機関や、個人寄付者などから少しでも多く研究資金を得ようと努力しているし、私たちの資金が限られていることもわかっている。追加の資金をもらえるならなんだって歓迎だという人もいるし、そうした探査の未来が楽しいことばかりでないと納得しなければならない。私たちは、考古学という分野が今後発展していくうえでの、あらゆるプラスの可能性を考えるべきだ。同時に、別の道を選ぶために今必要とされる議論をするためには、あらゆるマイナスの可能性も考えなければならない。

子ども時代の夢

この章では、サイエンスフィクションから科学へと旅してきた。私は考古学調査を十分長くやってきたので、自分自身の賞味期限がわかるようになっていて、その考えにおびえている。私はまだ動く旧式マシンだ。テクノロジー分野の研究者仲間もまさに同じ不安を抱えている。

しかしそれでも、幸運がめぐってきて、最悪の日々さえ乗り越えさせてくれる発見の瞬間がくることもある。その瞬間が、子ども時代の夢（あるいは将来のイメージ）と同じものでできていることもある。結局、私たちの最高の宝物はツタンカーメンのマスクではない。私たちの行く手を照らす、過去に向けて開かれた窓だ。

第10章 乗り越えるべきもの

考古学は、その歴史を見てみると、裕福な白人男性にしか入場チケットを買えない世界に思える。考古学入門の授業で習うような、この分野の「偉人」たちはみな、そのチケットを持っている。一八二二年にロゼッタストーンのヒエログリフを解読したジャン＝フランソワ・シャンポリオン[1]から、一八四〇年代に中央アメリカのマヤ遺跡を初期の探検家として訪れたフレデリック・キャザーウッド[2]、一九一一年にペルーのマチュピチュを発見したとされるハイラム・ビンガム[3]まで、みな裕福な白人男性だ。考古学の世界ではY染色体が幅をきかせている。しかしなんといっても、Xこそが、地図で宝物のありかを示すマークなのだ。

考古学の中の女性

女性は、考古学調査に初期の頃から参加していた。ローマ皇帝コンスタンティヌス一世の母である聖ヘレナ（西暦二五〇〜三三〇年）は、他の聖遺物とともに、真の十字架の断片を発見したといわれている。そのことから、聖ヘレナは最初の女性考古学者と呼ばれるようになり、考古学者の守護聖人となった。[4]イギリスのガートルード・ベルは、「メソポタミア考古学の母」と呼ばれていて、その生涯は映画『砂漠の女王』（邦題『アラビアの女王』）に描かれた。バグダッドにあるイラク国立博物館が設立されたのはベルのおかげだ。アラビア語が堪能だったベルは第一次大戦中、イラク内政をめぐる他では得られない貴重な外交情報を、多くのイギリス政府高官に伝えていた。[5]

キャスリーン・ケニヨンは、古代中東の最初の大都市エリコを発掘した人物で、二〇世紀で最も偉大な考古学者の一人とされている。[6]ケニヨンは、著名なエジプト学者のドナルド・レッドフォードを教えたことがある。私はメンデスで初めて発掘調査に参加したときに、レッドフォードのもとで発掘の方法を学んだ。そんなわけで、ケニヨンは私にとって考古学の世界でのおばあちゃんにあたるといっていいだろう。

実は、ある有名な女性が隠れ考古学者だった可能性もある。その証拠は見えるところにあるのに気付かれていない。列車内で起こった殺人事件の犯人の証拠のように。そう、あの列車とあの著者だ。

アガサ・クリスティーは、メソポタミア考古学者のマックス・マローワンと結婚して、イラクでの発掘調査に同行しており、そこをとても気に入っていた。[7]『ナイルに死す』は、冬の間、アスワンのオールド・カタラクト・ホテルで過ごしていたときに書かれたものだ。このホテルは、死ぬまでに一度訪れることをお勧めする。古びることのない古代オリエントの壮大さを目にすることができる場所だ。クリスティーは、土器に小さな数字をマークする作業が好きだった。複雑なミステリーの筋に根気よく細部を書き加えていける人にぴったりの仕事だ。一九四六年にクリスティーが発表した詩『テルの上にすわってた』は、考古学を題材とした詩では史上最高のものに数えられる。ここでその一部を紹介しよう。

話せることならなんでも話すわ、
まじめに聞いてくれるなら。
わたしの会ったある博学の青年、
テルの上にすわってた。
「あなたはどなた？」わたしは訊いた、
「あなたの探すものはなに？」
書物にしたたる血痕さながら、
返事は頭にしみとおった。

彼は答えて、「探しているのは、
先史時代の古い壺、
分けて、まとめて、寸法をとる、
いろいろ異なる方法で。

それから（きみ同様）書きはじめる、
ぼくの用語は学術語、
きみのより倍も長いけど、それは
先学の誤りを証明する」

けれどもわたしは思案のさいちゅう、
百万長者を殺す法、
そして死体をヴァンに隠すか、
大冷蔵庫で消す算段。
それゆえとっさに相槌打てず、
しかも内気ゆえまたも訊く、
「聞かせて、暮らしはどんなふうなの？
どこで、いつから、そのわけも」[8]

（アガサ・クリスティー『さあ、あなたの暮らしぶりを話して』、
深町眞理子訳、早川書房刊より引用）

とても素晴らしい。この詩は全体として、考古学者がすることへの穏やかなからかいと、深い

愛着に満ちている。それから何十年たっても、ライフスタイルの点ではあまり変わりはない。ただしクリスティーは、発掘現場でＷｉ－Ｆｉがつながらない心配をしなくてもよかったが。

一九四〇年代の発掘現場の写真は、私たちが最近撮った写真とそれほど変わらない。よく見てみると、その発掘調査がおこなわれている国の出身で、専門家として調査に参加している人はほとんどいない。幸い、今ではこの状況も変わりつつあるが、変化のスピードが十分とはいえない。私は、二〇一六年一一月にアメリカ・オリエント調査協会の年次学会で講演をしたときに、見渡す限りの白人たちに衝撃を受けた。私自身は、アラバマ州バーミングハムで、アメリカでも特に多様性の高い大学キャンパスで教えるという幸運に恵まれているが、エジプト学や古代中東の考古学全体としては、まだこれからという段階だ。

私たちは、中学生や高校生への普及活動を増やさなければならない。学生や教員の募集では多様性の向上につながるようにしなければならない。大学院生へのサポートを増やし、ポスドクのポストを増やすことも必要だ。他にもやるべきことはたくさんある。「あなたにそれが見えるなら、それになることは可能だ」という素晴らしい言葉は、私の心に深く響く。私たちは、考古学の世界での発見に参加するようにすべての人に呼びかけるだけではなく、参加する人それぞれが共感できる背景を持った人々に出会える機会を作り出す必要がある。そうすれば、ある分野に進んだら、自分はこんな未来を実現させられるのだと想像できる。

すべての面において、私たちは状況を変えていかなければならない。考古学分野の多様性が高まれば、視点やアプローチ、アイデアも多様になる。どれも歓迎されることだ。一九七〇年代に考古学に女性が進出し始めると、ジェンダー考古学が正当な地位をしめるようになった。現在では、ＬＧＢＴＱの学者の貢献が認められるようになってきて、古代世界のセクシュアリティのニュアンスがより深く理解されるようになった。最近では、考古学の大学院プログラムの多くで、男性よりも女性のほうが多くなっているということだが、それでも私は、家族の問題やハラスメント、研究費やポストが得られないという理由で、研究キャリアから遠ざかった女子学生をあまりに多く見てきた。

状況は変わっていくだろうし、変わらなければならない。

一九六〇年代までは、女性が考古学や古代世界の研究で博士号を取っても、ほとんどの大学ではまだ女性を採用していなかった。卒業後の道のりは厳しく思えた。私が知っている、当時の一番のサクセスストーリーは、優れた小説家で、エリザベス・ピーターズのペンネームで執筆したバーバラ・マーツの話だ。[9] 彼女の作品のファンだという読者もいるだろう。私は間違いなくファンだ。マーツが物語の主人公にしたアメリア・ピーバディは、エジプト学者であり、殺人事件を解決することにかけては並外れた能力を持っていた。

バーバラは以前私に、一九四七年にシカゴ大学で博士号を取った後に、仕事が見つからなかったという話をしてくれた。男性のエジプト学研究者たちからは、あなたは時間を無駄にしたと言われたという。その時点で、バーバラはすでに文章を書きたいと思っていたので、そうした。学術論文の代わりに書き始めたのはフィクションで、エジプト学が華やかだった一九世紀後半にミス・ピーバディが活躍する世界が舞台だった。さらにおまけとして、女性差別的なエジプト研究者たちをモデルにした登場人物も作りあげ、物語の中でそれぞれに見合った方法で死なせている。バーバラは二〇一三年に亡くなった。人々に愛されたエジプト学の大家であり、大富豪であり、小さなことは気にしない性格だった。あこがれの存在だ。

確かに、北米やヨーロッパにも考古学に関わる人々の多様性をめぐる問題がある。しかし中南米や、アジア、中東、アフリカのほうがはるかにひどい状況だ。私が海外の考古学や文化遺産の担当省庁と一緒に仕事をする場合、そこで会う考古学者の中に女性は五パーセントから一〇パーセントしかいない。これは、そうした国々の女性たちにも認識されている問題で、徐々に変わってきているらしく、考古学分野の有望な女性たちを取り上げたニュースがときどき流れてくる。[10]こうしたニュースがもっと多くなることを期待しよう。

知識は無料であるべき

男女を問わず、アッパーミドルクラスか、もっと裕福な家庭の出身ではない場合、教育を受け、本を買い、インターネットを利用できる可能性が低くなる。仕事で成功する可能性となればなおさらだ。こうしたものすべてが手に入るくらい幸運で、さらにうまい人脈があれば、それでようやく考古学者になるのに必要な訓練を受けられるだろう。ところが、大学院で研究を始めると、学生は壁にぶつかる。いくつも待ち構えている「ペイウォール」（有料コンテンツの壁）だ。

学術研究情報へのアクセスは、世界中の新進気鋭の科学者にとって大きなハードルの一つだ。オンラインジャーナルの論文一件をダウンロードするのに二五ドルかかる場合がある。大半の先進国を別にすれば、この金額は、多くの政府職員の少なくとも一週間分の給料にあたる。論文雑誌の購読権は、エルゼビアのような超巨大学術出版社によって一括販売されていて、価格が数千ドルになることがある。これは資金が豊富ではない政府機関や大学に出せる金額をはるかに超えている。学術出版業界自体は、新たにオープンアクセスジャーナルが登場したことで、変化を強いられると期待されている。私や、仲間の研究者の多くも最近は、オープンアクセスジャーナルで論文を発表することを選んでいる。

こうしたデータの入手をめぐる問題は、学術論文にとどまらない。これまでに、たくさんの遺跡の発掘責任者が、その発掘結果を論文として発表する時間的余裕ができる前に亡くなってしまっている。発掘しても論文を書かないことは無責任で容認できないことだが、そうした制約は、考古学が二〇〇〇年にわたり急激に成長した後で、最近になってやっと設けられたものだ。きちんと論文を書くとなると、骨の折れる調べ物をして、フィールドノートを慎重にまとめるのに長い時間がかかる。面白くはないし、たいていの場合、その作業に対して研究資金は出ない。見返りもなしにそんなに一生懸命働くよう求められることは、民間企業なら考えられないだろう。

これはつまり、古い発掘記録が、未発表の考古学研究の金鉱になりうるということだ。大学院生たちは最近、重要だが長く忘れられていた発掘調査をよみがえらせようと考えて、博物館の収納庫や大学の図書館にある大量の記録を読み通している。目を通すべきものはまだたくさんある。私はある友人から、エジプトのカイロにあるモスクや収納庫には、エジプトやヨーロッパの考古学者による一〇〇年分の未発表の発掘記録やレポートが、床から天井まで積み上げられていると聞いたことがある。そこにどんな素晴らしい発見が潜んでいるのか、見当もつかない。失われた墓や、新しい王朝があるかもしれない。古文書管理の専門家がそうした記録をスキャンして、アラビア語やフランス語の原文から翻訳するまで、その外の考古学界は何も知ることができないのだ。

もっと最近では、帰国する飛行機で預けた荷物が行方不明になり、一シーズン分の発掘記録がすべて消えてしまったという恐ろしい話がある。二〇年分の未発表の発掘記録が引っ越しの時に見当たらなくなったという話もある。最近では、発掘現場でつける記録ノートのページをスマートフォンやタブレットで撮影して、発掘単位ごとにPDFファイルを作成し、それをクラウドにアップロードするということが可能になったので、とてもありがたい。さらに私たちがリシュトで進めている発掘調査では、チームで一番マッピングに通じているチェイス・チャイルズが最近になって、専用データ入力プログラムを使ってタブレット上で登録できるシステムを開発した。撮影した写真は、GPSの位置情報付きで自動アップロードされ、私たちのプロジェクトの地理情報システムとリンクさせることができる。簡単だ。ただしこれは、二一世紀に、素晴らしいテクノロジーと財源のある国に暮らし、研究をしている人にとっては簡単だ、という意味だ。私たちはそういった環境を当たり前だと思ってしまっている。

金がものを言う

しかし、研究助成金にまったく頼ることのできない考古学専攻の学生だったらどうなるだろうか。フィールドスクールの参加者として発掘に行くというのは、大半の学部学生にはあまりに費用がかかりすぎる。

学生の多くは夏休みの間、学費を稼ぐために働かなければならない。これはどうしても必要だ。アメリカの大学が主催する発掘調査に行くには、夏休みの稼ぎを犠牲にしたうえでさらに、航空チケット代や、手荷物料金、作業用の道具や服、宿泊や食費がかかるし、そのフィールドスクールが履修単位のためのものなら授業料も払わなければならない。一回の発掘調査で少なくとも五〇〇〇ドルから八〇〇〇ドルはかかる可能性がある。稼ぎを失った分も計算に入れれば、一万ドル以上の「費用」がかかるだろう。奨学金をもらっている学生か、裕福な家庭の学生でない限り、アメリカの学部学生が海外で発掘調査に参加するのは不可能だ。

私の場合は、奨学金からの一〇〇パーセントの補助がなかったら、どの発掘調査にも参加する金銭的余裕はなかっただろう。そしてそれは私のキャリアにとって大きなマイナスになっていたはずだ。プライベートの面では、夫と出会うこともなかっただろう。

たとえ費用が出せたとしても、たいていの発掘調査は、参加者が健康で丈夫な身体の持ち主であることを前提としている。異なる環境で生活しながら、激しい肉体労働をして、がたがたの地面が続く現場までの長い距離を歩いて往復する。車椅子を使っていたり、それ以外の身体的な問題や病気を抱えている人には、そういうことは不可能だ。幸いにも、アメリカやヨーロッパの発掘調査では、現場までの道路や歩きやすいルートが整備されていることが多いが、かなりの困難がある場所もある。

レキシン・フンメルは、私たちと一緒に発掘をした土器の専門家の一人で、陽気でおもしろくて、思いやりのある女性だ。彼女はリシュトで毎日、ワゴン車と発掘現場の間を歩いて往復するのに苦労していた。八二歳のレキシンは、エジプト学では神のような存在になっていて、私たちの発掘チームにとっては長年の個人的な友人だった。現場で作業するクフト村の人々が、レキシンのために木製のかごを作ることを思いついたので、私の夫がレキシンを乗せて格好よく運べるようなかごを設計した。レキシンが現場にやって来るときと帰るときには、みんなが自然と歌を歌い、手を叩いたので、一日の仕事の始まりと終わりがパレードのようになり、大変なことが楽しみに変わった。

現場に出かけて発掘をすることは、誰もができるとはかぎらない。ただし、発掘調査の中には、離れたところにいる一般の人々が参加している気分になれるチャンスを用意しているものもある。イギリスのウェブプラットフォームのディグベンチャーズには、発掘に直接参加したり、考古学者が研究をおこなう様子をオンラインでフォローしたりできるプロジェクトがある。[11]さらに寄付や、Tシャツやチョコレートといったオリジナルグッズのオンライン販売によって、発掘資金を集めている。チョコレートはアングロサクソン時代の墓標を形取ったもので、「ナムナムナムストーン（むしゃむしゃ石）」という愛称がついている。[12]

たった五ドルでも考古学チームにとっては大きいということに、たいていの人は気付いていない。五〇人が一人数ドルずつ寄付してくれたら、それで一つの発掘チームが数日食べていけるのだ。ここから裾野が広がっていけば、大規模な寄付が重視される、これまでの考古学の研究助成モデルからの脱却につながる。

誰が発掘するか

世界のどこでも、それぞれの国が、自国内で誰が発掘できるかという点に関する独自の優先順位やガイドラインを定めている。イギリスなどの一部の国では、発掘に地元のボランティアが参加することが強い伝統になっている。地域貢献活動の一環として、発掘用コテを安全に扱える年齢であれば（これは冗談！　発掘用コテは誰が使っても安全だ）、上は何歳まででも、誰でも自由に参加できるようにしているのだ。イギリスのケント州ライミングで進められている、受賞歴を持つ考古学プロジェクトでは、[13]ボランティアが実際に、仕事の年次休暇をまとめて取って発掘に参加している。遺跡の発掘現場の近くに住んでいて、そこの発掘責任者がボランティアを歓迎しているなら、参加したいと頼んでみてほしい。人員不足で働き過ぎの発掘チームにとっては、きっと大きな助けになるだろう。

しかし一般的には、古代遺跡などを調査する権利が誰にあるかというのは複雑な話で、政治的な問題がかなり絡んでいる。さらに一部のケースでは、植民地時代に他国の遺産を不正に扱っていたという歴史的な経緯も関係している。

私たちはエジプト考古省から発掘許可を受けている。考古省は、考古学調査の許可をめぐって厳しい規則や規制を設けていて、チームメンバーそれぞれの履歴書や素性などを詳しく調べるが、そうするのは当然のことだ。このことが、土器分析や探査の専門家のように、具体的なスキルがない限り、調査プロジェクトに入りこむことを難しくしている。ヨーロッパや北米以外では、外国に行って発掘を始めるのは普通ではなく、珍しいことだ。たとえば、中国やインドの考古学者の大多数は、それぞれ中国とインドで発掘をしている。ただし、この状況は変わり始めている。二〇一七年には中国のチームが初めて、エジプトのカルナックでの調査のために申請をおこなった。このプロジェクトが前進したときには、中国のチームは必ず、エジプト人の同僚たちから手厚く歓迎されるだろう。[14]

国際的な考古学研究で最も面白い面の一つが、違った文化の人々と専門知識やテクノロジー、さまざまな視点を共有する機会があることだ。しかし、エジプトやインドに限らず、どんな国でも、外国の考古学者がたまたま研究をすることになった場所で、教育やリソースの面での大きな不均衡に直面する可能性がある。

はっきりさせたいのは、スキルや情熱、責任感、才能のことをいっているのではないことだ。最小限のリソースしかない、厳しい条件の中で研究をしている人々から学ぶことはたくさんある。エジプト考古省が独自の発掘プロジェクトで墓や遺跡などを発見したというニュースは、たびたび世界中で大きく報じられている。二〇一七年だけをみても、リシュトの発掘プロジェクトの共同責任者であるアーデル・オカシャは、リシュトのすぐ北にあるダハシュールでの発掘を率いているときに、新しいピラミッドを発見している。

世界中での発掘調査をめぐる利害関係を交渉で解決することは、私たちより古い時代に暮らしていた人々や文化に手を伸ばす旅の最初の一歩に過ぎない。

過去に触れる

古代遺跡を訪れると、過去に触れることはできるが、見ることはできない。一方、両親や、祖父母、さらにその前の祖先が経験したトラウマが、私たちの細胞に大きく影響を与えることがあるという。[15] しかし、子どもを産んだ母親は、体内に子どもの細胞を一生持ち続けることがあると知れば、たぶん気も晴れるだろう。[16] 私たちの身体は生きた遺跡であり、過去と未来の両方に同時につながっている。

数千年前、さらには数十万年前の世界との架け橋は、私たちのＤＮＡの中にある。さらに私たちのＤＮＡは少なくとも、ネアンデルタール人とデニソワ人という二つの種とつながっている。[17]

ケニアで新たに見つかった三二万年前の道具は、遠い場所との間で黒曜石の交易がおこなわれていた証拠を明らかにしている。この発見をしたチームは、オーカー〔訳注／鉄の酸化物や水酸化物を含む黄色の土〕も見つけていて、脂肪と混ぜて塗料として使われていた可能性があるとしている。[18] どんなものがそんなに鮮やかに塗られていたのかは、今後もわからないままだろうが、人の体や衣服、あるいは遠い昔にちりと化した装飾的な品々が塗られていたのかもしれない。このことは、ホモサピエンスとしてのかなり初期の時代から、私たちが革新的で、創造的なことをしてきたことを示している。そしてこの色鮮やかな塗料がどのように使われたにしても、当時の東アフリカでは、気候や環境が急激に変動したために、オーカーや食料源が入手できるかどうかは不安定になり、予測できなくなった。[19] こうした問題のせいで、他者と協力することが有利な生存戦略になった。今日の私たちもそうすることを考えたほうがよいだろう。[20]

タイムマシンとしての遺跡

遺跡には、私たちの文化的なDNAがある。そこは、じっくりと考えをめぐらせ、あれこれと比較をして、人間の多様性と想像力に驚くことができる場所だ。私は今までに、カンボジアのバイヨン寺院の壁に彫られた無数の顔や、ペルーのマチュピチュで階段状の家並みの下に広がる壮大な山の眺めを見てきた人々と会う機会がたくさんあった。そうした人たちは一人残らず、話を始める前に、まずは深呼吸が必要だった。それから、自分が見たものではなく、そうした美しいものを見てどう感じたかを説明するのだ。

そういう感動は、私が知る限りでは唯一の実際に使えるタイムマシンだ。そのタイムマシンは、私たちを今いる場所から連れ去る。そして、時間を越えて私たちと昔の人々をつなぐ、細くて白っぽい、揺らめく糸に私たちを引っかける。そのとき、私たちの過去の姿や、未来の可能性がすべて見え、それを見ることが私たちを変えるのだ。未来の人たちは、私たちが建てた超高層ビルや（その頃に残っていればだが）芸術を、驚きながら見つめるだろう。

そうした考古学がもたらす驚きは、人間の頭脳と手によって記念碑という形になり、私たちを立ち止まらせ、想像させる。ギザのピラミッドを訪れれば、古代ギリシャの歴史家ヘロドトスと、フランス軍を率いたナポレオンが、二二〇〇年以上の時を隔てて立ったのと同じ場所に立つことになる。そして、考えてみるとすごいことなのだが、ギザのピラミッドが建設された時代からクレオパトラの時代までよりも、クレオパトラの時代から私たちのいる現代までのほうが時間的に近いのだ。

ルクソールにある「貴族の墓」の壁に描かれた場面には、氾濫原の風景がさまざまな色で描かれている。女性と男性が雄牛を使って畑を耕し、作物が実ったら収穫する。墓のすぐ外ではその場面が、傾斜した現代の畑で現実のものとなっている（そこにいる農民が携帯電話を使っているのは見なかったことにしてほしい）。あらゆるものが変化したのに、それでもなお過去を予想外の形で体験することができる。思っているほど多くのものが失われたわけではないのだ。

多様性が人間をつくる

私たちは、これまでに存在したあらゆる文化や言語、芸術、音楽、ダンスを蒸留して生まれたといえる。その蒸留物は私たちの中にいつもあるが、近ごろはそのことが忘れられやすい。多様性は本当に大切だ。過去の私たちを形作り、そこから新たな私たちを生み出すのに、多様性は重要だったのだ。

英語について考えてみよう。英語は主にフランス語、ギリシャ語、ラテン語、ゲルマン系言語を元に作られていて、さらにペルシャ語やヒンディー語、ウルドゥー語、ポリネシア語、その他にもたくさんの言語から単語やイディオムを借りてきている。今度は、いつも食べている食事を見てみよう。たとえば、野菜を炒めて米の上にのせたものに、ビールを一杯というメニューだ。こういう一回の食事で口にする食べ物の原産地は、人が居住しているほぼすべての大陸にわたっている。米の原産地はアジアで、コショウは中南米が原産地だ。トマトは南米、タマネギは中央アジア、ナスは南アジア、コムギはアフリカ、ホップはヨーロッパが原産地で、[21] スパイスは完全に世界中に由来する。[22] そういった夕食は、何千年にもわたる植物の選択的な栽培や、交易ネットワーク、そして互いに連結した現代のグローバル経済の結果なのだ。

私たちが繁栄するのは、複数の文化がからみ合い、別のものに変容して、いくつもの層をなしている場合だ。私たちは多様性があるからこそ、一つの種としていっそう強く、より良いものになる。コロンビアとブラジルのアマゾン川流域北西部でよくみられる、言語的族外婚（自分の母語以外の話者との結婚）を実践することを想像してほしい。[23] つまりいいたいのは、私と夫は二人とも英語を話すが、夫が冷蔵庫のマヨネーズを見つけられないときには、私たちは異なる方言を話していると断言できるということだ。

「真ん中の段の左側よ」

「どこ？」

「向かって左。今見ているやつだってば」

「見当たらないよ」

「じっと見てるじゃないの。手で触ってるでしょ」

「まだ見当たらないんだけど」確かに、いらいらはする。しかしどういうわけか、この手のやり取りが私たちの結びつきをさらに強めている。

社会の分裂が進むなかで、私たちの生存に多様性がどれだけ不可欠なのか、そしてそれはなぜなのかを理解することが、これまで以上に重要になってきている。世の中では、経済移民や難民、そして宗教や文化的伝統が異なる人々に強硬な態度をとる人が増えつつある。その結果、私は旅する先々で、希望が欠け、重苦しさが広がっているのを感じる。

しかし、実は私たちはみな親類同士なのだ。二〇世代もさかのぼって、ようやく血縁関係があるくらいの遠い親戚かもしれないが、それでもやはり親戚だ。[24] このことはＤＮＡとコンピューターを使った研究による裏付けがある。このことを誰かに話したら、驚くはずだ。このように、私たちが互いに関係があり、互いにつながっているという理解にいたるには、過去を研究するしかない。たとえ私たちがときとして、どれほどけんか好きな種だとしても。

「みんな親戚なら、なぜけんかをするのか？」と言う人がいる。そういう人は、家族で感謝祭のディナーを囲んだことがないに違いない。

視点を変える

私たち人間という種は、地球上のほぼすべての場所に、およそ想像のできない規模で居住してきた。政情不安定な時期や戦争、気候変動といった、きわめて困難な条件の下でも生き残って、うまくやったり、挫折したりしてきた。過去を振り返り、詳しく見てみれば、生き残るための良い方法を学ぶことができる。ヒントはあらゆるところにある。必要なのは、高度六五〇キロメートルの宇宙空間に旅して、頭を少し横に向けることだけだ。

考古学では、あらゆる視点がありうる。ある古代遺跡の同じ遺構でも、それを自分の目で調べる季節によって、あるいは時間帯によって、かなり違って見えるはずだ。この本では、発掘現場の写真撮影担当者が早朝の光が好きなことや、宇宙から古代遺跡を見るためにどのように視点が得られるかをみてきた。そして、将来見られそうなものの手がかりもつかんできた。

ここで私たちに必要なのは、世界全体を眺める視点を根本的に変えることだ。自分たちが成し遂げてきたことすべてを宇宙から見下ろし、驚嘆するだけでなく、うまくいかなかったことすべてを、その理由とともに深く省みなければならない。過去の文明の盛衰を利用して、自分たちの振る舞いや、現在の地球環境の破壊を正当化すること、あるいはこれまでの気候変動をくぐりぬけてきたのなら、自分たちも無責任な行動を続けてよいのだと考えたりすることは、ひどく浅はかで、してはいけないことだ。先史時代の地球に暮らしていた人々の数は、現在の人口よりもはるかに少なかった。先史時代の人口の推定値は、数百万人から一〇〇〇万人までと幅がある。農業を基盤とする社会が出現して、ようやく人口が数億人に増加したのだ。[25] 一万年前には、リソースは潤沢にあったし、利用できる土地もはるかに広かった。

そんな時代は過ぎたのだ。

過去から学ぶ

法律の世界では、弁護士は裁判にあたって過去の判例を検討する。何百万人もの人々に影響を与える可能性のある決定をするときには、これと同じことをもっとおこなう必要がある。現在の世界各国の指導者は、気候変動から経済、最適な建築の方法までのさまざまなテーマについて、過去の文明や歴史上の思想を集めたデータベースを利用することが可能なのだ。考古学が、現在の世界の基本構造にもっとしっかりと組み込まれていけば、革新的な研究と、私たちの祖先が数え切れないほどの世代にわたって苦労して手に入れてきた、圧倒的な規模の情報を通して、過去は私たちのあらゆる選択に影響を与えるだろう。

考古資料をみれば、過去の事物の中に、今も私たちの前進を導いているものがどれだけあるかがわかる。現代の伝統や習慣の多くが、何千年にもわたって存在しているものだ。リサイクルはどうだろう。缶やガラス、プラスチック、紙をリサイクルする人が多いし、家にあるものを再利用できることもある。この習慣が始まったのが一九六〇年代の環境保護運動だと思うなら、古代世界をあたってみよう。

ピラミッドや神殿の石材が、現在の都市で再利用されていることがある。カイロのオールド・カイロ地区は、古代エジプトの廃墟を使って作られている。古い柱や扉の側柱は、まぐさ石［訳注／窓や出入口の上に水平に渡した石材］として利用された。そうした再利用は、ずっとあとの時代の建築に独特の美しさを与えている。私が好きなのは、大工が石を取り付けるときにうっかりして、ヒエログリフが刻まれた面を裏側にするのではなく、表に向けている場所だ。そこにいくと、今でもヒエログリフを読める。リシュトでさえ、アメンエムハト一世が古王国の統治者たちが立てたピラミッド複合体から、文字が刻まれた石をたくさん持ってきて、再利用していた。[26] 結婚式のときに新婦は、借りてきたもの、青いもの、古いもの、新しいものを一つずつ身に着けなさいといわれるが、これは古代の建物にも当てはまるらしい。

混ざり合う過去と現在

私たちはときどき、発掘中に出会う人々の中で過去と現在が一つになっているのを目にする。エジプトのデルタ地帯では、女性作業者は普通、地面から取り除いた土をバケツに入れ、それを頭に乗せて運ぶ。まるで、私たちがテル・テビッラで遺骸を発掘した、古代エジプトの女性のようだ。彼女らは縦に並んで、土砂の山に進んでいく。赤みがかった髪と、アーモンド型の大きな青い目をしていて、ギリシャ神話の女神のように優美だ。

彼女たちの夫たちはみな、自分たちの村にはエジプト中で一番美しい女性たちがいるのだとわかっている。それは、彼らが誇らしげに教えてくれる秘密だ。女性たちはエンパイア・スタイルのガラビアを着る。ガラビアは、ナイトガウンに似たエジプトの伝統衣装だ。グレッグと私は友人に、彼女らの服や見た目が、一三世紀にフランス皇帝ルイ九世に率いられてマンスーラで戦った十字軍兵士を思い出させるのではないかと聞いたことがある。[27]「服は、確かにそうだな！」友人はくすっと笑った。「でも外見の方は、第二次世界大戦中にここに駐留したスコットランド人に似てるかなあ」

数年前に起こった出来事は私に、現代西洋人に起こっている身体面の変化を理解するきっかけを与えてくれた。謙虚な気持ちにさせてくれたこの出来事を、私はずっと忘れない。私はグレッグと一緒に、ルクソールでナイル川を渡っていた。気持ちの良い日で、ナイル川の西岸に観光に行く途中だった。フェリーの上で私たちは、伝統的な服装の老婦人の隣に座った。小柄な女性で、体重はどんなに多めにみても三五キログラムぐらいだ。黒いドレスを着ていて、長年日にさらされた顔を部分的にスカーフで覆い隠していた。その隣には、標準的な機内持ち込みバッグの二倍の大きさがある、竹製の鳥かごがあって、けたたましい鳴き声のニワトリで一杯になっていた。フェリーが接岸し、私たちが下船の準備をしていると、その女性が鳥かごと、自分の頭を手振りでしめした。

なるほど！　私に、つまり毎日ジムに通ってウェイトを上げている力持ちの西洋人女性に、自分が、つまり力のない高齢のエジプト人女性が、鳥かごを持ち上げて、頭の上にのせる手伝いをしてほしいというのだ。うぬぼれの気持ちがむくむくと膨らんだ。フェリーの乗客たちの中に、観客が現れ始めた。みんなこれから、私の親切な行いを目にするのだ。

笑顔を浮かべながら、かがみ込んで、鳥かごをつかみ、持ち上げた。もう一度持ち上げた。腰やら脚やら、あらゆるところに力をいれた。腹が立つことに、ちっとも動く気配がない。最後にもう一度やってみた。体中のほぼすべての筋肉を使った。私の観客は、どういうわけか二倍に増えていて、みんな笑いを抑えられなくなった。私の理解できないアラビア語も、褒め言葉ではなかった。

小柄な老婦人は私の様子を見ると、頭を振って、私を押しやった。そして、たった一息で、鳥かごを頭の上に持ち上げ、喝采を浴びながら下船用のスロープを下っていった。私は恥をかいて当然だった。考え得るあらゆる勝手な思い込みをしていたからだ。同時にその瞬間、激しい力仕事を日常的にしている世界中の人々は、本当に力持ちだということを、そしてそれが数千年前からずっと変わっていないことを実感した。あの人たちは今も、私のことを笑っているに違いない。

将来を展望する

考古学は、過去の文化についてのあらゆる知識を与えてくれるのと同じくらい、私のフェリーでの経験のように、私たちに刺激を与え、謙虚な気持ちにさせてくれるはずだ。人類のいくつかの集団（現在のホモ・サピエンス）がアフリカ東部を出発して、世界の他の場所に移動し始めたのは、多くの人類学者の考えでは、六万年以上前だ。足と小さなボートを使って、人類はほぼあらゆる居住可能な土地に拡散し、最終的に定住した。そのプロセスで、私たちの祖先は、最初に誕生した場所とは大きく異なる環境に適応していった。暑さや寒さ、乾燥や多雨といったさまざまな気候に順応したのだ。アメリカ北部のメイン州育ちの私は、アメリカ南部に住んで一二年になり、暑さが好きになった。大好きだ。それに、私が作る南部風のビスケットはとてもおいしい。祖先のように、私は進化したのだ。

過去を振り返ると、私たちが短期間で適応できることがわかるが、同時に、適応の速度が十分でない場合には、居住する集落や、生活様式までもが崩壊しうることも教えられる。現在の熱帯雨林の下にある都市や文化は、自らの終わりをまるで予想できなかっただろう。崩壊は決して単純なものではない。一つではなく、多くの相互作用する要因によって引き起こされるものだ。この本のきわめて多くの例でみてきたように、考古学からは、そうした出来事の複雑さを知るための視点が得られる。

人類の生き残りのためとして、現在、火星への植民計画が進められている。[28] 私はこの計画の関係者には、地球上での植民の歴史をじっくりと見直してもらいたいと思っている。それは、きちんと理解されていることの上位一〇位に入ってはいない。それどころか上位一〇万位にも入らない。現在、火星への宇宙旅行を計画しているグループで、考古学者や人類学者がコンサルタントを務めているところは一つもない。そうした計画で使われている言い回しが、つまり私たちは生き残るために地球を離れなければ「ならない」[29] という考え自体が、考古学者からみるとばかげている。私たちはこの地球で二〇万年以上生き残ってきた。そして、それは相当な記録なのだ。

私は何も、火星への宇宙飛行に挑戦すべきではないと言っているのではない。ただし、そうした冒険的な企てに向けての言葉遣いが重要なのだ。地球は、私たちが今までに知っている唯一の世界であり、私たちの家にそこまで無責任に見切りをつけるというのは、祖先たちなら理解できなかっただろう。自然には回復力がある。漁場をしっかりとした管理の下で保護すれば、水産資源が回復することは可能だ。[30] 森林も再び育つことができる。[31] 海洋中のプラスチックも、回収を進め、生産自体をやめれば、少なくなるだろう。

この本で見てきたように、人間も回復力を発揮することができる。一九四〇年の時点で、八〇年ほどたてば、ドイツが多様性と一体性を導く存在になり、ヨーロッパにおける信頼できる大国として物事を取りまとめるようになると、誰が予想できただろうか？　八〇年というのは、人間の歴史のタイムスケールでいえば、それほど長くはない。

別の見方をすれば、私たちの手の中にあるものが石器からスマートフォンに変わるまでに、一万年もかかっていない。これは人間が存在してきた時間のほんの一部だ。人間という種が遂げた大きな飛躍は、将来への希望を与えてくれるはずだ。それ以上に、私たちにはこれからも繁栄していく十分な可能性がある。人間の大きな潜在性を解き放ちさえすれば。

思い出の品をためこみがちの人がいるが、考古学者は、文化的な意味でそういう役割を果たしている。あるいは、カーキ色の作業服を着た吟遊詩人だ。ずっと昔に地面の中に取り込まれた文化の歌を歌いながら、人々がしばし立ち止まって、耳を傾けてくれるのを期待している。発掘は、私にとっては、大がかりな反抗行為だ。資本主義とか、男性上位社会とか、何もかもが反抗の相手だ。それは、考古学者は根本的に、過去のあらゆる人に知る価値があると信じているからだ。金持ちも貧乏な人も、力のある人もない人も、誰でもだ。

重要なのは、肌の色や、ある人が移民かどうか、あるいは古代の貧困地域で育ったかどうかではない。人間の物語こそが大切なのだ。ちなみに、考古学者というのはものすごいゴシップ好きで、ばらばらのデータを集めて、恋愛や権力、政治的陰謀の壮大な物語にしてしまう。よかれあしかれ、たぶん私たちは人類の歴史に新たな脚注を追加してきたのだろう。

そして私たち考古学者が立ち向かっている大きな問題は、これから発見して、保護すべきものがたくさん残っているのは明らかなのに、多くを失う危険性があるということだ。

第11章 盗まれた遺産

ある博物館に、彩色された美しい壺があると想像しよう。その壺がまとう柔らかな金色の光が、表面に描かれたほのかな赤と青のパターンを際立たせる。思わず見とれてしまう。もっと詳しいことを知りたいと思って、添えられた説明を読む。「マヤの土器。中央アメリカ。ハンリー・スミス・コレクションの一部。9.201.1993.」控え目にいっても、こんな説明ではまったく役に立たない。

博物館の学芸員は、その器が、発掘されて展示されている他の器と似ていたので、マヤ文明のものと分類したのだろう。しかしこの遺物は、ある収集家の遺贈品としてこの博物館に来たものだ。何の文脈も持たないし、マヤの遺跡との関連も、その周辺で見つかっていたであろう他の遺物とのつながりもない。実際のところ、何の情報もないのだ。なぜなら、考古学者が発掘したものではないからだ。発掘したのは盗掘者だ。

それが珍しい種類の器なのか、王の即位式で使われたものなのか、普通の家族が一番大切にしていた所持品なのか、大事な祭礼のために年に数回持ち出された神聖なものなのか。それが明らかになることは決してない。古代の遺物が、ただの物とみなされるようになる。背後になんの意味も目的もない、美しい、命のない物だ。それが日常生活で果たしていた文化的な役割は永遠に失われる。物が持つ真の価値を人々に理解させるのは、大変な努力を要する仕事だ。もしかしたらその責任は、専門家以外の読者を相手にしない不可解な学術論文をたくさん書きすぎている学者にあるかもしれない。テレビ番組が華やかな金(きん)の遺物ばかりを取り上げて、それを単なるモノとして扱っているせいもあるだろう。とはいえ、金銭的な価値と文化的な価値の違いを世間の人々に気付いてもらうのはひどく難しいことだ。

家にあるちょっとした物でも、元の値段以上の、他にはない価値を持っていることがある。グレッグと私はダイニングルームの壁にすてきな絵を一枚飾っている。白いスカーフをかぶった、アメリカ人の少女を描いた絵だ。その絵は五〇年以上、私の祖父母の家のダイニングルームにかけてあった。その絵の少女は、いつも祖父母と一緒に食事をして、家族の相談事を全部聞いていた。幼い子どもたちが成長して、自分の子どもを持ち、最終的にそのうちの一人が親になるのを見守ってきた。祖母が亡くなったときに部屋にいたのは、そのアメリカ人の少女だけだった。この絵を描いた画家が有名になることはなかったし、市場で高い値段がつくような絵でもないが、私の家族にとっては、とりわけ私には、値段がつけられないものなのだ。

古代の遺物の価値を評価するのは、正直なところ、大変なことだ。あらゆる古代の遺物に値段をつけられないほどの価値があるというのは、熱を入れすぎだろうし、少なくとも現実的ではない。さらに、研究への熱意を失った学者でも、美しいものの魅力には勝てない。ツタンカーメン王のデスマスクは、エジプトを訪れる人が一番に見たがるものだ。私もエジプトに行ったらいつも、一直線にそのデスマスクに挨拶をしに行く。そこに使われている高価な材料に目が行きがちだが、この遺物には、揺らめくように光るデスマスク以上の意味がある。それは、考古学が持つ可能性の象徴なのだ。つまり、土の中で見つけられるのを待っている、あらゆる遺物の象徴である。

しかし、個人のコレクションの一部である古代遺物は、「価値」という概念に別の一面をもたらす。なかには、家宝として大事にされているものもあれば、所有者が博物館や特別な展示会で進んで一般公開しているものもある。しかし一部のコレクターは、古代遺物をただむやみに欲しがる。彼

サッカラ近くの盗掘に遭った墓（写真：著者）

らはあきらめられないし、コレクションを増やさなければ気が済まない。そして、どうしても欲しいものを手に入れるために誰が苦しもうと気に留めない。

古代遺物であふれる家を訪問したことのある友人や同僚の話によれば、持ち主はその古代遺物を見せびらかして、どうやって手に入れたかを自慢げに話したいだけなのだという。彼らがそういう古代遺物を手に入れるのは、ハンターがスポーツハンティングで野生動物を殺すのに似ている（無駄に強力な銃器を使っているが、最低限のスキルしかない）。その古代遺物を家に飾るのは、ハンターがぞっとする非常識な写真でポーズをとったり、戦利品である獲物の頭や角を壁に飾ったりするのと同じだ。持ち主は、その古代遺物の具体的な来歴を知っていたとしても、たいていは国や地域のレベルまでである。それでかまわないと思っているのだ。

古代遺跡からイーベイへ

現在、古代遺物収集の歴史の新たな章が始まっている。イーベイや似たようなウェブサービスのせいで、誰でもスカラベ〔訳注／エジプトのフンコロガシの形をした護符〕を数百ドルで買うことができる。試しに「antiquities」（古代遺物）と入力してみると、五万五〇〇〇件がヒットする。「Egyptian antiquities」（エジプト古代遺物）の項目をクリックするとそれが五〇〇〇件にまで絞り込まれる。最初のページに表示される五〇件のうち、出品者が「本物」として販売しているのは半分だった。私の見たところでは、二つか三つは確実に本物のように思えた。いくつかはよくできた複製に見えた。職人が本物を見ながら作ったようだったが、いくつか細かな点でしくじっていた。専門家なら偽物を見抜ける。クレジットカードを手にしたカモなら、まったくわからない人がほとんどだろう。

イーベイの担当チームと話をしてみて、複雑な気持ちになった。私は、本物はすべて盗掘品だから、ウェブサイトから古代遺物の出品を削除してくれないかと依頼した。するとイーベイ側は、「それは可能ですが、そういう人たちは下っ端ですよ。親玉を見つけるべきです。そういう奴らをまず追いかけたほうがいいですよ」と回答してきたのだ。

盗掘には長い歴史がある。ツタンカーメン王を埋葬した人たちは、壺に入った軟膏を勝手に使っていた。その濃厚で香りの良いスキンクリームは、王の名前がついている副葬品とは違い、足がつかない。ツタンカーメンの墓を発見した考古学者のハワード・カーターとその発掘チームは、軟膏壺に手ですくった跡を見つけている。[1]

それでも、ひどい盗掘に遭った遺跡を歩いていると、心が痛む。地面に人骨やミイラの包布、盗掘者が最近割った土器のかけらが一面に散らばっているような場所では、私たちが歴史の一部を永遠に失ってしまったことを実感する。どの骨も、どのミイラの断片も、かつて生きていて、息をしたり、笑ったり、愛したりしていた、あなたや私と少しも変わらない誰かのものだ。自分の大切な人が永遠に眠る地がそんなふうに汚されたら、どんな気持ちになるだろう？

盗掘者は、すぐにわかるような物理的な被害を与えるだけでなく、現代社会に修復不可能な傷を残す可能性もある。現在の多くの土地で、人々は古代文明に親近感をもっており、崇拝してさえいる。彼らは古代文明とのつながりを誇りにしていて、宗教や文化に根ざした数千年前から続く伝統行事をおこなっている。盗掘や遺跡の破壊は、かけがえのない文化的な記憶を消し去る可能性がある。数百カ所の遺跡が攻撃されるというのは、その文化についての書物を収めた図書館が破壊者によって完全に焼かれるようなものだ。

盗掘の問題は、かなり身近なところでもいくつか起こっている。アメリカでは、南西部での遺跡盗掘が、メタンフェタミンやオピオイドといった薬物乱用の拡大とつながっている。さらに、アメリカの盗掘者はかなり組織化されていて、すきにつけこんだやり方をする場合がある。二〇一八年一月にアメリカ連邦政府が閉鎖されると、金属探知機愛好家のメーリングリストにはそれから数時間以内に、「ほら、みんな、見張りはいないぞ。南北戦争の遺跡を盗掘に行こう」という内容のメッセージがいくつも投稿された。[2]

身近な暴動

アラブの春の後、私の研究人生には新たな目的が増えた。私と夫が中東の衛星テレビ局アルジャジーラの英語放送で見た、エジプトからの生中継映像は、ほとんど理解不可能な状況だった。この宇宙に、乱暴に押し合い、せわしなく動き、ごとごとと音をさせて、決して止まらない中心地というものがあるとしたら、その栄誉を受けるのはカイロ中心部のタハリール広場だ。私たちにとって、その場所はいつも故郷のように感じられた。広場の周りには時計回りに、エジプト考古学博物館、考古学者が好む、安くて気持ちの良いホテルが集まったエリア、アメリカの発掘チームにとってはとても助かる存在の考古学研究機関のアメリカン・リサーチ・センター、そしてザ・ナイル・ヒルトン（現在はザ・ナイル・リッツ・カールトン）がある。ザ・ナイル・ヒルトンのフードコートはかつて、エジプト学者たちの休日の作戦本部にもなっていた。

二〇一一年一月二五日までに、この広場に流れ込み、歌を歌い、旗を掲げ、三〇年間続いていたホスニ・ムバラク政権による腐敗からの自由を求める人々の数は、数百万人にのぼっていた。私と夫は、何日もコンピューターに釘付けになっていた。そしてあの土曜日に目覚めると、エジプト考古学博物館が略奪に遭っていた。

私は、最悪のことを予想して、わっと泣き出してしまった。二〇〇四年二月二九日にあの博物館で、地球上でもっとも素晴らしいエジプト学上の至宝に囲まれて、私は夫にプロポーズしたのだ。ニュースにあふれていた、エジプトの人々が自分たちの文化の中心地を囲むように人間の鎖を作っている光景が忘れられない。「ここはバグダッドじゃない！」その人たちは叫んでいた。泣いている人も多かった。

何時間かたって、悪党が博物館の大半の部分には手を触れなかったというニュースが届いた。その不法侵入は、無計画なショーウィンドー破りにすぎず、後日、学芸員たちが大変な努力をして、盗まれた収蔵品のほとんどを取り戻した。

安心した。あっという間の二四時間だった。そのうちに、ギザやサッカラで大規模な略奪が発生しているといううわさがインターネットを駆け巡った。[3] 数百人の考古学者が参加している世界規模のメーリングリストを見てみると、誰もがエジプトの状況についていろいろなことを考えていた。私の仲間のエジプト人考古学者たちに対して、革命が進行するなかで略奪を止めるのに十分な手を打たなかったと非難を浴びせる、的外れなメールが増えていった。その間ずっと、その非難された考古学者たちは、エジプト各地の遺跡で命がけで略奪者を撃退していたのに。

私はメーリングリストの全員に向けて、略奪が遺跡に影響を与えたかどうかを知る唯一の方法は、盗掘発生の前後の人工衛星画像を調べることだと書いた。幸い、そのメールはより歓迎すべきメッセージを引き出した。メールの署名欄にあったのは、当時ナショナルジオグラフィック誌の編集長だったクリス・ジョーンズの名前だった。

クリスは、宇宙から盗掘をマッピングすることが実際にできるのかと聞いてきた。私は可能だと答えた。私の仲間の考古学者である、ニューヨーク市立大学ストーニー・ブルック校のエリザベス・ストーンが、二〇〇三年に起こったアメリカのイラク進攻の後に、高分解能人工衛星画像を使ってイラク南部の盗掘を記録する手法を新たに開発していた。[4] 私はクリスに、盗掘発生前の画像として使える二〇一〇年のデータがすでに手元にあると伝えた。

ナショナルジオグラフィック協会は、ジオアイ財団と協力して、革命勃発から二週間後に撮影された、新しいサッカラの画像の購入を支援してくれた。二種類のデータセットを詳しく調べると、壊滅的な盗掘の兆候があった。ジュセル王のピラミッド複合体のすぐ北東に、ブルドーザーの跡がはっきりと残っていた。最近おこなわれた、恥知らずの盗掘の証拠だ。私は分析後の画像をナショナルジオグラフィック誌に送った。ここから、エジプトの考古学と文化遺産に焦点を当てた、私とナショナルジオグラフィック誌の協力関係が始まったのだ。

その年の五月、私は古代遺物連合［訳注／古代遺物の盗掘や違法取引の阻止に取り組む、二〇一一年設立の非政府組織］から、アメリカの元外交官や元政府高官のグループの同行者として、エジプトに招かれた。そのグループには、ジョージ・W・ブッシュ大統領の報道官だった人もいた。私は、エジプト政府と情報を共有するための説明資料を

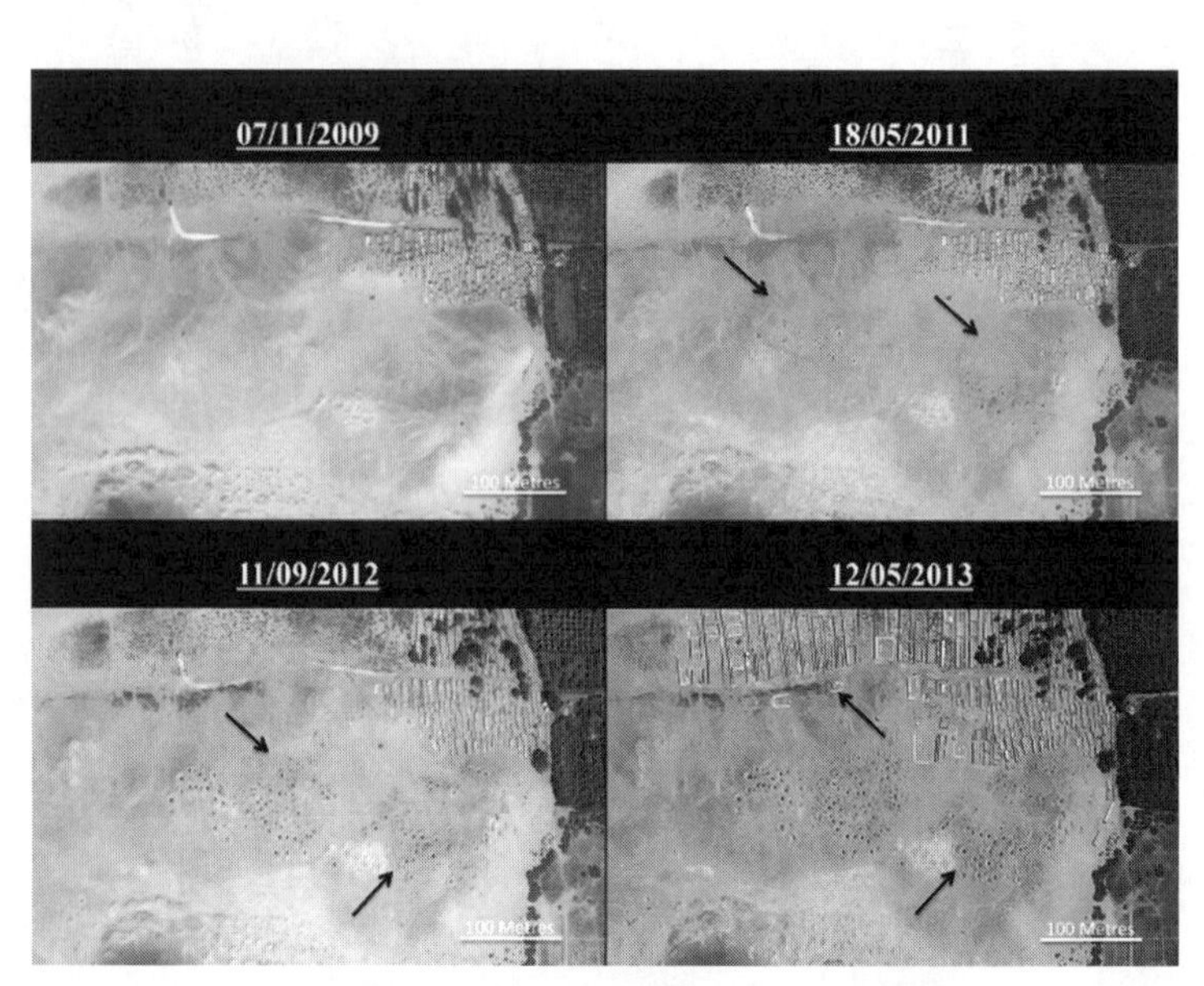

サッカラ付近の盗掘発生前後の状況を示す、高分解能人工衛星画像
（画像提供：デジタルグローブ）

用意してあり、そこには出発の数日前に撮影された新しい画像も追加してあった。その画像は、サッカラやダハシュールのような重要な遺跡で盗掘が増加していることを示していた。

私たちは、エジプトの観光大臣や外務大臣、考古大臣との会合のために、カイロにある国会議事堂に行った。部屋に入るなり、私は圧倒されてしまった。天井は何十メートルも上にあるように思えた。そこから凝った飾りカーテンが流れ落ちていて、その下には報道関係者や各大臣の取り巻きが大勢いた。外交経験ゼロの私は、子ども用のテーブルにでも座るものと思いこんでいた。

私が座ったのは大臣たちの向かいの席で、どの大臣の手元にも私の説明資料があった。代表団のリーダーである、古代遺物連合のトップのデボラ・レアーが、各方面に感謝の言葉を述べ、一通りの状況を説明して……そして私の方を向いて、こう告げた。「では、サラが人工衛星を使った調査の結果と、エジプトの文化遺産への影響についてお話しします」

えっ。

この場を切り抜ける方法は一つしか知らない。エジプト学者らしくふるまうことだ。

私がエジプトで最も有名な遺跡のいくつかで盗掘が進んでいく状況を一通り説明する間、誰もひと言も発しなかった。ぞっとするような画像の数々は、その意味を疑う余地もなかった。人々は険しい顔をして、不安げで、自分の国で起きたことにまだぼうぜんとしていた。彼らは熱心に耳を傾けていた。

最後に、私が必死で、その場にいるすべての人にアラビア語で感謝の言葉をしきりに述べると、人々が驚いた様子を見せた。私は怖くなって、どうしていいかわからなくなった。国際外交のルールを片っ端から破ってしまったのかと思ったのだ。ところが、大臣の取り巻きたちは満面の笑みで、うまくいったねという合図をたくさん送ってくれた。一人の女性はこうも言ってくれた。「田舎者がしゃべってるみたいだったけど、あなたの言っていることをみんなわかりましたよ」(今では私のアラビア語も上達した。ただしうまくなったのは主に下品な冗談や悪口のたぐいだ)

こういった会合は私の人生を変えた。もちろん、世界政治における考古学や歴史の役割はわかってはいたが、世界政治をじかに経験して、それを形づくる動きの中で一つの役割を果たすということを知ったのだ。私は象牙の塔からパラシュートで飛び出して、もっと大きく、もっと恐ろしい世界に降りたっていた。

広がる盗掘

このプロジェクトで始まったナショナルジオグラフィックからの支援は、エジプト全域での盗掘の動向を分析するプロジェクトへの支援と拡大していった。私はデータ処理を手伝ってくれるチームを新たに雇った。一つの国全体にわたる、面積にして七〇万平方キロメートル以上、遺跡の数では数千カ所にもなる、一二年分のデータを目の前にしたら、映画『アベンジャーズ』に出てくるようなスーパーヒーローチームを結成する必要がある。私たちのプロジェクトでは主に、グーグル・アースのオープンアクセスデータを利用した。商用人工衛星のデータは四〇〇〇万ドル以上かかるからだ。

六カ月かけて、二〇〇二年から二〇一三年の高分解能画像を調べて、二〇万カ所以上の盗掘孔をマッピングした。[5] 何を探せば良いかをわかってしまえば、盗掘孔を見つけるのは簡単だ。それは暗い四角形の穴で、周囲には、金になる縦穴型墓を探す過程で盗掘者たちが出した土がドーナツ状に残っている。深さは一〇メートルになる場合がある。こうした盗掘孔の直径は平均して一メートルほどあるので、画像の中で探すのは簡単なのだ。私たちが調べた数千カ所の遺跡のうち、二七九カ所で盗掘か遺跡の破壊の証拠が見つかった。私とチームのメンバーがそうしたデータをせっせと調べ、歴史を消し去る行いが続いているのを目撃するたびに、重苦しい空気になった。

一番興味深い話が出てきたのは、二〇〇八年以降のデータだ。二〇〇二年から二〇〇八年の期間は、盗掘発生数は横ばい傾向だった。アラブの春があった二〇一一年に盗掘が急増したというのが私たちの予想だった。しかし科学というものは、筋の通る都合の良い結論をひっくり返す。実際に盗掘が大幅に増加していたのは二〇〇九年だった。これは、世界経済危機の後にあたる。確かに、二〇一一年にも盗掘の発生数は増えたが、そのときはすでに増加傾向が始まったあとだった。盗掘増加のきっかけとなっているのは、その地域の権力構造の変化ではなく、世界経済なのだ。

私たちは将来の傾向を判断するために大量の計算をおこなった。結論は、何も対策を取らなければ、二〇四〇年までにエジプトのすべての遺跡が盗掘の被害にあうということだった。[6]

私たちの考古学的遺産は深刻な問題を抱えている。十分に練られた周到な長期計画のほかに、その問題を解決できるものはない。考古学者や他の専門家がこうした問題と戦うための努力を何もしなかったら、中東だけを見ても、大半の遺跡が今後二〇年から二五年で消えていくだろう。[7]

期待か絶望か

ここまでで、発見について、そして歴史を語り直すことについて、たくさんの話をしてきた。今後発見されるものの価値に関心がある人は、この章を読むと心が痛むだろう。ここで説明している損失によって、何が危機にさらされているのか、正確に理解できてくるからだ。読者の皆さんにそんな思いをさせて申し訳ないと思わないでもないが、そう考えているのは私の心のほんの一部だ。私やチームの仲間は、遺跡を見つけるたびに、私たちがつかみ損ねたもの、そして他になくなった可能性があるものについて考えさせられるのだ。

トンネルの向こうに光が見えることもある。盗掘跡をマッピングしている仲間の考古学者たちは、アメリカ連邦議会や国務省で証言をおこない、遺跡の破壊がテロリストや国際的犯罪グループの手によって現在も続いていることを示す人工衛星画像を提供している。スミソニアン協会の博物館保存修復研究所[8]でフェローとして働く、リモートセンシング界の「ワンダーウーマン」キャサリン・ハンソンが専門知識を提供した結果、連邦議会の二〇一五～一六年会期で、国際文化財保存保護法（HR 1493）が可決している。この法律は、文化財調整委員会の設立を提唱するとともに、シリアの考古資料に輸入規制を課すものだ。

二〇一四年に国務省で、私は六人の仲間とともに、エジプトの古代遺物に対する輸入規制に賛成する立場で証言を行った。私は自分で分析した盗掘のデータについて説明し、他の人たちは特定の遺跡での盗掘の影響について話した。これが、中東や北アフリカの国とアメリカとの間では初めてとなる、二〇一六年の文化財保護二国間覚書の締結につながった。[9]

二〇一七年秋には、ある違法な古代遺物の密売事件が大きく報道された。[10] クラフトショップのホビーロビーは、アメリカ国内のいたるところに店舗があり、毎年三〇億ドル以上を稼いでいる。オーナーのグリーン家は、聖書が正しいことを証明したいという情熱に動かされて、古代遺物の収集を始め、ワシントンDCに五億ドルをかけて、中東の古代遺物数千点を展示する聖書博物館を設立した。

数年前にグリーン家の人々は、古代遺物の違法取引問題の専門家たちと面会した。その中にはデュポール大学のパティ・ガーステンブリスもいた。弁護士であるガーステンブリスは、文化遺産をめぐる法律の分野では神のような存在で、このテーマについて権威ある教科書を書いていた。[11] グリーン家の人々は、購入を検討していた円筒印章についての懸念を伝えてきた。その円筒印章がイラク戦争後にイラクから違法に持ち出された可能性を疑っていたからだ。ガーステンブリスや他の専門家たちはそれに同意して、その円筒印章を買わないようにアドバイスした。いわんとしていたことはこのうえなく明確だった。その円筒印章を買うことは違法行為であり、深刻な結果を招くおそれがあるということだ。

ところが、グリーン家はそれでもその円筒印章を買い、「屋根瓦」としてアメリカに輸入した。当局はこれを現行犯でおさえた。さらに聖書博物館の所蔵品の多くが合法ではないとして、三〇〇万ドルの罰金を科したというわけだ。[12] その程度の罰金は、大富豪にとってはちょっとした誤差のような金額だが、捜査チームはグリーン家の件を引き続き追いかけており、二〇一八年冬の時点でさらに数百件の所蔵品が丹念な調査の対象になっている。

今後こうした事件が起こるのを防ぐことは、決して簡単ではない。捜査当局が直面する最大の難問の一つが、古代遺物の密輸について「相当な理由」を立証することだ。この「相当な理由」とは、告発や逮捕のための合理的な根拠のことをいう。その相当な理由を立証できれば、事件を裁判に訴えようとする場合の法律家の仕事ははるかに楽になるが、それでも税関出入国管理の担当部局が証拠を集めようとすると、大きな障害にぶつかる。個人に古代遺物を違法に購入したという嫌疑をかけるときには、相応の疑いを示すだけでなく、盗掘者がそれを掘り出したことを証明しなければならないのだ。さらに、盗掘がいつ起こったかを正確に特定する必要もある。

盗掘者たちよ、お前たちは監視されている

人工衛星画像のようなテクノロジーは、遺物が盗掘品であることを政府が確認する場合だけで

なく、考古学者が重視する文脈をもたらすような、遺物の来歴そのものを見つける場合にも役立つ。[13] 私には、このことに読者のみなさんがひどく驚く様子が目に浮かぶし、みなさんが疑わしく思うのも理解できる。この本では人工衛星が考古学のためにできること（そしてできないこと）をすべて検討してきた。宇宙から地上を拡大して、個々の遺物を見ることはできない。たとえそれが可能だとしても、盗掘者が地中からミイラを持ち去る瞬間をとらえることよりは、宝くじに当たる可能性のほうが高いだろう。遺物の来歴についての写真による証拠がなければ（盗掘者がセルフィーを撮ることはあまりない）、相当な理由の確定を支援できない可能性がある。

あと少し、私の言うことを疑わずに聞いて欲しい。遺物の出所である遺跡が突きとめられれば、その意味はとても大きいだろう。各国が自分たちの文化遺産の返還を求めて、より強く主張するようになるし、地元コミュニティは、そうした遺物を地元の博物館に返還するよう求める力を持つようになる可能性がある。厳密な考古学的文脈は失われたままだが、遺物がその遺跡から来たことを知っているだけで、考古学的知識を向上させることになる。最終的にそれは、訴訟や訴追の場で遺物がどこで発掘されたかを証明し（それが盗掘されたと証明する最初のステップだ）、世界の文化遺産を冒瀆した罪で犯人を刑務所に送り込むのに役立つだろう。本当だ。これがもしもの話から現実になる可能性があるのだ。

ミイラの呪い作戦

エジプトでの盗掘をテーマとしたナショナルジオグラフィック誌の記事の一部として、私は具体的な事件についての情報を集めたことがある。[14] 私は二〇一四年冬のニューヨークで、この記事を書くことになっていたジャーナリストのトム・ミューラーに会った。巻き毛が特徴的なトムは、さっそうとしていて、せっかちな性格だ。私が分析していたエジプトの盗掘データのことはよく知っていたが、この業界の下流側を知りたがっていた。つまり、マーケットの西洋諸国側で、盗掘品である古代遺物に何が起こっているか、ということだ。

アメリカ移民税関捜査局（ICE）から招かれて、トムと私は、まさしく秘密の目的地を訪れる許可を受けた。ブルックリンのとある場所に、堂々とした軽量レンガ造りのビルが建っている。偽の窓がついていて、裏手に搬入口が一つだけある。そこは、押収された美術品の保管施設だった。ニューヨークの金持ちや有名人から集めてきた品々がそこにあるのだ。セキュリティデスクで素早いチェックを受けてから、私たちは上の階に通された。そこには、ありとあらゆる形と大きさの箱が床から天井まで積み重ねられていて、まるで『レイダース』のラストのシーンのようだった（もちろん、私は箱の山をさっと見回して、聖櫃の形の箱を探してみた。残念ながらなかった）。

対応してくれた捜査員に案内されて、階段を降り、明るい照明がついた部屋に向かった。そこには、彼らがいうところの（私がでっち上げているのではない）「ミイラの呪い作戦」[15]で回収された古代遺物が並んでいた。二〇〇九年にＩＣＥは、疑わしい輸入書類にもとづき、いくつかに切断され、アメリカ郵便公社を通じて輸送されていたエジプトの棺を回収した。さらに、エジプトの古代遺物の収集家として有名なジョセフ・ルイスがニューヨークに持っているガレージを捜索した。

ルイスはその棺や他の遺物を、ムーサ・「モリス」・フーリという古美術商から手に入れていた。ブレント・イースター特別捜査官はすでに、盗掘品であるイラクの像の頭部の件でフーリを逮捕していたが、それはひどく汚いネズミの最初の気配に過ぎないのではないかと疑っていた。フーリが経営するウィンザー・アンティークイティーズという会社のウェブサイトを追跡した結果、イースター特別捜査官は複数のエジプトの遺物を発見したが、フーリはそれらがアラブ首長国連邦のものだと言い張った。[16]

フーリは最終的に、その遺物がエジプトから来たものだと認めた。これは、古代遺物の国外持ち出しを禁止した、エジプトの国家盗品法に違反したことになる。[17] イースター特別捜査官の捜索によって、二五〇〇万ドル相当の遺物が見つかった。ルイスは、盗掘品を受け取ったことについて無罪を主張し、二〇一四年に再審がおこなわれたあと、国土安全保障省に押収された数点を失うことになったが、一年間の保護監察だけですんだ。フーリは六カ月の自宅軟禁と地域奉仕活動、すべての件で無罪になった。[18]

トムにはあとになって、押収された古代遺物が収められた部屋に足を踏み入れたときの私の顔を、誰かが写真に撮っていたらよかった、と言われた。衝撃と嫌悪、そしてとてつもない驚きの表情だったらしい。その瞬間、エジプト学者としての私は言葉が出なかった。古代世界の幻が、重さを失って目の前をふわふわと漂っていき、私が死ぬときに思い出す記憶を集めた部屋に入っていった。赤、白、クリーム色、黒……二四〇〇年前の棺は、これまで見たことのない完全な色合いに塗られていた。装飾の中には、美しい顔の彫刻があった。もしかしたら、故人の肖像かもしれない。

私はなんとか目をそらして、ナショナルジオグラフィック誌のチームが記事のための写真を撮っている間、他の遺物を見て回った。中王国時代の舟の模型や、紀元前一八〇〇年頃の木の彫像品、さっきの棺とセットになっていたと思われる別の棺があった。どれもＩＣＥが押収したものだ。イースター特別捜査官の説明によれば、考古学者が棺にあった文字を解読していて[19]、その年代がエジプト末期王朝時代からプトレマイオス朝時代の間だとわかったという。もしかしたら、アルタクセルクセス三世がテル・テビッラに攻め入ったのと同じ時代かもしれない。

こうした文字のおかげで、私の幻は名前を持った。シェセプ・アメン・タイエス・ヘリトという女性だ。ＩＣＥは彼女の棺がアメリカ国内に不法に持ち込まれていたのは確認したが、来歴についてはまったくつかめていなかった。私は、長い時間をかけてまとめてきた人工衛星画像のデータベースが役に立つかどうかを確かめるために、彼女の棺の件をテストケースとすることを提案した。二〇一四年の冬、彼女の棺はエジプトに送り返される予定だったので、この研究はやりがいのある取り組みだった。

家より良い場所はない

もしかしたら、本当にもしかしてだが、人工衛星画像がこの棺の盗掘現場を記録しているかもしれない。シェセプ・アメン・タイエス・ヘリトが、崖を掘り抜いて作った墓ではなく、共同墓地に埋葬されていたとすればだが。二五〇〇年前には崖の墓は多く、そういう墓だったら人工衛星からは見えていないはずだから、幸運を祈った。

私はまず、盗掘に遭った遺跡としてデータベースに登録された二七九カ所を、以前の発掘や探査によるデータにもとづいて、それぞれの居住年代で絞り込むことにした。捜査官たちから棺の放射性炭素年代測定の結果を教えてもらったところ、末期王朝時代からプトレマイオス朝時代（前六六四年〜前三〇年）の範囲であることが確かめられた。そこで最初のステップは、盗掘に遭った遺跡二七九カ所のうち、この年代に相当する墓地が存在するかどうかを判断することだった。これによって、可能性のある遺跡は大幅に絞り込まれて、三三カ所になった。

横を向いて、シェセプ・アメン・タイエス・ヘリトの顔をみると、彼女と目が合った。すると、目の端にきらきらする小さなものが見えた。砂粒だ。ありがたいことに、盗掘者たちは、棺の木材の汚れなどをきれいにするのが下手だったのだ。砂があるのは、砂漠が出所であることを意味する。そして保存状態がとても良いことも、どこか乾燥した場所にあったことを示している。

次のステップは、遺跡をさらに絞り込んで、砂漠の端にある墓地を抜き出すことだ。その上、遺跡は都市部に近いところにある必要もあった。この女性の棺は、最高級の美術品で、レオナルド・ダ・ビンチのような品質を実現できる工房で作られたものだ。古代には、そうした工房は大きな都市でみつかることが多い。

この段階で、条件に一致する遺跡は一〇カ所だけになっていた。幸運なことに、この女性の棺がアメリカ本土に到着した時期がわかっていた。遺物が掘り出されてから、違法取引のルートに乗って、海外市場に出るまでには、一年かそれ以上かかる可能性がある。この棺の断片は二〇〇九年九月から一一月の間に押収されていたので、おそらく盗掘は二〇〇五年から二〇〇九年始めの間に起こったものと考えられた。

人工衛星画像に記録されている盗掘の大部分が、世

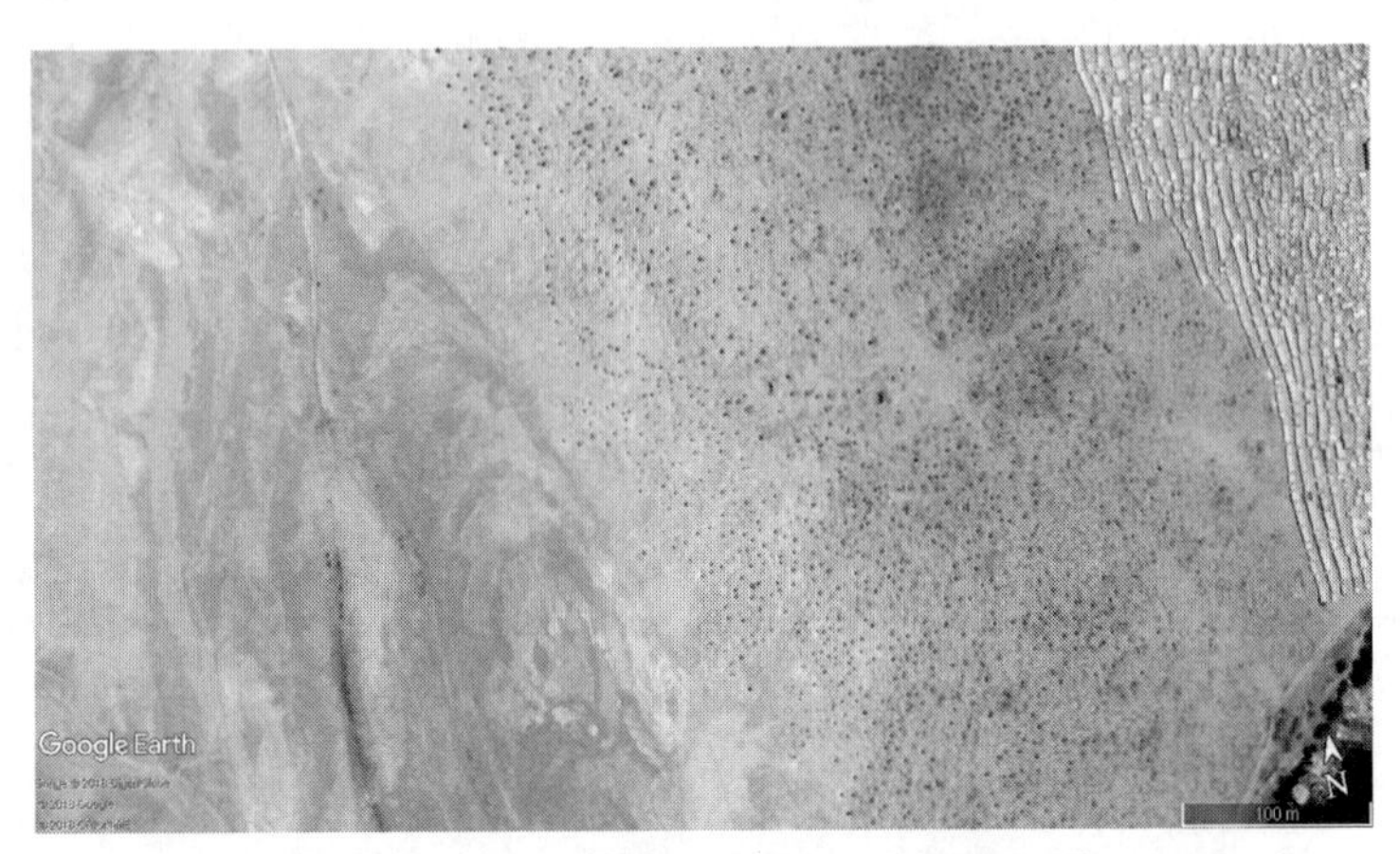

エジプトのアブシール・エル＝マレク遺跡。非常に多くの盗掘孔があるのがわかる（画像出典：グーグル・アース）

界経済危機後の二〇〇九年以降に起こっていた。残り一〇カ所のうち、二〇〇九年以前に盗掘されたのは五カ所だけで、さらに二〇〇五年から二〇〇九年の間に数千個もの盗掘孔があったのは一カ所、アブシール・エル＝マレク遺跡だけだった。

古代エジプトでは、名前は一族の中で伝えられることが多かった。そしてシェセプ・アメン・タイエス・ヘリトという名前は、日常的に見かけるような名前ではない。この女性と同じ時期のもので、まったく同じ名前がついた棺が（現在はフロリダのタンパ美術館にある）[20] 重要なつながりを与えてくれた。色鮮やかだが技巧では劣るその木製の棺は、アブシール・エル＝マレクを来歴としていたのだ。偶然にしてはすごすぎるように思えた。さらに私は、アブシール・エル＝マレクがある「サッカラ地域」の書記像も見つけていて、それには、この場合はその書記の母として、シェセプ・アメン・タイエス・ヘリトの名前が刻まれていた。[21]

アブシール・エル＝マレク遺跡は、長年にわたる盗掘によって、クレーターだらけの月面のような風景になっている。新旧合わせて何万個もの盗掘孔があり、遺跡内の重要な区域では最近の盗掘活動が集中していた。秋に木の下に散り敷く落葉のように、人骨が遺跡中に散らばっていた。この遺跡を訪れた同僚は、見るからに動揺した様子で帰ってくる。ここにあの棺の持ち主の女性がいた可能性はとてつもなく高そうだった。

彼女は二五〇〇年前に、アブシール・エル＝マレクの上流階級向け墓地に埋葬された。その当時、ナイル川の土手ぞいにあたるその地には都市が栄えていた。棺に記されていた肩書き（「女性詠唱者」）からみて、彼女は神殿で働いていたようだ。一般市民の女性にとっては最高位の職業の一つだ。おそらくは二階建て以上の、高級品が備えてある家に住んでいて、家族に愛されていたのだろう。家族は彼女が、その都市の上級職人の手で作られ、彩色された棺で埋葬されるように手を尽くし、結果として彼女の墓は像やシャブティ、宝石類、そしてありとあらゆる装飾品で一杯になった。家族は彼女に供物をするために神官に十分な金を払っていて、それはおそらく何代も続いただろう。彼女の名は今、記憶にとどめられた。盗掘者は彼女の持ち物を盗み、遺体を破壊したが、皮肉にも、彼女の記憶をとどめ、不死という彼女の夢を叶える手助けをしたのである。

盗掘の流れを断ち切る

一つの棺の出所らしい遺跡を見つけるのは最初のステップだ。考古学者は、盗掘に遭った遺跡についてのデータが手に入ったら、今度はそうした遺跡から盗掘された可能性の高い遺物のリストを作成する。そのリストが、盗掘者と市場をつなぐ鎖を断ち切るのに役立つのだ。

とはいえ、その邪悪な取引全体の背後にあるメカニズムを理解することが重要だ。通貨切り下げ、失業率の増加、観光者数の減少、物価のインフレはどれも盗掘を誘発する。大規模な遺跡ではセキュリティがはるかに良くなったが、へんぴな場所にある遺跡ではなかなか状況が改善しない。この問題と戦うにはまったく新しい解決策が必要だ。これは二一世紀の大きな「隠れた」問題の一つであり、隠れてはいるが、非常に危険な問題だ。

一部の専門家は、リビアやイラク、シリアのような場所では、盗掘はテロリズムと深くつながっていて、相当の量の武器購入の資金源となってきたという考えを示している。[22] この点については、決定的な事例証拠が存在する。シリアでは、ＩＳＩＬによる古代遺物の盗掘は、カリフ（預言者ムハンマドの後継者）の政府を名乗る同組織内において、石油の密輸を管理しているのと同じ部門によって「監督」されている。盗掘グループが古代遺跡をばらばらにして遺物を掘り出すと、ＩＳＩＬはその遺物の売値の二〇パーセントを「賃借料」として徴収している。[23] 他の場所では、麻薬取引や人身売買とつながっている可能性がある。こうした違法な盗掘品売買ネットワークに対してやるべき仕事がたくさん残っている一方で、ネットワーク同士がつながり合っている可能性があるのだ。

古代遺物取引は大きな利益を上げているとうわさされていて、その額は一年間で数百万ドルから数十億ドルと幅がある。どんなブラックマーケットでもそうだが、確かな数字を知ることは不可能だ。そのネットワークを解き明かし、遺物がエジプトなどから、ヨーロッパやアジア、アメリカにどうやって移動するのかを理解するために、するべきことはまだまだたくさんある。各国政府や、ＵＮＥＳＣＯのような国際機関が怒りに満ちた声明文を発表しても、あまりにもあっけなく無視されてしまう。この問題に求められているのは、違法に取得された古代遺物の収集をやめさせるための世界的な運動なのだ。

盗掘者全員がテロリストだということはできない。それほど話は単純ではないのだ。この危機の本質を見極めるにはまず、どの階層の人々が盗掘から利益を得ているのか、そして平均的な盗掘者がどのような暮らしをしているのかを理解しなければならない。

エジプトの地元住民の盗掘グループの場合、村の共同体内であらゆる遺物の売却代金を分配することが知られている。盗掘をする地元住民（子どもであることが多い）は、遺物一個あたりでわずかな金を受け取ったり、一晩掘っていくらという形で支払いを受ける。どれだけリスクがあっても関係ない。トンネルが崩壊することがあるし、口を開けた縦穴は、暗闇の中では落とし穴そのものだ。ときには警備員が、深い縦穴の中で作業をしている盗掘者を発見することもある。そして、たとえ警備員が武器を所持していなくても、その辺に大きな石はたくさんある。ある警備員が私に言っていたように、「そいつは自分の墓を掘っていたんだ。自分はただ通路を塞いだだけ」ということになる。たいていは大人の男であり、誰かの父親である遺跡の警備員が、日常的に銃撃されたり、ときにはもっと組織的な盗掘団に殺されたりしていることを考えれば、そんなふうに盗掘者を毛嫌いする気持ちは理解できる。[24]

それはいちかばちかの犯罪だ。地元住民は犯罪分子に盗掘品を売るかもしれないが、盗掘するのは家族を支える必要に迫られてのことだ。サイドビジネス（そういう言い方をするのを聞いたことがある）として盗掘をする人々でも、それは大家族を養う肉を買うためだったり、手術の支払いをするためだったりすることが多い。いちかばちかとまではいかなくても、こうした話はどれも、「第一世界」つまり先進国にはない問題だ。犯罪のこうした面を、共感を持って見ることができれば、有効な解決策を考え出せる可能性がある。

もっと裕福な人々も盗掘をしたり、仲介者になったりすることがあり、そこから大金がからみ始める。プロの犯罪者も盗掘に手を出すが、それをメインの収入源とすることはない。古代遺物の取引、銃の密輸入、売春……金儲け目的で売買がおこなわれる地下ネットワークでは、どれも違いはないのだ。

ネットワークの末端の売り手は、おそらくは大手オークションや個人古美術商などを通して、大金を得る。ただし、そこまでの間に、取引ネットワークがどのくらいの儲けを価格に上乗せしているのかはわからない。ショベルが最初に砂をひとすくいする原因を実際に作っているのは、西洋や極東の国々にいる買い手だ。実際には、オンラインで一〇〇ドルのスカラベに入札した人から、高級品が集まるオークションで彫像に数百万ドルを支払った人まで、さまざまな買い手がいる。彼らが市場を動かしているのだ。

需要が存在しなかったら、盗掘はそもそも現在のレベルにないだろう。そういった需要こそ、私たちが最初に戦わなければいけない相手だ。同じように、絶滅の危機に瀕した動物の毛皮や牙などや、珍しいペットを欲しがる文化にも、総合的な再教育と厳格な罰則措置の組み合わせによって対処していかなければならない。そうしなければ数え切れないほど多くの野生動物が失われるだろう。野生動物でも、古代遺物でも、取引の責任を、「食物連鎖」の一番下にいる人に取らせることはできない。探し出さなければならないのは、一番上にいる消費者だ。たとえそれが私たちの文化が映った鏡をのぞき込むことを意味していても。いや、だからこそ、やらなければならない。

これが解決策……たぶん

人工衛星画像は、遺跡保護のための地上での行動を補うにすぎない。地域住民のトレーニングや教育イニシアチブの実施は必要不可欠で、すでに遺跡保護に大きな影響を与えており、そうしたプロジェクトが世界中で何百件も進められている。それらは、かなり多くのNGOや非営利団体が盛んに宣伝していた「貧困ポルノ」を乗り越えて、地域住民が自分たちの遺産に合法的で、持続可能な経済的価値を見いだす手助けになるような、本物のプログラムへと進化している。

地域社会の重要な利害関係者と協力し、彼らにどんなニーズやスキルがあるかを知ることは、遺跡保護を促進する強力な方法になりうる。そうした地域の町や村の人々は、自分たちの経済状況が良くなっていることに気付けば、自分たちの未来は過去とともにあると理解できる。さらに、若者との関わりが大切だ。私たちは若者たちに、彼らの文化財の真の守護者は彼らであり、観光を通じて生計を立てる絶好の機会があることを示せるのだ。

問題解決のためにできることの一例が、ヨルダンにある。考古学者のモラグ・カーセルはこの国で、ペトラ・ナショナル・トラストと協力して、ペトラ・ジュニア・レンジャースとユース・

エンゲージメント・ペトラというプログラムを進めてきた。カーセルの支援を受けて、ペトラ・ナショナル・トラストは一二歳から一七歳までの一〇〇人以上の女の子を対象とした教育モジュールを作成した。このモジュールではまず、考古学や博物館の重要性や、盗掘者から遺跡を守ることの大切さを学ぶ。次に参加者は、観光客や、ペトラ遺跡で売店を営む人々にインタビューをして、古代遺物を売ることについての質問をした。こうした種類のワークショップは、若者に自分たち独自の歴史を保護することに積極的に関わる力を与える。[25] カーセルはさらに、「フォロー・ザ・ポット」（壺を追跡しよう）と名付けたプロジェクトの一環として、ヨルダンにある遺跡の盗掘跡をドローンでマッピングする方法を開発した。私はカーセルのことを、現在の中東で働いている最もかっこいい女性の一人だと思っている。[26]

地元住民が積極的に関われば、世界は大きく変わる。エジプトのルクソールを考えてみてほしい。エジプトの他の地域と比べると、ここでは人工衛星画像で見えるような盗掘は事実上起こっていない。確かに盗掘は起こっているが、何百という遺跡の数と、考古学的景観の範囲を考えれば、それは最小限だといえる。ルクソールの経済のほぼ一〇〇パーセントが、この地域に古代の脅威を見にやって来る観光客と密接につながっている。

二〇一一年に不確定要素が生じたことで、観光客の足はかなり遠のいたままで、ルクソールでは、ツアーガイドから、ホテルスタッフ、角でトマトを売る男、ホテルの厨房で働いている、その男のいとこまで、誰もが苦労している。それでも、古代エジプト人の遺産に置かれた価値はゆるがない。ぜひあなた自身がルクソールを訪れてみてほしい。そこには手ごろな値段のホテルと素晴らしい食事があって、親しみやすい人たちがいることに気付くだろう。そしてあなたがそこを訪れることが、盗掘との戦いに変化をもたらすのだ。

しかし、すべての遺跡が観光名所になれるわけではない。それには費用も時間もかかる。まだ良さが理解されていない場所は数え切れないほどあるが、そこを訪れる十分な数の観光客はいない。小さな遺跡や、人里離れた遺跡を訪れる傾向があるのは、ものすごく熱心な旅行者ばかりだ。それでも解決策は見つけられる。遺跡の近くに住む人々のために、新たなビジネスチャンスや教育の機会を作ることができるのだ。地元の人々は、古代のスタイルを踏襲した地元産の手工芸品を作るスキルを新たに身につけて、それを大都市やオンラインで協同組合方式で販売したり、地元のバザールで販売したりすることが可能だ。遺跡で発掘をする考古学者も、地元のコミュニティを引き入れることができる。私の仲間にも、発掘シーズン中に、地元の学校の生徒や住民に向けて、遺跡のガイドツアーをしている人が多くいる。

私たちの発掘調査が、意図せぬプラスの結果をもたらすこともある。テル・テビッラ遺跡では、アビラという若い村人がバスケット係として私たちと一緒に作業をし、発掘で出たがれきを取り除いてくれていた。彼女の関心の高さはとても印象的だった。それに十代らしい英語は、私たちのアラビア語が恥ずかしくなるほどのレベルだった。アビラの高校の入学試験の結果が出た日、彼女のおじが発掘チームみんなにと言って、一箱分の炭酸飲料を持ってきた。アビラはクラスのトップで合格していたのだ。私たちはみな、アビラのことを誇らしく思った。最終的にカイロ大学に進んで、エジプト学を学んだアビラは、後になって私に、きっかけになったのは、私たちの発掘作業でエジプト学者として働く女性たちに会ったことだったと語った。

遺跡保護についていえば、世界的規模の遺跡データベースを整備して、遺跡をいつでも完全に追跡でき、盗掘や開発、気候変動による脅威が生じている地球全体のホットスポットを表示するようにしたらどうだろうか？「モニュメンツ・メン」の二一世紀バージョンを考えてみてほしい。「モニュメンツ・メン」とは、第二次世界大戦中のヨーロッパで、非常に貴重な文化財をナチス・ドイツの手から守るのに尽力した、勇敢な男女のことだ。私たちは「モニュメンツ・メン」の代わりに、「モニュメンツ・ピープル」を作ることができる。地球上のさまざまな場所にいる、あらゆる年代の何百万の人々がチームになって、高分解能画像を使ったマッピングをおこない、遺跡を発見したり、盗掘を突きとめたりして、そのデータを政府や考古学者と共有するのだ。これでどんな成果をあげられるか、いろいろと想像してみよう。

では、どうすればそんなチームを作れるのだろうか？

第12章 誰でも参加できる宇宙考古学

遺跡の破壊が壊滅的なレベルまで進行していることを考えれば、状況は私たちにとって不利なように思える。恐ろしい現実ははっきりしているが、多くの考古学者は、科学技術の急速な進歩を受けて、楽観的になってきている。しかし、こうした進歩があっても、遺跡の破壊は、過去の痕跡を守る能力の伸びよりも速いペースで進んでいる。

必要なのは、さらに素早く、さらに賢い対策を取ることであり、多くの人々がそれに参加することだ。従来のアプローチをひっくり返して、参加の幅を広げていくためには、考古学の大改革が必要になる。考古学者として関われる人の数は、山積みの課題に取りかかるには十分ではない。一方で、五歳の頃から考古学者になりたかったという人はとてもたくさんいる。大変な量の仕事が待っている今、そういう人たちは子どもの頃からの夢を実現させられるはずだ。一般の人々に助けを求めることは、考古学にとってとても面白い新たなチャンスかもしれない。

さらに考えなければいけないのは、過去は誰のものか、そして新たな考古学的発見によって、私たちが共有する人間の物語に書き加えられるのは誰か、ということだ。現在、かなり多くの考古学者が新しいリモートセンシングなどの技術を使用しているが、考古学の発見にとって最良の時代は、この瞬間ではなく、もう少し先かもしれない。それでも、その時代はやって来る。誰もが考古学に参加できるようになったときに、最良の時代が訪れるのだ。科学者の発見についてたくさんの話を読んだ後では、私の言うことが信じられないかもしれない。そんなことは不可能だと思うだろう。ではその可能性を見ていこう。

「クラウド」の力

クラウドソーシングという言葉をきっと聞いたことがあるだろう。誰でも知らないうちに、クラウドソーシングをやっている。ツイッターやフェイスブックで、排水管工事業者やレストラン、おすすめのおむつについてアドバイスを求めるとき、それは一般の人々(クラウド)の知恵を集めていることになる。科学に関係することでは、一般の人々の助けは頼れないと考える人もいるかもしれないが、答えははっきりしている。それはできるのだ。

最初の大規模なクラウドソーシングプロジェクトである、「ギャラクシー・ズー」[1]は、一般市民がどれほど科学者の力になれるかを世界に示した。オックスフォード大学を拠点とするこのプロジェクトが始まったきっかけは、科学者たちが、自分たちにはスローン・デジタル・スカイ・サーベイで撮影された一〇〇万枚もの銀河の画像があるのに、そのすべてを分類する手立てがないことに気付いたことだった。彼らは実験的なオンライン分類プラットフォームを構築した。そこでは参加者が、画像にある銀河の種類を、渦巻銀河、合体銀河、楕円銀河の三種類の中から選ぶようになっていた。プラットフォームを構築した人たちは、一般の人々が全データの分類を終えるのに数年かかるだろうと考えていたが、蓋を開けてみると、プロジェクトの一年目には、一五万人が五〇〇〇万回の分類をおこなっていた。

同じ画像をたくさんの人が分類する仕組みになっているので、一般人も科学者と同じくらい正確に分類できた。この実験的なプロジェクトが進化して、今は「ズーニバース」という、何十件ものクラウドソーシングプロジェクトを集めたウェブサイトになっている。そこにあるプロジェクトは、鳥の羽を特定するプロジェクトから、第一次世界大戦中の日誌を書き起こすプロジェクトまでさまざまだ。私はこの日誌書き起こしプロジェクトをやってみて、こんな記述を見つけた。「晴れた夜。とても静かだ。兵士たちがひしめき合っている」私はグーグルで検索してみたいという衝動を抑えながら、一〇〇年前にヨーロッパ大陸で戦っていた、イギリス第九大隊キングス・ロイヤル・ライフル軍団が、そのまま静かな晴れた夜を過ごしていてほしいと思った。

形や色を選んだり、汚い手書きの文字を読んだりするなんて……幼稚園みたいだ！　難しいことなんてほとんどない。そんな声が聞こえる。

ほほう、それならアイワイヤ[2]をおすすめする。これは、とても素晴らしい脳を持つ科学者エミー・ロビンソンの指導で進められている脳のプロジェクトだ。アイワイヤでは、世界中の参加者はオンラインゲームを通して、脳のニューロンを三次元マップする作業を手助けする。楽しく、デザインも美しく、操作しやすいこのゲームには、数十万人のレギュラーユーザーが参加するコンテストもある。アイワイヤやギャラクシー・ズーを見て、私はネットの住民にプロジェクトに協力してもらうことの可能性を悟った。そしてその可能性に気付いた考古学者は私だけではない。ここ数年で、考古学の世界ではクラウドソーシングが大人気になっている。

レバンティン・セラミクス・プロジェクトは[3]、地中海沿岸の各地を研究対象にしている研究者が、新石器時代からオスマン帝国時代までの七〇〇〇年間に作られた土器のデータを共有するクラウドソーシングプロジェクトだ。二〇一八年初頭の時点で、このプロジェクトには約二五〇人の専門家が参加していて、六〇〇〇件以上の土器の情報がアップロード済みだった。土器のデータは形や時代、遺跡の名前、国、地域で並べ替えることができるので、専門家は発掘現場で似ている土器や一致する土器を簡単に見つけられるようになり、出土品をその場で解釈するのに役立つ。あらゆる種類の遺物が同様のデータベースに登録されて、発掘から数時間以内に出土品の解釈が可能になる、そんな未来も想像できるようになった。なんだかくらくらする。

一般市民の力を借りるクラウドソーシングには、プロジェクトにたくさんの新鮮な目を取り込めるという大きなメリットがある。人工衛星画像を使った私自身の仕事は、時間を食うし、高い費用がかかることもある。大変な集中力も必要だ。研究プロジェクトを始める前から、スクリーン上で見つかるものの種類や範囲について、私にはかなり見当がついている。また、特にエジプトのようによく知っている土地では、たくさんのものを調査の対象外として無視することがある。しかし、最初のほうの章で見てきたように、あまりになじみのあるものを扱うときには、仮説にもとづいて考えることが研究の妨げになる場合もあるのだ。

ある仲間のエジプト学者が、友人の八歳の娘を王家の谷に連れて行ったときの話をしてくれた。彼はそこで、ラメセス六世の墓にある、地下の世界での複雑な一場面を描いた絵に何カ月も頭を悩ませていた。その少女が、彼が見逃していた細かな点を指摘すると、その場面全体のつじつまがやっと合った。私がこの話をようやくきちんと理解したのは、二〇一七年夏にグレッグと一緒に、当時五歳の息子をエジプトに連れて行ったときだ。あれこれと説明するために、私たちは息子に合わせてしゃがんだ。すると初めて見上げる姿勢になった。二人で合わせて五〇年間エジプトで仕事をしていて、見たことのない風景が見えた。

しかし、トレーニングを受けていない人が考古学者の研究を手助けできるなら、なぜ画像を解釈したり、分析したりする方法を学ぶ必要があるのかという疑問が出てくる。研究生活の中で、何年もの集中的なトレーニングを必要とする部分はかなりあるし、そうした専門知識を獲得することは、より微妙な差異を分析するには不可欠だ。それでも、私が他の人々を面白いことに巻き込みたいのには理由がある。メイン州で育った私は、ピラミッドやラクダなど、ありとあらゆるエキゾチックなものに憧れていたが、そういうものがあるのは八〇〇〇キロもかなただった。そんな少女時代の私には、今のような仕事を想像できなかっただろう。私の中にはそんな少女が今もいて、探検したり、素晴らしいものを見つけたりする機会は誰にでも与えられるべきだということを思い出させるのだ。

必要な教育を受けられなかったり、十分なリソースを持たなかったり、身体の自由が利かなかったりして、発掘現場に足を踏み入れられないすべての人のために、考古学を発掘現場の外に持ち出す方法が必要だ。理由はとても簡単だ。私たちの時間との闘いが、とても危険な状況になっているからだ。

十分な専門知識がある人は、大変な画像処理が必要ない地域なら、一日で一〇〇平方キロメートルを調べることができる。しかし、地球全体を調べようと思ったら、一億九七〇〇万平方キロメートルから海を引いた面積が対象になるので、地球表面の六〇〇〇万平方キロメートルが分析されずに残っていることになる。それを画像処理の専門家が作業し終えるには四五六六年かかるだろう。私が生まれたのがエジプト古王国時代で、クフ王がギザにある自分の墓の最上部に取り付ける、エレクトラム（金銀合金）の板で覆ったピラミディオンを磨いていた頃だったら、その時代から始めた分析作業は最近終わったばかりだろう。

グローバルエクスプローラーが生まれるまで

私自身がクラウドソーシングの世界に飛び込んだきっかけは、二〇一五年に、優勝者に賞金一〇〇万ドルが授与される、年一回のＴＥＤプライズに思いがけずノミネートされたことだ。それは自分で応募できる賞ではなく、アカデミー賞のようなものでもない。これは、その人がしてきたことではなく、しようとしていることに対して与えられる賞だ。私は願い事を一つ考え出さなければならなかった。世界を変えるような、大きくて、人を奮い立たせるようなアイデアだ。短くいえば簡単に聞こえる。短いといえば、アイデアを売り込むためのスピーチには、五〇単語しか許されていない。

私はたくさんの人に手伝ってもらいながら、プレゼンテーションの準備を進めつつ、徹底的に自分自身を見つめた。インド出身の素晴らしいアーティストで、私の良き友人であるラガヴァ・KKからは、この作業でぼろぼろに近い状態にならなかったら、ちゃんと準備していないということだと慰められた。そして実際にほぼそうなった。落ち込み、絶望的になった。私がしたかったことは、私の中に根付いていた考古学における責任という学術的な概念にことごとく反していたのだ。諦めかけたが、やり続けるようグレッグに説得されたので、じりじりと前進した。……そして、私の仕事人生すべてをかけて取り組んできたことを全部表そうと決意をした。その結果、こんなスピーチになった。

「私が願うのは、世界中に無数にある、未知の遺跡をみんなで発見することです。市民科学のためのオンラインプラットフォームを構築し、二一世紀型の世界規模の探検隊を訓練することで、この世界にある隠れた遺産を見つけ、保護します。そうした遺産には、人類が全体として備えている回復力と創造性についての手がかりがあるのです」

私たちには、考古学を根底から覆して、さまざまな立場の一般の人々に考古学調査のプロセスに参加する権利を与えることが可能なのだ。私には受賞する可能性がほんの少ししかなくてもかまわなかった。はるか遠い場所を目にすることと、発見することを夢見ているすべての子どもが、その両方を実現できる世界を生み出す可能性があるというだけで、十分に価値があるのだ。

ＴＥＤのトップであるクリス・アンダーソンから電話があって、受賞したと知らされたとき、私は何の反応もできなかった。重い責任が肩にのしかかってきた。それまで思い描けなかったような、はるかに大きなビジョンを支えていくことになるのだ。私は最終的に、二〇一六年にカナダのバンクーバーで開かれた、年に一度のＴＥＤカンファレンスで、この常識破りのアイデアを発表する機会を与えられた。

二〇一五年秋にこの一連の過程が始まった時点で、私はオンラインプラットフォームの設計について何も知らなかったし、オンラインゲームについては、ソリティアで遊んだことがあるだけだった。もしＵＸとＵＩとは何かと聞かれたら、何かの病気と勘違いして、発疹があるなら病院に行ったほうがいいと答えただろう。（念のために説明すると、ＵＸはユーザー・エクスペリエンス、ＵＩはユーザー・インターフェースの略だ）

幸運にも、私はＴＥＤコミュニティや、エミー・ロビンソンのようなクラウドソーシングを知り尽くした人たちの専門知識に頼ることができた。エミー・ロビンソンには、アイワイヤのウェブサイトを作成中に得た貴重な見識があって、自分の時間とアドバイスをこれ以上ないほど惜しみなく与えてくれた。私は、アメリカ開拓時代の西部のようなクラウドソーシングの世界を探検しつつ、少しずつチームを立ち上げていった。クラウドソーシングの世界は当時も、今も、実験の黄金時代なのだ。

私たちが作りたかったのは、ユーザーが何度も戻ってきたくなり、幅広いユーザーを取り込み、努力に対して報酬を出す仕組みがあるオンライン・エクスペリエンスだった。そして何より重要だったのが、きちんと動くものを作ることだった。私たちは自分たちが何をしているのかまったくわからなかったし、それはプラットフォームがスタートするまでわからなかった。

プラットフォームの名前はグローバルエクスプローラー（GlobalXplorer）にした。グローバルエクスプローラーが、高機能だがシンプルで使いやすく、一方でコンピューターに精通したマニアを引き込むほど魅力あるものになるように、設計のレベルから考えなければならなかった。私たちは典型的なユーザー像、つまりグローバルエクスプローラーを使う可能性が最も高いタイプを深く掘り下げて考えた。

理想の世界なら、私たちは誰もが使いたがるものを作り出すだろう。しかし現実には、すべての人の好みに合うものなどありえない。議論を重ね、絞り込んでいった結果、できるだけ幅広いユーザーを取り込むことになると私たちが考えた、四通りのユーザー像を選んだ。一つめが、考古学に変化をもたらしたいと考えている、考古学の修士課程の学生。二つめが、ガジェットと探検が好きだが、時間はあまりない、テクノロジーに詳しい三十代前半の人。三つめが、旅行が大好きで、時間はもうちょっとあるが、テクノロジーの面ではサポートが必要かもしれない、定年退職後の職業人。そして最後は、テクノロジーはひどく苦手だが、新しい関心事に費やす時間は

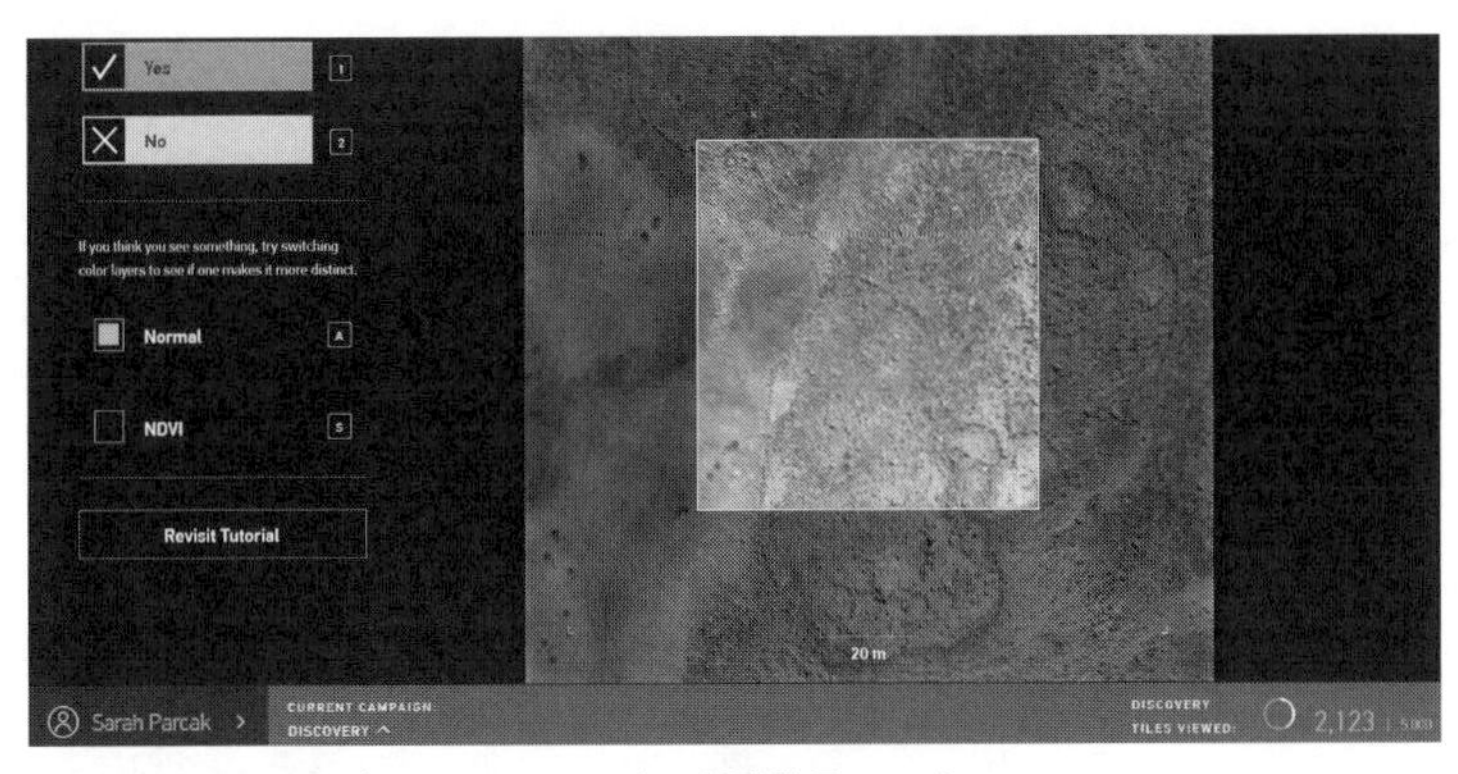

globalxplorer.orgのプラットフォーム上の遺跡発見ページ
（画像提供：グローバルエクスプローラー）

ペルーにある遺跡の人工衛星画像に見える盗掘跡
（画像提供：グローバルエクスプローラー）

たくさんある、身体に障害があって自宅から出られない高齢者だ。

私たちのチームは、コロラド州に拠点を置く素晴らしいプラットフォーム・デザインチームであるモンド・ロボットの力を借りた。まず、搭載したい夢の機能をたくさん集めたリストを作り、そこから少しずつ絞り込んでいった。一つだけ妥協できない点が、参加者がグローバルエクスプローラー上ですぐに、まるで発掘現場にいるかのような、コミュニティの雰囲気を味わえるようにすることだった。もう一つ重要な点が、参加者に努力の報酬として、プラットフォーム公開時に対象としていたペルーにまつわる興味深いコンテンツを提供するゲームを作成することだった。

一年間の大変な準備期間の後に、私たちのチームはグローバルエクスプローラーをスタートさせた。五歳でも一〇五歳でも、世界中のあらゆる人が古代遺跡の発見と保護のプロセスを支援できる、市民科学・クラウドソーシング型のオンライン人工衛星画像プラットフォームだ。このプラットフォームでは、いくつかの理由があって、ペルーに力を入れていた。まず、ペルーはマチュピチュ遺跡があるため、世界中で有名なこと。つぎに、ペルーの遺跡は主に石か日干しレンガでできているので、人工衛星画像の中で見つけるのは難しくないこと。そしてペルー政府には、革新的な考古学研究を支援してきた、強固な伝統があることだ。ペルー文化省はすでに、ドローンを使ったマッピングプログラムを実施していて、ほかの国のはるかに先を行っているのだ。

グローバルエクスプローラーの立ち上げにあたっては、サステナブル・プレザベーション・イニシアティブ（ＳＰＩ）という、素晴らしい現地のパートナーと連携した。ＳＰＩは、遺跡の近くに住む地元の女性たちを対象に、手工芸品の販売による経済的な自立の支援などをおこなっているグループだ。

グローバルエクスプローラーで最終的に目指したのは、世界中の人々に、考古学者になって、私たちと同じように世界を見る力を与えることだった。私たちはユーザーに、過去の世界や、そこに暮らした人々を想像するのに必要なツールを提供して、歴史がどのように書かれるかということに関われるようにしたいと考えていた。

ゲームで遊ぼう

グローバルエクスプローラーでは、ユーザーはまず、最初の「盗掘の検出」コースについての短いチュートリアルを見る。この動画では、ペルーの盗掘跡の見え方を、近くで見た場合と遠くから見た場合、さらにさまざまな景観の中にある場合について説明している。チュートリアルが終わったら、探検の始まりだ。それぞれの画像は面積が三〇〇平方メートルで、大きな画像の一部を切り抜いたタイルのような形になっており、トランプの山からカードを配るようにランダムに表示される。

私たちが人工衛星画像を処理する場合でも、普通はこのタイルの縮尺以上には拡大しないので、この作業は本格的なものだといえる。ユーザーは、画像を調べた結果にもとづいて、「盗掘がある」か「盗掘がない」のどちらかをクリックする。すると先に進んで、別のタイルが表示される。

そして、こういった画像が盗掘者に手を貸すことになるのではと心配する人がいるかもしれないので、先に言っておくと、こういった探検を経験できるページには、GPS座標や地図情報は載せていない。画像の出所は、深い熱帯雨林以外のペルーのどこかだが、見てもわからないし、調べることもできない。

一〇〇〇枚の画像を調べると、参加者は次のコースに進む。公開の段階では、遺跡にある違法建築物を探すことになっていたが、これはユーザーを混乱させる作業のようだったので、私たちは最終的にこのコースを削除した。どんなプラットフォームでも、ユーザーからのフィードバックに対応できるようにするのがとても重要だということを、私はこの件から学んだ。

最後のコースは「遺跡の発見」で、参加している市民科学者には一番難しいレベルだ。結局のところ、遺跡を宇宙から見つけるというのは大変なことだ。そして博士号が何のためのものだったのか、私はこれでわかった。このコースのチュートリアルではたくさんの例が表示され、ユーザーは、古代の遺構と思われるものを見わけられるようになるにはとにかく時間と練習がかかることを知る。これもまた、本格的な経験だといえる。

楽しみながら作業ができるように、全体をゲーム化して、一〇段階のレベルをもうけた。それぞれのレベルでは、古代ペルーの遺物をかたどったバッジがもらえる。ユーザーがたくさんの画像を見るほど、レベルが上がっていく。最初は「パスファインダー」で、次が「ウェイファインダー」、そしてずっとレベルを上げていって、レベル一〇で「スペースアーキオロジスト」（宇宙考古学者）になる。何という驚きでしょう！

　ユーザーは、オープニングキャンペーン（公式的には三カ月続いた）の期間中は毎週、ナショナルジオグラフィック協会から提供された、ペルーの考古学や歴史にまつわる新たなコンテンツを入手できるようになっていた。高いレベルに進むほど、手に入る報酬が増える仕組みで、たとえば、グーグル・ハングアウトやフェイスブックでのライブにアクセスする権利が得られたり、私たちのチームから個人的なメッセージが送られてきたりするようになっていた。このプラットフォームは今もグローバルエクスプローラーのウェブサイトで稼働しているし、ナショナルジオグラフィックのコンテンツもまだ利用できるので、ぜひ見てみてほしい。きっと楽しめると思う。ペルーの遺跡を探すのが上達したユーザーは、自分でさらに勉強したり、既知の遺跡をたくさん目にしたりして、さらに多くの遺跡を見つけている。

　舞台裏では、私たちはユーザーが遺構を見つけた場所をピンで示すためのデータ配信システムを立ち上げた。ある画像に遺構があると判断したユーザーが最低でも六人いないと、そのタイルが評価のために私たちのところに送られてこないようになっている。さらに、ユーザーに自分の成績をだいたい把握してもらうために、全員に「コンセンサス・スコア」を送っている。これは、ユーザーの答えと他のユーザーの答えの一致度を示すものだ。誰でも五〇パーセントしかないところからスタートする。ちなみに、私でもそうだ。公平なのだ。

　二〇一七年一月三〇日にこのプラットフォームを一般公開したとき、私たちはどんなことになるのかまったく予想がつかなかった。サイトがクラッシュするかもしれない。私たちの予算でできることよりずっとすごいものをユーザーは期待しているかもしれない。一〇〇万ドルというのはすごい額に聞こえるかもしれないが、技術面で複雑な作業が必要だったので、予算はあっという間に減っていった。実際の反応は想像をはるかに超えていた。公開から一週間で、ユーザーが判定したタイルの枚数は一〇〇万枚を超え、参加者コミュニティから電子メールが届き始めた。コンピューターかスマートフォンさえあれば、誰でも古代の遺構探しに力を貸すことができるというアイデアが、人々の心を強く揺さぶったのだ。

これを書いている時点で、プラットフォームの公開から一年以上が経っていて、一〇〇を超える国から八万人以上のユーザーがいる。アフガニスタン、イエメン、米領サモア諸島にもユーザーがいる。グリーンランドにはまだいないが、もしグリーンランドに住んでいる人がこの本を読んでいたら、ぜひ試してみてほしい。ユーザーはこれまでに、一〇万平方キロメートル以上に相当する人工衛星画像の判定をおこなっている。タイルの数では一五〇〇万枚以上だ。

私たちは世界規模のユーザーコミュニティを作りたいと考えて、フェイスブックのページを立ち上げ、そこで誰でも画像を共有して、説明を求められるようにした。「よくある質問」のリストも作り、問い合わせや問題にすぐ対応できる電子メール担当チームも作った。ある日、私はグーグル・ハングアウトでのミーティングで、コミュニティからの質問に答えることになっていたのだが、インターネットのトラブルに遭遇した。リンクがうまく働かなくなったのだ。私たちはグループチャットに頼らなくてはならなかったが、私はひどい失敗になるだろうと思った。互いにまったく知らない人たちが五〇人、ウェブ上で集まるのだ。私は最悪の結果を予想した。

ところが……考古学の求心力は素晴らしく、私たちが互いにメッセージを送り合って過ごしたその時間は魔法のようだった。このプラットフォームや、そこでの発見、このプロジェクトの将来的な可能性といったことについて興奮したコメントが飛び交い、会話がはずんだ。参加してくれた人たちは、本質をついた素晴らしい質問をし、互いに手助けしたり、励ましたりした。そしてこのプラットフォームをどうすればより良いものにできるかについて、建設的な提案をしてくれた。この経験で、私は人間への信頼を取り戻した。たとえそれがインターネット上で起こったことであっても。

ユーザー数だけでは、私たちのもとに届いた、とても多くの参加者からの体験談を十分に伝えきれない。そうした体験談は、幼い子どもから九〇代の高齢者まで、本当に幅広い年齢の人たちから寄せられた。オランダ在住のある女性は、グローバルエクスプローラーが年若い家族を失うという悲劇を乗り切らせてくれたと書き送ってきた。彼女は、夜遅く、絶望的な気持ちに襲われると、グローバルエクスプローラーにログインして、数時間プレイした。そうすると、何か価値のあることに貢献したという気持ちになったという。グローバルエクスプローラーは彼女にとって、いつも通りの生活に戻るための命綱のようなものだったと聞いて、私がどんなに心を動かされ、謙虚な気持ちになったか、言葉では表せない。

インド在住のマハは、自分はずっと考古学者になりたかったが、両親から、「実用的な」職業である医者を目指すように迫られたという。マハは両親の言う通りにしたが、ずっと後悔していた。それが最近では、七歳の甥と一緒にグローバルエクスプローラーをプレイできるようになった。マハは、自分の甥が考古学者になるかどうかはわからないが、甥がどんな夢を抱こうとも、それを追い求めて良いということを示す人間になりたいと語った。私たちが実現しようとしていることをこれほど見事に表す一言は他にないだろう。

私が文句なしに一番好きなのが、ドリス・メイ・ジョーンズの話で、私は彼女のことが大好きになった。私たちが典型的なユーザー像として、身体に障害がある高齢

プラットフォームで見たペルーの大規模な集落遺跡
（画像提供：グローバルエクスプローラー、デジタルグローブ）

者を考えていたのを覚えているだろうか。ドリスは九一歳で、車椅子を使っており、オハイオ州クリーブランドで自宅からほとんど出ずに暮らしていた。昔から探険が大好きだったし、地質学に強い興味を持っていた。ドリスはグローバルエクスプローラーにすぐに登録して、当然のことながら、「スペース・アーキオロジスト」のレベルに到達した。今ではトップクラスのスーパーユーザーの一人だ。以前、ドリスとスカイプで話をする機会があったが、彼女と私のどちらがより興奮していたかわからない。心の底からの思い入れと熱がこもったドリスの話を聞いて、なんというか、本当にうまくいったのだと実感した。

論より証拠

一般の人々(クラウド)はグローバルエクスプローラーから多くを得たし、私たちは望んでいた以上に多くの参加者を集めることができたが、このプラットフォームが実際に役に立つのかどうか、つまりユーザーが、考古学者の知らない本物の遺跡を見つけることになるかどうかは、まだわからなかった。ユーザーは遺跡をうまく見つけられるようになったのだろうか？　それとも最近の農場をうっかり古代の遺跡としてマークしてしまったのだろうか。後者だとしても、それは誰でも通る道だが。

遺跡の可能性がある数千枚の画像を私たちがチェックしたところ、本当に考古学的性質があるものをユーザーが識別できる確率は約九〇パーセントだった。私たちは、一万四〇〇〇件以上の遺跡が登録されたペルー文化庁のデータベースにない大規模な遺跡を「ランク一」と呼んでいたが、ユーザーが見つけた「ランク一」の遺跡は七〇〇件を超えた。素晴らしい結果だ！　私たちはランク一の遺跡の画像を専門家に直接送って、さらに確認してもらうことにした。

それ以外にも遺跡はあった。動物用の小さな囲いから、差し渡しが一キロメートル以上ある、丘の上の巨大な集落まで、遺跡のサイズはさまざまだった。プラットフォームで発見された特に大きな遺跡は、詳細なデータベースに登録した。小さな山の頂上に砦のような石の構造物がある遺跡もあれば、大規模な集落のように見える遺跡もある。そうした遺跡の分類を始めるには、既知の遺跡と比較することも可能だが、もちろん、それぞれがどんな遺跡なのかを知るために、専門家の意見を取り入れる必要もあるだろう。ユーザーは現時点

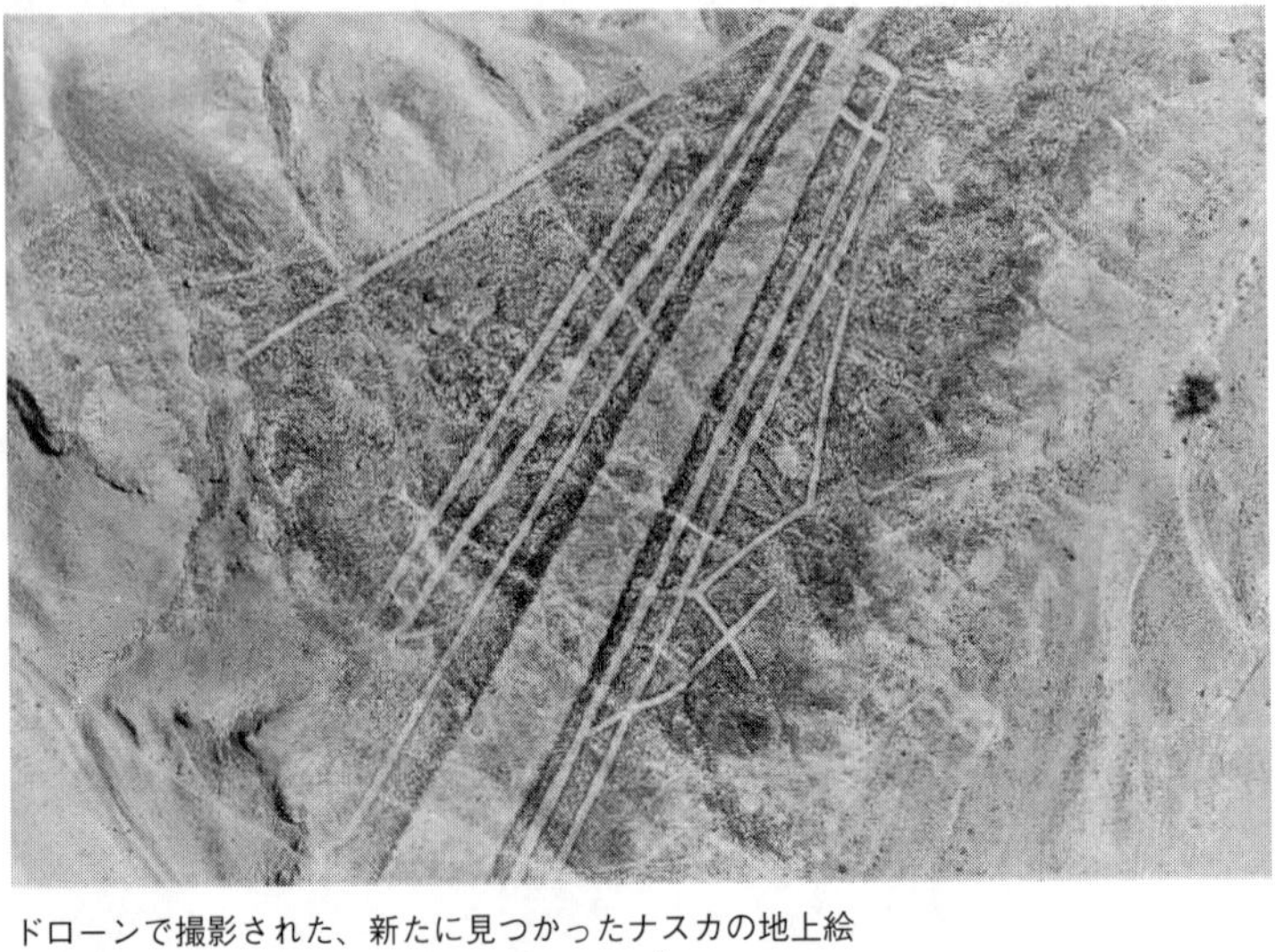

ドローンで撮影された、新たに見つかったナスカの地上絵
（画像提供：ルイス・ハイメ・カスティーヨ）

で、これまで記録されていない遺跡を一万九〇〇〇カ所発見している。[4]

こうした結果はすでに、該当の地域を以前調査したことがある専門家が目を通しており、特に人が近づけない山岳地帯では、ユーザーの発見の正しさが確認されている。考古学者のルイス・ハイメ・カスティーヨは、そうした地域の新たな遺跡で大規模なドローン動画撮影を実施しており、その過程で、人工衛星画像では一般的に見ることが難しい、傾斜地の遺跡をマッピングする革新的な技術を開発している。カスティーヨは文化省のジョニー・イスラと協力して、一般の人々が見つけた四〇カ所近い遺跡の近くで、新たに五〇以上の地上絵を発見している。いうまでもなく、これは大ニュースになった。[5]

考古学者は、マチュピチュの近くで見つかった、新しい遺構と考えられるものの調査も計画している。専門家は、この威厳ある有名な遺跡にある上流階級の住宅についてはかなりのことを知っているが、最上流階級に仕えた人々の集落についてはまだほとんど知らない。私たちのユーザーが見つけていた可能性があるのは、まさにそうした集落だ。それを見つけるのは考古学上の夢だといえる。

ＳＰＩと私たちの協力関係は、新しい学生向けトレーニングプログラムと、ペルーのパチャカマック遺跡周辺の自転車専用路の整備につながった。パチャカマック遺跡周辺はリマのすぐ外にある大きな観光スポットで、そうした自転車専用路があれば、地元住民は遺跡周辺へ観光客を案内できる。それによって、遺跡をこれまでと違った形で見せられるようになり、近隣コミュニティの収入も増える。グローバルエクスプローラーは、単に古代遺跡を見つけるためのものではない。新旧のテクノロジーを利用し、地元コミュニティーや観光客、そしてデジタル世界の人々と協力して、将来も遺跡の保護を継続できるようにするものなのだ。

ペルーの地上で

ペルーの考古学は、私たちが用意できる限り最高の未来を迎えるにふさわしい。私はその政府職員や、一緒に仕事をしているパートナーと会うために、何度かペルーを訪れる機会があった。赤道の南側では何もかもさかさまのような気がした。言葉もしゃべれないし、考古学の文脈がなにもわからない。食べ物さえ驚きだった。会う人みんなに、モルモットを食べてみなくちゃと勧められた。「クイ」というペルー名物の料理のことだ。一瞬気持ち悪いと思ったのは認めよう。実は、私にはたいていの肉が鶏肉の味に感じるのだが、クイもそうだった。しかし、自分のディナーのメニューが自分の考古学の研究に多少なりともつながるとは、その時はちらりとも思っていなかった。

SPIのトップのラリー・コーベンは、私にペルーの考古学を経験させようと、カニェテ谷にあるカンチャリ遺跡で一日だけ一緒に発掘しようと誘ってくれた。背が高く、気さくな性格の考古学者であるコーベンとは、ずいぶん前から知り合いだった。リマから約二時間のところにあるコーベンの遺跡に行くために、私たちは徒歩で畑や水路を越え、急な丘の斜面を登っていった。

作業員が手伝ってくれるエジプトと違って、ペルーでは力仕事のほとんどを考古学者が自分でやらなければならない。

私は大きな日干しレンガの壁の横で、地面を掘り、柔らかいシルトを取り除きながら、楽しい気分だった。正直なところ、それはエジプトでの発掘とまったく同じだった。上層の土もほとんど同じだったし、日干しレンガも似ていた。ただ、土器はなかった。帰る時間になったとき、謎のままだった私たちの発掘区画について、新しいことがわかったら教えてくれるようにと、ラリーから約束を取り付けた。彼はそうしてくれた。私たちが発掘していたのは古代のモルモットの飼育場所だったと、電子メールで教えてくれたのだ。私の食べたものが出土品を予言しているなんて、いつもはないことだ。もしそんなことがあるなら、私は世界最大の古代チョコレート工場を見つけるだろう。いまだに探してはいるのだが。

最初のステップはペルーだった。次のステップは世界だ！　このプラットフォームにはかなり大きな可能性があると私たちは考えているが、まだ先は長い。私がここまで説明してきたことは概念実証だが、ここでスケールアップする必要がある。二〇一九年には、プラットフォームの完全なリニューアルをしてから、次の国であるインドに進もうとしている真っ最中だろう。一般の人々からは、何がうまくいっていて、何がうまくいっていないかを教えてもらった。私がこの本を書いている今、あらゆるものを設計し直す作業が進められている。たとえば、プラットフォームを初めて使うユーザーには、仮想的なテスト環境（サンドボックス）によるガイド機能が用意され、最初の二〇タ

カンチャリ遺跡で見つかった古代のモルモット飼育場所
（写真提供：ラリー・コーベン）

イルの判定についてのフィードバックがすぐに与えられるようになる。さらに、ユーザーが見つけたのが遺跡かどうかということや、間違った理由を知らせる機能も加わる。

世界三大河川文明の一つであるインダス文明の一部が国内にあるインドは、他の二つであるエジプトやメソポタミアに比べると、現代の考古学者による調査がほとんどおこなわれていない。未調査の遺跡は数万カ所、もしかしたら数十万カ所あるだろう。私たちは、遺跡発見に力をいれるだけでなく、現地で活動する重要な文化団体との協力関係を通じて、何百万人ものインドの生徒たちの心を動かし、彼らに自分たちの歴史を形作る力を与えたいと願っている。

驚くべき女性たち(ワンダーウーマン)（と男性たちと子どもとすべての人）

私が考古学を大好きなのは、人間らしさの意味について理解させてくれるからだ。つまり、自分で触れて考えることができる本物の物質的証拠を与えてくれるのである。将来的には、クラウドソーシングで発見された遺跡の情報を使っている考古学者が、初めてその遺跡を訪れる場面を自分で録画するようになればと私たちは考えている。その動画をプラットフォームに投稿して、ユーザーがその場面を同じように体験できるようにできたらいいと思っている。ユーザーが時間をかけ、献身的に取り組んでくれたことに報いるには、これが一番の方法だ。一般の人々は私たちに、彼らの時間という贈り物をくれた。そんな彼らには、私が考古学者として知る限り最高の贈り物をしたい。それは、驚き(ワンダー)だ。

娯楽ならたくさんあるという時代に、驚きというものに実際に何ができるのかは考えてみなければならない。驚きを、現実世界の行動に置き換えてもいい。たとえば、地元の博物館の活動に参加するとか、史跡を訪ねるとか、考古学の講演を聞きに行くとかだ。あるいは、オンライン上で売られている遺物を買わないよう、誰かに働きかけることもできるだろう。そういう行動によって、何百万人という人たちが、今の私たちに至る過程にもっと関心を抱き、自分の文化的アイデンティティにもっと誇りを持ち、私たちのルーツである場所を守るために努力するようになるのを、私は期待している。

何よりもこのプロジェクトは、考古学調査の限界を押し広げ、私たちに共通の歴史を明らかにするためのものだ。これは大がかりな実験だった。アメリカ中部に住む九一歳の女性が考古学の世界の隠れた英雄になれるのだとしたら、世の中には動員されるのを待っている宇宙考古学者たちが大勢いることになる。

私たちには、今後一〇年間で世界全体をマッピングするという大胆な目標がある。世界には数百万カ所の未発見の遺跡があり、同時に数万件の既知の遺跡が盗掘によって危機にさらされている。そうした遺跡を守るための最初のステップは、それがどこにあるのかを知ることだ。おそらく将来的には、人工知能を使って遺跡探索作業を自動化し、一般の人々は人工知能が見つけた遺構が本物かどうか確認するようになれば、遺跡発見のプロセスが大幅にスピードアップするだろう。四カ月かけて一〇万平方キロメートルを探査するというのではなく、一つの国全体の探査を一週間、もしかしたら数日で終えられると私は信じている。

しかし、地表に見えている世界の遺跡をすべて地図にして、一般の人々が大規模な盗掘エリアを発見できるようになっても、するべき仕事はまだたくさんある。

それぞれの国には遺跡保護に関して独自の内部プロセスと法律があり、盗掘を早期発見すれば、そうした法執行機関が早い段階で介入できることになる。さらに、新しい盗掘検知システムが導入されれば、盗掘品の可能性がある遺物の販売を規制する法律を強化するよう、各国政府を説得できるだろう。

新しいデータがこれだけ多くなると、一般の人々を巻き込むための革新的な方法を考え出す必要が出てくるだろう。ドローンの飛行を許可している国なら、一般の人々に、新たに発見された遺跡をドローンで撮影し、人工衛星画像ではわからない詳細な情報を集めるように頼むことができる。やがて、グローバルエクスプローラーのようなプラットフォームの使命は、遺跡の検出から遺跡の分類に進化して、機能としても、目で見える構造を図にしたり、他の情報を提供したりするウィジェットが搭載されるだろう。そうなるとユーザーは、昔の発掘調査や探査の報告書に目を通したり、発掘された遺構に類似のものを見つける手助けをしたりできる。探検家になるのには、発見する意思と、コンピューターやスマートフォン、そして少しの根気があればいいのだ。

星々からの眺め

高度数百キロメートルの宇宙空間からの視点で、過去の手がかりを探すことには、何か特別なところがある。それはおそらく、考古学者、人工衛星画像によって、国境がなく、可能性にあふれた世界や、過去、現在、そして未来を見ることができるということだ。国際宇宙ステーションに滞在したことのある宇宙飛行士はよく、一日に地球を一六周するという体験が、自分の考え方を大きく変え、地球が本当に壊れやすく、驚くべき存在であることを示してくれたという話をする。[6] その結果として、宇宙飛行士には地球保護の伝道者になった人が多い。[7] 同じことがすでに、私や、宇宙から地球を十分に長く見つめ続けたあらゆる人々にも起こっているはずだ。どのくらいの時間をかければ、誰もが子どものころに抱いていた驚きを再発見し、さらにその驚きと、子どもたちのために状況を改善したいという大人としての願いを組み合わせられるようになるのか、私には正確にはわからない。十分に長い間見ていれば、それは実現する。それは約束しよう。

こういったことはすべて、メイン州で祖父と過ごした時間から始まっている。私が小さい頃、私たちは祖父の森林の航空写真を一緒に眺めたものだ。たぶん、私に影響を与えたのは見ることではなく、年配の人が自分の偉大な知恵を子どもに伝えたがっているということだった。そうした世代を越えたつながりと愛が、私を古代のウサギの穴へ、そして宇宙へと導いたのだ。私の研究は、自分の中で時間を橋渡しする糸だといえる。ときどき、夜遅くにコンピューターに向かって作業をしていると、祖父の存在を感じられる。祖父はいつまでも、私がしている仕事の可能性について教え続けてくれている。

そして考古学の研究で重要なのは可能性だ。考古学者は、地面の下についての大きな疑問のすべてに答えを見つけることを願っているが、それ以上に、さらにたくさんの疑問が自分たちに向けられていることに気付く。世界には今、あらゆる人に共通する人間の物語を語り、それにまったく新しい章を書いて、脚注を書き込んでいく機会が用意されている。私たちはみな、未来のストーリーテラーだ。私たちの未来は、あらゆる方向から物事を探る私たちの能力にかかっている。そうすれば、私たちの祖先がしていたように、星々やその先の世界を眺めることができるのだ。

謝辞

この本は、たくさんの素晴らしい人々と組織がなかったら、実現していなかっただろう。私が必要とするときに、あるいは助けを頼むべきだとわかってさえいないときに、手を差し出し続けてくれたたくさんの人たちに、心からの感謝の気持ちで一杯だ。こういう謝辞というのは、網羅的なものでは決してない。誰かを忘れていたら、その人に借りができる。この本が書かれたのは私たちの国にとって動乱の時期であり、この本を書くことは私に、本当に必要な視点と表現の場を与えてくれた。この本が読者のみなさんにも、大切な視点を少しばかり与えていることを願っている。最初に、エイブラムス・アーティスツ・エージェンシー社では、マーク・ターナーという素晴らしい人物がいなかったら、この本が土の中から発掘される（ゲット・オフ・ザ・グラウンド）（つまり順調にスタートする（ゲット・オフ・ザ・グラウンド））ことはなかっただろう。ターナーは私に「そろそろじゃないですか」と言ってきた。そしてスティーブ・ロスを紹介してくれた。スティーブは、著者にとっては願ってもないほど素晴らしいエージェントであり、友人だ。スティーブ、あなたは最初から、この本の可能性を、そして私を信じてくれた。そしてどんなときも励ましてくれた。アドバイスも、自分の時間も惜しまずに与えてくれた。

ヘンリー・ホルト社では、担当編集者のマイケル・シニョレッリが、私が科学者からちゃんとした書き手になるまでの道のりを支えてくれた。私たちは出会った瞬間から、申し分のない組み合わせだった。マイケルが愛のある厳しさで接してくれたこと、そして最低のジョークが混じった最初の原稿を読んでくれたことに感謝している。あのジョークは永遠に墓に埋めておかなければ。そして二度と地上に出てきませんように。

この本を読みやすくするのを手助けしてくれた、マデリン・ジョーンズにもとても感謝している。パブリシストのキャロリン・オキーフと、営業担当のジェシカ・ウェイナーとジェイソン・リーブマンにも感謝する。デザイナーのメリル・レヴァヴィ、本のカバーをデザインしてくれたニコレッテ・シーバック、原稿整理担当編集者のジェーン・ハックスビーとキャロル・ルタン、制作担当編集者のハンナ・キャンベル、編集主幹のケン・ラッセル、編集長のジリアン・ブレーク、営業・広報担当副社長のマギー・リチャーズに感謝する。

シャキーラ・クリストドーロウ、あなたのペンは剣よりも強い。あなたの編集者のような鋭い目と、私によりよい書き手になる方法を教えてくれたこと、そして何よりも、メリトの物語に命を吹き込むのを手伝ってくれたことに感謝している。

アン・ウィリアムス、あなたがさずけてくれた考古学についての執筆の知恵のおかげで、あらゆる面がよくなった。ヘレン・マクレアリー、あなたの見事なファクトチェックと、きわめて細かい事柄に注意を払ってくれたことに感謝する。ロジャー・ルーウィン、あなたの高い編集眼はとても助けになった。

エジプト考古省には、リシュトでの共同ミッションでのアドバイスやサポートに永遠に感謝する。特に、ザヒ・ハワス前考古大臣、カレード・エル＝アナニ考古大臣、ムスタファ・ワジリ、アイマン・エシュマウィ、アラ・シャハト、マフムード・アフィフィ、ムスタファ・アミン、ムハンマド・アル・バディア、ムハンマド・イスマイル、ハニ・アブ・アル・アズム、アーデル・オカシャ、ヤセル・ハッサン・アブド・アル・ファタ、そしてムハンマド・ユセフ・アリに感謝する。トラベル・ハーモニーのマグディ・ラシディと、社員のみなさん、あなたたちは私たちのために毎日魔法を起こしてくれた。ヤ・オメル、あなたとあなたの家族のことが大好きだ。リシュトでの大切な発掘チームのみなさん、私と一緒に働いてくれたことに永遠に感謝する。レキシン・フンメル、ベッティナ・バーダー、レダ・エスマット・アル・アラフィ、クリスティン・リー、シャキーラ、チェイス、グレッグ。リシュトとテル・テビッラのみなさん、あなたたちの熟練した発掘作業なしでは、私たちはエジプトで仕事ができないだろう。

私の分野全体に向けて。あなたがた全員が、ほぼ毎週のように素晴らしい発見をし、見事な見識を示していることに、私はいつも驚いている。この本の出版後に誰かが何かを発表したら、次の本ではそれを取り入れることを約束する。この分野の境界を押し広げ、長年の仮説に疑問を投げかけ、私自身の研究を支えてくれたことに感謝する。リモートセンシングの専門家は考古学の世界でも最も親切な人たちだと、私はあちこちで言っている。特に挙げたいのが、フランシスコ・エストラダ・ベリ、ダミエン・エヴァンス、デイビッド・トンプソン、ファルーク・アル・バズだ。これからも変わらずにいてほしい。文化遺産コミュニティでは、特にドナ・イェイツ、ブライアン・ダニエルズ、コリ・ウェゲナー、モラグ・カーセル、パティ・ガーステンブリス、ローリー・ラッシュ、リチャード・クリン。あなたたちの支援やアドバイス、そしてつねに大きな視野で考えるように提案してくれたことには、感謝してもしきれない。

グローバルエクスプローラーでは、私は地球上で最高の人たちと仕事をしている。チェイス・チャイルズ、ハーレイ・ハンド、ジェニファー・ウォルフ、シャイアン・ヘイニー、レベッカ・ドブリンスキ、ニック・マルーフ、シュレヤ・スリナス、あなたたちはみな、その情熱と才気、そして熱心な仕事ぶりで、毎日のように私を感動させてくれた。私が夜遅くまで執筆や編集の作業をして、ぼんやりした頭で仕事に出てきていた時期に支えてくれ、親切にしてくれたことに感謝する。みんなであちこちの章を読んで、正直な感想を聞かせてくれたことをとてもありがたく思っている。

私が二〇一二年からエクスプローラーになっているナショナルジオグラフィックには、私のもう一つの家族がいる。何人かはここ数年で別の冒険に進んでいるが、ここでみんなに感謝の念を伝えたい。アレックス・モーエン、ゲーリー・ネル、ジーン・ケース、テリー・ガルシア、マット・ピシテリ、シェリル・ズーク、レベッカ・マーティン、ブルック・ラネット、アナスタシア・クローニン、カシー・コッカロ、あなたたちは私を温かく迎え、支え、常に励ましてくれた。

この本で紹介した仕事の多くは、ナショナルジオグラフィックの資金援助のおかげで実現した。私の親愛なる友人クリス・ソーントンには特に感謝する。この数年間、私たちは多くのことを一緒になしとげてきて、あなたは私に不安と戦う勇気をくれた。いつも見守ってくれてありがとう。

ナショナルジオグラフィックのエクスプローラーの仲間である、リー・バーガー、エンリック・サラ、シルビア・アール、リーキー家の皆さん、そして二〇一二年のエマージング・エクスプローラーの「同級生」のみなさん（ずっと仲間です）。みんながテレビに出たり、飛行機の機内誌に載っているのを見た時には、応援している。あなたたちの冒険で、新たな高みと深みに挑戦し続けて。みんなのことを誇りに思っている。

ザ・チューズデー・エージェンシーのトリニティ・レイとそのチームには、とても親切にしてくれたことに心から感謝する。

ＴＥＤのみなさんへ。あなたたちをずっとハグし続けたい。私と、私の研究に並々ならぬ支援をしてくださり、今もし続けてくれている。私は長い時間かけて、みなさんからもらった親切を別の誰かに送っていくつもりだ。すべては二〇一一年の夏に、ローガン・マクルーアが私のオフィスに突然電話をかけてきて、ＴＥＤフェロープログラムに応募しないかと誘ってくれたところから始まっている。トム・リエリーとエメカ・オカフォーが私の面接をしてくれて、それから先はご存じのとおりだ。クリス・アンダーソン、あなたが私の人生と、私の研究分野である考古学を変えてくれた。私はこれからもずっと感謝する。ジュリエット・ブレーク、あなたはいつも親切で、私を励まし続けてくれた。そしてあなたが催してくれたディナーパーティーは世界一だ。親愛なる友、アンナ・ベルギーズ、私の相談役と、チアリーダーと、一番のファンでいてくれてありがとう。TEDプライズ（現在はオーディシャス・プロジェクト）チームやその他のみなさんへ。ダニエル・トンプソン、ハシバ・ハク、ケート・メイ、コートンー・マーティン、ジョン・カリー、みなさんは私の気分を明るくし、励まし、私の願いをビジョンの形にするのを手伝ってくれた。エリン・アルワイス、あなたは、考古学者が望みうるなかで最高のPR担当者で、ファッショニスタで、サポーターだ。私が自分の言いたいことを見つけ出す手伝いをしてくれた、ジーナ・バーネットにも心から感謝したい。大切な友人で、他の誰も聞いてくれないジョークを飛ばし合った、トムのことにも特別に触れたい。あなたのおかげで、私は自分らしくいられた。

私のTEDフェローの仲間へ。みんなに一人ずつ感謝を言いたいけれど、それには百科事典一セット分のページが必要になりそう。私が築いてきた友情や、私が本当に必要とするときにあなたたちが与えてくれる愛やサポート、そして私のひどいジョークに笑ってくれること（そして特に、私が一回だけやったスタンダップコメディーに拍手を送ってくれたこと）は、いつも私に元気をくれる。みんなのおかげで、もっと頑張って、もっと良い人間にならなければという気になれる。そして未来への希望を持てる。TEDフェローチームのみなさん。トム・リエリー、ショハム・アラド、パトリック・ダーシー、レネ・フリードマン、サマンサ・ケリー、とにかくみなさんは素晴らしい。他にも、スーザン・ジマーマン、ケリー・ステゼル、ヘレン・ウォルターズ、デイヴ・イサイ、ラジ・パンジャビ、ジル・ターター、ドリュー・カーティス、アダム・サヴェージ、サイモン・シネック、ルーク・デュボワ、フアン・エンリケス、ダイアナ・エンリケ・シュナイダー、モニカ・ルインスキー、アマンダ・パルマー、ニール・ゲイマンの友情と愛とサポートに感謝したい。

私が教えているアラバマ大学バーミングハム校では、学部長のダグ・フライは私と同時期に、自分自身の本を書き終えるのに苦労してきた。仲間になってくれてありがとう。この本は、以前の学部長のテナント・マックウィリアムズの支援によって始まったので、私は彼の変わらぬ友情に感謝しなければならない。ディック・マーチェイスとゲイル・アンドリュース、あなたたちは私と家族にとって、素晴らしい友人であり、サポーターです。

バーミングハムでは、私は行く先々で素晴らしい友人とサポーターに恵まれた。この町の人々は、私を高めてくれる素晴らしいコミュニティで、ここに住むのが嬉しいと感じさせてくれる。マット・ハミルトンとエイミー・ハミルトン（そして二人のかわいい子どもたち）、私の地元のおとうさんとおかあさんであるジム・リードとリズ・リード、ビクトリア・ホリス、ルー・デニーンとティナ・デニーン、ロス家（エミ、ケニオン、ジャクソン、ケイティ、イジー）、ディラン・フェルナニー、オースティン・センスマン（私が飛行機に乗るのを心配してくれる）、ロジー・オベアーンと家族、ジョシュ・カーペンター、デオン・ゴードン、サンジェイ・シン、バーミングハム・ダウンタウン・ロータリー・クラブの会員のみなさん、イノベーション・デポ、毎週末に動物園とマクウェイン・サイエンス・センターで入場受付をしてくれる親切なみなさん。私の親愛なる友ディーは、私たちが仕事をやり終えるのを可能にしてくれた。自分の家族のように私たちの家族に接してくれてありがとう。

私は世界各国で素晴らしい人たちと一緒に仕事をしている。インドでは、ナクル・サラン、シュローカ・ナス、アニカ・マン、あなたたちが私たちのミッションを信じてくれていたことや、素晴らしいサポートに感謝してもしたりない。これからどうなっていくのか楽しみで待ちきれない。ペルーでは、文化庁とサステナブル・プレザベーション・イニシアティブに特に感謝する。ラリー・コーベンとルイス・ハイメ・カスティーヨ、あなたたちはこれまでも、これからも素晴らしい友人で、同僚だ。ありがとう。

モニカ・バーン、あなたはこの旅のあらゆるステップで一緒にいてくれた。エリック・クライン、あなたの励ましと友情を私は大切に思っている。

グローバルエクスプローラーには、ミッションを支えてくれる素晴らしい人たちがいる。ブライアン・マックレンドンとベス・エリン・マックレンドン、トッド・パーク、ウォレス・マローン、みなさんの寛大さとアドバイスに感謝している。この本で見てきた人工衛星画像の出所であるデジタルグローブでは、シェイ・ハーノイ、ナンシー・コールマン、ジェレミー・ヘール、ケイトリン・ミルトン、ライアン・ハーマン、そしてチームと、ルーク・バリントン。他にも、リダ・ヒル（科学界の女性の真のチャンピオン）と彼女のチーム、ニコル・スモール、マーガレット・ブラックに感謝したい。モンド・ロボットは、私たちのプラットフォームを構築するために協力してきた素晴らしい組織だ。特にクリス・ヘスに感謝したい。資金援助の面では、国立科学財団（NSF）とカナダ社会科学・人文科学研究機構に深く感謝する。

イギリスでは、親愛なる友ダン・スノーと素晴らしい家族に感謝する。フローラ・シュピーゲルとトニー・ミラー、カーティス、ルース、あなた方は私の第二の故郷であり家族だ。並外れた存在であるケンブリッジ大学の考古学部では、常に協力的で親切な素晴らしい講師陣にこれからもずっと感謝する。BBCでは、ルイーズ・ブレイ、ハービー・リリー、ダラス・キャンベル、リズ・ボニン、ネイサン・ウィリアムズ、あなたたちはこの研究の大部分を可能にする手助けをしてくれた。また、オークニー考古学研究センターのリック・バートンと、ヴァル・ターナー博士、そしてパパ・ストア島で週末に手伝ってくれたボランティアチームの皆さん、ありがとう。

カナダとニューファンドランド島では、地域考古学事務所の親切なマーサ・ドレークと彼女のチーム、ジェラルド・ペニーと彼のチーム、そして特にジェラルド・ペニー・アンド・アソシエイツのブレア・テンプルに感謝する。さらに、ニューファンドランド島発掘チームのメンバーである、カレン・ミレク博士、オスカー・スヴェインビャルナルソン、ダヴィデ・ゾリ。フレッド・シュワルツ博士、ホッケー・ゲイルと彼の家族、そしてニューファンドランド島の愉快であたたかな住民のみなさん、ありがとう。伝統料理の「ジグス・ディナー」と、音楽を楽しむ機会は逃してしまった。

ジム・ビルドナー、ステファニー・クラーナーとDKRのチーム、ヤング・グローバル・リーダースのコミュニティ。並外れた人々のいる、こんなに素晴らしい団体に関わることができて幸運だ。アメリカ考古学協会とアメリカ・オリエント調査協会には、一流の学術団体として活動していることに感謝する。

生まれ故郷のメイン州バンゴーと、イェール大学、ケンブリッジ大学の友人たち。自分が何者かをわかっている人たちばかりだ。この本が完成したら、もっとひんぱんに連絡を取ることを約束する。

アビゲイル・ワッシュバーンとベラ・フレック、ジュノーとこれから生まれるもう一人に。あなたたちを愛している。一緒に日食を見たのは魔法の火花が散るような経験で、この本を書く作業を明るく照らしてくれた。

そして私の仲良しの家族。お母さん、お父さん、アーロン、ケイト、デヴィッド、ジャネット、ベン、エミリー、スティーヴ、マイク、あなたたちは私の旅のあらゆる段階に一緒にいてくれた。あなたたちの愛が私を支え、育ててくれた。

私の最愛の夫グレッグ。あなたの我慢強さは底なしの井戸のようで、この本が完成するまで、あなたの優しい心は多くのことに耐えてくれた。あなたがいなければ今の私はないし、あなたの知恵とサポートがなければ、私がこの本で書いたことのほとんどは実現できなかっただろう。ミレニアム・ハズバンド・アワードがあって、賞品がダイアモンドをちりばめた杯だったら、全部あなたのものだ。小さくてかわいいガブリエル、ママがこの本を書いている間、思ったように遊んでやれなかった。しばらくはその埋め合わせをするつもり。この本が出版される頃には、それを読めるようになっているでしょうね。私にとっては、それはあなたの忍耐強さの証だ。あなたのことをとても誇りに思っていて、我慢できないくらい。あなたはパパとママを元気にしてくれて、パパとママの人生で最良の出来事だ。それから、うちの小さな毛むくじゃらのけものたちも、ひっきりなしに鼻を押しつけたり、寄り添ってきたりしてくれてありがとう。

最後になるが、この本を私のおばであるスー（スーザン）・ヤングに捧げる。子ども時代の私と弟にとって、もう一人の母親のような存在だった。あなたは私に人生の贈り物、希望、愛、大変なときを乗り越えること、忍耐について、たくさんのことを教えてくれた。私たちを無条件に愛し、何も忘れることがなかった。世界はいつかもっと良い場所になると信じさせてくれた。

解説　考古学の最前線

河江（かわえ）肖剰（ゆきのり）
（エジプト考古学者／ナショジオ・エクスプローラー）

「宇宙考古学」と聞くと、ＳＦにでてくる火星の知的生命体が造った謎のピラミッドや人面の巨大構造物を調べるといった、なにか怪しい疑似科学のイメージが湧きそうだ。しかし、それは考古学の新しい研究分野のひとつであり、衛星画像を解析し、地中に埋まる未知の遺跡を見つけ出す最先端技術の調査方法である。著者のサラ・パーカックは、中堅の考古学者でありながら、そのパイオニアであり、現在、その分野における第一人者としても知られている。

私がサラと初めて出会ったのは、インドで行われた「第四回文明の対話（Dialogue of Civilizations IV）」という考古学の国際ワークショップだった。これは、アメリカのナショナルジオグラフィック協会（通称ナショジオ）が主催したもので、インド、アメリカ、トルコ、イギリス、中国、レバノン、フランス、イタリア、日本と世界中から古代文明を研究する考古学者たちが集められ、文明の類似点と相違点、および人間社会全体について話し合った。サラとは、初めて会ったにもかかわらず、同じエジプトをフィールドとしていることや、共通の友人が何人もいたこと、そして同じナショジオのエクスプローラーであることなどから意気投合し、話が弾んだ。彼女や他の考古学者たちとの対話は、実に多岐にわたり、そのすべてが刺激的だった。特に、それらの対話の中で熱く議論したのは、分野の壁を超えた学際研究についてだった。

近年の考古学は、地中に眠る遺跡を発掘し、古代の歴史を露わにするというだけではなく、様々な学問が関わる異分野融合の研究となりつつある。それはサラが進める宇宙考古学や、ミイラのＤＮＡ分析、炭化した植物や動物の小骨から過去の動植物と食生活を明らかにしたり、土壌分析によって古環境を復元したり、あるいはＡＩを用いた古代エジプト語の解読、さらには私のチームが推進しているようなピラミッドをドローンで詳細に撮影し、画像データから３Ｄデータを構築するという計測調査まで多岐にわたる。サラの言葉を借りれば、私たち考古学者たちは「科学界の巨人たちの肩から肩へとつま先立ちで歩く」ことによって、古代世界を大きな視点から眺めることができるようになったのだ。本書の中核となっているのは宇宙考古学だが、考古学における様々なこういった新しい科学的手法についても、エジプト、アイスランド、イタリア、インダスといった現場で、彼女自らが体験した、苦労や喜びを交えて紹介している。そのため、この一冊を読むことで、世界の考古学の最前線の雰囲気も分かるだろう。

考古学の負の歴史

ここで考古学という学問について改めて紹介しよう。もともと考古学は宝探しから始まった。それはこの学問の「負の歴史」であり、現在でもときおりトレジャーハンターと混同される原因にもなっている。エジプトでは、一九世紀初頭から、ヨーロッパの探検家たちや初期の考古学者たちが、こぞって貴石で飾られた工芸品や美しい彫像を求め、古代の墓や神殿を荒し、母国のコレクターや博物館に売りさばいた。そこでは考古学と宝探しは表裏一体だった。当時のエジプトの文化財保護という概念は、現在とは異なり、発掘を奨励するために、発見者になんと五〇パーセントの遺物が分配される法律すら存在していた。しかし一九一四年、時の考古局の局長ピエール・ラコーが、文化財法を変更することを発表した。彼は、エジプトのものはエジプトにすべて帰属すべきであるとし、これまでの不当な分配制度の廃止を決定したのである。これによって現在では、土器の破片だとしても、発掘現場から持ち帰ることはできない（ちなみにこれによってもっとも「不利益」を被ったのは一九二二年にツタンカーメン王墓を発掘したハワード・カーターとスポンサーのカーナヴォン卿である）。発掘はもはや宝探しではなく、文明や文字の起源を探り、歴史の空白を明らかにするといった真の意味での探究が始まったのである。

ニューアーケオロジーの誕生

この時代の考古学はジグソーパズルのようなものだった。見つけた遺跡や遺物を記述し、それらをつなぎ合わせ、データの蓄積によって古代を理解しようとしたのである。しかし、一九六〇年代に入ると、ニューアーケオロジー（「新しい考古学」の意）と呼ばれる方法が誕生した。当然のことではあるが、ジグソーパズルのすべてのピースを集めるべく、地中に埋まるすべての古代遺跡を発掘することはできない。そのため、まず調査の具体的な目的を定め、無駄なく、戦略的に発掘し、必要とするピースを見つけ出すというプロジェクト・デザインが求められるようになったのである。しかし実際のところ、世界には、どれくらいの古代遺跡がいまだ発見されず、地中に眠っているのだろう？　こういった推定はこれまではまったく計算しようがなかった。しかしサラによる衛星画像の遺跡の分布密度の解析はこれを可能にした。彼女の推測によれば、世界には、なんと少なくとも五〇〇〇万カ所以上の未知の遺跡があるという。

ニューアーケオロジーでは、人類学で用いられていた自然科学年代測定法や化学分析をはじめとする新しい科学技術も導入された。この考古学は、文化のプロセス（過程）を重視し、社会経済や文化のシステムの変化に注目したため、「プロセス考古学」とも呼ばれている。これまでのように「なにが」、「どこで」、「いつ」という記述に加えて、「なぜ」、「どのように」変化したのかという、長期間にわたる過程の説明を目的としたのである。これは非常に重要な点だ。言い換えれば、モノではなく、情報に考古学の視点がシフトしていったのである。特に、これまでのように、墓や神殿などの神聖な場所だけでなく、人々が実際に生活していた町や村を発掘する住居考古学が盛んになった。日干し煉瓦の壁や、土器、動物の骨、灰層から見つかる炭化した植物の種、そういったものこそ、当時の社会や生活について赤裸に伝えてくれるのである。

私が発掘をしている三大ピラミッドが建つギザ台地の「ピラミッド・タウン」もそういった遺跡のひとつである。昔は、古代エジプトの住居は太陽が昇るナイル川の東側にあり、西側には死者の街であるネクロポリス（ギリシア語で死者の街を意味する巨大な墓地を指す）しかないと言われていた。しかし一九八八年、私の先生でもあるアメリカ人考古学者マーク・レーナーは、ピラミッド建造という国家プロジェクトを行うにあたり、住居はそのすぐ側に建てられているのではないかと推測し、スフィンクスの南五〇〇メートルほどの場所を発掘し、巨大な都市遺構「ピラミッド・タウン」を見つけたのである。この発見によって、四五〇〇年前当時の首都は、ピラミッドを含めた墓地を含む巨大な都市として、ナイル川西側に存在していたことが明らかになったのである。

失われた街タニス

本書でもしばしばサラが住居考古学と関わり、発掘する場面が描かれている。その中でのハイライトは、彼女が衛星画像の解析から、タニスの古代都市を見つけるところだ。タニスは、ハリソン・フォード扮するインディ・ジョーンズの映画一作目、『レイダース／失われたアーク《聖櫃》』にも登場する古代エジプトの遺跡である。『レイダース』は一九八一年に公開されて以後、いまだに考古学の映画といえば取り上げられる名作である。聖櫃とは、旧約聖書にでてくるモーゼの十戒の破片が収められた契約の箱であり、現在でもその行方は分かっておらず、聖書考古学最大の謎となっている。映画のひとつのクライマックスは、主人公であるインディが、ナチスが支配するタニス遺跡の発掘現場へと潜入し、「地図の間」と呼ばれるタニス全体の模型が置かれた古代の部屋で、アークの納められた秘密の部屋の場所を見つける場面である。地図は、いつの時代も、宝のありかを示す最も重要な情報であり、それがないと古代の大海原に乗り出すことはできない。サラは宇宙から撮った衛星画像の解析によって、タニス全体の地図を、文字通り新しく作り直したのである。しかし、彼女が求めたのはアークや財宝ではなく、タニスの街の歴史そのものだった。

ジェンダー、個人、オープンアクセス

プロセス考古学の後、世界的な考古学の流れは入り組んでくる。プロセス考古学は唯物的で、ジェンダー、個人、主体性、心理的要因などが欠如しているという批判が生まれ、考古学というものは元来客観的ではなく主観的、そして解釈だという「ポスト・プロセス考古学」という学派が誕生する。さらに、データ取得は工学的に行い、その解釈は人文学的に行うといった文理融合型の研究も増え、取得したデータは誰もが自由に利用できるオープンアクセスにすべきだという概念も広がり、考古学のなかで働く女性についての議論もありと、百花繚乱の様相を呈している。

サラは、そのひとつひとつに向かい合い、丁寧に説明している。そういったなかで、彼女が最も力を入れたのが、遺跡の非合法の発掘を防ぐ活動だ。残念なことに、二一世紀に入った今でも、昔のような財宝を求める盗掘はなくなっていない。特に、二〇一一年に中東から北アフリカにかけて起こった「アラブの春」と呼ばれた民主化運動によって、これまでの独裁政権が倒されたとき、その騒乱のなかで治安が乱れ、アラブの多くの博物館で略奪が起こり、現場の盗掘も増えた。本書の後半には、サラが非合法の発掘や古代遺物の密売事件に果敢に立ち向かい、古代の守護者としての役割も担っている姿が描かれている。

考古学者を目指す若者たちへ

この本は、考古学者を目指す若者たちにも是非読んでほしい。私も「考古学者になるにはどうしたらいいですか?」という質問を時折受ける。ただ私の場合、高校を卒業した後、すぐに一人でエジプトに移り住み、そこからガイドになり、バックパッカーとしてアフリカを回り、二十代後半に奨学金を得てからエジプトの大学に進み、卒業後アメリカの調査隊に入るというキャリアだったため、あまり参考にならないかもしれない。それに対して、本書では、一般的な考古学者へのキャリアの積み方を教えてくれている。考古学者という職業はなく、普通は大学教員だったり、博物館の学芸員だったり、あるいは欧米では民間の発掘作業員として遺跡の調査を行っている。お薦めは、大学からボランティアで発掘に参加し、現地で経験を積みながら、大学院で自分のテーマを見つけ、区画責任者あるいは出土物の分析などに関わって行く方法だ。その後は、熱意と人脈、ユニークな研究テーマが見つかれば、発掘隊長になれるかもしれない。

ただ本書に書いてあるように、実は、発掘隊長の仕事の大半は雑用係だ。読んでいて、ここまで率直に、そして赤裸に書くとは……と笑ってしまった。隊長は、調査をするための資金を集めなければならないし、それこそ何十ページにもわたる様々な申請書類を作成しなければならない。それと同時にメンバーの選出やスケジュールの調整、航空券や宿泊、車両の手配、機材準備、通関手続き、現地での作業員や道具を集め、食事の準備も考える。新しい現場だと、トイレだって設置しなければならない。ほとんどコーディネーターである。本書には、考古学者の大変さも、煩雑さも、笑いも、喜びもすべて書かれている。でも、そこにネガディブなトーンはまったくない。映画に出てくる冒険劇はそうそうないが、現場で起こるすべてのことは、どんなに大変だったとしても、やはりとてつもなく楽しいものなのだ。

本書を読んで、さらに深く考古学の最前線を知りたい読者は、巻末の四〇ページにわたる原註もチェックしてほしい。少し専門的なことではあるが、一般向けの訳本の場合、この原註が削られてしまうことがままある。しかしそれは、専門用語をなくし、一般読者に対して分かりやすく書こうとする著者にとって、自分の本の信頼性に関わる重要な項目なのだ。実際、これがあるのとなないのとでは、本としての価値にも大きな差が出る。

未来の考古学

サラは考古学者でありながら、常に未来を見ている。考古学は、大きな夢を過去から未来にむけて見ることができる学問でもあるのだ。それを瞭然と示したのが、彼女のＴＥＤトークだ。ＴＥＤ（Technology Entertainment Design の略）とは、「広める価値のあるアイデア」というスローガンのもと、毎年大規模な世界的講演会を開催するアメリカの非営利団体だ。二〇一六年、彼女は考古学者としては初めて賞金一〇〇万ドルが与えられるＴＥＤプライズを受賞した。これは、これまでの業績に対して顕彰されるものではなく、いまからなにをなそうとするのか、世界を変えうるその夢に対して与えられるものだった。彼女のその夢については、本書の結末部を読むとともに、彼女のＴＥＤトークも是非一緒に聞いてほしい（"Archaeology from Space" https://www.ted.com/talks/sarah_parcak_archaeology_from_space#t-3724）。

読者は、おそらく私と同様に、考古学は隠された王墓の秘宝を求める宝探しでもなく、ただ古代の歴史を明らかにする学問でもなく、私たち人間の未来に大きな夢とヒントを与えてくれる学問であることに、改めて気づかされるだろう。

accessed 19 February 2018.

2. 次を参照。"Eyewire," https://eyewire.org/explore, accessed 19 February 2018.
3. 次を参照。"Levantine Ceramics Project,"https://www.levantineceramics.org/, accessed 17 February 2018.
4. Karen Eng, "GlobalXplorer Completes Its First Expedition: What the Crowd Found in Peru," Medium, 10 April 2018, https://medium.com/@globalxplorer/globalxplorer-completes-its-first-expedition-what-the-crowd-found-in-peru-7897ed78ce05, accessed 10 April 2018.
5. Eli Rosenberg, "A Protest Damaged Ancient Monuments in Peru. The Repair Effort Led to the Discovery of Even More," *Washington Post*, 5 April 2018, https://www.washingtonpost.com/news/speaking-of-science/wp/2018/04/05/a-protest-damaged-ancient-monuments-in-peru-the-repair-effort-led-to-the-discovery-of-even-more/?noredirect=on&utm_term=.ec70c0b29980, accessed 5 April 2018.
6. Chris Hadfield, *An Astronaut's Guide to Life on Earth: What Going to Space Taught Me About Ingenuity, Determination, and Being Prepared for Anything*（New York: Back Bay Books, Little, Brown, 2015）.
7. Chris Hadfield, "We Should Treat Earth as Kindly as We Treat Spacecraft," *Wired*, 25 November 2013, https://www.wired.com/2013/11/chris-hadfield-wired/, accessed 29 April 2018.

federal-agents-are-fighting-terrorism-tracking-down-missing-mummies-180955113/, accessed 28 October 2017; "ICE Returns Ancient Artifacts to Egypt," US Immigration and Customs Enforcement, 1 December 2016, https://www.ice.gov/news/releases/ice-returns-ancient-artifacts-egypt#wcm-survey-target-id, accessed 6 March 2018.

16. Kathleen Caulderwood, "US Returns $2.5M In Egyptian Antiquities as Experts Call for Tougher Punishment on Smugglers," *International Business Times*, 22 April 2015, http://www.ibtimes.com/us-returns-25m-egyptian-antiquities-experts-call-tougher-punishment-smugglers-1892622, accessed 28 October 2017.
17. Caulderwood, "US Returns $2.5M In Egyptian Antiquities."
18. "18 U.S. Code § 2315-Sale or Receipt of Stolen Goods, Securities, Moneys, or Fraudulent State Tax Stamps," *Legal Information Institute,* https://www.law.cornell.edu/uscode/text/18/2315, accessed 28 October 2017.
19. David Silverman and Jennifer Houser Wegner, "Unpublished Report on the Tripartite Coffin Set, Penn Museum, University of Pennsylvania Museum,"provided by a confidential source at US Homeland Security in January 2015.
20. "Ancient Art," https://caryatidconservation.sharepoint.com/Pages/ancient.aspx, accessed 28 October 2017, link no longer working.
21. Jaromir Malek, *Topographical Bibliography of Ancient Egyptian Hieroglyphic Texts, Statues, Reliefs and Paintings. Volume VIII: Objects of Provenance Not Known: Statues* (Leuven: Peeters, 1999), 846-47.
22. Blythe Bowman Proulx, "Archaeological Site Looting in 'Glocal'Perspective: Nature, Scope, and Frequency," *American Journal of Archaeology*, vol. 117, no. 1 (2013): 111-25, https://doi.org/10.3764/aja.117.1.0111.
23. Louisa Loveluck, "Islamic State Sets Up 'Ministry of Antiquities' to Reap the Profits of Pillaging," *Telegraph*, 30 May 2015, http://www.telegraph.co.uk/news/worldnews/islamic-state/11640670/Islamic-State-sets-up-ministry-of-antiquities-to-reap-the-profits-of-pillaging.html, accessed 3 February 2018.
24. "Notice: Two Sentry Guards Killed at the Archaeological Site at Deir el-Bersha in Egypt," *Association for Research into Crimes Against Art*, 22 February 2016, http://art-crime.blogspot.com/2016/02/one-killed-one-injured-at.html, accessed 8 March 2018.
25. Morag M. Kersel, "Go, Do Good! Responsibility and the Future of Cultural Heritage in the Eastern Mediterranean in the 21st Century," *The Future of the Past: From Amphipolis to Mosul, New Approaches to Cultural Heritage Preservation in the Eastern Mediterranean*, ed. Konstantinos Chalikias et al. (Boston: Archaeological Institute of America, 2016), 5-10.
26. Morag Kersel and Andrew C. Hill, "Aerial Innovations: Using Drones to Document Looting," *Oriental Institute News and Notes*, no. 224 (2015): 8-9.

第12章　誰でも参加できる宇宙考古学

1. 次を参照。"Galaxy Zoo,"https://www.zooniverse.org/projects/zookeeper/galaxy-zoo/,

が数多く実施されている。（次を参照。Michael Danti et al., "The American Schools of Oriental Research Cultural Heritage Initiatives: Monitoring Cultural Heritage in Syria and Northern Iraq by Geospatial Imagery," *Geosciences*, vol. 7, no. 4［2017］: 95, https://doi.org/10.3390/geosciences7040095; and Jesse Casana and Mitra Panahipour,"Notes on a Disappearing Past: Satellite-Based Monitoring of Looting and Damage to Archaeological Sites in Syria," *Journal of Eastern Mediterranean Archaeology and Heritage Studies*, vol. 2, no. 2［2014］: 128-51, https://doi.org/10.5325/jeasmedarcherstu.2.2.0128.）愚かで野蛮な人たちが、4000年前の石のモニュメントをハンマーで打ち砕いている動画が複数ある。（"Casualties of War," *PBS NewsHour*, 27 February 2015, https://www.youtube.com/watch?v=DBrHUrUMifk, accessed 11 March 2018.）しかし、ここで少し視野を広げてみよう。盗掘はISILの占領後に悪化した（文化を嫌う悪い奴らが文化を破壊した）のは確かだが、エジプトで私たちが目にしたのと同じように、シリアの盗掘が悪化し始めたのは2010年からで、その直前には、世界経済危機に加えて、2006年から2009年にかけての干ばつがあった。内戦が始まったことで、すでに悪かった盗掘の状況がさらに悪化した可能性があり、ISILは既に確立していた市場から利益を得ていたのかもしれない。

8. Protect and Preserve International Cultural Property Act, H.R. 1493, United States House of Representatives, https://www.congress.gov/bill/114th-congress/house-bill/1493（19 March 2015）, accessed 28 October 2017.
9. "Secretary Kerry Signs Cultural Property Protection Agreement with Egypt," US Department of State, https://2009-2017.state.gov/r/pa/prs/ps/2016/11/264632.htm, accessed 26 October 2017.
10. Julie Zauzmer and Sarah Pulliam Bailey, "Hobby Lobby's $3 Million Smuggling Case Casts a Cloud over the Museum of the Bible," *Washington Post*, 6 July 2017, https://www.washingtonpost.com/news/acts-of-faith/wp/2017/07/06/hobby-lobbys-3-million-smuggling-case-casts-a-cloud-over-the-museum-of-the-bible/?utm_term=.e8d7123583da, accessed 7 March 2018.
11. Patty Gerstenblith, "Controlling the International Market in Antiquities: Reducing the Harm, Preserving the Past," *Chicago Journal of International Law*, vol. 8, no. 1（2007）: 169-95.
12. Zauzmer and Bailey, "Hobby Lobby's $3 Million Smuggling Case."
13. Sarah Parcak, "Moving from Space-Based to Ground-Based Solutions in Remote Sensing for Archaeological Heritage: A Case Study from Egypt," *Remote Sensing*, vol. 9, no. 12（2017）: 1297, https://doi.org/10.3390/rs9121297.
14. Tom Mueller, "How Tomb Raiders Are Stealing Our History," *National Geographic Magazine*, June 2016, https://www.nationalgeographic.com/magazine/2016/06/looting-ancient-blood-antiquities/, accessed 28 October 2017.
15. Danny Lewis, "How 'Operation Mummy's Curse' Is Helping Fight Terrorism," *Smithsonian SmartNews*, 28 April 2015, https://www.smithsonianmag.com/smart-news/

Population History 3000 BCE to 2020（CreateSpace Independent Publishing Platform, 2014）.

26. Peter Brand, "Reuse and Restoration," *UCLA Encyclopedia of Egyptology*, ed. Willeke Wendrich, 2010, https://escholarship.org/uc/item/2vp6065d, accessed 19 March 2018.
27. Thomas Asbridge, *The Crusades: The War for the Holy Land*（London: Simon and Schuster, 2010）.
28. Olivia Solon, "Elon Musk: We Must Colonise Mars to Preserve Our Species in a Third World War," *Guardian*, 11 March 2018, www.theguardian.com/technology/2018/mar/11/elon-musk-colonise-mars-third-world-war, accessed 21 March 2018.
29. Stephen Petranek, *How We'll Live on Mars*, TED Books（New York: Simon and Schuster, 2015）.
30. Michael Emslie et al., "Expectations and Outcomes of Reserve Network Performance Following Re-zoning of the Great Barrier Reef Marine Park," *Current Biology*, vol. 25, no. 8（2015）: 983-92, https://doi.org/10.1016/j.cub.2015.01.073.
31. Karen Frances Eng, "The Man Who Plants Trees: Shubhendu Sharma Is Reforesting the World, One Patch at a Time," *TEDBlog*, 9 May 2014, https://blog.ted.com/shubhendusharma/, accessed 21 March 2018.

第11章　盗まれた遺産

1. Jaromir Malek et al., "Howard Carter's Notes on Various Objects Found in the Tomb of Tutankhamun（TAAi.2.10）," Griffith Institute, University of Oxford, http://www.griffith.ox.ac.uk/gri/taa_i_2_10.html, accessed 31 March 2018. On object # 435: "（H. 47.6）. Crater with flanking ornament Finger marks of thieves on interior walls."
2. "The Antiquities Coalition Warns American Heritage Is a Casualty of Government Shutdown," *Antiquities Coalition*（blog）, 22 January 2018, https://theantiquitiescoalition.org/blog-posts/american-heritage-casualty-of-shutdown/, accessed 22 January 2018.
3. Brian Vastag, "Amid Protests and Looting, Officials Work to Preserve Egypt's Treasures," *Washington Post*, 30 January 2011, http://www.washingtonpost.com/wp-dyn/content/article/2011/01/30/AR2011013003244.html, accessed 11 March 2018.
4. Elizabeth C. Stone, "Patterns of Looting in Southern Iraq," *Antiquity*, vol. 82, no. 315（2008）: 125-38, https://doi.org/10.1017/S0003598X00096496.
5. Sarah Parcak et al., "Satellite Evidence of Archaeological Site Looting in Egypt: 2002-2013," *Antiquity*, vol. 90, no. 349（2016）: 188-205, https://doi.org/10.15184/aqy.2016.1.
6. Sarah Parcak et al., "Using Open Access Satellite Data Alongside Ground Based Remote Sensing: An Assessment, with Case Studies from Egypt's Delta," *Geosciences*, vol. 7, no. 4（2017）: 94, https://doi.org/10.3390/geosciences7040094.
7. 世界中で、考古学者たちが自分の調査地域について同じ問題に取り組んでいる。エリザベス・ストーンの研究に続いて、現在、意図的な遺跡の破壊や盗掘が信じられないレベルになっているイラクやシリアの状況を監視するプロジェクト

19 February 2018.
14. François Dubé, "Breaking New Ground," *ChinAfrica*, 8 September 2017, http://www.chinafrica.cn/Africa/201709/t20170908_800104306.html, accessed 19 February 2018.
15. Natan Kellermann, "Epigenetic Transmission of Holocaust Trauma: Can Nightmares Be Inherited?" *Israeli Journal of Psychiatry and Related Sciences*, vol. 50, no. 1 (2013): 33-39.
16. Amy Boddy et al., "Fetal Microchimerism and Maternal Health: A Review and Evolutionary Analysis of Cooperation and Conflict Beyond the Womb," *BioEssays*, vol. 37, no. 10 (2015): 1106-18, https://doi.org/10.1002/bies.201500059.
17. Alan Rogers et al., "Early History of Neanderthals and Denisovans," *Proceedings of the National Academy of Sciences*, vol. 114, no. 37 (2017): 9859-63, https://doi.org/10.1073/pnas.1706426114.
18. Ann Gibbons, "Signs of Symbolic Behavior Emerged at the Dawn of Our Species in Africa," *Science News*, 15 March 2018, http://www.sciencemag.org/news/2018/03/signs-symbolic-behavior-emerged-dawn-our-species-africa, accessed 26 April 2018.
19. Richard Potts et al., "Environmental Dynamics During the Onset of the Middle Stone Age in Eastern Africa," *Science*, vol. 360, no. 6384 (2018), https://doi.org/10.1126/science.aao2200.
20. Douglas Fry and Patrik Söderberg,"Lethal Aggression in Mobile Forager Bands and Implications for the Origins of War," *Science*, vol. 341, no. 6143 (2013): 270-73, https://doi.org/10.1126/science.1235675.
21. Colin K. Khoury et al., "Origins of Food Crops Connect Countries Worldwide," *Proceedings of the Royal Society B: Biological Sciences*, vol. 283, no. 1832 (2016), https://doi.org/10.1098/rspb.2016.0792.
22. Jeremy Cherfas, "A Map of Where Your Food Originated May Surprise You," *The Salt*, National Public Radio, 13 June 2016, www.npr.org/sections/thesalt/2016/06/13/481586649/a-map-of-where-your-food-originated-may-surprise-you, accessed 20 March 2018.
23. Luke Fleming, "Linguistic Exogamy and Language Shift in the Northwest Amazon," *International Journal of the Sociology of Language*, vol. 2016, no. 240 (2016): 9-27, https://doi.org/10.1515/ijsl-2016-0013; Jean E. Jackson, *The Fish People: Linguistic Exogamy and Tukanoan Identity in Northwest Amazonia*, Cambridge Studies in Social Anthropology, (Cambridge: Cambridge University Press, 1983), xix, 287.
24. Peter Ralph and Graham Coop, "The Geography of Recent Genetic Ancestry Across Europe," *PLOS Biology*, vol. 11, no. 5 (2013): e1001555, https://doi.org/10.1371/journal.pbio.1001555; Susan Bell, "Researcher Uses DNA to Demonstrate Just How Closely Everyone on Earth Is Related to Everyone Else,"*PHYSORG*, 8 August 2013, https://phys.org/news/2013-08-dna-earth.html, accessed 21 March 2018.
25. Colin McEvedy and Richard M. Jones, *Atlas of World Population History* (Middlesex, UK: Penguin Books, 1978); John Carl Nelson, *Historical Atlas of the Eight Billion: World*

York: G. P. Putnam's Sons, 1968).

46. "How the World Reacted to Elon Musk's Falcon Heavy Launch," BBC News, 7 February 2018, http://www.bbc.com/news/world-us-canada-42973449, accessed 31 March 2018.
47. Viviane Slon et al., "Neandertal and Denisovan DNA from Pleistocene Sediments," *Science*, vol. 356, no. 6338 (2017): 605-8, http://doi.org/10.1126/science.aam9695.

第10章　乗り越えるべきもの

1. Jean-François Champollion, *Lettre á M. Dacier relative à l'alphabet des hiéroglyphes phonétiques* (Paris: Firmin Didot Peère et Fils, 1822).
2. *Stephens & Catherwood Revisited: Maya Ruins and the Passage of Time* (Washington, DC: Dumbarton Oaks Research Library and Collection, Trustees for Harvard University, 2015).
3. Hiram Bingham, "In the Wonderland of Peru—Rediscovering Machu Picchu," *National Geographic Magazine*, April 1913, https://www.nationalgeographic.com/magazine/1913/04/machu-picchu-peru-inca-hiram-bingham-discovery/, accessed 20 February 2018.
4. "Helena, St. (c. 255-c. 230)," *The Oxford Dictionary of the Christian Church*, ed. F. L. Cross and E. A. Livingstone (Oxford: Oxford University Press, published online 2009), https://doi.org/10.1093/acref/9780192802903.001.0001.
5. Georgina Howell, *Gertrude Bell: Queen of the Desert, Shaper of Nations* (New York: Sarah Crichton Books, Farrar, Straus and Giroux, 2008).
6. Kathleen Kenyon, *Digging Up Jericho* (London: Ernest Benn, 1957).
7. Agatha Christie, *Agatha Christie: An Autobiography* (New York: Berkley Books, 1991).(邦訳はアガサ・クリスティー『アガサ・クリスティー自伝（上・下)』乾信一郎訳、早川書房)
8. Agatha Christie Mallowan, "A-sitting on a Tell," *Come, Tell Me How You Live* (London: Agatha Christie Limited, A Chorian Company, 1946). Reprinted by permission of Harper Collins Publishers.(邦訳はアガサ・クリスティー『さあ、あなたの暮らしぶりを話して』深町眞理子訳、早川書房)
9. Daniel E. Slotnik, "Barbara Mertz, Egyptologist and Mystery Writer, Dies at 85," *New York Times*, 13 August 2013, http://www.nytimes.com/2013/08/14/arts/barbara-mertz-egyptologist-and-mystery-writer-dies-at-85.html, accessed 18 February 2018.
10. "Meet the Egyptian Female Archaeologist Leading Her Own Excavation at Just 27 Years Old," *Cairoscene*, 19 May 2017, http://www.cairoscene.com/ArtsAndCulture/Meet-the-Egyptian-Female-Archaeologist-Leading-Her-Own-Excavation-at-Just-27-Years-Old, accessed 17 February 2018.
11. 次を参照。"Archaeology/In Your Hands,"https://digventures.com/, accessed 17 February 2018.
12. "Chocolate Artefact," *DigVentures*, https://digventures.com/shop/chocolate-artefact/, accessed 19 May 2018.
13. 次を参照。Lyminge Archaeological Project, http://www.lymingearchaeology.org/, accessed

30. "Geno DNA Ancestry Kit," *National Geographic*, https://genographic.nationalgeographic.com/, accessed 14 February 2018.
31. Zahi Hawass et al.,"Ancestry and Pathology in King Tutankhamun's Family," *Journal of the American Medical Association*, vol. 303, no. 7 (2010): 638-47, https://doi.org/10.1001/jama.2010.121.
32. Christina Warinner et al., "A New Era in Palaeomicrobiology: Prospects for Ancient Dental Calculus as a Long-Term Record of the Human Oral Microbiome," *Philosophical Transactions of the Royal Society B: Biological Sciences*, vol. 370, no. 1660 (2015), https://doi.org/10.1098/rstb.2013.0376.
33. "Face of First Brit Revealed," UCL News, University College London, 7 February 2018, https://www.ucl.ac.uk/news/news-articles/0218/070218-Face-of-cheddar-man-revealed, accessed 6 February 2018.
34. Jane Wakefield, "TED2017: Scary Robots That Want to Be Useful," BBC News, 17 April 2017, http://www.bbc.com/news/technology-39656040, accessed 31 March 2018.
35. Douglas Gantenbein, "Kinect Launches a Surgical Revolution," *Microsoft Research Blog*, 7 June 2012, https://www.microsoft.com/en-us/research/blog/kinect-launches-surgical-revolution/, accessed 31 March 2018.
36. "Surgical Simulation Training,"CAE Healthcare, https://caehealthcare.com/surgical-simulation, accessed 30 March 2018.
37. "MorphoSource," MorphoSource by Duke University, https://www.morphosource.org/, accessed 8 February 2018.
38. Kristina Killgrove, "How to Print Your Own 3D Replicas of Homo Naledi and Other Hominin Fossils," *Forbes*, 19 September 2015, https://www.forbes.com/sites/kristinakillgrove/2015/09/19/how-to-print-your-own-3d-replicas-of-homo-naledi-and-other-hominin-fossils/#657a831112c0, accessed 4 February 2018.
39. David L. Chandler, "Surfaces Get Smooth or Bumpy on Command," *MIT News*, 11 June 2015, http://news.mit.edu/2015/controllable-surface-textures-0611, accessed 7 February 2018.
40. Jennifer Chu, "New 3D Printer Is 10 Times Faster Than Commercial Counterparts," *MIT News*, 29 November 2017, http://news.mit.edu/2017/new-3-d-printer-10-times-faster-commercial-counterparts-1129, accessed 6 February 2018.
41. "Sir Arthur's Quotations," *The Arthur C. Clarke Foundation*, https://www.clarkefoundation.org/about-sir-arthur/sir-arthurs-quotations/, accessed 19 February 2018.
42. Brad Jones, "Planet Hunter," *Futurism*, 15 November 2017, https://futurism.com/discovered-closest-earth-like-planets/, accessed 19 February 2018.
43. "The Drake Equation," SETI Institute, https://www.seti.org/drakeequation, accessed 15 February 2018.
44. "The Drake Equation."
45. As presented in Erich von Däniken, *Chariots of the Gods? Unsolved Mysteries of the Past* (New

luminar-video/, accessed 31 March 2018.

18. Kazuya Nakajima et al., "3D Environment Mapping and Self-Position Estimation by a Small Flying Robot Mounted with a Movable Ultrasonic Range Sensor," *Journal of Electrical Systems and Information Technology*, vol. 4, no. 2 (2017): 289-98, https://doi.org/10.1016/j.jesit.2017.01.007.
19. Susanne Brinkmann et al., "Laser Cleaning Tomb Paintings at Luxor (TT49)," *Kmt: A Modern Journal of Ancient Egypt*, vol. 21, no. 3 (2010): 18-34.
20. I. Bukreeva et al., "Virtual Unrolling and Deciphering of Herculaneum Papyri by X-Ray Phase-Contrast Tomography," *Nature: Scientific Reports*, vol. 6, no. 27227 (2016): https://doi.org/10.1038/srep27227.
21. Vito Mocella et al., "Revealing Letters in Rolled Herculaneum Papyri by X-Ray Phase-Contrast Imaging," *Nature Communications*, vol. 6, no. 5895 (2015): https://doi.org/10.1038/ncomms6895.
22. Robert Perkins, "A Birder in the Hand: Mobile Phone App Can Recognize Birds from Photos," *Caltech News*, 14 December 2016, http://www.caltech.edu/news/birder-hand-mobile-phone-app-can-recognize-birds-photos-53288, accessed 14 December 2016.
23. Nikki Aldeborgh, "GBDX + PoolNet: Identifying Pools on Satellite Imagery," DigitalGlobe, 13 July 2016, https://platform.digitalglobe.com/gbdx-poolnet-identifying-pools-satellite-imagery/, accessed 31 March 2018.
24. 次を参照。"Google Books Ngram Viewer," Google, https://books.google.com/ngrams, accessed 31 March 2018.
25. Michael Blanding, "Plagiarism Software Reveals a New Source for 11 of Shakespeare's Plays," *New York Times*, 7 February 2018, https://www.nytimes.com/2018/02/07/books/plagiarism-software-unveils-a-new-source-for-11-of-shakespeares-plays.html, accessed 31 March 2018.
26. Marc Raibert, "Meet Spot, the Robot Dog That Can Run, Hop, and Open Doors," TED2017, https://www.ted.com/talks/marc_raibert_meet_spot_the_robot_dog_that_can_run_hop_and_open_doors, accessed 24 March 2018.
27. Christina Poletto, "When Roomba Met Dog Poop: Man's 'Poopocalypse' Goes Viral," *Today*, 16 August 2016, https://www.today.com/home/when-roomba-met-dog-poop-man-s-poopocalypse-goes-viral-t101883, accessed 24 March 2018.
28. Anthony Cuthbertson, "DARPA Plans Autonomous 'Flying Insect' Drones with Skills to Match Birds of Prey," *International Business Times*, 2 January 2015, http://www.ibtimes.co.uk/darpa-plans-autonomous-flying-insect-drones-skills-match-birds-prey-1481554, accessed 15 February 2018.
29. Antoinette Mercurio, "The Little Robot That Could: Professors of History and Computer Science Collaborate on Robot Archaeology Project," Ryerson University, 13 October 2017, https://www.ryerson.ca/news-events/news/2017/10/the-little-robot-that-could/, accessed 14 February 2018.

users-worldwide/, accessed 10 March 2018.

4. Rebecca J. Rosen, "Why Today's Inventors Need to Read More Science Fiction," *Atlantic*, 20 September 2013, https://www.theatlantic.com/technology/archive/2013/09/why-todays-inventors-need-to-read-more-science-fiction/279793/, accessed 10 March 2018.
5. "Sub-$50 Small Multirotor Drone Mini Reviews," RotorCopters, http://www.rotorcopters.com/sub-50-multirotor-drone-mini-reviews/, accessed 30 March 2018.
6. "Micro and Nano Drones—the Smaller the Better," Dronethusiast, https://www.dronethusiast.com/best-micro-mini-nano-drones/, accessed 30 March 2018.
7. Telmo Adão et al., "Hyperspectral Imaging: A Review on UAV-Based Sensors, Data Processing and Applications for Agriculture and Forestry," *Remote Sensing*, vol. 9, no. 11 (2017): 1110, https://doi.org/10.3390/rs9111110.
8. Eyal Ben-Dor, ed., "Hyperspectral Remote Sensing," *Remote Sensing*, special issue, vol. 12, no. 2 (2012), http://www.mdpi.com/journal/remotesensing/special_issues/hyperspectral-remote-sens, accessed 8 March 2018.
9. Andy Extance, "Spectroscopy in Your Hands," *Chemistry World*, 2 February 2018, https://www.chemistryworld.com/feature/handheld-spectrometers/3008475.article, accessed 9 March 2018.
10. "ASD Terraspec 4 Hi-Res Mineral Spectrometer,"Malvern Panalytical, https://www.asdi.com/products-and-services/terraspec/terraspec-4-hi-res-mineral-spectrometer, accessed 31 March 2018.
11. Sarah Parcak and Gregory Mumford, "Satellite Imagery Detection of a Possible Hippodrome and Other Features at the Ptolemaic-Roman Port Town of Taposiris Magna," *Journal of Ancient Egyptian Interconnections*, vol. 4, no. 4 (2012): 30-34, https://doi.org/10.2458/azu_jaei_v04i4_gregory_mumford.
12. Janet Nichol and Pui Hang To, "Temporal Characteristics of Thermal Satellite Sensors for Urban Heat Island Analysis," *Earthzine*, 8 July 2011, https://earthzine.org/2011/07/08/temporal-characteristics-of-thermal-satellite-sensors-for-urban-heat-island-analysis/, accessed 31 March 2018.
13. Jesse Casana et al., "Archaeological Aerial Thermography: A Case Study at the Chaco-Era Blue J Community, New Mexico," *Journal of Archaeological Science*, vol. 45 (2014): 207-19, https://doi.org/10.1016/j.jas.2014.02.015.
14. 次を参照。"Remote Sensing," Harris Aerial, https://www.harrisaerial.com/remote-sensing/, accessed 12 March 2018.
15. Sarah Parcak et al., "Satellite Evidence of Archaeological Site Looting in Egypt: 2002-2013," *Antiquity*, vol. 90, no. 349 (2016): 188-205, https://doi.org/10.15184/aqy.2016.1.
16. 次を参照。"Magnitude Surveys Ltd,"http://www.magnitudesurveys.co.uk/, accessed 31 March 2018.
17. Alex Davies, "What Is LiDAR, Why Do Self-Driving Cars Need It, and Can It See Nerf Bullets?" *Wired*, 6 February 2018, https://www.wired.com/story/lidar-self-driving-cars-

Henry George Fischer, *Egyptian Titles of the Middle Kingdom: A Supplement to Wm. Ward's Index,* 2nd ed., rev. and augmented（New York: Metropolitan Museum of Art, 1997）.

36. 次を参照。Collier and Manley, *How to Read Egyptian Hieroglyphs*, 41; and Grajetzki, *Court Officials of the Egyptian Middle Kingdom*, 101.
37. 次を参照。Ingrid Melandri, "Female Burials in the Funerary Complexes of the Twelfth Dynasty: An Architectonic Approach," *The World of Middle Kingdom Egypt（2000-1550 BC）, Volume II: Contributions on Archaeology, Art, Religion, and Written Records*, ed. Gianluca Miniaci and Wolfram Grajetzki, Middle Kingdom Studies, book 2（London: Golden House Publications, 2016）, 161-79.
38. 中王国時代のエジプトの庶民や軍人、神官、上流階級、外国人が身に着けた、キルトや衣類全般の議論については次を参照。Philip J. Watson, *Costume of Ancient Egypt*, Costume Reference（London: B. T. Batsford, 1987）, 12-17, 30, 39-40, 47-48, 51, 55.
39. 古代ギリシャで女性のために専用の神殿型の墓を建てることは珍しかったが、いくつか例は存在している。中王国時代の高官アンテフィカーは、母セネトのためにテーベに神殿型の墓を建てた。（Gay Robins, *Women in Ancient Egypt* [Cambridge, MA: Harvard University Press, 1993], 100, 165）一方で、古代エジプト社会や、碑文（「デュアフの息子ケティの教え」という中王国の文章など）、男性中心の葬祭行事（Robins, *Women in Ancient Egypt*, 106-7）において、広く母への敬意が示されていた。
40. 次を参照。Janine Bourriau, *Pharaohs and Mortals: Egyptian Art in the Middle Kingdom,* Fitzwilliam Museum Publications（Cambridge and New York: Cambridge University Press, 1998）, 144, pl. 149.
41. Carol Andrews, *Amulets of Ancient Egypt*（London: British Museum Press, 1994）.
42. Janet Richards, *Society and Death in Ancient Egypt: Mortuary Landscapes of the Middle Kingdom*（Cambridge: Cambridge University Press, 2005）, 196-97, E830 N 780 Burial 9, fig. 97.
43. Aidan Dodson and Salima Ikram, *The Tomb in Ancient Egypt: Royal and Private Sepulchres from the Early Dynastic Period to the Romans*（Cairo: American University in Cairo Press, 2008）, 36-38.

第9章　未来の考古学

1. Christine Finn, "Recreating the Sounds of Tutankhamun's Trumpets," BBC News, 18 April 2011, http://www.bbc.com/news/world-middle-east-13092827, accessed 9 March 2018.
2. Brad Jones, "We Just Discovered One of Our Closest Earth-Like Planets Ever," *Futurism*, 15 November 2017, https://futurism.com/discovered-closest-earth-like-planets/, accessed 10 March 2018.
3. "Number of Smartphone Users Worldwide from 2014 to 2020（in Billions）,"Statista, the Statistics Portal, 2016, https://www.statista.com/statistics/330695/number-of-smartphone-

Middle Kingdom（Cambridge: Cambridge University Press, 2016）, 158-60.

27. 中王国初期の「魂の家」の模型や（Aikaterini Koltsida, *Social Aspects of Ancient Egyptian Domestic Architecture*, British Archaeological Reports International Series, book 1608［Oxford: Archaeopress, 2007］, pls. 11-15）末期王朝の多階建ての家屋模型を含む、新王国やその後の家屋（Dieter Arnold, *The Encyclopedia of Ancient Egyptian Architecture*［Princeton, NJ: Princeton University Press, 2003］, 112）とは異なり、中王国の発掘調査では、多くの国が築いたコミュニティや、いくつかの有機的集落の一部から、（屋根へ通じる階段があるのではなく）実際に多階建てである証拠があまり見つかっていない。多くの住宅では、階段やその他の特徴の存在から、上の階があったことがうかがえるが、必ずしも確認されてはいない。そうした階段などの存在は、ラフーン（階段は穀物倉庫に付属していることが多い）やエレファンティネ島（多階建ての可能性がある建物H84、住宅H70とH93）、テル・アル・ダバア（宮殿の複合施設）、北リシュト（住宅A 1.3とA 3.3）、その他（Moeller, *Archaeology of Urbanism in Ancient Egypt*, 285, 311, 314, fig. 8.44, 336-37, 341, 352-55, fig. 9.10, 361-64, figs. 9.18-19, 370; 次を参照。Stephen Quirke, *Egyptian Sites: Lahun. A Town in Egypt 1800 B.C., and the History of Its Landscape*［London: Golden House Publications, 2005］, 49）で見つかっている。
28. Percy Newberry, *El Bersheh, Part I: The Tomb of Tehuti-hetep*（London: Egypt Exploration Fund, 1895）.
29. Sarah Parcak et al., "Satellite Evidence of Archaeological Site Looting in Egypt: 2002-2013," *Antiquity*, vol. 90, no. 349（2016）: 185-205, https://doi.org/10.15184/aqy.2016.1.
30. テル・アル・アマルナの横穴墓にみられる。次を参照。Norman de Garis Davies, *The Rock Tombs of el Amarna*（London: Egypt Exploration Fund, 1903）.
31. ただしこの墓地で、発掘されている墓はわずかだ。Wolfram Grajetzki,"Multiple Burials in Ancient Egypt to the End of the Middle Kingdom," *Life and Afterlife in Ancient Egypt During the Middle Kingdom and Second Intermediate Period*, ed. Silke Grallert and Wolfram Grajetzki, GHP Egyptology 7（London: Golden House Publications, 2007）, 16-34.
32. 日干しレンガの道路がついた墓についての別の例は次を参照。Alexander Badawy, *A History of Egyptian Architecture, Volume 2: The First Intermediate Period, the Middle Kingdom, and the Second Intermediate Period*（Berkeley: University of California Press, 1966）, 152, fig. 59; and at Lisht, Grajetzki, *Tomb Treasures of the Late Middle Kingdom*, 18, fig. 2.
33. 古代エジプトの絵画や美術品のスタイルについての概要は次を参照。W. Stevenson Smith, *The Art and Architecture of Ancient Egypt*, rev. with additions by William Kelly Simpson（New Haven, CT: Yale University Press, 1998）.
34. 中王国時代の絵画については、次に数多くの例がある。Oppenheim et al., *Ancient Egypt Transformed*.
35. こうした肩書きを含めて、中王国時代の他の肩書きについての議論は次を参照。

Egypt, 29-31.

17. ただし誰もが利用したわけではない。次を参照。Wolfram Grajetzki, *Burial Customs in Ancient Egypt: Life in Death for Rich and Poor* (London: Gerald Duckworth, 2003).
18. Dieter Arnold, *Middle Kingdom Tomb Architecture at Lisht*, Egyptian Expedition Publications of the Metropolitan Museum of Art, vol. 28 (New York: Metropolitan Museum of Art, 2008).
19. 日干しレンガ製の建設用スロープは、さまざまな種類や質のものが、古王国時代から中王国時代あたりのピラミッドに残っている。次を参照。Dieter Arnold, *Building in Egypt: Pharaonic Stone Masonry* (Oxford: Oxford University Press, 1991), 81-90.
20. 中王国時代の柔らかい石や硬い石の採石場は、主に東方砂漠に存在するが、西方砂漠にも何カ所かある。次を参照。Barbara G. Aston et al., "Stone," *Ancient Egyptian Materials and Technology*, ed. Paul T. Nicholson and Ian Shaw (Cambridge: Cambridge University Press, 2000), 5-77, esp. 8-15, figs. 2.1-2 maps, table 2.1; 採石場については次を参照。Rosemarie Klemm and Dietrich D. Klemm, *Stones and Quarries in Ancient Egypt*, trans. and ed. Nigel Strudwick (London: British Museum Press, 2008).
21. 次を参照。Arnold, *South Cemeteries of Lisht, Volume I: The Pyramid of Senwosret I*, 14.
22. Felix Arnold, "Settlement Remains at Lisht-North,"*House and Palace in Ancient Egypt: International Symposium in Cairo, April 8 to 11, 1992*, vols. 1 and 2, ed. Manfred Bietak, Österreichische Akademie der Wissenschaften, Denkschriften der Gesamtakademie, vol. 14 (Vienna: Österreichische Akademie der Wissenschaften, 1996), 13-21.
23. "Necklace of Sithathoryunet," Metropolitan Museum of Art, https://www.metmuseum.org/art/collection/search/545532, accessed 5 May 2018; Wolfram Grajetzki, *Tomb Treasures of the Late Middle Kingdom: The Archaeology of Female Burials* (Philadelphia: University of Pennsylvania Press, 2014), 36-45.
24. "Amenemhet and Khnumhotep II at Beni Hasan," in Simpson, *Literature of Ancient Egypt*, 418-24.
25. 第２中間期（前1648～前1540年）と呼ばれる時期に、権力の中心地がイチ・タウイから北東のデルタ地帯に移った頃には、イチ・タウイにはまだ居住者がいたはずだ。そう考えられているのは、「ピイ王の勝利の碑文」（第25王朝の文字が彫られた石板。現在はカイロのエジプト博物館にある）にイチ・タウイのことが書かれているからだ。それはイチ・タウイがエジプトの首都だった時代の約1100年後だ。ただし、この点が確かに確認されたわけではない。この石板が指しているのは、かつての首都イチ・タウイではなく、別の都市か、または地域全体だった可能性がある。
26. 「白い壁」（イネブ・ヘジ）は、ファラオ時代のメンフィスを指す。Steven Snape, *The Complete Cities of Ancient Egypt* (London: Thames and Hudson, 2014), 170（『古代エジプト都市百科ビジュアル版』（柊風社））; 以下の文献も参照。Nadine Moeller, *The Archaeology of Urbanism in Ancient Egypt, From the Predynastic Period to the End of the*

2. Grajetzki, *Middle Kingdom of Ancient Egypt*, 19.
3. Grajetzki, *Middle Kingdom of Ancient Egypt*, 19-23.
4. Grajetzki, *Middle Kingdom of Ancient Egypt*, 28.
5. 遺跡の概要については次を参照。William Kelly Simpson, "Lischt," *Lexikon der Ägyptologie*, vol. 3, ed. Wolfgang Helck and Wolfhart Westendorf（Wiesbaden: Otto Harrassowitz, 1979）, 1058-61.
6. Dieter Arnold, *The Pyramid Complex of Amenemhat I at Lisht: The Architecture*, Egyptian Expedition Publications of the Metropolitan Museum of Art, vol. 29（New York: Metropolitan Museum of Art, 2015）.
7. Grajetzki, *Middle Kingdom of Ancient Egypt*, 29-32.
8. Dieter Arnold and Peter Jánosi, "The Move to the North: Establishing a New Capital," *Ancient Egypt Transformed: The Middle Kingdom*, ed. Adela Oppenheim et al.（New York: Metropolitan Museum of Art, 2015）, 54-67. ただし、この共同統治については議論がある。次を参照。Grajetzki, *Middle Kingdom of Ancient Egypt*, 33.
9. Arnold and Jánosi, "The Move to the North," 54-67; Grajetzki, *Middle Kingdom of Ancient Egypt*, 55.
10. William Kelly Simpson, *The Literature of Ancient Egypt: An Anthology of Stories, Instructions, Stelae, Autobiographies, and Poetry*, 3rd ed.（New Haven, CT: Yale University Press, 2003）, 54-66.
11. 次を参照。Dieter Arnold, *The South Cemeteries of Lisht, Volume III: The Pyramid Complex of Senwosret I*, Egyptian Expedition Publications of the Metropolitan Museum of Art, vol. 25（New York: Metropolitan Museum of Art, 1992）; Dieter Arnold, *The South Cemeteries of Lisht, Volume I: The Pyramid of Senwosret I*, Egyptian Expedition Publications of the Metropolitan Museum of Art, vol. 22（New York: Metropolitan Museum of Art, 1988）.
12. Wolfram Grajetzki, *Court Officials of the Egyptian Middle Kingdom*（London: Gerald Duckworth, 2009）, 132-33.
13. カーヌムホテップ２世の墓にある。Naguib Kanawati and Linda Evans, *Beni Hasan, Volume 1: The Tomb of Khnumhotep II*, The Australian Centre for Egyptology, Report 36（Oxford: Aris and Phillips, 2014）.
14. 中エジプト語の概要については次を参照。James P. Allen, *Middle Egyptian: An Introduction to the Language and Culture of Hieroglyphs*（Cambridge: Cambridge University Press, 2000）; Mark Collier and Bill Manley, *How to Read Egyptian Hieroglyphs: A Step-by-Step Guide to Teach Yourself*, rev. ed.（Berkeley: University of California Press, 2003）; Richard B. Parkinson, "The Impact of Middle Kingdom Literature: Ancient and Modern," in Oppenheim et al., *Ancient Egypt Transformed*, 180-87.
15. R. B. Parkinson, *Voices from Ancient Egypt: An Anthology of Middle Kingdom Writings*, Oklahoma Series in Classical Culture, vol. 9（Norman: University of Oklahoma Press, 1991）, 5-6.
16. イチ・タウイの概要については次を参照。Grajetzki, *Middle Kingdom of Ancient*

碑文No.5：ケティという名前の州侯の自伝から。「私はこの町に人工水路を作った。一方、上エジプトは悪い状態で、まったく水が見当たらない。私は州境を閉ざした。……私は湿地帯に高台を作り、氾濫した水を古いマウンドに進ませた。あらゆる近隣地域が水不足にみまわれているなかで、私は耕作地に（氾濫の水を入れた）」（次を参照。Lichtheim, *Ancient Egyptian Autobiographies*, 23-24.）これは干ばつの明らかな証拠であり、州侯はいくつもの水路や土手を建設するという、革新的な水の貯留法を使っている。つまりこの州侯は、氾濫原をうまく改造したのだ。

碑文No.6：ネフェリュの出納官の扉板には次のように書いてある。「私は『倹約』の年に、たくさんの人たちに食料を与えた」（次を参照。Lichtheim, *Ancient Egyptian Autobiographies*, 26-27.）干ばつの翌年は、収穫量が少なくなった。これは、第１中間期には干ばつの年が少なくとも１年はあったことを示す証拠だ。

碑文No.7：モアッラ（ルクソールのすぐ近く）のアンクティフィの墓から。「上エジプト全体で、飢えによって人々が死んでいたが、このノモスでは誰も飢えで死なせなかった。……国全体がイナゴのように（食べ物を探して）川の流れを登ったり下ったりしている」エジプト学者たちは、このような文章の重要性を過小評価してきた。（次を参照。Stephan Seidlmayer,"First Intermediate Period [ca. 2160-2055 BC]"), アンクティフィの墓には、他の数多くの墓と同じ内容が刻まれており、さらに他の墓に刻まれていた内容はかなり大げさだったからだ。（次を参照。D. B. Spaniel, "The Date of Ankhtifi of Mo'alla," *Göttinger Miszellen*, vol. 78 [1984]: 87-94).アンクティフィは、古代エジプト人が鶏肉を食べていたことにも言及しているが、このことは現代のエジプト学者の多くが否定している。アンクティフィの碑文は、他の墓に刻まれている碑文と同じ形式に従っているものの、さらに一歩先を行っている。干ばつがあったため、アンクティフィは、自分のノモスの住民を誰も飢えさせなかったと子孫に伝えることに誇りを感じているのである。この通常の説明的な形式で書かれた碑文は、他とはまったく違う意味を帯びている。アンクティフィは、非常に困窮している時期に、人々を保護する立場にある州侯としての義務を果たしており、それによって自分の指導者としての資質を証明したのだ。

42. Edward Brovarski, "Ahanakht of Bersheh and the Hare Nome in the First Intermediate Period and Middle Kingdom," *Studies in Ancient Egypt, the Aegean, and the Sudan: Essays in Honor of Dows Dunham on the Occasion of his 90th birthday, June 1, 1980*, ed. William Kelly Simpson and Whitney M. Davis（Boston: Museum of Fine Arts, 1981）, 14-30.
43. Brovarski, "Ahanakht of Bersheh and the Hare Nome in the First Intermediate Period and Middle Kingdom."

第８章　首都の発見

1. 中王国の歴史の本で私が好きなのは次の本だ。Wolfram Grajetzki, *The Middle Kingdom of Ancient Egypt*（London: Gerald Duckworth, 2006）.

40. Van Haarlem, “Tell Ibrahim Awad,” 33-35. この遺跡の墓地には、古王国末期から第一中間期の人々の遺骨があった。Delia L. Phillips et al., “Bioarchaeology of Tell Ibrahim Awad,” *Ägypten und Levante / Egypt and the Levant*, vol. 19（2009）: 157-210.

41. Jacques Vandier, *Mo'alla: La tombe d'Ankhtifi et la tombe de Sébekhotep*（Cairo: l'Institut français d'archéologie orientale, 1950）; Miriam Lichtheim, *Ancient Egyptian Autobiographies Chiefly of the Middle Kingdom*（Göttingen: Vandenhoek and Ruprecht, 1988）, 23-26 ; Miriam Lichtheim, *Ancient Egyptian Literature. Volume I: The Old and Middle Kingdoms*（Berkeley: University of California Press, 2006）.

碑文No.1：エドフの使用人頭メレルは次のように書いている。「私は、干ばつが起こっている場所ではどこでも、亡くなった人たちを埋葬し、生きている人々に食べ物を与えた。町や農村地帯で彼らの畑やマウンドをすべて閉ざして、彼らの水が他の人のところに流れていかないようにした。偉大な市民も、彼の家族が泳げるように、そのようにした」（次を参照。Lichtheim, *Ancient Egyptian Literature. Volume I: The Old and Middle Kingdoms*, 87.）この人物は、干ばつについて直接言及している。「畑を閉ざす」というのは、ナイル川の氾濫による貴重な水が、自分の地域に住んでいる人々の畑から出ていくことを防いだことを意味している。そうしなければ、その水は流れていって、他の地域での灌漑に使われていただろう。

碑文No.2：イムヨトル（現在のゲベレインの近く。ルクソールの南30キロメートルにある）の出納官イティは次のように説明している。「何年にもわたる困窮の時期に、私はイムヨトルの人々に食べ物を与えた。町全体で400人の男たちが苦境に陥っていたが、私は男の娘や畑を奪い取ったりしなかった」（次を参照。Lichtheim, *Ancient Egyptian Literature. Volume I: The Old and Middle Kingdoms*, 88.）この場合には、イティは１年だけではなく、何年にもわたる「困窮」に触れている。それが何を指しているのか正確にはわからないが、人々が苦しんでいたのは明らかだ。

碑文No.3：コプトス（現在のクフト、ルクソールの北30キロメートルにある）の会計官セニシの碑には、次のように書かれている。「私は、何年にもわたる苦しい貧苦の時期に、神官長ジェフィの家の入口で、この町全体の食料として上エジプトの大麦を量り分けた」（次を参照。Lichtheim, *Ancient Egyptian Literature. Volume I: The Old and Middle Kingdoms*, 89.）やはり、何年にもわたる苦しい時期についての言及がみられる。この場合は、人々は生き延びるために大麦を分けてもらう必要があり、飢餓の時期があったことを示している。

碑文No.4：ヘンクという州侯の自伝の碑文では、次のように述べている。「私はさらに、衰えているこのノモスの町に他のノモスの人々を再定住させた」（次を参照。Lichtheim, *Ancient Egyptian Literature. Volume I: The Old and Middle Kingdoms*, 89.）こうした町は、病気や飢餓、戦争、さらにそういった出来事によって他のノモスから住民が殺到したことが原因で衰えた可能性がある。こうした出来事は、不安定な時期が存在したことをうかがわせる。

vol. 47, no. 2［1997］: 155-68, https://doi.org/10.1006/qres.1997.1883.）パレスチナでは、初期青銅器時代Ⅳ期（前2250〜前2000年）に集落が放棄されたことがわかっている。シリアのテル・レイランでは、古王国後に対応する年代の、遺物をまったく含まない1メートルの厚さのシルト層が見つかっている。これはテル・テビッラのコアサンプルにあったと思われる層によく似ている。（次を参照。H. Weiss et al., "The Genesis and Collapse of Third Millennium North Mesopotamian Civilization," *Science*, vol. 261, no. 5124［1993］: 995-1004, https://doi.org/10.1126/science.261.5124.995; Larry A. Pavlish,"Archaeometry at Mendes: 1990-2002," *Egypt, Israel and the Ancient Mediterranean World: Studies in Honor of Donald B. Redford*, ed. Gary N. Knoppers and Antoine Hirsch, Problem der Ägyptologie series, vol. 20［Leiden: Brill, 2004］, 61-112.）シリアとイラクでは、紀元前2170年（現在から4190年前）±150年にアッカド帝国が消滅した証拠がある。トルコのカスピ海と黒海の間に位置するヴァン湖では、考古学者はシルトと粘土が毎年堆積してできた層を過去2万年分収集している。こうした層は年縞と呼ばれ、水の動きの少ない水域での典型的な堆積サイクルを示す。ヴァン湖の年縞からは、紀元前2290年から紀元前2000年の期間に、浮遊ダスト量が5倍になったことがわかっている。さらに、湖の水位とオークの花粉量が減少した一方で、風で運ばれてきた石英の量が増加していた。これらは、異常乾燥の時期に発生する現象だ。（次を参照。Gerry Lemcke and Michael Sturm, "δ^{18}o and Trace Element Measurements as Proxy for the Reconstruction of Climate Changes at Lake Van［Turkey］: Preliminary Results," *Third Millennium B.C. Climate Change and Old World Collapse*, NATO ASI Series I, Global Environmental Change, vol. 49, ed. H. Nüzhet Dalfes et al.［Berlin: Springer, 1997］, 653-78.）東の地域をみると、インドのインダス川デルタの堆積物のコアサンプルを分析した研究で、4200年前頃に、プランクトンに含まれる酸素同位対比の大きな変化が見つかっており、モンスーンによる降水量が減少したことを示している。（次を参照。M. Staubwasser et al., "Climate Change at the 4.2 ka BP Termination of the Indus Valley Civilization and Holocene South Asian Monsoon Variability," *Geophysical Research Letters*, vol. 30, no. 8［2003］: 1425, https://doi.org/10.1029/2002GL016822.）

36. Staubwasser et al., "Climate Change at the 4.2 ka BP Termination of the Indus Valley," 1425.
37. Donald B. Redford, "Mendes & Environs in the Middle Kingdom," *Studies in Honor of William Kelly Simpson*, vol. 2, ed. Peter Der Manuelian（Boston: Museum of Fine Arts, 1996）, 679-82.
38. Peter deMenocal, "Cultural Responses to Climate Change During the Late Holocene," *Science*, vol. 292, no. 5517（2001）: 667-73, https://doi.org/10.1126/science.1059287; H. M. Cullen et al., "Climate Change and the Collapse of the Akkadian Empire: Evidence from the Deep Sea," *Geology*, vol. 28, no. 4（2000）: 379-82, https://doi.org/10.1130/0091-7613（2000）28〈379:CCATCO〉2.0.CO;2.
39. John Baines and Jaromir Malek, *Atlas of Ancient Egypt*（New York: Facts on File, 1984）.

73; Harvey Weiss and Raymond S. Bradley, "What Drives Societal Collapse?" *Science*, vol. 291, no. 5504（2001）: 609-10, https://doi.org/10.1126/science.1058775; Fekri Hassan, "The Fall of the Egyptian Old Kingdom," BBC, 2011, http://www.bbc.co.uk/history/ancient/egyptians/apocalypse_egypt_01.shtml, accessed 5 May 2018; Kent R. Weeks, The Illustrated Guide to Luxor（Cairo: American University in Cairo Press, 2005）, 35.

23. Said, River Nile: Geology, *Hydrology and Utilization*, 165.
24. Weiss and Bradley, "What Drives Societal Collapse?" 609-10.
25. Françoise Gasse, "Hydrological Changes in the African Tropics Since the Last Glacial Maximum," *Quaternary Science Reviews*, vol. 19, nos. 1-5（2000）: 189-212, https://doi.org/10.1016/S0277-3791（99）00061-X.
26. Michael D. Krom et al., "Nile River Sediment Fluctuations over the Past 7000 Yrs and Their Key Role in Sapropel Development," *Geology*, vol. 30, no. 1（2002）: 71-74, https://doi.org/10.1130/0091-7613（2002）030〈0071:NRSFOT〉2.0.CO;2.
27. 次で触れられている。*River Nile: Geology, Hydrology and Utilization,* chapter 5.
28. Joe Morrissey and Mary Lou Guerinot, "Iron Uptake and Transport in Plants: The Good, the Bad, and the Ionome,"*Chemical Reviews*, vol. 109, no. 10（2009）: 4553-67, https://doi.org/10.1021/cr900112r.
29. Jean-Daniel Stanley et al., "Short Contribution: Nile Flow Failure at the End of the Old Kingdom, Egypt: Strontium Isotopic and Petrologic Evidence," *Geoarchaeology*, vol. 18, no. 3（2003）: 395-402, https://doi.org/10.1002/gea.10065.
30. Thomas von der Way, *Tell el-Fara'in/Buto I*, Archäologische Veröffentlichungen（Deutsches Archäologisches Institut. Abteilung Kairo）83（Mainz: Philip Von Zabern, 1997）; Thomas von der Way,"Excavations at Tell el-Fara'in/Buto in 1987-1989," in Van den Brink, *Nile Delta in Transition*, 1-10.
31. ブト遺跡の詳しい編年については次を参照。von der Way, Tell el-Fara'in/Buto I.
32. Lisa Giddy and David Jeffreys, "Memphis 1991," *Journal of Egyptian Archaeology*, vol. 78（1992）: 1-11, https://doi.org/10.2307/3822063.
33. Nicole Alexanian and Stephan Johannes Seidelmeyer,"Die Residenznekropole von Daschur Erster Grabungsbericht," *Mitteilungen des Deutschen Archäologischen Instituts, Abteilung Kairo*, vol. 58（2002）: 1-29.
34. William Ellis, "Africa's Sahel: The Stricken Land," *National Geographic Magazine,* August 1987, 140-79.
35. Harvey Weiss, "Beyond the Younger Dryas," *Environmental Disaster and the Archaeology of Human Response*, ed. Garth Bawden and Richard Martin Reycraft, Maxwell Museum of Anthropology, Anthropological Papers no. 7（Albuquerque: University of New Mexico, 2000）, 75-98. イスラエルのユダヤ丘陵のソレク洞窟の堆積物から、4200年前から4000年前の時期に降水量が減少したことが示されている。（次を参照。Miryam BarMatthews et al., "Late Quaternary Paleoclimate in the Eastern Mediterranean Region from Stable Isotope Analysis of Speleothems at Soreq Cave, Israel," *Quaternary Research*,

プルを採取すれば、砂にぶつかる。それはエジプトの最初の集団がゲジラ（「カメの甲羅」）という砂のマウンド上に定住したからだ。ゲジラの形成は、更新世後期の氷河形成と関連があると考えられている。ゲジラ形成の詳しい時期はわかっていない。更新世後期（前3万8000〜前1万2000年）に極地より低緯度の氷河が溶けると、地中海の海水面が100メートル以上上昇した。それによって、海岸線は現在の位置から50キロメートル内陸に移動した。海岸線から現在のミト・ラヒーナ（メンフィス）の間で標高は25メートル以上高くなる。この斜面が内陸に進んできた海水によって浸食された。最終的に、この土がナイル川によって運ばれ、その沖積土が量の多さのために潟を作った。更新世後期に、上昇した海水面が徐々に下がっていくと、浸食されたデルタの一部としてゲジラが出現し始めた。この上にデルタ地帯の集落が多く形成されている。カール・ブッツアーは、アレクサンドリアからポートサイドまでのデルタ地帯で、数多くの深いコアリング調査をおこなった。それより後の旧石器時代の記録は、現在の地面から10メートル下で見つかる場合がある。Karl W. Butzer, "Geoarchaeological Implications of Recent Research in the Nile Delta," *Egypt and the Levant: Interrelations from the 4th Through Early 3rd Millennium BCE*, ed. Edwin C. M. van den Brink and Thomas Evan Levy（London: Leicester University Press, 2002）, 83-97.

17. Lehner, *Complete Pyramids*, 115.
18. John Coleman Darnell, "The Message of King Wahankh Antef II to Khety, Ruler of Heracleopolis," *Zeitschrift für ägyptische Sprache und Altertumskunde*, vol. 124, no. 2（1997）: 101-8.
19. Detlef Franke, "The Career of Khnumhotep III of Beni Hasan and the So-called 'Decline of the Nomarchs,'" *Middle Kingdom Studies*, ed. Stephen Quirke（New Malden, Δ255Surrey: SIA Publishing, 1991）, 51-67; Labib Habachi, *Elephantine IV. The Sanctuary of Heqaib*, Deutsches Archäeologisches Institut, Abteilung Cairo, Archäeologische Veröffentlichungen, 33（Mainz: Phillip von Zabern, 1985）; Percy Newberry, *El Bersheh, Part I (The Tomb of Tehuti-hetep)*（London: The Egypt Exploration Fund, 1895, 33 ; repr. Phillip von Zabern: Mainz, 1985）; P. Newberry, *El-Berhseh I The Tomb of Djeutyhetep*（London, 1895）.
20. Jaromir Malek, "The Old Kingdom（ca. 2686-2160 BC）," *The Oxford History of Ancient Egypt*, ed. Ian Shaw（Oxford: Oxford University Press, 2000）, 89-117; Stephan Seidlmayer,"First Intermediate Period（ca. 2160-2055 BC）," in Shaw, *Oxford History of Ancient Egypt*, 118-47.
21. Malek, "The Old Kingdom（ca. 2686-2160 BC）."
22. Barbara Bell, "Climate and the History of Egypt: The Middle Kingdom," *American Journal of Archaeology*, vol. 79, no. 3（1975）: 223-69, https://doi.org/10.2307/503481; Barbara Bell, "The Dark Ages in Ancient History. I. The First Dark Age in Egypt," *American Journal of Archaeology*, vol. 75, no. 1（1971）: 1-26, https://doi.org/10.2307/503678; Barbara Bell, "The Oldest Record of the Nile Floods," *Geographical Journal*, vol. 136, no. 4（1970）: 569-

Chlodnicki et al., "The Nile Delta in Transition: A View from Tell el-Farkha," *The Nile Delta in Transition, 4th-3rd Millennium B.C. Proceedings of the Seminar Held in Cairo, 21-24 October 1990, at the Netherlands Institute of Archaeology and Arabic Studies,* ed. Edwin C. M. van den Brink [Tel Aviv: Edwin C. M. van den Brink, 1992], 171-90); ゲジレト・エル・ファラス(Van den Brink et al., "A Geo-Archaeological Survey in the East Delta, Egypt," 20; Van den Brink et al., "The Amsterdam University Survey Expedition to the East Nile Delta [1984-1986]"). テル・イブラヒム・アワドには、古王国の集落、墓地、そして地中に埋まった神殿がある(Willem M. van Haarlem, "Temple Deposits at Tell Ibrahim Awad II—An Update," *Göttinger Miszellen*, vol. 154 [1996]: 31-34).メンデスには約40万平方キロメートルのネクロポリスと、集落、大規模な神殿複合体がある。(Donald B. Redford, *Excavations at Mendes: Volume I. The Royal Necropolis* [Leiden: Brill, 2004]; Donald B. Redford, *City of the Ram-Man: The Story of Ancient Mendes* [Princeton, NJ: Princeton University Press, 2010]).この調査で、テル・タルハ、テル・ムセヤ、テル・ガバル、テル・シャルファの遺跡では、古王国時代の土器を含む、これまで記録されていない遺跡が発見された。水浄化施設の建設によって、テル・テビッラの古王国時代の土層はわかりにくくなっているが、地層から取り出された土器片は見つかっている。(Gregory Mumford, "The First Intermediate Period: Unravelling a'Dark Age' at Mendes and Tell Tebilla," *Akhenaten Temple Project Newsletter,* no. 1 [2000]: 3-4).旧王国の土器片は、テル・ファジ、テル・エル=エインや(Van den Brink et al.,"A Geo-Archaeological Survey in the East Delta, Egypt," 23);テル・マラ(Van den Brink et al., "The Amsterdam University Survey Expedition to the East Nile Delta [1984-1986]")で見つかっている。クフル・ニグムには、発掘単位内で見える大規模な構造がある。(Mohammed I. Bakr, "The New Excavations at Ezbet et-Tell, Kufr Nigm: The First Season [1984]," in Van den Brink, *The Archaeology of the Nile Delta: Problems and Priorities*, 49-62).

8. Gregory Mumford, *The Late Old Kingdom to First Intermediate Period Settlement at Tell er-Ru'ba (Mendes)* (forthcoming).
9. 2003年の地表調査で見つかった。
10. Van den Brink et al., "A Geo-Archaeological Survey in the East Delta, Egypt,"20.
11. Willem van Haarlem, "Tell Ibrahim Awad," *Egyptian Archaeology*, vol. 18 (2001): 33-35.
12. 古代エジプトの資源についての包括的な研究は次を参照。Paul T. Nicholson and Ian Shaw, eds., *Ancient Egyptian Materials and Technologies* (Cambridge: Cambridge University Press, 2009).
13. Rushdi Said, *Geological Evolution of the Nile Valley* (New York: Springer, 1988), 1-7.
14. Rushdi Said, *The River Nile: Geology, Hydrology and Utilization* (Oxford and New York: Pergamon Press, 1993), 1-7.
15. Gregory Mumford, "New Investigations at Tell Tebilla in the Mendesian Nome," *Akhenaten Temple Project Newsletter*, vol. 2 (2000): 1-3.
16. デルタ地帯やナイル川河谷のどの集落遺跡でも、十分深いところからコアサン

lake-huron-1420f8b407b4, accessed 5 April 2018.

72. "Trident Underwater Drone," OpenROV, https://www.openrov.com/, accessed 4 April 2018.
73. Toshiko Kaneda and Carl Haub,"How Many People Have Ever Lived on Earth?" Population Reference Bureau, https://www.prb.org/howmanypeoplehaveeverlivedonearth/, accessed 7 April 2018.
74. Richard Gray, "How Can We Manage Earth's Land?" BBC Futurenow, 29 June 2017, http://www.bbc.com/future/story/20170628-how-to-best-manage-earths-land, accessed 7 April 2018.

第７章　巨大王国の崩壊

1. David Jeffreys and Ana Tavares, "The Historic Landscape of Early Dynastic Memphis," *Mitteilungen des Deutschen Archäologischen Instituts Abteilung Kairo*, vol. 50（1994）: 143-73.
2. I. E. S. Edwards, *The Pyramids of Egypt*, 5th ed.（New York: Harmondsworth, 1993）.
3. Mark Lehner, *The Complete Pyramids*（London: Thames and Hudson, 1997）, 115.
4. 旧王国の行政機構の包括的な概要については次を参照。Klaus Baer, *Rank and Title in the Old Kingdom: The Structure of the Egyptian Administration in the Fifth and Sixth Dynasties*（Chicago: University of Chicago Press, 1960）.
5. James P. Allen, *The Ancient Egyptian Pyramid Texts*（Atlanta: Society of Biblical Literature Press, 2015）.
6. Gregory Mumford, "Tell Ras Budran（Site 345）: Defining Egypt's Eastern Frontier and Mining Operations in South Sinai During the Late Old Kingdom（Early EB IV/MB I）," *Bulletin of the American Schools of Oriental Research*, no. 342（May 2006）: 13-67; Gregory Mumford, "Ongoing Investigations at a Late Old Kingdom Coastal Fort at Ras Budran in South Sinai," *Journal of Ancient Egyptian Interconnections*, vol. 4, no. 4（2012）: 20-28, https://doi.org/10.2458/azu_jaei_v04i4_mumford.
7. 考古学者たちは、古王国の遺物の破片を次の場所で記録している。テル・アバシア、テル・ハディディン、テル・イスウィド北、テル・イスウィド南、テル・ハサニン、テル・ウム・エル=ザヤト、テル・マシャラ、テル・エル=アフダル、テル・ディルディル、テル・ゲリル（Edwin C. M. van den Brink et al., "A GeoArchaeological Survey in the East Delta, Egypt: The First Two Seasons, a Preliminary Report," *Mitteilungen des Deutschen Archäologischen Instituts Abteilung Kairo*, vol. 43［1987］: 4-31; Edwin C. M. van den Brink et al., "The Amsterdam University Survey Expedition to the East Nile Delta［1984-1986］," *The Archaeology of the Nile Delta: Problems and Priorities*, ed. Edwin van den Brink［Amsterdam: Netherlands Foundation for Archaeological Research in Egypt, 1988］, 65-114）; テル・ディバ、テル・ファルハ（Jean Leclant and Anne Minault-Gout, "Fouilles et travaux en Égypte et au Soudan, 1997-1998. Seconde partie,"Orientalia, vol. 69［2000］: 141-70）; アブ・ダウド（Marek

MEGAJordan, Getty Conservation Institute and World Monuments Fund, 2010, http://www.megajordan.org, accessed 31 March 2018.

60. 私はこのウェブサイトにアクセスして、すべての遺跡の種類を選択したところ、6万8000以上の遺跡が一覧表示されたが、遺跡は複数のカテゴリーや時代にわたって登録されていた。ヨルダン古代遺跡局からの直接の情報によれば、約2万7000カ所あるという可能性が高い。スティーヴン・サヴェージと著者との個人的なやりとり（2018年4月8日）。
61. Rosa Lasaponara et al., "On the LiDAR Contribution for the Archaeological and Geomorphological Study of a Deserted Medieval Village in Southern Italy," *Journal of Geophysics and Engineering*, vol. 7, no. 2（2010）: 155, https://doi.org/10.1088/1742-2132/7/2/S01.
62. R. Coluzzi et al., "On the LiDAR Contribution for Landscape Archaeology and Palaeoenvironmental Studies: The Case Study of Bosco dell'Incoronata（Southern Italy）," *Advances in Geosciences*, vol. 24（2010）: 125-32, https://doi.org/doi:10.5194/adgeo-24-125-2010.
63. Paolo Mozzi et al., "The Roman City of Altinum, Venice Lagoon, from Remote Sensing and Geophysical Prospection," *Archaeological Prospection*, vol. 23, no. 1（2016）: 27-44, https://doi.org/10.1002/arp.1520.
64. "Learn the Knowledge of London," Transport for London, https://tfl.gov.uk/info-for/taxis-and-private-hire/licensing/learn-the-knowledge-of-london, accessed 3 April 2018.
65. "ARCHI UK," Archaeological Data Service, ARCHI UK, http://www.archiuk.com/, accessed 1 April 2018.
66. "Lasers Reveal 'Lost' Roman Roads," GOV.UK, 3 February 2016, https://www.gov.uk/government/news/lasers-reveal-lost-roman-roads, accessed 2 April 2018.
67. Maev Kennedy, "'Millennia of Human Activity': Heatwave Reveals Lost UK Archaeological Sites," *Guardian*, 14 August 2018, https://www.theguardian.com/science/2018/aug/15/millennia-of-human-activity-heatwave-reveals-lost-uk-archaeological-sites, accessed 8 November 2018.
68. Erwin Meylemans et al., "It's All in the Pixels: High-Resolution Remote-Sensing Data and the Mapping and Analysis of the Archaeological and Historical Landscape," *Internet Archaeology*, vol. 43（2017）, https://doi.org/10.11141/ia.43.2.
69. Nick Allen, "1,000-Year-Old Fishing Trap Found on Google Earth," *Telegraph*, 16 March 2009, https://www.telegraph.co.uk/news/newstopics/howaboutthat/5000835/1000-year-old-fishing-trap-found-on-Google-Earth.html, accessed 7 April 2018.
70. Laura Rocchio, "Satellites and Shipwrecks: Landsat Satellite Spots Foundered Ships in Coastal Waters," NASA, 11 March 2016, https://www.nasa.gov/feature/goddard/2016/landsat-spots-shipwrecks-in-coastal-waters, accessed 5 April 2018.
71. "Drones Seek Out Lost Shipwrecks Below Lake Huron," *DroneDeploy*（blog）, 20 September 2017, https://blog.dronedeploy.com/drones-seek-out-lost-shipwrecks-below-

46. M. G. Meredith-Williams et al., "Mapping, Modelling and Predicting Prehistoric Coastal Archaeology in the Southern Red Sea Using New Applications of Digital-Imaging Techniques," *World Archaeology*, vol. 46, no. 1 (2014): 10-24, https://doi.org/10.1080/00438243.2014.890913; M. G. Meredith-Williams et al., "4200 New Shell Mound Sites in the Southern Red Sea," *Human Exploitation of Aquatic Landscapes*, ed. Ricardo Fernandes and John Meadows, special issue of *Internet Archaeology*, no. 37 (2014), https://doi.org/10.11141/ia.37.2.
47. Enrico Borgogno Mondino et al., "High Resolution Satellite Images for Archeological Applications: The Karima Case Study (Nubia Region, Sudan)," *European Journal of Remote Sensing*, vol. 45, no. 1 (2012): 243-59, https://doi.org/10.5721/EuJRS20124522.
48. Amy Maxmen, "A Race Against Time to Excavate an Ancient African Civilization: Archaeologists in Nubia Are Struggling Against Erosion, Desertification, and Government Plans to Develop the Land," *Atlantic*, 23 February 2018, https://www.theatlantic.com/science/archive/2018/02/erosion-and-development-threaten-ancient-nubian-sites/554003/, accessed 6 April 2018.
49. David J. Mattingly and Martin Sterry, "The First Towns in the Central Sahara," *Antiquity*, vol. 87, no. 336 (2013): 503-18, https://doi.org/10.1017/S0003598X00049097.
50. Carrie Hirtz, "Contributions of GIS and Satellite-Based Remote Sensing to Landscape Archaeology in the Middle East," *Journal of Archaeological Research*, vol. 22, no. 3 (2014): 229-76, https://doi.org/10.1007/s10814-013-9072-2.
51. Bjoern H. Menze and Jason A. Ur, "Mapping Patterns of Long-Term Settlement in Northern Mesopotamia at a Large Scale," *Proceedings of the National Academy of Sciences*, vol. 109, no. 14 (2012): E778-87, https://doi.org/10.1073/pnas.1115472109.
52. Warwick Ball and Jean-Claude Gardin, *Archaeological Gazetteer of Afghanistan*, Synthèse, no. 8 (Paris: Éditions Recherche sur les civilisations, 1982).
53. デイヴィッド・トーマスと著者との個人的なやりとり（2018年11月8日）。
54. David C. Thomas et al., "The Archaeological Sites of Afghanistan in Google Earth," *AARGnews*, no. 37 (September 2008): 22-30.
55. Andrew Lawler, "Spy Satellites Are Revealing Afghanistan's Lost Empires," *Science*, 13 December 2017, http://www.sciencemag.org/news/2017/12/spy-satellites-are-revealing-afghanistan-s-lost-empires, accessed 2 April 2017.
56. David Kennedy and Robert Bewley, "APAAME: Aerial Photographic Archive for Archaeology in the Middle East," APAAME, http://www.apaame.org/, accessed 4 April 2018.
57. David Kennedy and Robert Bewley, "Aerial Archaeology in Jordan," *Antiquity*, vol. 83, no. 319 (2009): 69-81, https://doi.org/10.1017/S0003598X00098094.
58. "EAMENA: Endangered Archaeology in the Middle East and North Africa,"University of Oxford, 2015, www.eamena.org, accessed 31 March 2018.
59. "Mega-Jordan: The National Heritage Documentation and Management System,"

Archaeological Science, vol. 40, no. 6 (2013): 2859-66, https://doi.org/10.1016/j.jas.2012.09.029.

35. Terry Hunt and Carl Lipo, *The Statues That Walked: Unraveling the Mystery of Easter Island* (New York: Simon and Schuster, 2011).
36. Robert DiNapoli et al., "Rapa Nui (Easter Island) monument (ahu) locations explained by freshwater sources," *PLOS ONE* (10 January 2019): e0210409, https://doi.org/10.1371/journal.pone.0210409.
37. Terry L. Hunt and Carl Lipo, "The Archaeology of Rapa Nui (Easter Island)," *The Oxford Handbook of Prehistoric Oceania*, ed. Ethan E. Cochrane and Terry L. Hunt (New York: Oxford University Press, 2017), https://doi.org/10.1093/oxfordhb/9780199925070.013.026.
38. Dominic Hosner et al, "Archaeological Sites in China During the Neolithic and Bronze Age," *PANGAEA*, 2016, https://doi.org/10.1594/PANGAEA.860072, supplement to Hosner et al., "Spatiotemporal and Distribution Patterns of Archaeological Sites in China During the Neolithic and Bronze Age: An Overview," *The Holocene*, https://doi.org/10.1177/0959683616641743.
39. N. K. Hu and X. Li, "Historical Ruins of Remote Sensing Archaeology in Arid Desertified Environment, Northwestern China," *IOP Conference Series: Earth and Environmental Science*, vol. 57, no. 1 (2017), https://doi.org/10.1088/1755-1315/57/1/012028.
40. V. Pawar et al., "Satellite Remote Sensing on the Plains of NW India—The Approaches Used by the Land, Water and Settlement Project," *Proceedings of National Workshop on Space Technology and Archaeology*, 29-30 April 2015 (Haryana Space Applications Centre, Hisar, Haryana, India, 2016), 22-26.
41. Hector A. Orengo and Cameron A. Petrie, "Multi-Scale Relief Model (MSRM): A New Algorithm for the Visualization of Subtle Topographic Change of Variable Size in Digital Elevation Models," *Earth Surface Processes and Landforms*, vol. 43, no. 6 (2018): 1361-69, https://doi.org/10.1002/esp.4317.
42. Ajit Singh et al., "Counter-Intuitive Influence of Himalayan River Morphodynamics on Indus Civilisation Urban Settlements," *Nature Communications*, vol. 1617, no. 8 (2017), https://doi.org/10.1038/s41467-017-01643-9.
43. Paige Williams, "Digging for Glory," *New Yorker*, 27 June 2016, https://www.newyorker.com/magazine/2016/06/27/lee-berger-digs-for-bones-and-glory, accessed 7 April 2018.
44. Shadreck Chirikure et al., "Seen but Not Told: Re-mapping Great Zimbabwe Using Archival Data, Satellite Imagery and Geographical Information Systems," *Journal of Archaeological Method and Theory*, vol. 24, no. 2 (2017): 489-513, https://doi.org/10.1007/s10816-016-9275-1.
45. Shadreck Chirikure et al.,"Zimbabwe Culture Before Mapungubwe: New Evidence from Mapela Hill, South-Western Zimbabwe," *PLOS ONE* (31 October 2014), https://doi.org/10.1371/journal.pone.0111224.

pnas.1205198109.

21. Tom Clynes, "Exclusive: Laser Scans Reveal Maya'Megalopolis' Below Guatemalan Jungle," *National Geographic News*, 1 February 2018, https://news.nationalgeographic.com/2018/02/maya-laser-lidar-guatemala-pacunam/, accessed 5 April 2018.
22. フランシスコ・エストラーダ゠ベリと著者との個人的なやりとり（2018年11月7日）。
23. "Amazon Rainforest," *Encyclopedia Britannica*, 2018, https://www.britannica.com/place/Amazon-Rainforest, accessed 5 April 2018.
24. Evan Andrews, "The Enduring Mystery Behind Percy Fawcett's Disappearance," *History*, 29 May 2015, https://www.history.com/news/explorer-percy-fawcett-disappears-in-the-amazon, accessed 5 April 2018.
25. Michael J. Heckenberger et al., "Amazonia 1492: Pristine Forest or Cultural Parkland?" *Science*, vol. 301, no. 5640（2003）: 1710-14, https://doi.org/10.1126/science.1086112.
26. Michael J. Heckenberger et al., "Pre-Columbian Urbanism, Anthropogenic Landscapes, and the Future of the Amazon," *Science*, vol. 321, no. 5893（2008）: 1214-17, https://doi.org/10.1126/science.1159769.
27. Martti Pärssinen et al.,"Pre-Columbian Geometric Earthworks in the Upper Purús: A Complex Society in Western Amazonia," *Antiquity*, vol. 83, no. 322（2009）: 1084-95, https://doi.org/10.1017/S0003598X00099373.
28. Hiram Bingham, "In the Wonderland of Peru—Rediscovering Machu Picchu," *National Geographic Magazine*, April 1913, https://www.nationalgeographic.com/magazine/1913/04/machu-picchu-peru-inca-hiram-bingham-discovery/, accessed 3 April 2018.
29. Rosa Lasaponara and Nicola Masini,"Facing the Archaeological Looting in Peru by Using Very High-Resolution Satellite Imagery and Local Spatial Autocorrelation Statistics," *Computational Science and Its Applications—ICCSA 2010*, ed. David Taniar et al.（Berlin and Heidelberg: Springer, 2010）, 254-61, https://doi.org/10.1007/978-3-642-12156-2_19.
30. Rosa Lasaponara et al., "New Discoveries in the Piramide Naranjada in Cahuachi（Peru）Using Satellite, Ground Probing Radar and Magnetic Investigations," *Journal of Archaeological Science*, vol. 38, no. 9（2011）: 2031-39, https://doi.org/10.1016/j.jas.2010.12.010.
31. William Neuman and Ralph Blumenthal, "New to the Archaeologist's Toolkit: The Drone," *New York Times*, 13 August 2014, https://www.nytimes.com/2014/08/14/arts/design/drones-are-used-to-patrol-endangered-archaeological-sites.html, accessed 6 April 2018.
32. Terry L. Hunt and Carl P. Lipo, "Late Colonization of Easter Island," *Science*, vol. 311, no. 5767（2006）: 1603-6, https://doi.org/10.1126/science.1121879.
33. Carl P. Lipo and Terry L. Hunt, "Mapping Prehistoric Statue Roads on Easter Island," *Antiquity*, vol. 79, no. 303（2005）: 158-68, https://doi.org/10.1017/S0003598X00113778.
34. Carl P. Lipo et al., "The 'Walking' Megalithic Statues（Moai）of Easter Island," *Journal of*

settlements-found-180962750/, accessed 5 April 2017.

8. Hansi Lo Wang, "The Map of Native American Tribes You've Never Seen Before," *NPR Code Switch*, 24 June 2014, https://www.npr.org/sections/codeswitch/2014/06/24/323665644/the-map-of-native-american tribes youve-never-seen-before, accessed 4 April 2018.
9. Kathryn E. Krasinski et al., "Detecting Late Holocene Cultural Landscape Modifications Using LiDAR Imagery in the Boreal Forest, Susitna Valley, Southcentral Alaska," *Journal of Field Archaeology*, vol. 41, no. 3 (2016): 255-70, https://doi.org/10.1080/00934690.2016.1174764.
10. ブライアン・ダニエルズと著者との個人的なやりとり（2018年３月３日）。
11. "Tribal Nations and the United States: An Introduction," National Congress of American Indians, http://www.ncai.org/tribalnations/introduction/Tribal_Nations_and_the_United_States_An_Introduction-web-.pdf, accessed 4 April 2018.
12. René R. Gadacz and Zach Parrott, "First Nations," *The Canadian Encyclopedia*, 2015, http://www.thecanadianencyclopedia.ca/en/article/first-nations/, accessed 4 April 2018.
13. Arthur Link et al., "United States," *Encyclopedia Britannica*, https://www.britannica.com/place/United-States, accessed 4 April 2018.
14. Sarah E. Baires, "How White Settlers Buried the Truth About the Midwest's Mysterious Mound Cities," Zócalo Public Square, 22 February 2018, http://www.zocalopublicsquare.org/2018/02/22/white-settlers-buried-truth-midwests-mysterious-mounds/ideas/essay/?xid=PS_sonian, accessed 5 April 2018.
15. James M. Harmon et al., "LiDAR for Archaeological Landscape Analysis: A Case Study of Two Eighteenth-Century Maryland Plantation Sites," *American Antiquity*, vol. 71, no. 4 (2006): 649-70, https://doi.org/10.2307/40035883.
16. Mark J. Rochelo et al., "Revealing Pre-Historic Native American Belle Glade Earthworks in the Northern Everglades Utilizing Airborne LiDAR," *Journal of Archaeological Science: Reports*, vol. 2 (2015): 624-43, https://doi.org/10.1016/j.jasrep.2014.11.009.
17. Katharine M. Johnson and William B. Ouimet, "Rediscovering the Lost Archaeological Landscape of Southern New England Using Airborne Light Detection and Ranging (LiDAR)," *Journal of Archaeological Science*, vol. 43 (2014): 9-20, https://doi.org/10.1016/j.jas.2013.12.004.
18. Harmon et al., "LiDAR for Archaeological Landscape Analysis."
19. マヤ遺跡の既知の面積と、その地域の森林面積の平均に基づいて計算した。
20. Adrian S. Z. Chase et al., "LiDAR for Archaeological Research and the Study of Historical Landscapes," *Sensing the Past: From Artifact to Historical Site*, ed. Nicola Masini and Francesco Soldovieri (Cham: Switzerland: Springer International Publishing, 2017), 89-100, https://doi.org/10.1007/978-3-319-50518-3_4; Arlen Chase et al., "Geospatial Revolution and Remote Sensing LiDAR in Mesoamerican Archaeology," *Proceedings of the National Academy of Sciences*, vol. 109, no. 32 (2012): 12916-21, https://doi.org/10.1073/

(2003): 17-19.
28. Hilary Wilson, *Egyptian Food and Drink*, Book 9, Shire Egyptology (London: Bloomsbury, 2008).
29. Lacovara, *New Kingdom Royal City*, 26.
30. Kitchen, *Third Intermediate Period in Egypt.*
31. 復元されたタニスの概要については次を参照。Barry Kemp, "A Model of Tell el-Amarna," *Antiquity*, vol. 74, no. 283 (2000): 15-16, https://doi.org/10.1017/S0003598X00065996.
32. Roger S. Bagnall and Dominic W. Rathbone, eds., *Egypt: From Alexander to the Copts* (London: British Museum Press, 2004), 51.
33.『エジプト誌』は完全にスキャンされ、検索可能なものがオンライン上で公開されている。次を参照。http://descegy.bibalex.org/, accessed 2 April 2018.
34 この新しい人工衛星の概要はデジタルグローブ社のサイトの「ワールドビュー4号」で見つかる。http://worldview4.digitalglobe.com/#/preload, accessed 2 April 2018.

第6章　世界一周"新"考古学の旅

1. 北海に水没したドッガーランドなどだ。次を参照。 Vincent Gaffney et al., *Europe's Lost World: The Rediscovery of Doggerland,* CBA Research Report, no. 160 (York: Council for British Archaeology, 2009).
2. Michael Greshko, "World's Oldest Cave Art Found—And Neanderthals Made It," *National Geographic News*, 22 February 2018, https://news.nationalgeographic.com/2018/02/neanderthals-cave-art-humans-evolution-science/, accessed 4 April 2018.
3. Lawrence Clayton et al., *The De Soto Chronicles: The Expedition of Hernando de Soto to North America in 1539-1543* (Tuscaloosa: University of Alabama Press, 1993).
4. Fernbank Museum of Natural History, "Archaeologists Track Infamous Conquistador Through Southeast," *ScienceDaily*, 5 November 2009, https://www.sciencedaily.com/releases/2009/11/091105084838.htm, accessed 4 April 2018.
5. Neal Lineback and Mandy L. Gritzner,"Geography in the News: Hernando De Soto's Famous Battle," *National Geographic Blog*, 14 June 2014, https://blog.nationalgeographic.org/2014/06/14/geography-in-the-news-hernando-de-sotos-famous-battle/, accessed 4 April 2018.
6. Nelson J. R. Fagundes et al., "Mitochondrial Population Genomics Supports a Single PreClovis Origin with a Coastal Route for the Peopling of the Americas," *American Journal of Human Genetics*, vol. 82, no. 3 (2008): 583-92, https://doi.org/10.1016/j.ajhg.2007.11.013.
7. 1万5000年より古い遺跡については、かなりの議論がある。次を参照。 Brigit Katz, "Found: One of the Oldest North American Settlements,"*Smithsonian SmartNews*, 5 April 2017, https://www.smithsonianmag.com/smart-news/one-oldest-north-american-

civilisations, 1987).

18. Just like at Amarna. Barry Kemp, *The City of Akhenaten and Nefertiti: Amarna and Its People* (London: Thames and Hudson, 2012).
19. 宮殿の水路と石材の輸送についての概要は次を参照。Angus Graham and Kristian Strutt, "Ancient Theban Temple and Palace Landscapes," *Egyptian Archaeology*, vol. 43 (Autumn 2013): 5-7; Angus Graham et al., "Theban Harbours and Waterscapes Survey, 2012," *Journal of Egyptian Archaeology,* vol. 98 (2012): 27-42.
20. Norman de Garis Davies, *Two Ramesside Tombs at Thebes* (New York: Metropolitan Museum of Art, 1927), plate XXX.
21. John H. Taylor, *Unwrapping a Mummy: The Life, Death, and Embalming of Horemkenesi* (London: British Museum Press, 1995), 47.
22. 古代エジプトの宗教上の習慣について詳しくは次を参照。Donald B. Redford, ed., *The Ancient Gods Speak: A Guide to Ancient Egyptian Religion* (Oxford: Oxford University Press, 2002).
23. 良好な状態で発掘された新王国の家についての議論は次を参照。Barry J. Kemp and Anna Stevens, *Busy Lives at Amarna: Excavations in the Main City* (*Grid 12 and the House of Ranefer, N49.18*), vol. 1, *The Excavations, Architecture and Environmental Remains,* EES Excavation Memoir 90 (London: Egypt Exploration Society and Amarna Trust, 2010).
24. Janine Bourriau and Jacke Phillips, eds., Z*Invention and Innovation: The Social Context of Technological Change 2, Egypt, the Aegean and the Near East, 1650-1150 B.C.* (Oxford: Oxbow Books, 2016), 85-90.
25. こうした家の種類については、以下で詳しく説明されている。Kate Spence, "Ancient Egyptian Houses: Architecture, Conceptualization and Interpretation," *Household Studies in Complex Societies:* (*Micro*) *Archaeological and Textual Approaches,* ed. Miriam Müller, Oriental Institute Seminars 10 (Chicago: University of Chicago, 2015), 83-99; Kemp, *The City of Akhenaten and Nefertiti*; Barry J. Kemp and Salvatore Garfi, *A Survey of the Ancient City of El-'Amarna,* Occasional Publications, vol. 9 (London: Egypt Exploration Society, 1993); Leonard Lesko and Barbara Lesko, eds., *Pharaoh's Workers: The Villagers of Deir el Medina* (Ithaca, NY: Cornell University Press, 1994).
26. 新王国時代のカルカタ遺跡にある同様の宮殿の見取り図については次を参照。Lacovara, *New Kingdom Royal City.*
27. タニスのものとかなり似ていたと思われる、アマルナで作られたさまざまな種類の美術品については次を参照。Paul T. Nicholson, *Brilliant Things for Akhenaten: The Production of Glass, Vitreous Materials and Pottery at Amarna Site O45.1,* EES Excavation Memoir 80 (London: Egypt Exploration Society, 2007); Alan J. Shortland, *Vitreous Materials at Amarna. The Production of Glass and Faience in 18th Dynasty Egypt,* British Archaeological Reports International Series 827 (Oxford: Archaeopress, 2000); Kristen Thompson, "Amarna Statuary Project," *Journal of Egyptian Archaeology*, vol. 89

47. "What Is OSL Dating?" Baylor University, Department of Geosciences, https://www.baylor.edu/geology/index.php?id=868084, accessed 5 May 2018.

第５章　間違った場所を掘っている

1. Federico Poole, "Tanis（San el Hagar）," *Encyclopedia of the Archaeology of Ancient Egypt*, ed. Kathryn Bard（London: Routledge, 1999）, 755-77.
2. Poole, "Tanis（San el Hagar）."
3. John Taylor, "The Third Intermediate Period," *The Oxford History of Ancient Egypt*, ed. Ian Shaw（Oxford: Oxford University Press, 2004）, 330-68.
4. 第３中間期についての詳細な説明は次を参照。Kenneth A. Kitchen, *The Third Intermediate Period in Egypt (1100-650 BC)*（Warminster, UK: Aris and Phillips, 1995）.
5. Aidan Dodson, *Afterglow of Empire: Egypt from the Fall of the New Kingdom to the Rise of the Saite Renaissance*（Cairo: American University in Cairo Press, 2012）, 3-23.
6. Poole, "Tanis（San el Hagar）," 755-77.
7. Poole, "Tanis（San el Hagar）."
8. これはマルカタの宮殿とかなり似ていただろう。次を参照。Peter Lacovara, *The New Kingdom Royal City*（New York: Kegan Paul International, 1997）, 26. また、カルナックの神殿の壁には、紀元前925年のシェションク１世によるイスラエル遠征の証拠があり、これはエジプトの帝国主義の復活を目指すものだった。シェションク１世の軍は、エルサレムの主要な神殿や宮殿を襲撃している。このことからタニスの宝物は、部分的には、ユダヤからの金製品を再鋳造して作っていた可能性がある。ただしこれはまだ証明されていない。次を参照。Yigal Levin, "Did Pharaoh Sheshonq Attack Jerusalem?" *Biblical Archaeology Review*, vol. 38, no. 4（July/August 2012）: 43-52, 66-67.
9. Taylor, "The Third Intermediate Period," 330-68.
10. Pierre Montet, *La nécropole royale de Tanis: Fouilles de Tanis, dirigées par Pierre Montet*, 3 vols.（Paris, 1947-1960）.
11. Henri Stierlin and Christiane Ziegler, *Tanis: Trésors des Pharaons*（Paris: Seuil, 1987）.
12. Jean Yoyotte, "The Treasure of Tanis," *The Treasures of the Egyptian Museum*, ed. Francesco Tiradritti（Cairo: American University in Cairo Press, 1999）, 302-33.
13. Stierlin and Ziegler, *Tanis: Trésors des Pharaons*; Pierre Montet, *Les énigmes de Tanis*（Paris: Payot, 1952）.
14. この考古学者らは、デイヴィッド・オコナー、バリー・ケンプ、マンフレッド・ビエタクである。
15. "What is Pan-sharpening and how can I create a pan-sharpened image?" US Geological Survey, https://landsat.usgs.gov/what-pan-sharpening-and-how-can-i-create-pan-sharpened-image, accessed 2 April 2018.
16. Thomas M. Lillesand et al., *Remote Sensing and Image Interpretation*（Wiley, 2007）.
17. Philippe Brissaud, ed., *Cahiers de Tanis I*, Mémoire 75（Paris: Editions Recherche sur les

Dwelling at Cape Ray, Newfoundland (master's thesis, Department of Anthropology, Memorial University, St. John's, NL, 1998).

34. James P. Howley, *The Beothucks or Red Indians, The Aboriginal Inhabitants of Newfoundland* (Cambridge: Cambridge University Press, 1915; repr. Toronto: Prospcro Books, 2000), 162.
35. Ralph T. Pastore, *Shanawdithit's People: The Archaeology of the Beothuks* (St. John's, NL: Atlantic Archaeology, 1992).
36. M. A. P. Renouf and Trevor Bell, "Maritime Archaic Site Locations on the Island of Newfoundland," *The Archaic of the Far Northeast*, ed. David Sanger and M. A. P. Renouf (Orono: University of Maine Press, 2006), 1-46; Trevor Bell and M. A. P. Renouf, "Prehistoric Cultures, Reconstructed Coasts: Maritime Archaic Indian Site Distribution," World Archaeology, vol. 35, no. 3 (2004): 350-70, https://doi.org/10.1080/004382404200 0185766.
37. K. L. Kvamme, "Magnetometry: Nature's Gift to Archaeology," *Remote Sensing in Archaeology: An Explicitly North American Perspective*, ed. Jay K. Johnson (Tuscaloosa: University of Alabama Press, 2006), 205-33.
38. John J. Mannion, "Settlers and Traders in Western Newfoundland," *The Peopling of Newfoundland: Essays in Historical Geography*, ed. John J. Mannion (St. John's, NL: Institute of Social and Economic Research, Memorial University of Newfoundland, 1977).
39. Peter E. Pope, "Newfoundland and Labrador, 1497-1697," *A Short History of Newfoundland and Labrador,* Newfoundland Historical Society (Portugal Cove-St. Philip's, NL: Boulder Publications, 2008), 23-48.
40. "100 Years of Geodetic Survey in Canada," *Natural Resources Canada*, http://www.nrcan.gc.ca/earthsciences/geomatics/geodetic-referencesystems/canadianspatial-reference-system/9110, accessed 7 May 2018.
41. Martin Appelt et al., "Late Dorset," *The Oxford Handbook of the Prehistoric Arctic*, ed. T. Max Friesen and Owen K. Mason (Oxford: Oxford University Press, 2016), 783-805.
42. Edward Chappell, *Voyage of His Majesty's Ship Rosamond to Newfoundland and the Southern Coast of Labrador, of which Countries no account has been published by any British traveler since the Reign of Queen Elizabeth* (London: J. Mawman, 1818).
43. Grant Head, *Eighteenth Century Newfoundland: A Geographer's Perspective*, Carlton Library Series no. 99 (Toronto: McClelland and Stewart, 1976).
44. Birgitta Wallace, "St. Paul's Inlet—the Norse Hóp Site?" (report on file, Historic Resources Division, St. John's, NL, 2003); Donald Wieman, "32 Clues Point to Barachois, Newfoundland as The Vinland Sagas' Settlement of 'Hop,'" *Lavalhallalujah* (blog), 20 October 2015, https://lavalhallalujah.wordpress.com/2015/10/20/32-clues-point-to-barachois-as-hop/, accessed 2 May 2017.
45. Head, *Eighteenth Century Newfoundland.*
46. スコット・ブランデと著者との個人的なやりとり(2016年11月)。

and Labrador, 2003), 396, fig. 5, and 398.

17. Magnus Magnusson, “Vinland: The Ultimate Outpost,” in Lewis-Simpson, *Vinland Revisited*, 94.
18. Anne Stine Ingstad, *The Norse Discovery of America, Volume One: Excavations of a Norse Settlement at l'Anse aux Meadows, Newfoundland 1961-1968*, trans. Elizabeth S. Seeberg (Oslo: Norwegian University Press [via Oxford University Press], 1985); Wahlgren, *Vikings and America*, 93.
19. Ingstad, *Norse Discovery of America*, Volume One.
20. Charles S. Lindsay, “A Preliminary Report on the 1974 Excavations of Norse Buildings D and E at L'Anse aux Meadows,” (unpublished report on file, Provincial Archaeology Office, Confederation Building, St. John's, NL, 1975).
21. Helge Ingstad, *The Norse Discovery of America, Volume Two: The Historical Background and the Evidence of the Norse Settlement Discovered in Newfoundland*, trans. Elizabeth S. Seeberg (Oslo: Norwegian University Press [via Oxford University Press], 1985).
22. Janet E. Kay, *Norse in Newfoundland: A Critical Examination of Archaeological Research at the Norse Site at L'Anse aux Meadows, Newfoundland*, British Archaeological Reports International Series 2339 (Oxford: Archaeopress, 2012), 44-45, figs. 3.1-5.
23. Davide Zori, “Nails, Rivets and Clench Bolts: A Case for Typological Clarity,” *Archaeologia Islandica*, vol. 6 (2007): 32-47.
24. Kay, *Norse in Newfoundland*, 44-45, figs. 3.1-5; Birgitta L. Wallace, *Westward Vikings: The Saga of l'Anse aux Meadows*, rev. ed. (St. John's, NL: Historic Sites Association of Newfoundland and Labrador, 2012).
25. Kay, *Norse in Newfoundland*, 44-45, figs. 3.1-5.
26. Kay, *Norse in Newfoundland*, 59.
27. Kay, *Norse in Newfoundland*, 45.
28. Wallace, *Westward Vikings*.
29. Birgitta L. Wallace, “The Later Excavations at L'Anse aux Meadows,” in Lewis-Simpson, *Vinland Revisited*, 165-80.
30. Donald H. Holly Jr., *History in the Making: The Archaeology of the Eastern Subarctic*, Issues in Eastern Woodlands Archaeology (Lanham, MD: AltaMira Press, 2013), 114; Birgitta L. Wallace, “The Viking Settlement at L'Anse aux Meadows,” in Fitzhugh and Ward, *Vikings: The North Atlantic Saga*, 216, fig. 14.21.
31. Holly, *History in the Making*, 113-14 and 115, fig. 5.2; Kay, Norse in Newfoundland, 66; Birgitta Wallace, “The Norse in Newfoundland: L'Anse aux Meadows and Vinland,” *Newfoundland Studies*, vol. 19, no. 1 (2003): 5-43.
32. Kay, Norse in Newfoundland, 66; Holly, *History in the Making*, 113-14.
33. Urve Linnamae, *The Dorset Culture: A Comparative Study in Newfoundland and the Arctic*, Technical Papers of the Newfoundland Museum, no. 1 (St. John's, NL: Newfoundland Museum, 1975); Lisa Mae Fogt, *The Excavation and Analysis of a Dorset Palaeoeskimo*

45. Keay, "High Resolution Space and Ground-Based Remote Sensing."

第4章　危ない仕事

1. Kent V. Flannery, "The Golden Marshalltown: A Parable for the Archaeology of the 1980s," *American Anthropologist*, n.s., vol. 84, no. 2 (1982): 265-78.
2. Kenneth L. Feder, *Frauds, Myths, and Mysteries: Science and Pseudoscience in Archaeology* (New York: Oxford University Press, 2017).
3. Steven L. Cox, "A Norse Penny from Maine," *Vikings: The North Atlantic Saga*, ed. William W. Fitzhugh and Elisabeth I. Ward (Washington, DC: Smithsonian Institution Press, 2000), 206-7; Erik Wahlgren, *The Vikings and America* (London: Thames and Hudson, 1986), 146.
4. William Fitzhugh, "Vikings in America: Runestone, Relics, and Revisionism," *Minerva: The International Magazine of Art and Archaeology*, vol. 11 (July/August 2000): 8-12.
5. Jesse L. Byock, *Viking Age Iceland* (New York: Penguin, 2001).
6. "Eirik the Red's Saga," trans. Keneva Kunz, *The Sagas of Icelanders*, ed. Örnólfur Thorsson and Bernard Scudder (New York: Penguin Books, 2001).
7. William Fitzhugh, "Vikings: The North Atlantic Saga," *AnthroNotes: Museum of Natural History Publication for Educators* (Smithsonian Museum of Natural History), vol. 22, no. 1 (2000): 1-9.
8. Wahlgren, *Vikings and America*, 91; Peter Schledermann, "A.D. 1000: East Meets West," in Fitzhugh and Ward, *Vikings: The North Atlantic Saga*, 189; Magnus Rafnsson,"Archaeological Excavations at Qassiarsuk, 2005-2006 (field report)," NV nr, 03-07: Náttúrustofa Vestfjarða, NABO, Grønlands Nationalmuseum & Arkiv. 2007, https://doi.org/10.6067/XCV86H4FRS.
9. Wahlgren, *Vikings and America*, 26, n. 21.
10. Eli Kintisch, "Why Did Greenland's Vikings Disappear?" *Science*, 10 November 2016, http://www.sciencemag.org/news/2016/11/why-did-greenland-s-vikings-disappear, accessed 10 March 2018.
11. Robert Kellogg, *The Sagas of the Icelanders* (New York: Penguin Books, 2001).
12. Wahlgren, *Vikings and America*, 90-91.
13. Kellogg, *Sagas of the Icelanders*.
14. Birgitta Wallace, "The Norse in Newfoundland: L'Anse aux Meadows and Vinland," *Newfoundland Studies*, vol. 19, no. 1 (2003): 5-43.
15. Wahlgren, *Vikings and America*, 92.
16. Mats G. Larsson, "The Vinland Sagas and the Actual Characteristics of Eastern Canada: Some Comparisons with Special Attention to the Accounts of the Later Explorers," *Vinland Revisited: The Norse World at the Turn of the First Millennium. Selected Papers from the Viking Millennium International Symposium, 15-24 September 2000, Newfoundland and Labrador*, ed. Shannon Lewis-Simpson (St. John's, NL: Historic Sites Association of Newfoundland

33. Paul Nicholson and Ian Shaw, *Ancient Egyptian Materials and Technology*（Cambridge: Cambridge University Press, 2009）.
34. Anna Linderholm et al., "Diet and Status in Birka: Stable Isotopes and Grave Goods Compared," *Antiquity*, vol. 82, no. 316（2008）: 446-61, https://doi.org/10.1017/S0003598X 00096939.
35. Crawford, *Progress Report of the First Season's Excavation at "Da Biggins"; Barbara Crawford, A Progress Report on Excavations at "Da Biggins," Papa Stour, Shetland, 1978*（Edinburgh: Scottish Society for Northern Studies, 1979）; Jon A. Hjaltalin and Gilbert Goudie, *The Orkneyinga Saga: Translated from the Icelandic*（Edinburgh: Edmonston and Douglas, 1873）.この文献の英訳は次に収録されている。Crawford and Smith, The Biggings, 48.
36. Crawford, Progress Report on Excavations at "Da Biggins."
37. Simon Keay et al., "The Canal System and Tiber Delta at Portus. Assessing the Nature of Man-Made Waterways and Their Relationship with the Natural Environment," *Water History*, vol. 6, no.1（2014）: 11-30, https://doi.org/10.1007/s12685-013-0094-y.
38. Keay, "Canal System and Tiber Delta at Portus."
39. Simon Keay et al., *Portus: An Archaeological Survey of the Port of Imperial Rome*, Archaeological Monographs of the British School at Rome（London: British School at Rome, 2006）.
40. Simon Keay et al., "Archaeological Fieldwork Reports: The Portus Project," *Papers of the British School at Rome*, vol. 76（2008）, 331-32, https://doi.org/10.1017/S0068246200003767; "Portus Project,"University of Southampton, http://www.portusproject.org/, accessed 11 March 2018; Simon Keay et al., "The Role of Integrated Geophysical Survey Methods in the Assessment of Archaeological Landscapes: The Case of Portus," *Archaeological Prospection*, vol. 16, no. 3（2009）: 154-66, https://doi.org/10.1002/arp.358.
41. Shen-En Qian, "Enhancing Space-Based Signal-to-Noise Ratios Without Redesigning the Satellite," SPIE Newsroom, 2011, http://www.spie.org/news/3421-enhancing-space-based-signal-to-noise-ratios-without-redesigning-the-satellite?ArticleID=x43609&SSO=1, accessed 3 March 2018.
42. 過去の気象記録のウェブサイト（https://www.timeanddate.com/weather/italy/rome/historic?month=9&year=2011）によると、この年ローマでは、8月と9月に一度も雨が降らなかった。
43. Rosa Lasaponara and Nicola Masini,"Detection of Archaeological Crop Marks by Using Satellite QuickBird Multispectral Imagery," *Journal of Archaeological Science*, vol. 34, no. 2（2007）: 214-21, https://doi.org/10.1016/j.jas.2006.04.014.
44. Simon Keay et al., "High Resolution Space and Ground-Based Remote Sensing and Implications for Landscape Archaeology: The Case from Portus, Italy," *Journal of Archaeological Science*, vol. 52（2014）: 277-92, https://doi.org/10.1016/j.jas.2014.08.010.

18. Brian N. Damiata et al., "Subsurface Imaging a Viking-Age Churchyard Using GPR with TDR: Direct Comparison to the Archaeological Record from an Excavated Site in Northern Iceland," *Journal of Archaeological Science: Reports*, vol. 12（2017）: 244-56, https://doi.org/10.1016/j.jasrep.2017.01.004.
19. Sveinbjörn Þórðarson, "The Icelandic Saga Database," http://sagadb.org/, accessed 5 March 2018.
20. "The Settlement Exhibition," Reykjavik City Museum, http://borgarsogusafn.is/en/the-settlement-exhibition/about, accessed 4 March 2018.
21. 西暦900年ころの大規模な環境の変化によって、カバの林が草地に変わった。以下の論文を参照。Orri Vésteinsson and Thomas H. McGovern, "The Peopling of Iceland," *Norwegian Archaeological Review*, vol. 45, no. 2（2012）: 206-18, https://doi.org/10.1080/00293652.2012.721792.
22. Orri Vésteinsson et al., "The Settlement Exhibition—Aðalstræti: The Longhouse,"Reykjavik City Museum, http://reykjavik871.is/, accessed 8 March 2018.
23. Steinberg et al., "Viking Age Settlement Pattern of Langholt, North Iceland."
24. アイスランドには、「*ísleif*」という国内考古学データベースがある。
25. Steinberg et al., "Viking Age Settlement Pattern of Langholt, North Iceland."
26. Jeroen De Reu et al., "From Low Cost UAV Survey to High Resolution Topographic Data: Developing Our Understanding of a Medieval Outport of Bruges," *Archaeological Prospection*, vol. 23, no. 4（2016）: 335-46, https://doi.org/10.1002/arp.1547.
27. これは「起伏によるずれ」と呼ばれる。以下の書籍を参照。Thomas R. Lyons and Thomas Eugene Avery, *Remote Sensing: A Handbook for Archeologists and Cultural Resource Managers*（Washington, DC: Cultural Resources Management Division, National Park Service, US Department of the Interior, 1977）.
28. Barbara E. Crawford and Beverley Ballin Smith, *The Biggings, Papa Stour, Shetland: The History and Excavation of a Royal Norwegian Farm, Monograph Series*, ed. Alexandra Shepard（Edinburgh: Society of Antiquaries of Scotland and Det Norske Videnskaps-Akademi, 1999）.
29. Anna Ritchie, "Great Sites: Jarlshof," *British Archaeology*, vol. 69（2003）; "Jarlshof Prehistoric and Norse Settlement: History," Historic Environment Scotland（2018）, https://www.historicenvironment.scot/visit-a-place/places/jarlshof-prehistoric-and-norse-settlement/history/, accessed 10 March 2018.
30. Athos Agapiou et al., "Optimum Temporal and Spectral Window for Monitoring Crop Marks over Archaeological Remains in the Mediterranean Region," *Journal of Archaeological Science*, vol. 40, no. 3（2013）: 1479-92, https://doi.org/10.1016/j.jas.2012.10.036.
31. Christina Petty, *Warp Weighted Looms: Then and Now—Anglo-Saxon and Viking Archaeological Evidence and Modern Practitioners*（PhD diss., University of Manchester, 2014）.
32. Barbara Crawford, *A Progress Report of the First Season's Excavation at "Da Biggins," Papa Stour, Shetland*（Edinburgh: Scottish Society for Northern Studies, 1978）.

=100&pos=56, accessed 15 January 2018.

7. Timothy Darvill, *Concise Oxford Dictionary of Archaeology*, 2nd ed.（New York: Oxford University Press, 2008）;"Archaeology 101," Lesson Plans, Archaeological Institute of America Education Department, https://www.archaeological.org/pdfs/education/Arch101.2.pdf, accessed 3 March 2018; "Introduction to Archaeology: Glossary," Archaeological Institute of America, 2018, https://www.archaeological.org/education/glossary, accessed 2 March 2018.
8. 「タイムチーム」（Time Team）は、考古学研究を紹介する素晴らしいテレビ番組で、アメリカ（PBS）とイギリス（チャンネル4）で放映されている。特に素晴らしかった放送回が、「真実のバイキング：タイムチームスペシャル（The Real Vikings: A Time Team Special）」（原案・シリーズプロデューサー：ティム・テイラー、エグゼクティブ・プロデューサー：フィリップ・クラーク、2010年）だ。
9. Anna Wodzińska, *A Manual of Egyptian Pottery. Naqada III—Middle Kingdom*（Boston: Ancient Egypt Research Associates, 2010）, http://www.aeraweb.org/wp-content/uploads/2010/02/egyptian-pottery-v2.pdf, accessed 30 January 2018.
10. Ralph Blumenthal, "NASA Adds to Evidence of Mysterious Ancient Earthworks," *New York Times*, 30 October 2015, https://www.nytimes.com/2015/11/03/science/nasa-adds-to-evidence-of-mysterious-ancient-earthworks.html, accessed 30 January 2018.
11. Orri Vésteinsson and Thomas H. McGovern, "The Peopling of Iceland," *Norwegian Archaeological Review*, vol. 45, no. 2（2012）: 206-18, https://doi.org/10.1080/00293652.2012.721792.
12. Vésteinsson and McGovern, "The Peopling of Iceland."
13. Thomas Ellwood, *The Book of the Settlement of Iceland: Translated from the Original Icelandic of Ari the Learned*（Kendal, Cumbria, UK: T. Wilson, 1898）; Orri Vésteinsson et al., "The Settlement Exhibition—the Settlement of Iceland," Reykjavik City Museum, http://reykjavik871.is/, accessed 8 March 2018; John Steinberg et al.,"The Viking Age Settlement Pattern of Langholt, North Iceland: Results of the Skagafjörður Archaeological Settlement Survey," *Journal of Field Archaeology*, vol. 41, no. 4（2016）: 389-412, https://doi.org/10.1080/00934690.2016.1203210.
14. 「英語版要約」は以下を参照。https://www.islendingabok.is/English.jsp, accessed 7 March 2018.
15. "Kissing Cousins? Icelandic App Warns If Your Date Is a Relative," Associated Press, 18 April 2013, www.cbc.ca/news/business/kissing-cousins-icelandic-app-warns-if-your-date-is-a-relative-1.1390256, accessed 5 March 2018.
16. Rose Eveleth, "Icelanders Protest a Road That Would Disturb Fairies," *Smithsonian SmartNews*, 15 January 2014, www.smithsonianmag.com/smart-news/icelanders-protest-road-would-disturb-fairies-180949359/, accessed 5 March 2018.
17. "The Vikings Uncovered," executive producers Eamon Hardy and Cameron Balbirnie, BBC One（UK）and PBS America（US）, 2016.

no. 2 (2016): 87-94, https://doi.org/10.1002/arp.1530.
80. Damian H. Evans et al., "Uncovering Archaeological Landscapes at Angkor Using LiDAR," *Proceedings of the National Academy of Sciences*, vol. 110, no. 31 (2013): 12595-600, https://doi.org/10.1073/pnas.1306539110.
81. Damian Evans et al., "A Comprehensive Archaeological Map of the World's Largest Preindustrial Settlement Complex at Angkor, Cambodia," *Proceedings of the National Academy of Sciences*, vol. 104, no. 36 (2007): 14277-82, https://doi.org/10.1073/pnas.0702525104.
82. Niamh McIntyre, "Lost City in Iraq Founded by Alexander the Great Discovered by Archaeologists," *Independent*, 25 September 2017, http://www.independent.co.uk/news/world/asia/lost-city-iraq-alexander-great-founded-discover-archaeologists-qalatga-darband-a7965651.html, accessed 7 February 2018; "The Darband-I Rania Archaeological Project," British Museum, http://www.britishmuseum.org/about_us/museum_activity/middle_east/iraq_scheme/darband-i_rania_project.aspx, accessed 5 February 2018.
83. Jack Malvern, "Lost City of Alexander the Great Found in Iraq," *Times*, 25 September 2017, https://www.thetimes.co.uk/article/lost-city-of-alexander-the-great-found-in-iraq-pw6g2dtvj, accessed 5 February 2018.
84. Jayphen Simpson, "Here's a Map with Up-to-Date Drone Laws for Every Country," Petapixel, 20 September 2017, https://petapixel.com/2017/09/20/heres-map-date-drone-laws-every-country/, accessed 5 February 2018.

第３章　宇宙考古学の可能性

1. Stephen Ruzicka, *Trouble in the West: Egypt and the Persian Empire, 525-332 BCE*, Oxford Studies in Early Empires (New York: Oxford University Press, 2012).
2. Giovanni Di Bernardo et al., "Ancient DNA and Family Relationships in a Pompeian House," *Annals of Human Genetics*, vol. 73, no. 4 (2009): 429-37, https://doi.org/10.1111/j.1469-1809.2009.00520.x; Jim Shelton, "Creating a Malaria Test for Ancient Human Remains," YaleNews, 17 March 2015, https://news.yale.edu/2015/03/17/creating-malaria-test-ancient-human-remains, accessed 25 March 2018.
3. Julie Dunne et al., "Organic Residue Analysis and Archaeology: Guidance for Good Practice," Historic England, 2017, https://content.historicengland.org.uk/images-books/publications/organic-residue-analysis-and-archaeology/heag058a-organic-residue-analysis-and-archaeology-guidance.pdf/, accessed 5 March 2018.
4. "Scientific Dating," Historic England, 2018, https://historicengland.org.uk/advice/technical-advice/archaeological-science/scientific-dating/, accessed 2 March 2018.
5. Eric H. Cline, *1177 B.C.: The Year Civilization Collapsed,* Turning Points in Ancient History (Princeton, NJ: Princeton University Press, 2014).
6. "Magical Figure," Metropolitan Museum of Art, https://www.metmuseum.org/art%20/collection/search/546350?sortBy=Relevance&ft=lisht&offset=0&rpp%20

67. Boyce Rensberger, "Did Stone Age Hunters Know a Wet Sahara?" *Washington Post*, 30 April 1988, https://www.washingtonpost.com/archive/politics/1988/04/30/did-stone-age-hunters-know-a-wet-sahara/7904219b-96e6-413f-8872-a8e40475f6d7/?utm_term=.9cbfeb978ab7, accessed 10 November 2018.
68. Thomas L. Sever, *Feasibility Study to Determine the Utility of Advanced Remote Sensing Technology in Archeological Investigations*, Report No. 227（Mississippi: NASA, 1983）; Giardino, "A History of NASA Remote Sensing Contributions to Archaeology."
69. Thomas L. Sever and James Wiseman, *Conference on Remote Sensing: Potential for the Future*（Mississippi: NASA, 1985）; Giardino,"A History of NASA Remote Sensing Contributions to Archaeology."
70. Sever and Wiseman, *Conference on Remote Sensing.*
71. Thomas L. Sever and David W. Wagner, "Analysis of Prehistoric Roadways in Chaco Canyon Using Remotely Sensed Digital Data," *Ancient Road Networks and Settlement Hierarchies in the New World*, ed. Charles D. Trombold（Cambridge: Cambridge University Press, 1991）, 42-52.
72. Payson D. Sheets and Brian R. McKee, eds., *Archaeology, Volcanism, and Remote Sensing in the Arenal Region, Costa Rica*（Austin: University of Texas Press, 1994）.
73. Pamela Sands Showalter, "A Thematic Mapper Analysis of the Prehistoric Hohokam Canal System, Phoenix, Arizona," *Journal of Field Archaeology*, vol. 20, no. 1（1993）: 77-90, https://doi.org/10.2307/530355.
74. "Spot," CNES Projects Library, Centre national d'études spatiales, https://spot.cnes.fr/en/SPOT/index.htm, accessed 7 February 2018.
75. Thomas L. Sever and Daniel E. Irwin, "Landscape Archaeology: Remote-Sensing Investigation of the Ancient Maya in the Peten Rainforest of Northern Guatemala," *Ancient Mesoamerica*, vol. 14, no. 1（2003）: 113-22, https://doi.org/10.1017/S0956536103141041.
76. "Declassified Satellite Imagery-1," US Geological Survey, https://lta.cr.usgs.gov/declass _1, accessed 7 February 2018.
77. Ronald G. Blom et al., "Southern Arabian Desert Trade Routes, Frankincense, Myrrh, and the Ubar Legend," *Remote Sensing in Archaeology*, Interdisciplinary Contributions to Archaeology, ed. James Wiseman and Farouk El-Baz（New York: Springer, 2007）, 71-88; Thomas H. Maugh II, "Ubar, Fabled Lost City, Found by L.A. Team: Archeology: NASA Aided in Finding the Ancient Arab Town, Once the Center of Frankincense Trade," *Los Angeles Times*, 5 February 1992, http://articles.latimes.com/1992-02-05/news/mn-1192_1 _ lost-city, accessed 7 February 2018.
78. Payson Sheets and Thomas L. Sever, "Creating and Perpetuating Social Memory Across the Ancient Costa Rican Landscape," in Wiseman and El-Baz, *Remote Sensing in Archaeology*, 161-84.
79. Kasper Hanus and Damian Evans, "Imaging the Waters of Angkor: A Method for SemiAutomated Pond Extraction from LiDAR Data," *Archaeological Prospection*, vol. 23,

47. Tony J. Wilkinson et al., “The Geoarchaeology of Route Systems in Northern Syria,” *Geoarchaeology*, vol. 25, no. 6 (2010): 745-71, https://doi.org/10.1002/gea.2033.
48. “Tiros 1,” NASA Space Science Data Coordinated Archive, https://nssdc.gsfc.nasa.gov/nmc/spacecraftDisplay.do?id=1960-002B, accessed 7 February 2018.
49. “Tiros,” NASA Science, 2016, https://science.nasa.gov/missions/tiros/, accessed 7 February 2018.
50. Williams and Carter, eds., *Erts-1: A New Window on Our Planet*.
51. “Landsat Looks and Sees,” NASA, 19 July 2012, https://www.nasa.gov/mission_pages/landsat/news/landsat-history.html, accessed 10 November 2018.
52. J. C. Fletcher, “ERTS-1—Toward Global Monitoring,” *Astronautics and Aeronautics*, vol. 11 (1973): 32-35, https://ntrs.nasa.gov/search.jsp?R=19730056718, accessed 30 January 2018; “Landsat Missions,” US Geological Survey, https://landsat.usgs.gov/, accessed 7 February 2018.
53. Williams and Carter, eds., *Erts-1: A New Window on Our Planet*.
54. Williams and Carter, eds., *Erts-1: A New Window on Our Planet*.
55. “EarthExplorer,” US Geological Survey, https://earthexplorer.usgs.gov/, accessed 6 February 2018.
56. Charles F. Withington, “Erts-1 Mss False-Color Composites,” in Williams and Carter, *Erts1: A New Window on Our Planet*, 3 -11.
57. Williams and Carter, eds., *Erts-1: A New Window on Our Planet*.
58. Laura Rocchio, “Landsat 1,”NASA, https://landsat.gsfc.nasa.gov/landsat-1/, accessed 7 February 2018.
59. Rocchio, “Landsat 1.”
60. Rocchio, “Landsat 1.”
61. Samuel N. Goward et al., eds., *Landsat's Enduring Legacy: Pioneering Global Land Observations from Space* (Bethesda, MD: American Society for Photogrammetry and Remote Sensing, 2017).
62. Mary Marguerite Scalera, *Aerial Archaeology in the Space Age*, unpublished NASA report, 1970.
63. Giardino, “A History of NASA Remote Sensing Contributions to Archaeology.”
64. Richard E. W. Adams, “Ancient Maya Canals: Grids and Lattices in the Maya Jungle,” *Archaeology*, vol. 35, no. 6 (1982): 28-35; R. E. Adams et al.,“Radar Mapping, Archeology, and Ancient Maya Land Use,” *Science*, vol. 213 , no. 4515 (1981): 1457-68, https://doi.org/10.1126/science.213.4515.1457.
65. John Noble Wilford, “Spacecraft Detects Sahara's Buried Past,” *New York Times*, 26 November 1982, https://www.nytimes.com/1982/11/26/us/spacecraft-detects-sahara-s-buried-past.html, accessed 7 February 2018.
66. J. F. McCauley et al., “Subsurface Valleys and Geoarcheology of the Eastern Sahara Revealed by Shuttle Radar,” *Science*, vol. 218, no. 4576 (1982): 1004-20.

https://doi.org/10.1017/S0003598X00002970; O. G. S. Crawford,"Woodbury. Two Marvellous Air-Photographs," *Antiquity*, vol. 3 , no. 12（1929）: 452-55, https://doi.org/10.1017/S0003598X00003793 ;"Britain from Above," Historic Environment Scotland, Archives and Research, https://www.historicenvironment.scot/archives-and-research/archives-and-collections/britain-from-above/, accessed 4 February 2018.

34. Anonymous,"Crawford,OsbertGuyStanhope（1886-1957）, Archaeologist,"National Archives, UK, https://discovery.nationalarchives.gov.uk/details/c/F40530, accessed 4 February 2018.
35. D. R. Wilson, *Air Photo Interpretation for Archaeologists*, 2nd ed.（Stroud, Gloucestershire, UK: Tempus, 2000）.
36. Geert Julien Verhoeven, "Near-Infrared Aerial Crop Mark Archaeology: From Its Historical Use to Current Digital Implementations," *Journal of Archaeological Method and Theory*, vol. 19, no. 1（2012）: 132-60, https://doi.org/10.1007/s10816-011-9104-5.
37. Crawford and Keiller, *Wessex from the Air*.
38. "Internet Maps Reveal Roman Villa," BBC News, 21 September 2005, http://news.bbc.co.uk/1/hi/world/europe/4267238.stm, accessed 8 February 2018.
39. Harold E. Young, "Photogrammetry in Forestry," *Maine Forester, Annual Edition*, ed. Steve Orach（Orono, Forestry Club, University of Maine, 1950）, 49-51.
40. "The 7 Best 3 D Scanning Apps for Smartphones in 2018," ANIWAA, http://www.aniwaa.com/best-3d-scanning-apps-smartphones/, accessed 6 February 2018; Izak Van Heerden, "4 Ways to Turn Your Cell Phone into a Thermal Camera: FLIR vs Seek vs Therm-App vs CAT," TectoGizmo, 2017, https://tectogizmo.com/4-ways-to-turn-your-cell-phone-into-a-thermal-camera/, accessed 6 February 2018.
41. "St Joseph,（John）Kenneth Sinclair（1912-1994）, Geologist, Archaeologist, and Aerial Photographer," *Oxford Dictionary of National Biography*, http://oxfordindex.oup.com/view/10.1093/oi/authority.20110803100533580, accessed 10 November 2018.
42. Irwin Scollar, "International Colloquium on Air Archaeology," *Antiquity*, vol. 37, no. 148（1963）: 296-97, https://doi.org/10.1017/S0003598X00105356.
43. J. K. S. St. Joseph, ed., *The Uses of Air Photography: Nature and Man in a New Perspective*（London: John Baker, 1966）; Nicholas Thomas, "The Uses of Air Photography, Review," *Proceedings of the Prehistoric Society*, vol. 35（1970）: 376-77, https://doi.org/10.1017/S0079497X00013682.
44. Kevin C. Ruffner, ed., *Corona: America's First Satellite Program*, CIA Cold War Records Series（Washington, DC: Center for the Study of Intelligence, Central Intelligence Agency, 1995）.
45. "Corona," National Reconnaissance Office, www.nro.gov/history/csnr/corona/index.html, accessed 7 February 2018.
46. "EarthExplorer," US Geological Survey, https://earthexplorer.usgs.gov/, accessed 7 February 2018.

22. Arlen F. Chase et al., "Ancient Maya Regional Settlement and Inter-Site Analysis: The 2013 West-Central Belize LiDAR Survey," *Remote Sensing*, vol. 6 , no. 9 (2014): 8671-95, https://doi.org/10.3390/rs6098671; Chase et al., "The Use of LiDAR in Understanding the Ancient Maya Landscape"; Chase et al., "Geospatial Revolution and Remote Sensing LiDAR in Mesoamerican Archaeology," *Proceedings of the National Academy of Sciences*, vol. 109, no. 32 (2012): 12916-21, https://doi.org/10.1073/pnas.1205198109; Arlen F. Chase et al., "Airborne LiDAR, Archaeology, and the Ancient Maya Landscape at Caracol, Belize," *Journal of Archaeological Science*, vol. 38, no. 2 (2011): 387-98, https://doi.org/10.1016/j.jas.2010.09.018.
23. D. R. Wilson, ed., *Aerial Reconnaissance for Archaeology*, Research Report No. 12 (London: Council for British Archaeology, 1975).
24. Timothy Darvill et al., "Stonehenge Remodelled," *Antiquity*, vol. 86, no. 334 (2012): 1021- 40, https://doi.org/10.1017/S0003598X00048225; "History of Stonehenge,"English Heritage, 2017, www.english-heritage.org.uk/visit/places/stonehenge/history/, accessed 2 February 2018.
25. J. E. Capper, "XXIII.—Photographs of Stonehenge, as Seen from a War Balloon," *Archaeologia*, vol. 60, no. 2 (1907): 571, https://doi.org/10.1017/S0261340900005208.
26. Steven Cable, "Aerial Photography and the First World War," *National Archives* (blog), National Archives, UK, 2015, https://blog.nationalarchives.gov.uk/blog/aerial-photography-first-world-war/, accessed 4 February 2018.
27. Birger Stichelbaut et al., eds., *Images of Conflict: Military Aerial Photography and Archaeology* (Newcastle upon Tyne, Cambridge Scholars Publishing, 2009); "First World War Aerial Photographs Collection," Imperial War Museum, https://www.iwm.org.uk/collections/, accessed 5 February 2018.
28. Antoine Poidebard, "La trace de Rome dans le désert de Syrie," *Syria*, vol. 15, no. 4 (Paris: Paul Guenther, 1934); Giuseppe Ceraudo, "Aerial Photography in Archaeology," *Good Practice in Archaeological Diagnostics: Non-Invasive Survey of Complex Archaeological Sites*, ed. Cristina Corsi et al., Natural Science in Archaeology (Switzerland: Springer International Publishing, 2013), 11-30.
29. O. G. S. Crawford, "A Century of Air-Photography," *Antiquity*, vol. 28, no. 112 (1954): 206- 10, https://doi.org/10.1017/S0003598X0002161X.
30. Kitty Hauser, *Shadow Sites: Photography, Archaeology, and the British Landscape 1927-1955*, Oxford Historical Monographs (New York: Oxford University Press, 2007).
31. O. G. S. Crawford, *Man and His Past* (London: Oxford University Press, 1921); Kitty Hauser, *Bloody Old Britain: O. G. S. Crawford and the Archaeology of Modern Life* (London: Granta Books, 2008).
32. Hauser, *Bloody Old Britain*.
33. O. G. S. Crawford and Alexander Keiller, *Wessex from the Air* (Oxford: Clarendon Press, 1928); O. G. S. Crawford, "Durrington Walls," *Antiquity*, vol. 3 , no. 9 (1929): 49-59,

437604/355232, accessed 4 February 2018; "Catacombs of Kom El-Shouqafa," Egyptian Tourism Authority, http://www.egypt.travel/attractions/catacombs-of-kom-el-shouqafa/, accessed 4 February 2018.

10. *Reference Guide to the International Space Station: Utilization Edition* (Houston: National Aeronautics and Space Administration, 2015), https://www.nasa.gov/sites/default/files/atoms/files/np-2015-05-022-jsc-iss-guide-2015-update-111015-508c.pdf, accessed 4 February 2018.
11. Marco J. Giardino, "A History of NASA Remote Sensing Contributions to Archaeology," *Journal of Archaeological Science*, vol. 38, no. 9(2011): 2003-9, https://doi.org/10.1016/j.jas.2010.09.017.
12. 次を参照。Section 3 in Thomas R. Lyons and Thomas Eugene Avery, *Remote Sensing: A Handbook for Archeologists and Cultural Resource Managers* (Washington, DC: Cultural Resources Management Division, National Park Service, US Department of the Interior, 1977).
13. Marco Giardino and Bryan S. Haley, "Airborne Remote Sensing and Geospatial Analysis," *Remote Sensing in Archaeology*, ed. Jay K. Johnson (Tuscaloosa: University of Alabama Press, 2006), 47-77.
14. Markus Immitzer et al., "Tree Species Classification with Random Forest Using Very High Spatial Resolution 8-Band Worldview-2 Satellite Data," *Remote Sensing*, vol. 4, no. 9(2012): 2661-93, https://doi.org/10.3390/rs4092661.
15. Alok Tripathi, *Remote Sensing and Archaeology* (New Delhi: Sundeep Prakashan, 2005); Charles F. Withington, "Erts-1 Mss False-Color Composites," *Erts-1: A New Window on Our Planet*, Geological Survey Professional Paper 929, ed. Richard S. Williams Jr. and William Douglas Carter (Washington, DC: U.S. Government Printing Office, 1976), 3-11.
16. Thomas Martin Lillesand et al., *Remote Sensing and Image Interpretation*, 7th ed. (New York: John Wiley and Sons, 2015).
17. "UCS Satellite Database," Union of Concerned Scientists, 2017, www.ucsusa.org/nuclear-weapons/space-weapons/satellite-database#WnyaZpOFhHR, accessed 8 February 2018; David Yanofsky and Tim Fernholz, "This Is Every Active Satellite Orbiting Earth," *Quartz*, 2015, qz.com/296941/interactive-graphic-every-active-satellite-orbiting-earth/, accessed 8 February 2018.
18. Giardino, "A History of NASA Remote Sensing Contributions to Archaeology."
19. Arlen F. Chase et al., "The Use of LiDAR in Understanding the Ancient Maya Landscape: Caracol and Western Belize," *Advances in Archaeological Practice*, vol. 2, no. 3 (2014): 208-21, https://doi.org/10.7183/2326-3768.2.3.208.
20. Arlen F. Chase and Diane Z. Chase, *Investigations at the Classic Maya City of Caracol, Belize: 1985-1987*, Monograph 3 (San Francisco: Pre-Columbian Art Research Institute, 1987).
21. ジョン・ワイシャンペルと著者との個人的なやりとり (2008年)。

24. John Taylor, "The Third Intermediate Period (1069-664 BC)," *The Oxford History of Ancient Egypt*, ed. Ian Shaw (Oxford: Oxford University Press, 2004), 330-68.
25. Aidan Dodson, *Afterglow of Empire: Egypt from the Fall of the New Kingdom to the Saite Renaissance* (Cairo: American University in Cairo Press, 2012), 167-73.
26. Alan B. Lloyd, "The Late Period (664-332 BC)," in Shaw, *The Oxford History of Ancient Egypt,* 369-94.
27. Lloyd,"The Late Period (664-332 BC)," in Shaw, *The Oxford History of Ancient Egypt*, 383-85.
28. Stephen Ruzicka, *Trouble in the West: Egypt and the Persian Empire, 525-332 BCE*, Oxford Studies in Early Empire (Oxford: Oxford University Press, 2012).
29. Ruzicka, *Trouble in the West*, 182-84.
30. Sarah Parcak et al., "Using Open Access Satellite Data Alongside Ground Based Remote Sensing: An Assessment, with Case Studies from Egypt's Delta," *Geosciences*, vol. 7, no. 4 (2017), https://doi.org/10.3390/geosciences7040094.
31. Larry A. Pavlish, "Archaeometry at Mendes: 1990-2002," *Egypt, Israel, and the Ancient Mediterranean World: Studies in Honor of Donald B. Redford*, ed. Gary N. Knoppers and Antoine Hirsch (Leiden: Brill, 2004), 61-112.
32. Karl W. Butzer, *Early Hydraulic Civilization in Egypt: A Study in Cultural Ecology,* Prehistoric Archeology and Ecology (Chicago: University of Chicago Press, 1976).

第2章　宇宙考古学とは何か

1. Donald B. Redford, "Mendes," *The Oxford Encyclopedia of Ancient Egypt*, ed. Donald B. Redford, vol. 2 (Oxford: Oxford University Press, 2001), 376-77.
2. Donald B. Redford, *City of the Ram-Man: The Story of Ancient Mendes* (Princeton, NJ: Princeton University Press, 2010).
3. Redford, *City of the Ram-Man.*
4. Matthew J. Adams, "An Interim Report on the Naqada III–First Intermediate Period Stratification at Mendes," *Delta Reports (Research in Lower Egypt)*, ed. Donald Redford, vol. 1 (Oxford and Oakville: Pennsylvania State University, 2009), 121-206.
5. Ann Macy Roth, "Funerary Ritual," *The Oxford Encyclopedia of Ancient Egypt*, ed. Donald B. Redford, vol. 1 (Oxford: Oxford University Press, 2001), 575-80.
6. Anthony J. Spalinger, "Festivals," in Redford, *Oxford Encyclopedia of Ancient Egypt*, vol. 1, 521-25.
7. Donald B. Redford, "Mendes," in Redford, *Oxford Encyclopedia of Ancient Egypt*, vol. 2, 376-77.
8. Jennifer Houser Wegner, "Shu," in Redford, *Oxford Encyclopedia of Ancient Egypt*, vol. 3, 285-86.
9. "Catacombs of Kom Ash Shuqqafa,"*Lonely Planet: Egypt* (2017), https://www.lonelyplanet.com/egypt/alexandria/attractions/catacombs-of-kom-ash-shuqqafa/a/poi-sig/

Egyptian Mummies," *Journal of the American Medical Association*, vol. 302, no. 19（2009）: 2091-94, https://doi.org/10.1001/jama.2009.1641.

10. "The Two Brothers: Together in Life and Death," Manchester Museum: Collections: Gallery Picks, http://www.thestudymcr.com/collections/pick/the-two-brothers/, accessed 15 February 2018.
11. Konstantina Drosou et al., "The Kinship of Two 12th Dynasty Mummies Revealed by Ancient DNA Sequencing," *Journal of Archaeological Science: Reports*, vol. 17（2018）: 793-97, https://doi.org/10.1016/j.jasrep.2017.12.025.
12. Robert Ascher, "Experimental Archeology," *American Anthropologist*, vol. 63, no. 4（1961）: 793-816, https://doi.org/10.1525/aa.1961.63.4.02a00070.実験考古学への先進的なアプローチの例は次を参照。Michael Brian Schiffer et al.,"New Perspectives on Experimental Archaeology: Surface Treatments and Thermal Response of the Clay Cooking Pot," *American Antiquity*, vol. 59, no. 2（1994）: 197-217, https://doi.org/10.2307/281927.
13. Neil Peterson, "Kicking Ash, Viking Glass Bead Making," *Experimental Archaeology*（April 2017）, https://exarc.net/issue-2017-4/ea/kicking-ash, accessed 17 February 2017.
14. Kumar Akhilesh and Shanti Pappu, "Bits and Pieces: Lithic Waste Products as Indicators of Acheulean Behaviour at Attirampakkam, India," *Journal of Archaeological Science: Reports*, vol.4（December 2015）: 226-41, https://doi.org/10.1016/j.jasrep.2015.08.045.
15. Wendy Marston, "Making a Modern Mummy," *Discover Magazine*, March 2000, http://discovermagazine.com/2000/mar/featmaking, accessed 17 February 2017.
16. Nicholas David and Carol Kramer, *Ethnoarchaeology in Action*（Cambridge: Cambridge University Press, 2001）, https://doi.org/10.1017/CBO9781316036488.
17. Colin Hope, *Egyptian Pottery*, Shire Egyptology（London: Bloomsbury, 2008）.
18. 認知考古学の面白い応用例については次を参照。Nathan Schlanger,"Understanding Levallois: Lithic Technology and Cognitive Archaeology," Cambridge Archaeological Journal, vol. 6. no. 2（1996）: 231-54, https://doi.org/10.1017/S0959774300001724.
19. P. Oxy, "Letter of Heras to Theon and Sarapous," *The Oxyrhynchus Papyri*（London: Egypt Exploration Society, 2011）, 76; Bernard Pyne Grenfell and Arthur Surridge Hunt, *Oxyrhynchus Papyri I*（London: Egypt Exploration Fund, 1898）, 185-86.
20. David Kennedy, "'Gates': A New Archaeological Site Type in Saudi Arabia," *Arabian Archaeology and Epigraphy*, vol. 28, no. 2（2017）: 153-74, https://doi.org/10.1111/aae.12100.
21. Gregory Mumford, "A Late Period Riverine and Maritime Port Town and Cult Center at Tell Tebilla（Ro-nefer）" *Journal of Ancient Egyptian Interconnections*, vol. 5, no. 1（2013）:38-67, https://doi.org/10.2458/azu_jaei_v05i1_mumford.
22. Mohammed Effendi Chaban, "Monuments recueillis pendant mes inspections," *Annales du Service des Antiquités de l'Egypte*, vol. 1（1910）: 28-30.
23. Gregory Mumford, "Concerning the 2001 Season at Tell Tebilla（Mendesian Nome）," *The Akhenaten Temple Project Newsletter*, 2002, 1-4.

原注

はじめに　私が宇宙考古学者になったわけ

1. ステレオスコープの例や、その使い方については次を参照。Thomas R. Lyons and Thomas Eugene Avery, Remote Sensing: *A Handbook for Archeologists and Cultural Resource Managers*（Washington, DC: Cultural Resources Management Division, National Park Service, US Department of the Interior, 1977）.
2. Technology, Entertainment and Design, "Ideas Worth Spreading."
3. Jonas Gregorio de Souza et al., "Pre-Columbian Earth-Builders Settled Along the Entire Southern Rim of the Amazon," *Nature Communications,* vol. 9, no. 1125（2018）, https://doi.org/10.1038/s41467-018-03510-7.

第１章　歴史は「積み重なる」

1. 考古学的遺跡の定義についての議論は現在も続いており、これは州によって、または国によって異なるだろう。私の考えでは、遺跡とは、石器が小規模に散らばっている場所から巨大な神殿まで、過去に人間の活動がおこなわれたあらゆる場所のことだ。
2. Kareem Shaheen and Ian Black, "Beheaded Syrian Scholar Refused to Lead ISIS to Hidden Syrian Antiquities," *Guardian*, 19 August 2015, https://www.theguardian.com/world/2015/aug/18/isis-beheads-archaeologist-syria, accessed 14 February 2018.
3. パルミラ遺跡は1980年に世界遺産に登録された。この遺跡での現在の取り組みについては、つぎのサイトで見ることができる。"Site of Palmyra," UNESCO, https://whc.unesco.org/en/list/23, accessed 14 February 2018.
4. *John R. Clarke, Looking at Lovemaking: Constructions of Sexuality in Roman Art, 100 B.C.-A. D. 250*（Berkeley: University of California Press, 1998）.
5. Leonard Lesko, ed., *Pharaoh's Workers: The Villagers of Deir el Medina*（Ithaca, NY: Cornell University Press, 1994）.
6. Gregorio Oxilia et al., "Earliest Evidence of Dental Caries Manipulation in the Late Upper Palaeolithic," *Nature: Scientific Reports*, vol. 5, no. 12150（2015）, https://doi.org/10.1038/srep12150.
7. Gregory Mumford, "The University of Toronto Tell Tebilla Project（Eastern Delta）," *The American Research Center in Egypt Annual Report, 2001*（Atlanta: Emory University West Campus, 2001）, 26-27.
8. Dorothea Arnold, "Statues in Their Settings: Encountering the Divine," *Ancient Egypt Transformed: The Middle Kingdom*, ed. Adela Oppenheim et al.（New York: Metropolitan Museum of Art, 2015）, 19.
9. Adel Allam et al., "Computed Tomographic Assessment of Atherosclerosis in Ancient

宇宙考古学の冒険
古代遺跡は人工衛星で探し出せ

2020年9月30日　初版1刷発行

著者 ―――― サラ・パーカック
訳者 ―――― 熊谷玲美
装幀 ―――― 株式会社ウエイド（菅野祥恵）
本文デザイン ―――― 株式会社ウエイド（木下春圭）
装画 ―――― 株式会社ウエイド（原田鎮郎）
発行者 ―――― 田邉浩司
組版 ―――― 新藤慶昌堂
印刷所 ―――― 新藤慶昌堂
製本所 ―――― ナショナル製本
発行所 ―――― 株式会社光文社
〒112-8011　東京都文京区音羽1-16-6
電話 ―――― 翻訳編集部 03-5395-8162
書籍販売部 03-5395-8116
業務部 03-5395-8125

落丁本･乱丁本は業務部へご連絡くだされば、お取り替えいたします。

ISBN978-4-334-96244-9 Printed in Japan